KB019677

눈으로 배우는 미용과 통증관리 테이핑 요법

민경일 저

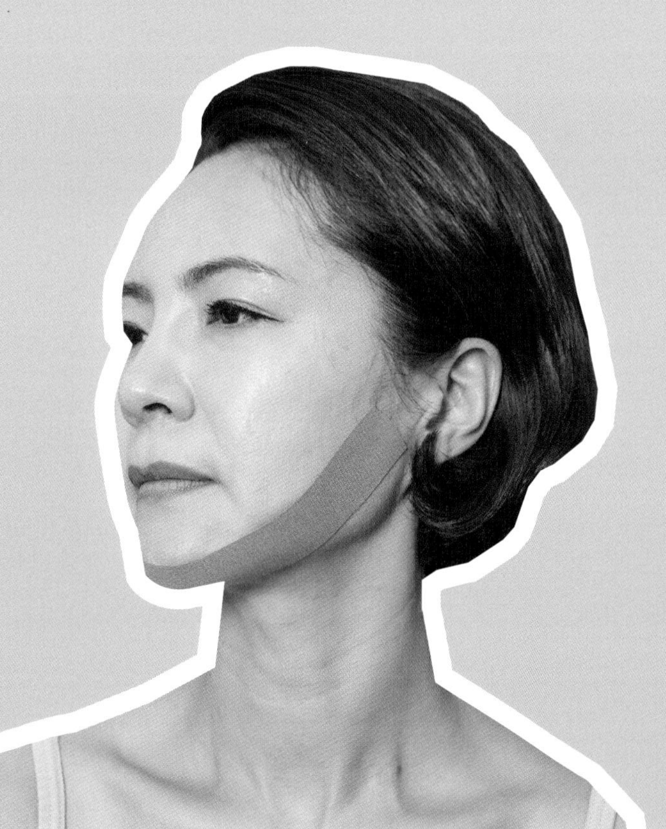

저자소개

민경일

송원대학교 뷰티스타일리스트과 졸업
호서대학교 뷰티과 졸업
숭실대학교 대학원 뷰티산업학과 졸업
차의과학대학교 대학원 박사과정(의학과)

눈으로 배우는
미용과 통증관리 테이핑 요법

초판인쇄 2018년 5월 14일
초판발행 2018년 5월 21일
발 행 인 민유정
발 행 처 대경북스
ISBN 978-89-5676-626-3

이 책은 저작권법에 따라 보호받는 저작물이므로 무단전재와 무단복제를 금지하며, 이 책 내용의 전부 또는 일부를 이용하려면 반드시 저작권자와 대경북스의 서면 동의를 받아야 합니다.
본 서에 수록된 해부학 일러스트의 저작권은 대경북스에 있습니다.

등록번호 제 1-1003호
서울시 강동구 천중로42길 45(길동 379-15) 2F
전화: (02)485-1988, 485-2586~87 · 팩스: (02)485-1488
e-mail: dkbooks@chol.com · http://www.dkbooks.co.kr

머리말

현대인들은 상해를 입을 수 있는 위험 속에서 하루하루를 살아가고 있다. 여러 가지 스포츠상해, 교통사고, 발을 헛딛거나 넘어져서 발생하는 발목염좌 등으로 인한 손상에서 회복하기 위해 운동이나 재활치료를 하는데, 이 과정에서 테이핑을 하면 많은 도움이 된다.

근막, 근육, 관절, 림프, 인대, 미용 등 테이핑을 하면 각종 상해를 미연에 방지할 수 있으며, 상해부위에 가해지는 외부의 힘을 줄일 수 있고 나아가 몸의 움직임이 편해지도록 도와주는 기능을 한다. 우리 몸에서 잘 삐는 손가락이나 발목에 테이핑을 해주면 관절의 가동범위를 확보해주고, 관절이 흔들리는 것을 잡아주어 부상이 재발하지 않도록 보호해준다.

또한 테이핑은 일자목, 어깨통증, 관절염, 허리통증, 좌골신경통, 아킬레스건염, 족저근막염 등으로 힘들어 하는 사람들의 통증을 완화시키고 회복하는 시간을 단축해준다. 등산, 산악자전거타기, 트레킹 등을 많이 하는 사람들에게 아킬레스건 테이핑을 해주면 발의 피로를 줄이고 상해를 예방할 수 있다.

오늘날 손상부위의 지지·보강에 중점을 두던 비탄력 테이프에서 한층 발전하여 신축성이 있는 탄력 테이프가 개발·보급됨으로써 근육과 신경·림프·피부의 기능을 보조하고 신진대사를 촉진하는 클리니컬 테이핑요법이 정립되기에 이르렀다. 테이핑요법은 운동을 전문적으로 하는 선수의 운동기능을 향상시킬 뿐만 아니라 운동 시 상해예방 차원으로 활용되고 있다. 또한 물리치료 후의 근력보강 및 유연성 증가, 가정에서 할 수 있는 환부의 보호·회복 등을 위한 보조수단으로 사용되고 있다.

이러한 테이핑요법은 상해의 종류와 처치목적에 따라 그 방법이 달라진다. 테이핑은 활동 시에 상해발생을 방지하기 위하여 활용하는 것이 주목적이며, 이미 상해가 발생된 경우에는 즉각적인 처치방법으로 신체부위를 보호해주는 것이다.

인체의 근육과 동등한 신축성 있는 테이프를 통증부위나 운동 전 상해예방이 필요한 부위의 근육에 붙여주면 통증 완화 및 부상예방 효과가 있다. 그 원리는 사람의 근육과 동일한 수축력을 가진 테이프가 피부를 들어올려 피부와 근육 사이의 공간을 확보하여 혈액과 림프액, 신경계통의 순환을 원활하게 하여 통증부위의 자연치유력을 개선하여 준다.

한편 테이핑요법은 비수술·비약물요법으로 부작용이 거의 없으며 임산부, 소아, 노인 등 남녀노소 구분없이 사용이 용이하다는 장점이 있다. 가세겐조에 의해 1982년 개발된 키네시오 탄력 테이프는 긴장된 근육을 이완시키고, 약해진 근육에는 수축력을 발휘시키기 때문에 테이프를 적재적소에 붙이면 즉시 주변 근육들과 균형을 이루어 통증이 개선되고 마음이 편해진다.

키네시오 테이핑의 작용은 주동근과 협동근의 작용을 정상화하기 위해 해당하는 근육에 테이핑을 해주어 테이프의 당겨짐, 압박, 늘어짐 등의 역학적 자극으로 생리적 반사를 이끌어 그에 대한 효과적인 결과를 통해 근력보강 및 유연성이 증가시킨다.

따라서 테이핑요법은 반복적인 나쁜 자세와 긴장상태가 오래 유지되어 우리 몸의 근육과 힘줄·인대에 역학적인 변화가 초래될 경우 피부에 지속적인 자극을 가하여 병변 근육을 주변 정상 근육과 조화를 이루게 하여 균형을 찾게 만들어준다. 또한 치료시간이 짧아 바쁜 현대인에게 꼭 필요한 치료요법이라고 생각된다.

이 책에서는 키네시오 테이핑뿐만 아니라 근육, 근막, 인대, 체형, 미용 등의 테이핑을 통해 교정 전문가나 테이핑 전문가뿐만 아니라 전문지식이 없는 사람들도 쉽게 테이핑을 따라하면 재활치료나 통증피검사자들에게 좋은 효과를 얻을 수 있도록 하였다.

끝으로 이 책이 나오기까지 조언을 아끼지 않은 차의과학대학교 대학원 전병율 원장님, 황혜주 교수님, 백억샵의 신원범 교수님, 홍지유 교수님을 비롯한 여러 교수님들, 테이핑연구회 동료분들, 100억샵 멤버들에게 머리숙여 감사의 인사를 드린다.

2018년 5월

저 자 씀

차 례

제1부 테이핑의 기초

제2부 미용 및 림프흐름 개선을 위한 테이핑

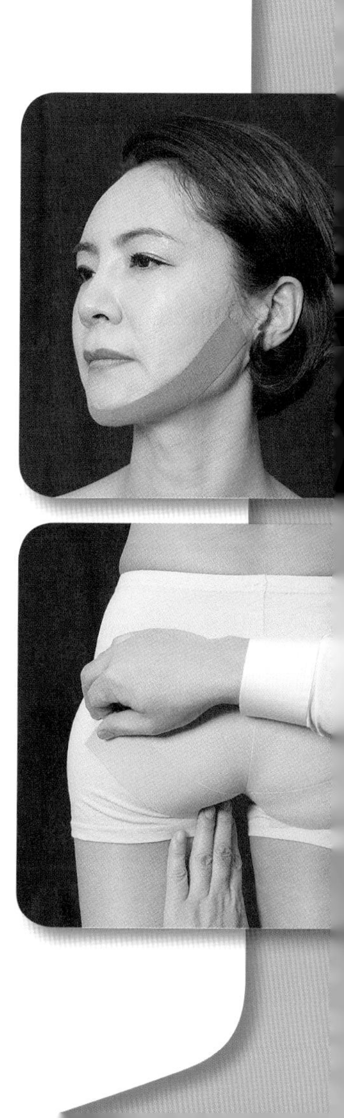

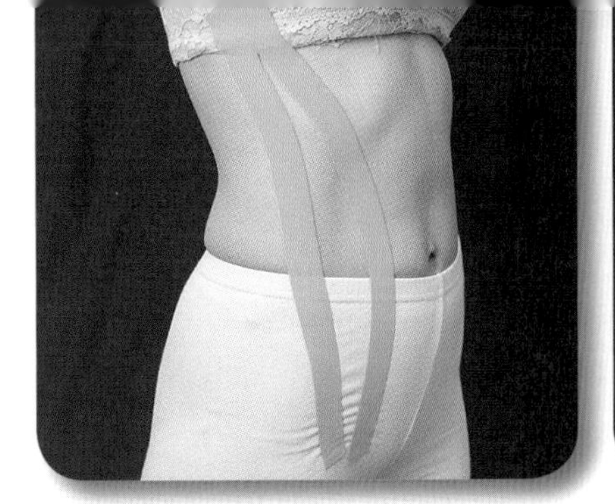
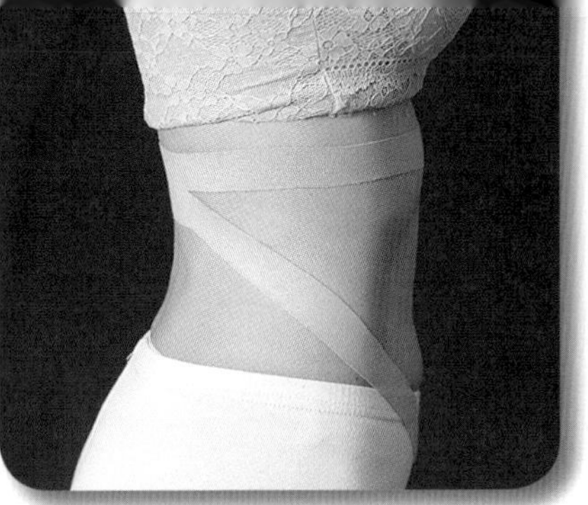
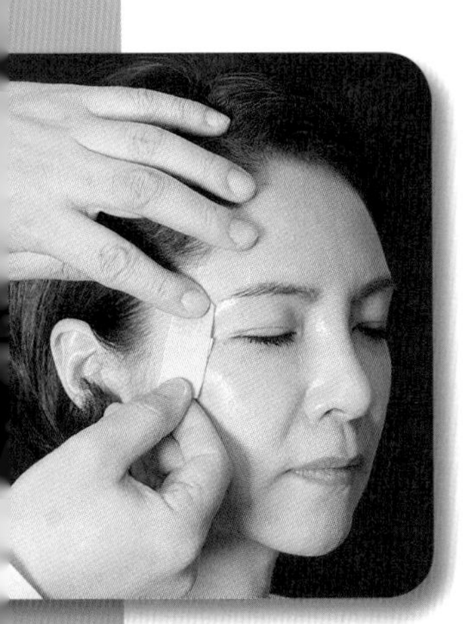
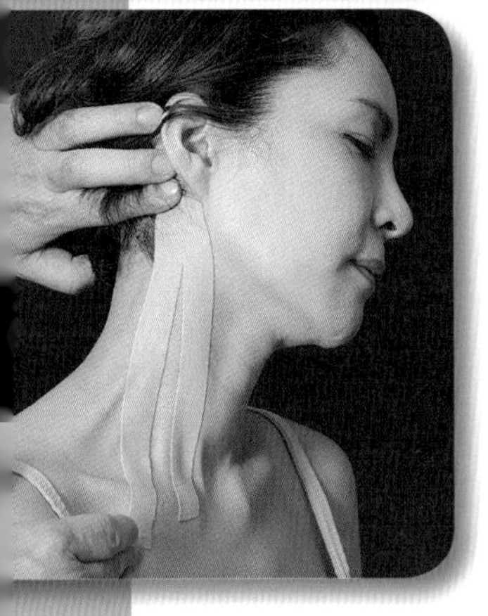

제3부 통증 완화와 건강관리를 위한 테이핑

제1장 몸통

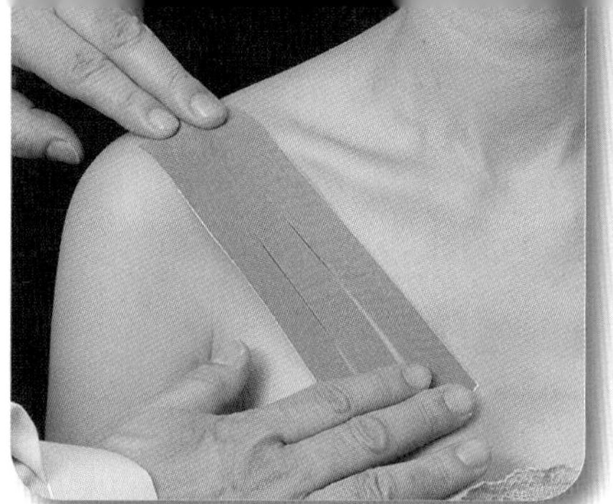
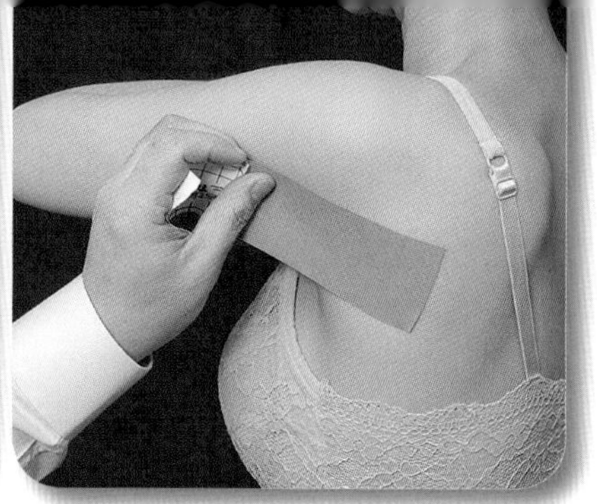

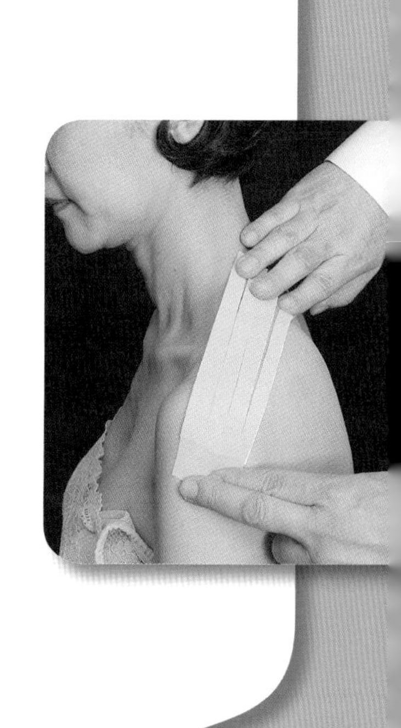

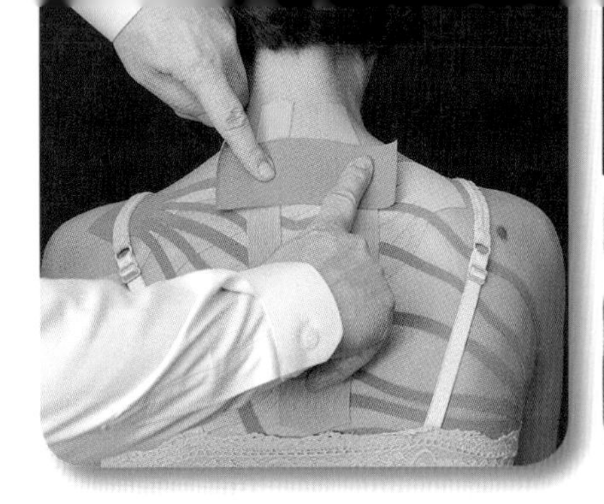

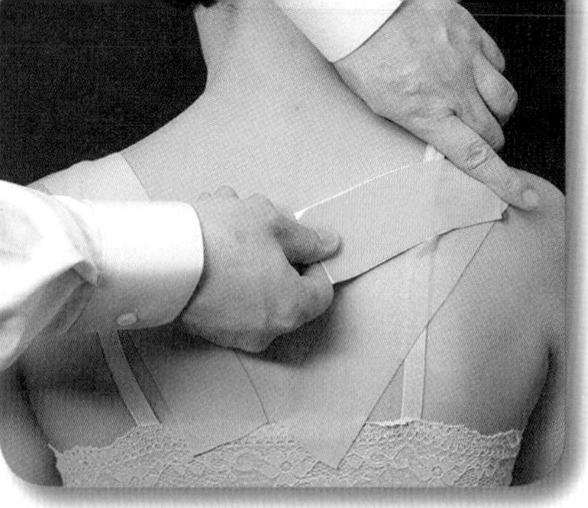

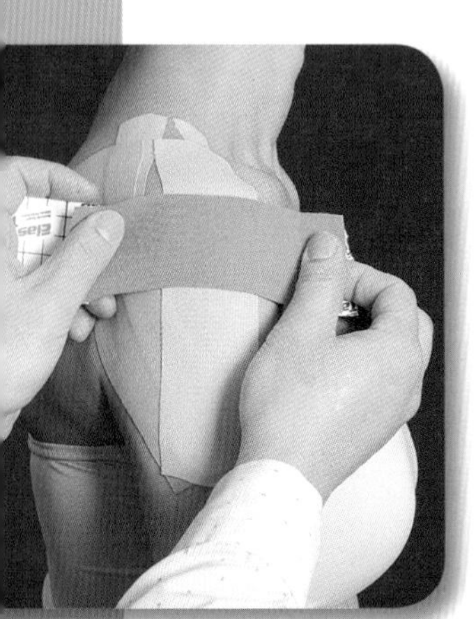

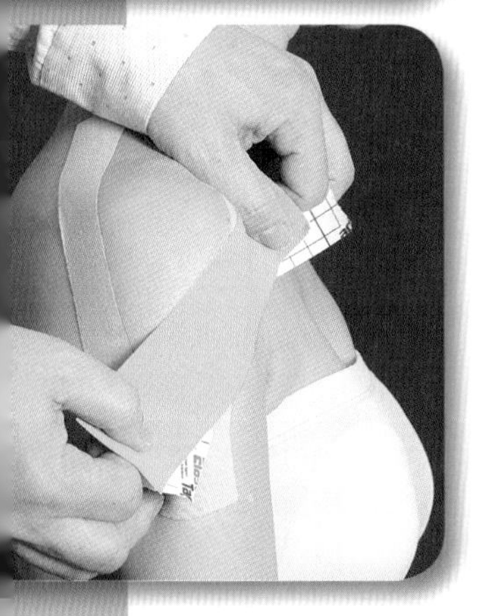

제 2 장 어깨와 팔

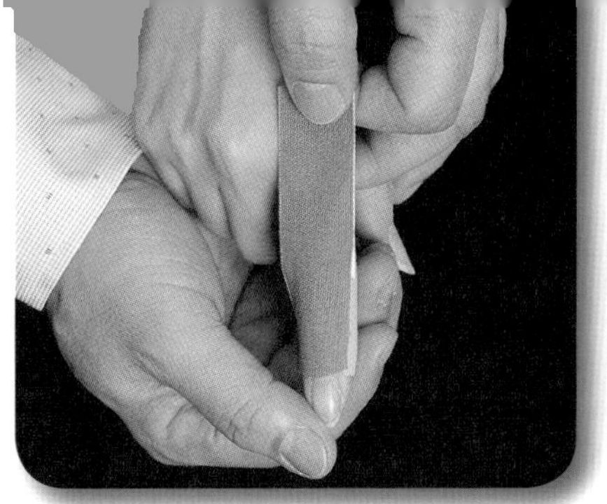
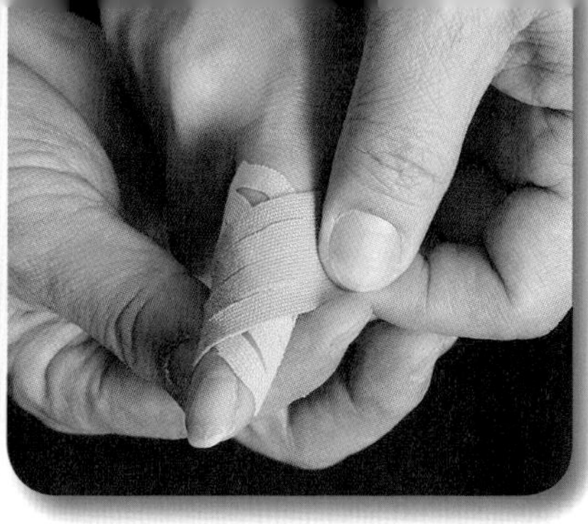

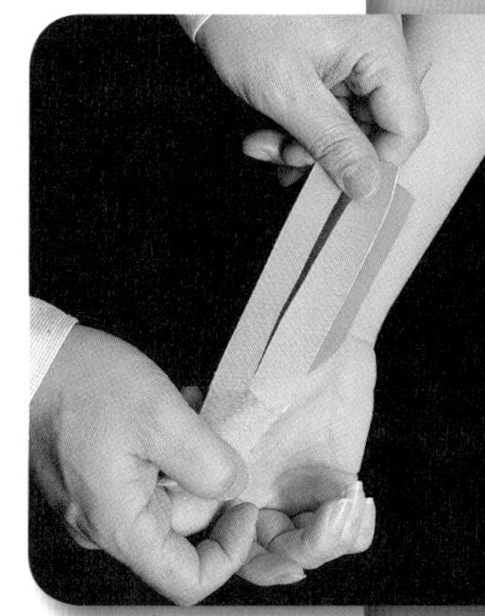
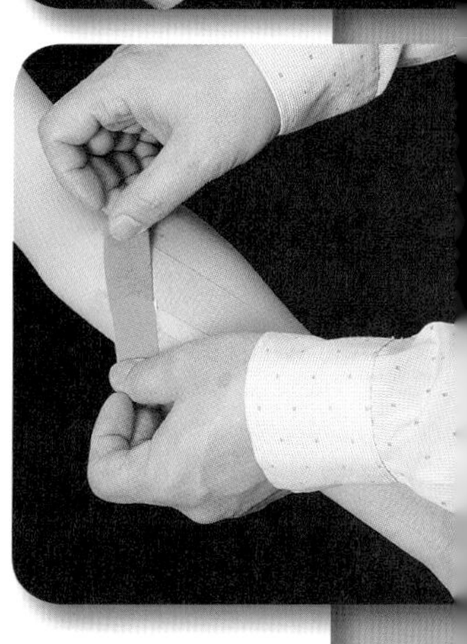

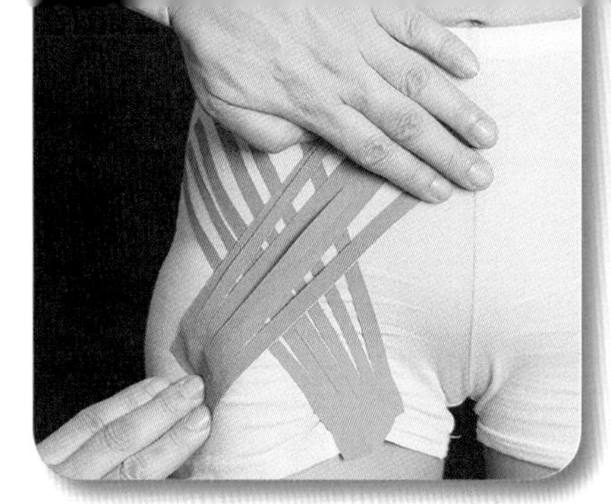
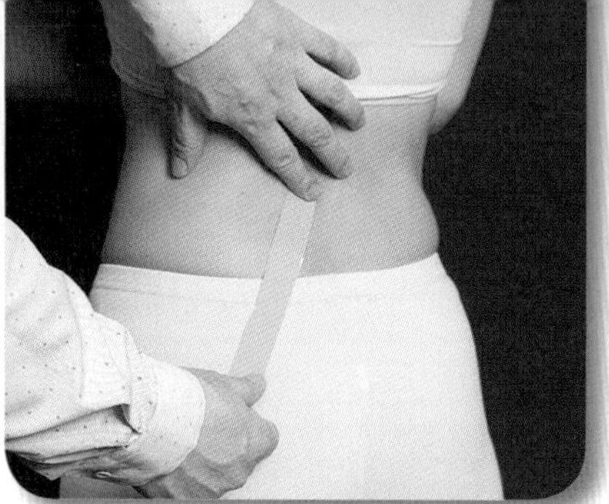
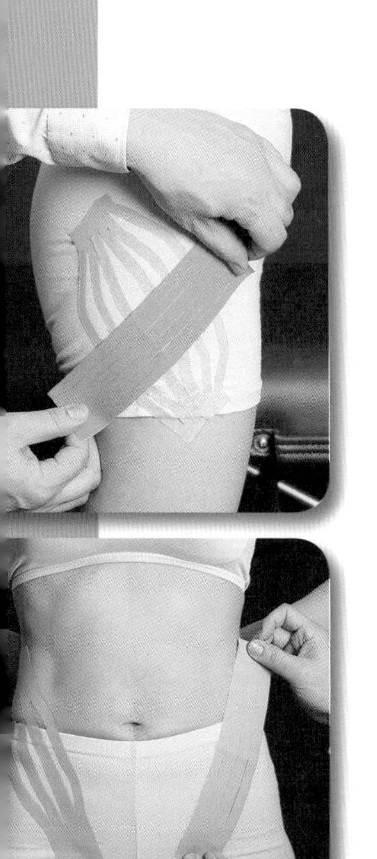

제 3 장 골반과 다리

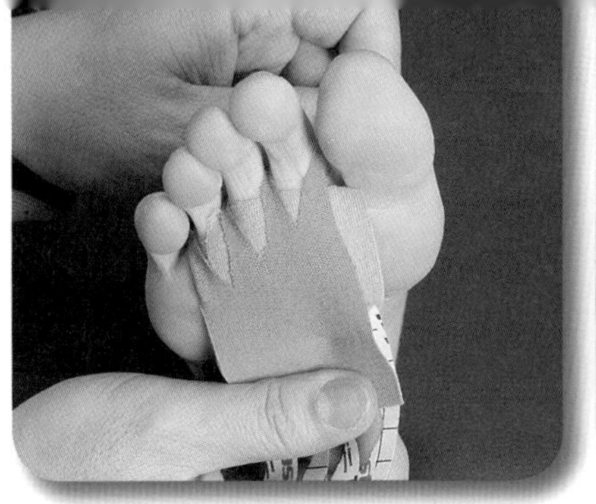

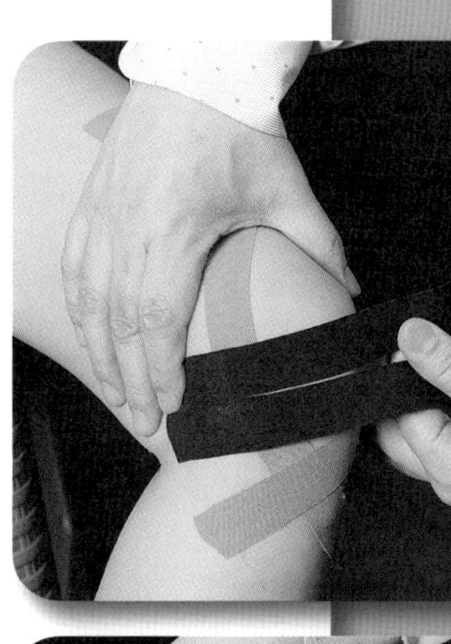
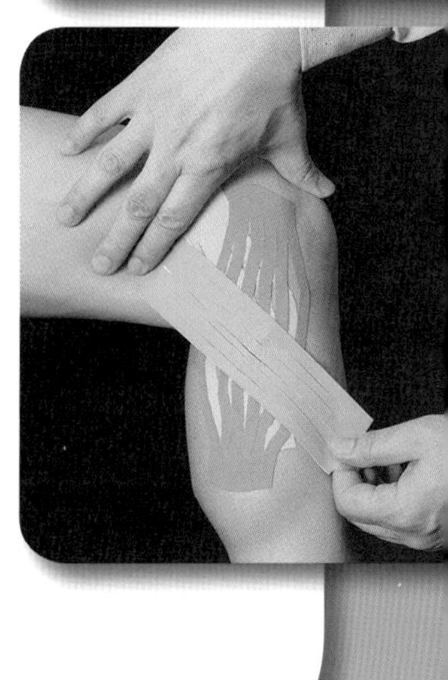

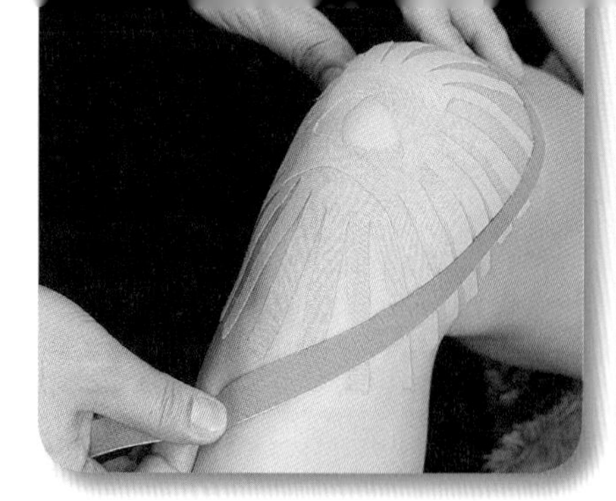
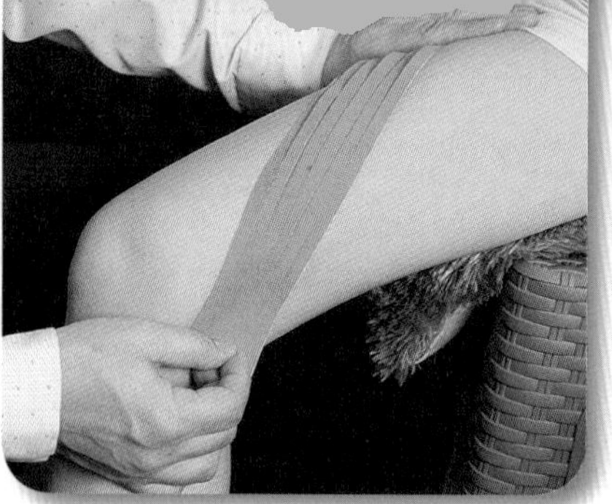
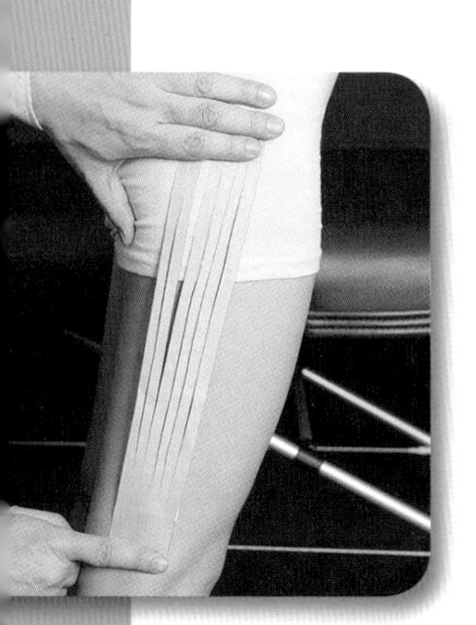
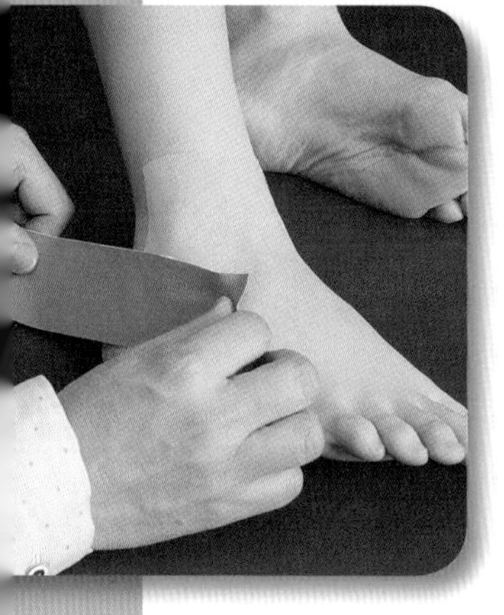

제1부

테이핑의 기초

테이핑이란

테이핑의 역사

테이핑의 역사는 명확하지 않으나 19세기 말쯤 미군이 전쟁에서 부상을 입은 병사들의 다친 부위를 고정하는 데 사용하였다고 전해진다. 우리나라에서는 문풍지로 통증부위를 말아서 감싸주었는데, 이것은 아픈 부위의 근육을 이완시키는 기법으로 테이핑의 효시로 볼 수 있다.

일본에서는 1982년 신축성과 탄력성을 가진 접착 테이프를 사용한 키네시오[kinesio란 효과적으로 할 수 있는 운동요법이나 운동과학이며, 통증완화와 기능적 회복을 연구하는 학문인 운동기능학(kinesiology)에서 따온 이름] 테이핑요법이 가세 겐죠(일본의 침구사, 유도정복사)에 의해 시작되어 발달되어 왔다. 또한 비신축성 테이프에 의한 스파이럴(spiral) 테이핑요법이 다나까 노부다카에 의해 만들어졌다. 두 종류의 테이핑요법이 현재까지 발달되어 활용되고 있다.

키네시오 테이핑은 1990년에 우리나라에 소개되었고, 이후 대체요법사, 요가강사, 물리치료사, 한의사, 의사 등에게 보급되어 임상에 활용되고 있다. 테이핑요법은 통증을 가진 사람들의 통증관리, 스포츠선수들의 부상치유와 예방 등을 위해 의료나 스포츠현장에서 폭넓게 활용되고 있으며, 현재는 일반인들에게도 많이 보급되어 대중화되어 있다.

키네시오 테이프는 천이나 면재질에 인체에 무해한 접착제를 도포하여 피부 트러블을 최소화하도록 제작되었다. 또한 키네시오 테이프는 공기가 잘 통하여 통기성이 뛰어나며 일정한 지속력과 탄력성을 가지고 있다.

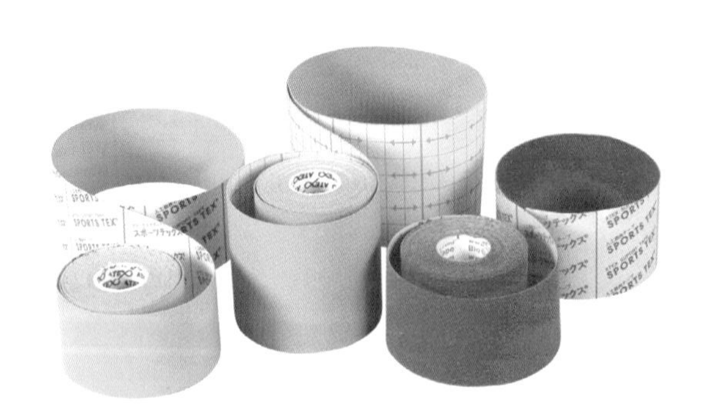

키네시오 테이프의 형태

키네시오 테이프의 너비는 1.25cm, 2.5cm, 3.75cm, 5cm, 7.5cm 등이 있다.

색상은 피부색, 적색, 청색의 3종류가 기본이며, 노랑색, 초록색, 보라색, 검정색, 주황색 등도 있다. 보통 피부에 테이핑하였을 때 눈에 띄지 않는 살색 테이프가 많이 사용되고 있다. 칼라 테이프의 색채는 시각효과 외에는 성분이나 접착력에는 차이가 없다.

키네시오 테이프는 테이핑할 신체부위에 맞는 길이로 잘라서 사용하고 있다. 테이프의 형태는 I자형 테이프, Y자형 테이프, X자형 테이프, 수상형 테이프, 슬릿형 테이프, 손가락 테이프 등이 있으며, 일반적으로 Y자형 테이프가 많이 사용된다.

I자형
일반적인 형태의 테이프이며, 긴 근육에 테이핑할 때 많이 사용한다.

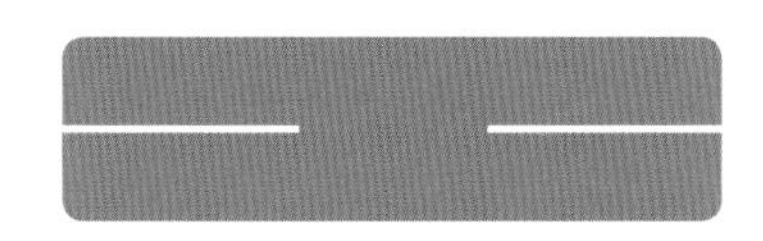

X자형
테이프의 가로를 반으로 접고 양쪽끝부터 이등분하여 안쪽으로 자른다. 팔꿈치나 무릎관절에 테이핑할 때 많이 사용한다.

Y자형
긴 근육에 테이핑할 때 많이 쓰인다.

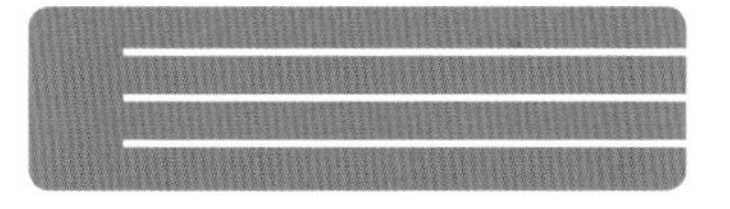

슬릿형
4, 6, 8 가닥으로 잘라 쓰며, 팔꿈치나 무릎에 테이핑할 때 많이 사용한다.

수상형
4, 6, 8 가닥으로 잘라 쓰며, 부종·림프·급성기통증 등이 있을 때 주로 사용한다.

테이핑법과 주의사항

테이핑법

테이핑법의 기본은 보통 몸을 신전시킨 상태에서 테이프를 붙혀 몸을 원래의 위치로 돌리면 테이프를 붙인 부분에 주름이 잡혀야 한다. 이때 주름잡힌 부분의 근육과 피부 사이에 공간이 생겨서 혈액, 조직액, 림프액 등의 순환이 증가하게 된다. 순환이 증가하면 통증을 느끼는 물질도 빨리 사라져 테이프를 붙이고 있는 동안 기계적인 자극을 받아 통증이 경감되는 것이다.

현대인들은 스포츠나 레저 활동을 많이 하므로 운동시작 전이나 운동 시에 부상을 예방하고, 근육의 통증을 경감하고자 테이핑을 많이 하고 있다. 또한 바쁜 직장생활로 시간이 없는 직장인, 격렬한 운동을 하는 운동선수들, 힘든 집안 일에 지친 주부들, 힘이 없는 노인들이나 청소년들도 테이핑을 하면 좋은 효과를 볼 수 있다.

테이핑을 할 때 몸 전체의 근육이나 골격에 문제가 있을 때에는 가장 아픈 부위부터 테이핑한다. 그다음 목을 돌려보아 오른쪽이 잘 안 돌아가면 횡격막을 기준으로 윗부분인 목·어깨·팔·등부위에 테이핑을 해주고, 왼쪽으로 잘 안 돌아가면 횡격막을 기준으로 아랫부위인 허리·힙근육·고관절·무릎·발목부위에 우선적으로 테이핑을 해준다.

테이핑하는 방법은 다음과 같다.

- ➜ 몸을 굴곡, 신전, 좌회선, 우회선, 좌측굴, 우측굴 등을 해보아서 통증이 감소하거나 없어지는 자세 또는 방향으로 테이핑한다.
- ➜ 통증이 일어나지 않는 방향으로 테이핑을 한 다음 몸의 균형이 좋아지는지 확인한다.
- ➜ 통증이 갑자기 오는 급성기에는 주동근에 테이핑을 하고, 준급성기에는 보조근과 협동근에 테이핑을 한다. 그리고 만성적인 통증에는 대항근에 테이핑을 한다.
- ➜ 급성인 경우에는 테이핑하기 전에 피검사자의 병력을 자세하게 청취한 다음 테이프를 붙인 후 증상의 호전 여부를 확인한다.

➔ 스포츠상해 예방과 경기력 향상을 위해서는 탄력 테이프를 주로 사용하고, 다친 후에 하는 테이핑은 손상근육에 무리를 주지 않거나 고정의 목적으로 비탄력 고정용 테이프를 주로 사용한다.

탄력 테이핑

대표적인 탄력 테이프인 키네시오 테이핑은 큰 힘을 쓰는 근육의 작용을 정상화하기 위해 통증이 느껴지는 근육 바로 위 피부에 붙임으로써 근육의 긴장도를 낮추어주는 테이핑요법이다.

키네시오 테이프는 늘리지 않고 붙여야 한다. 근육을 최대로 이완/신전시킨 후 테이프를 늘리지 않고 붙인다. 테이프를 부착하면 피부가 들어올려지게 되어 혈액과 림프의 흐름이 증가하여 근육 기능을 되찾고 근육의 통증완화 효과를 볼 수 있다.

멕코넬 테이핑(비탄력 테이핑)

비탄력 테이핑은 뼈의 위치이동을 막고 움직이는 근육을 잡아준다. 근육이완을 목적으로 많이 사용하고 있다. 고정을 목적으로 부착하며, 테이프를 당겨서 붙이므로 피부에 자극이 갈 수 있다.

흰색 면으로 된 피부 자극방지용 언더랩을 붙이고, 그 위에 고정용 테이프를 붙인다.

격자 테이핑(스파이럴 테이핑)

격자 테이핑은 인체의 경락이나 경혈부위에 격자모양으로 테이프를 붙이는 것이다. 격자 테이핑은 피부표면을 통한 전자의 흐름을 원활하게 하고, 근육·근막·인대의 긴장을 풀어주고 이완을 조절하여 인체의 균형을 잡아준다.

테이핑 시 주의사항

➔ 근육 테이핑은 근육을 최대한 늘린 후 테이프는 늘리지 않고 붙여야 한다.

➔ 피부에 얹어놓듯이 테이프를 붙인다.

➔ 테이핑 후에 불편함이나 통증이 심해진다면 바로 떼어낸다.

➔ 여러 부위에 아픈 증상이 있는 때에는 가장 심한 부위부터 테이핑한다.

➔ 통증이 있는 방향의 주동근을 압박 검사하여 통증이 경감하는 방향과 근육을 찾아 테이핑한다.

테이핑의 종류

테이핑의 종류에는 림프 테이핑, 인대 테이핑, 근막 테이핑, 미용 테이핑, 근육 테이핑, 체형 테이핑, 순환 테이핑, 기능 테이핑 등이 있다.

테이핑요법의 효과

테이핑요법은 사람의 근육 수축기전과 같은 신축성·통기성·탄력성을 지닌 접착 테이프를 피부에 붙여 지속적이고 부드러운 자극을 줌으로써 근육과 피부 사이에 공간이 만들어 혈액·조직액·림프액의 순환을 활성화시켜 근육의 힘을 강화시키고 정상화시키는 요법이다.

다시 말하면 테이핑요법은 통증을 완화시키고, 근육의 균형을 바로 잡아 에너지의 흐름을 활성화시키고 인체의 균형을 바로잡아 건강한 신체를 만드는 데 목적을 둔다. 테이핑요법은 두통, 요통, 허리디스크, 목통증, 목디스크, 퇴행성 관절염, 어깨통증, 오십견, 강직성 척수염, 척추측만증, 노인성 척추압박골절, 척추관협착증, 테니스엘보, 골프엘보, 수근관증후군, 발목통증, 무릎통증, 둔부통, 부종, 근육경련 등에 효과가 있다.

테이핑요법은 부작용이 없고 즉각적인 효과가 있다는 장점 외에 다음과 같은 효과가 있다.

- → 비수술·비약물요법을 통해 통증 없는 지속적인 치료 효과가 있다.
- → 약한 자극요법으로 피검사자에게 심리적 안정을 준다.
- → 임산부, 소아, 노약자 등 약물치료가 어려운 사람에게도 효과가 있다.
- → 테이프 부착 후 편안한 일상활동이 가능하다.
- → 근육의 수축·이완을 조정하여 2차 손상의 예방 및 통증 감소를 통하여 만성질환을 예방할 수 있다.
- → 테이프의 신축성을 통한 신경과 근육을 조정하여 근육의 원상태 회복에 도움이 된다.
- → 치료시간과 장소의 제한없고 약물처리가 없으므로 부작용이 없는 안전한 치료법이다.

→ 통증발생 후 즉시 혹은 2~3일만 붙이면 통증이 완화된다.

→ 관절과 근육의 회복을 돕는다.

→ 근육의 움직임을 생각해 수축과 이완작용을 도와 운동성을 더해준다.

→ 혈관과 운동신경이 자극되어 혈액순환을 촉진한다.

→ 부종이 감소되며, 근육이완에 도움이 된다.

테이핑을 위한 인체해부

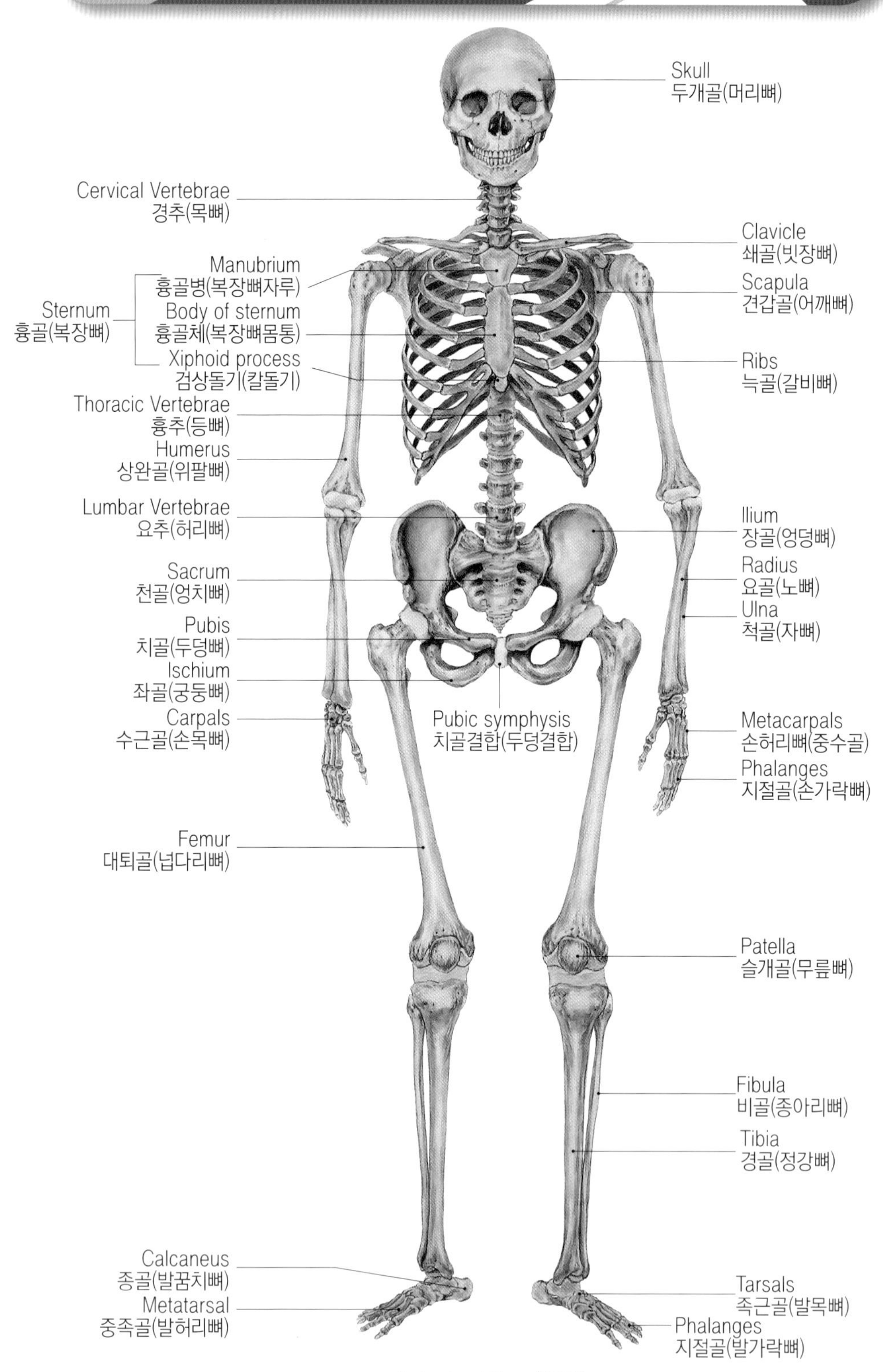

Anterior View(앞면)

인체의 주요 골격

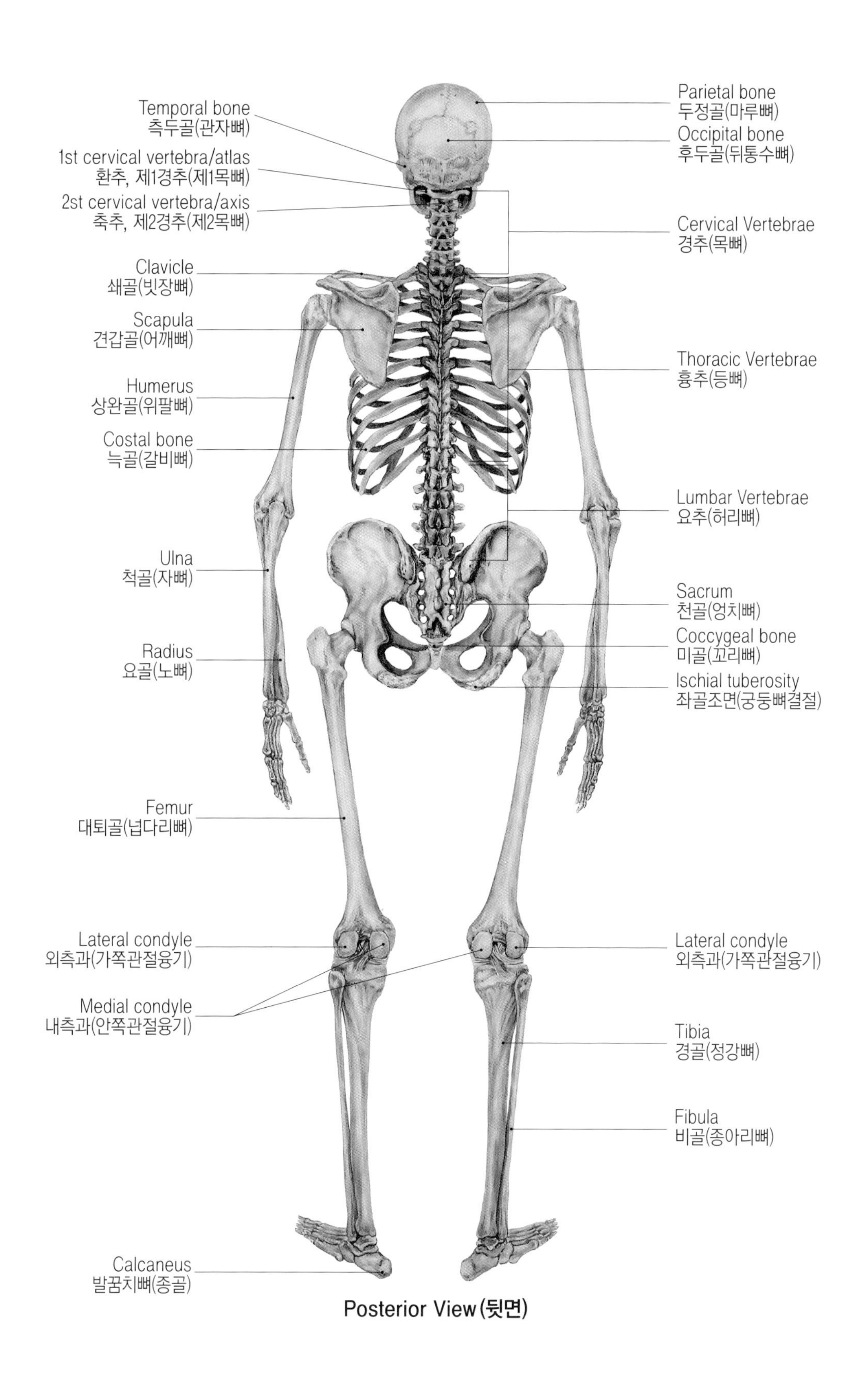

Posterior View(뒷면)

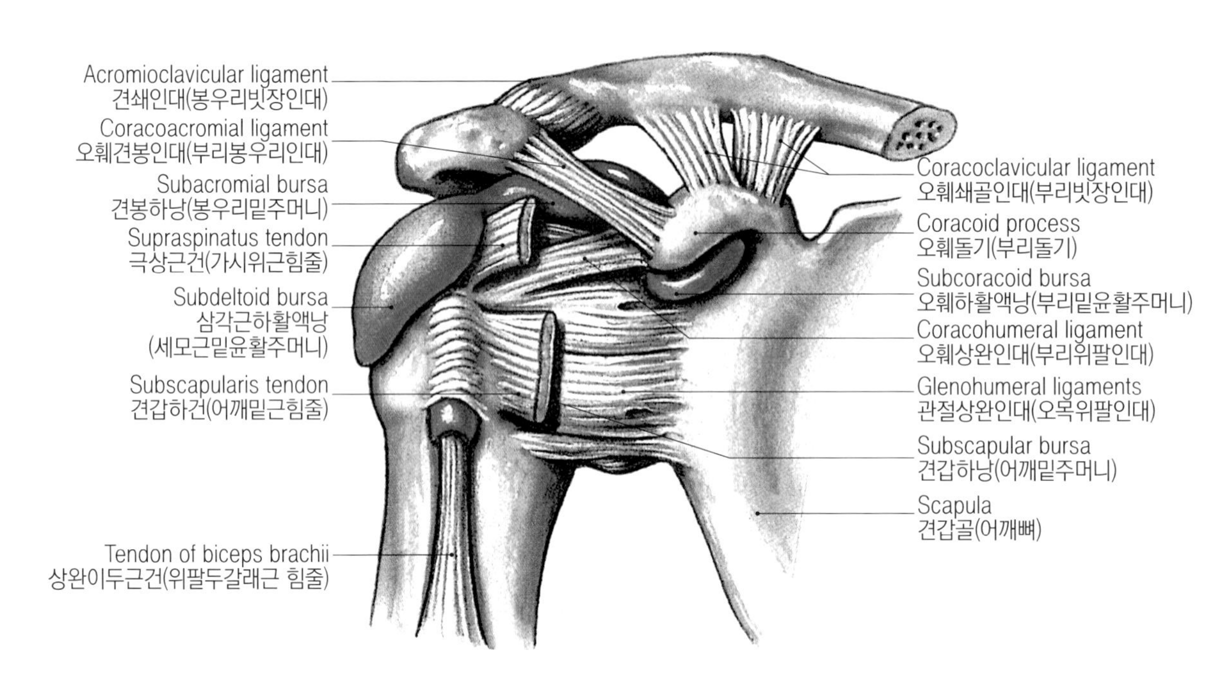

견관절(어깨관절)의 구조

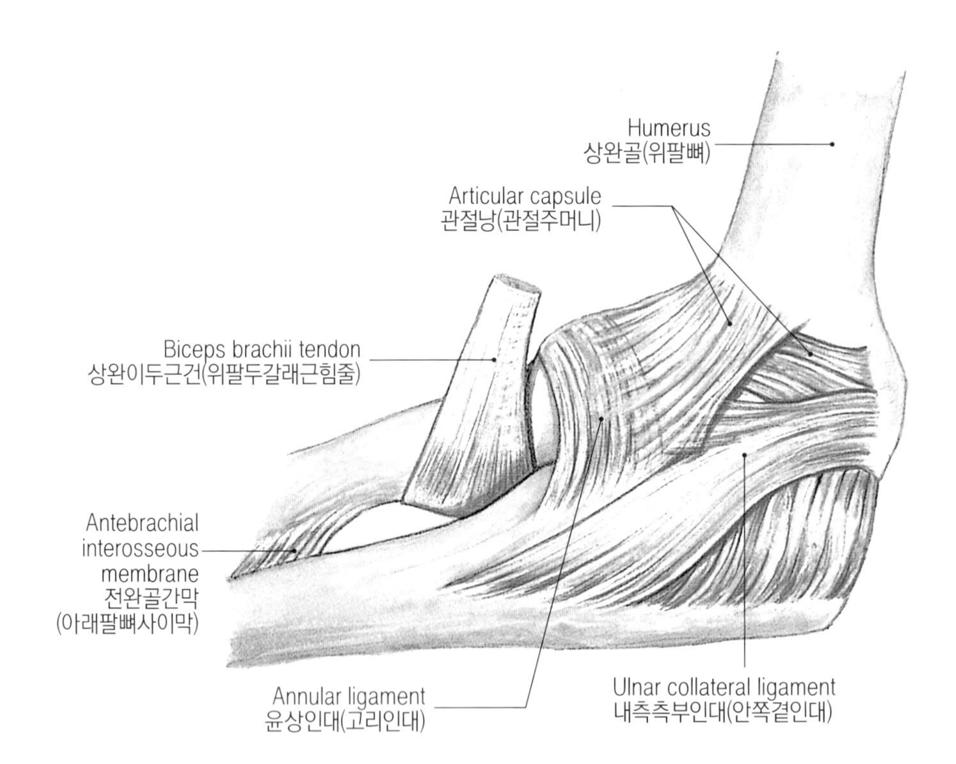

주관절(팔꿉관절)의 구조

인체의 주요 관절

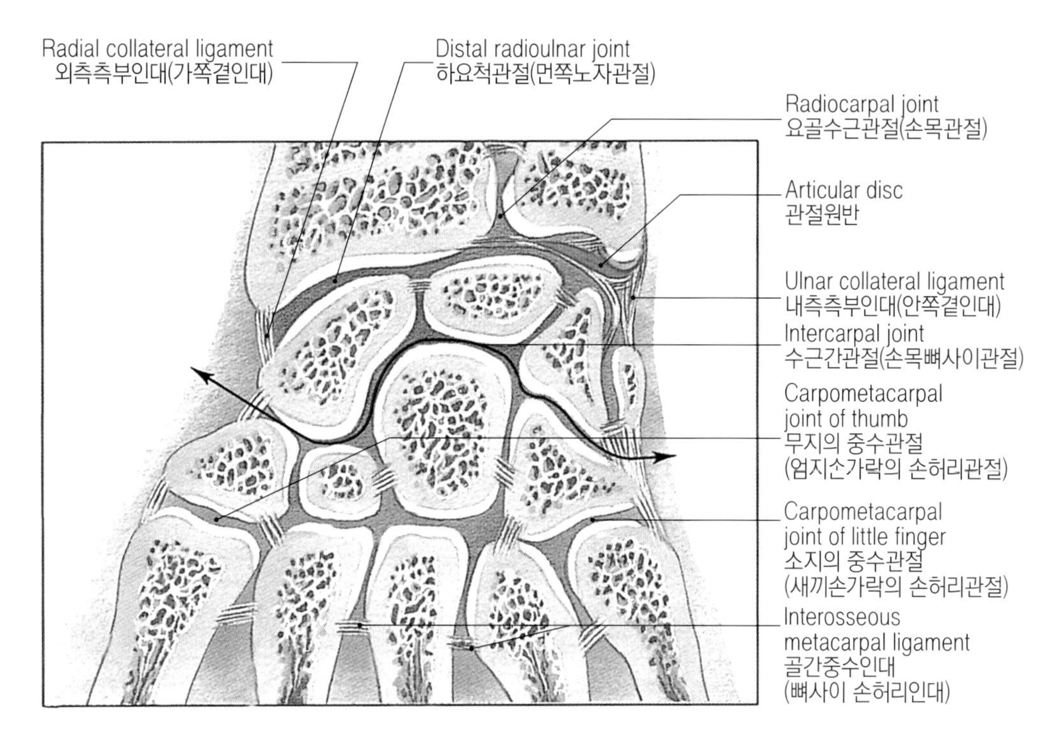

요골수근관절(손목관절), 수근간관절(손목뼈사이관절), 중수관절(손허리관절)의 구조

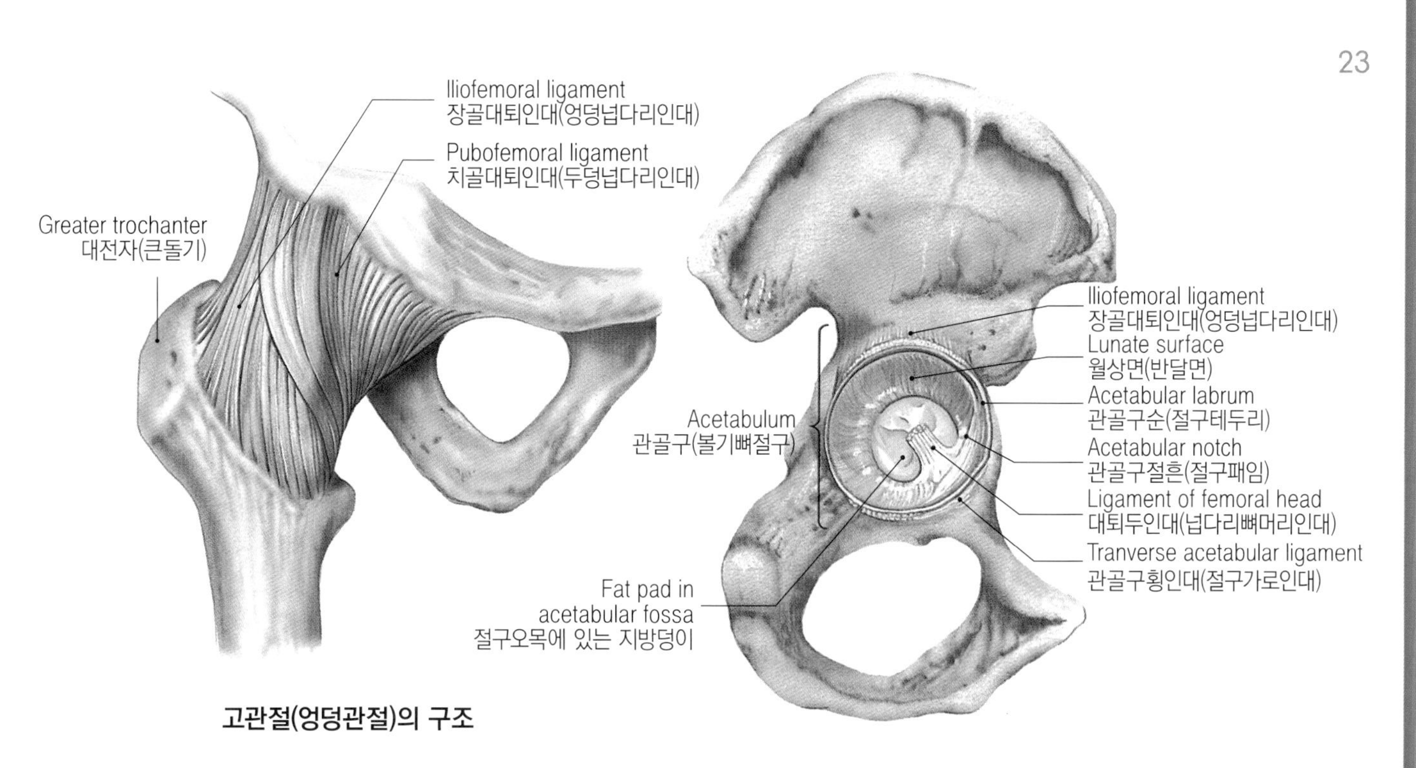

고관절(엉덩관절)의 구조

대퇴골(넙다리뼈)을 떼어낸 고관절의 모습

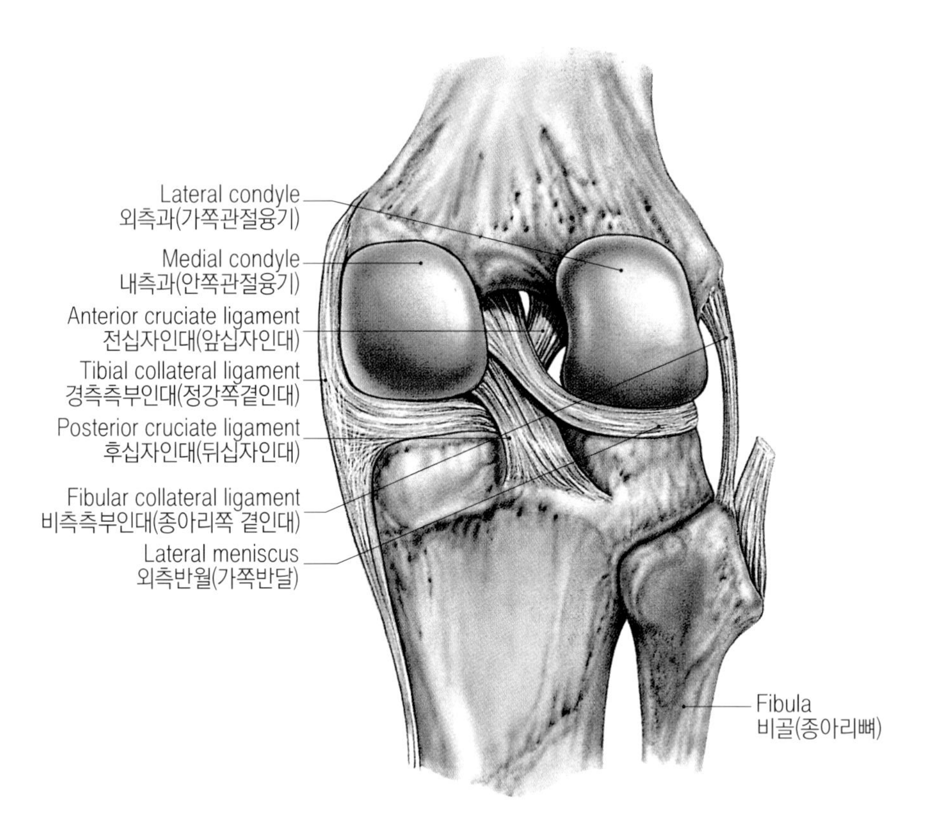

슬관절(무릎관절)의 구조

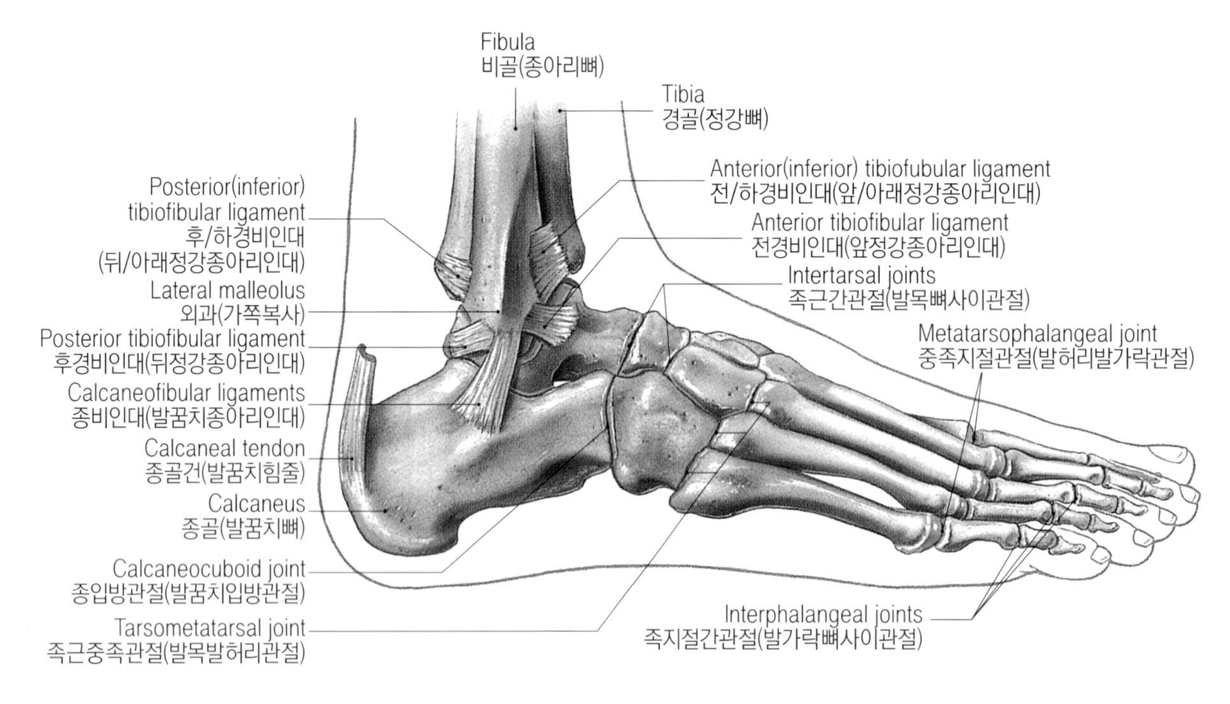

족관절(발관절)의 구조

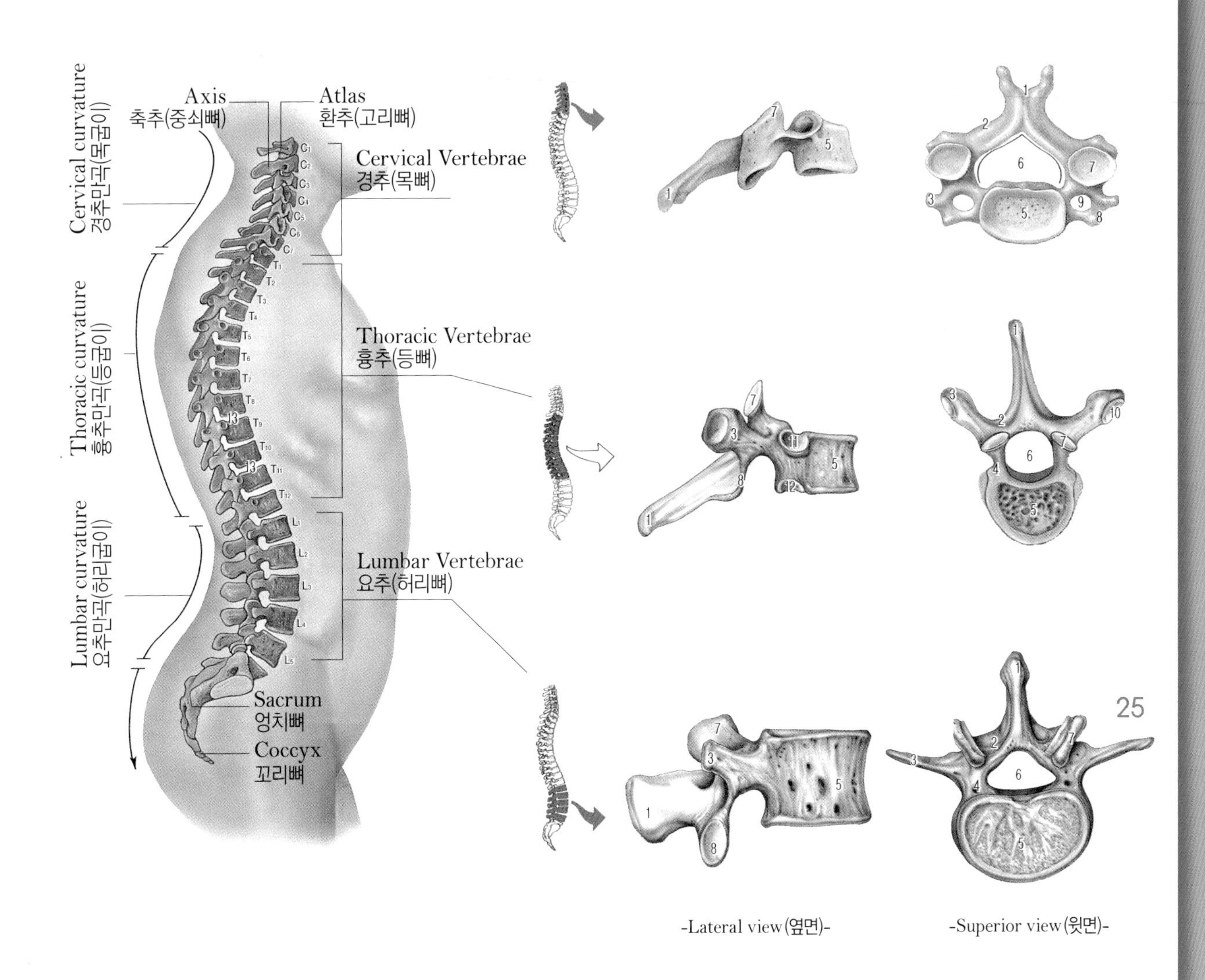

1 Spinous process 극돌기(가시돌기)
2 Lamina 추궁판(척추뼈고리판)
3 Transverse process 횡돌기(가로돌기)
4 Pedicle 추궁근(척추뼈고리)
5 Body 추체(몸통)
6 Vertebral foramen(canal) 추공(척추구멍)
7 Superior articular facet 상관절와(위관절오목)
8 Inferior articular facet 하관절와(아래관절오목)
9 Transverse foramen 횡공(가로구멍)
10 Transverse costal facet 횡늑골와(가로갈비오목)
11 Superior costal facet 상늑골와(위갈비오목)
12 Inferior costal facet 하늑골와(아래갈비오목)
13 Intervertebral disc 추간원판(척추사이판)

척 주

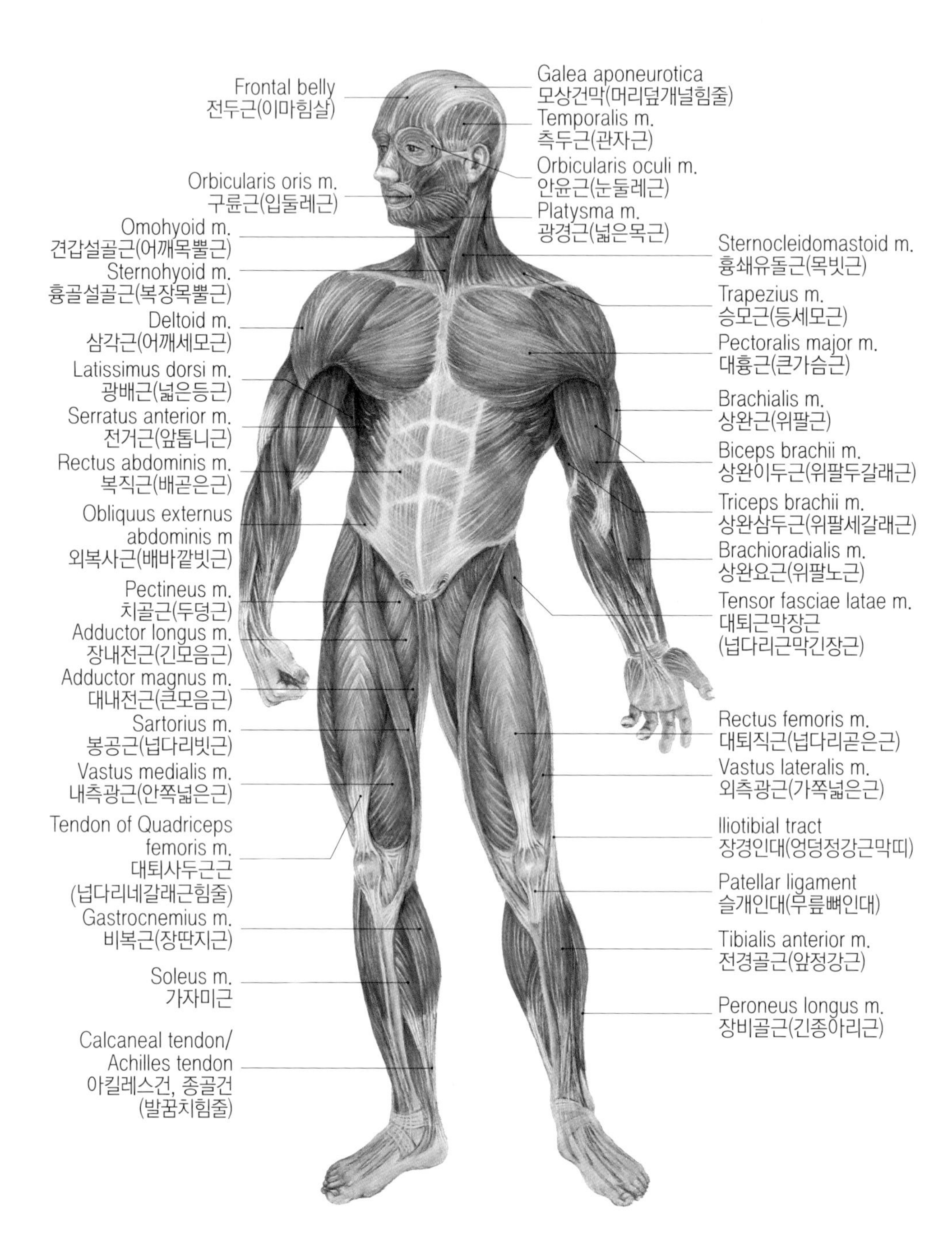

Anterior View(앞면)

인체의 주요 근육

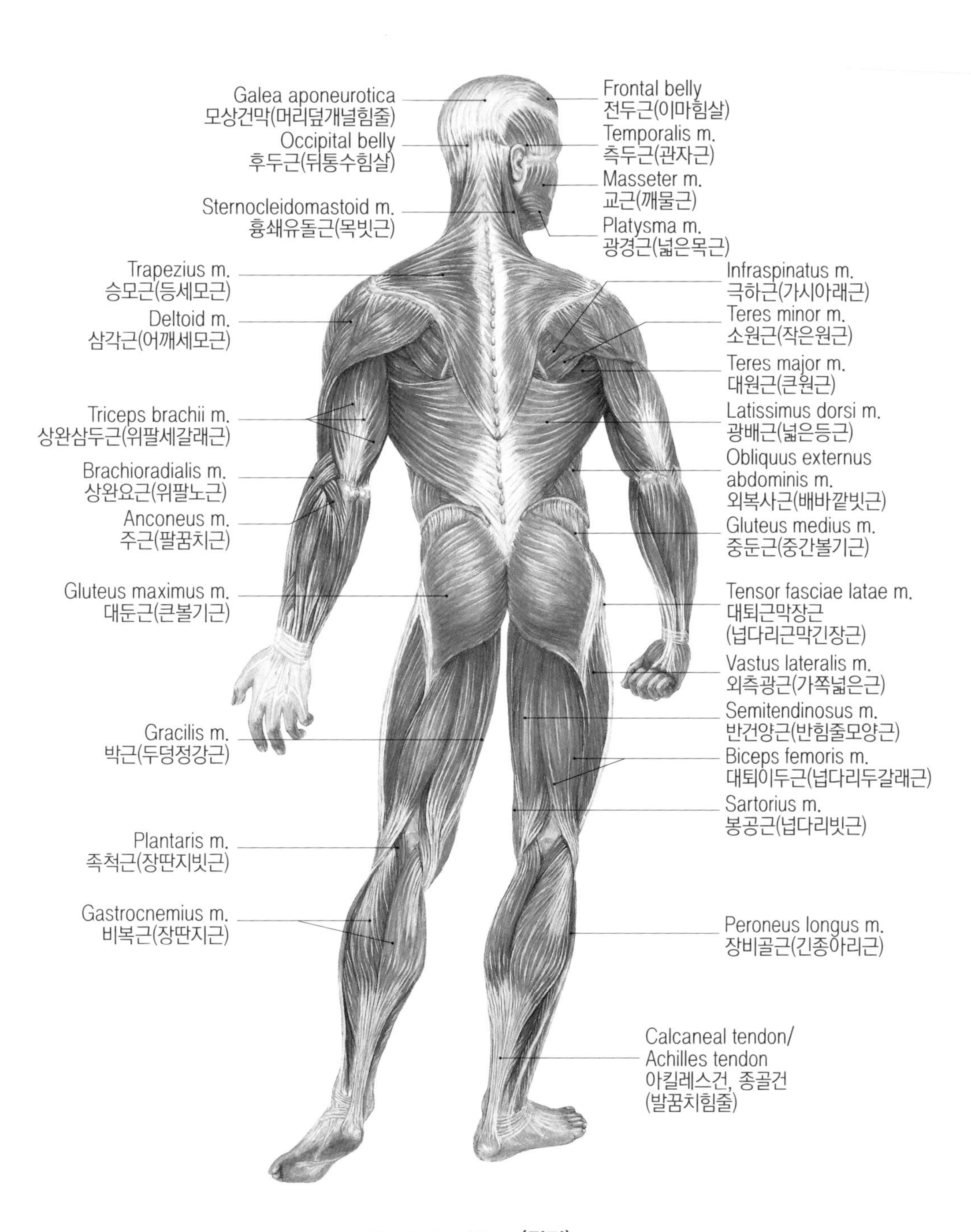

Posterior View(뒷면)

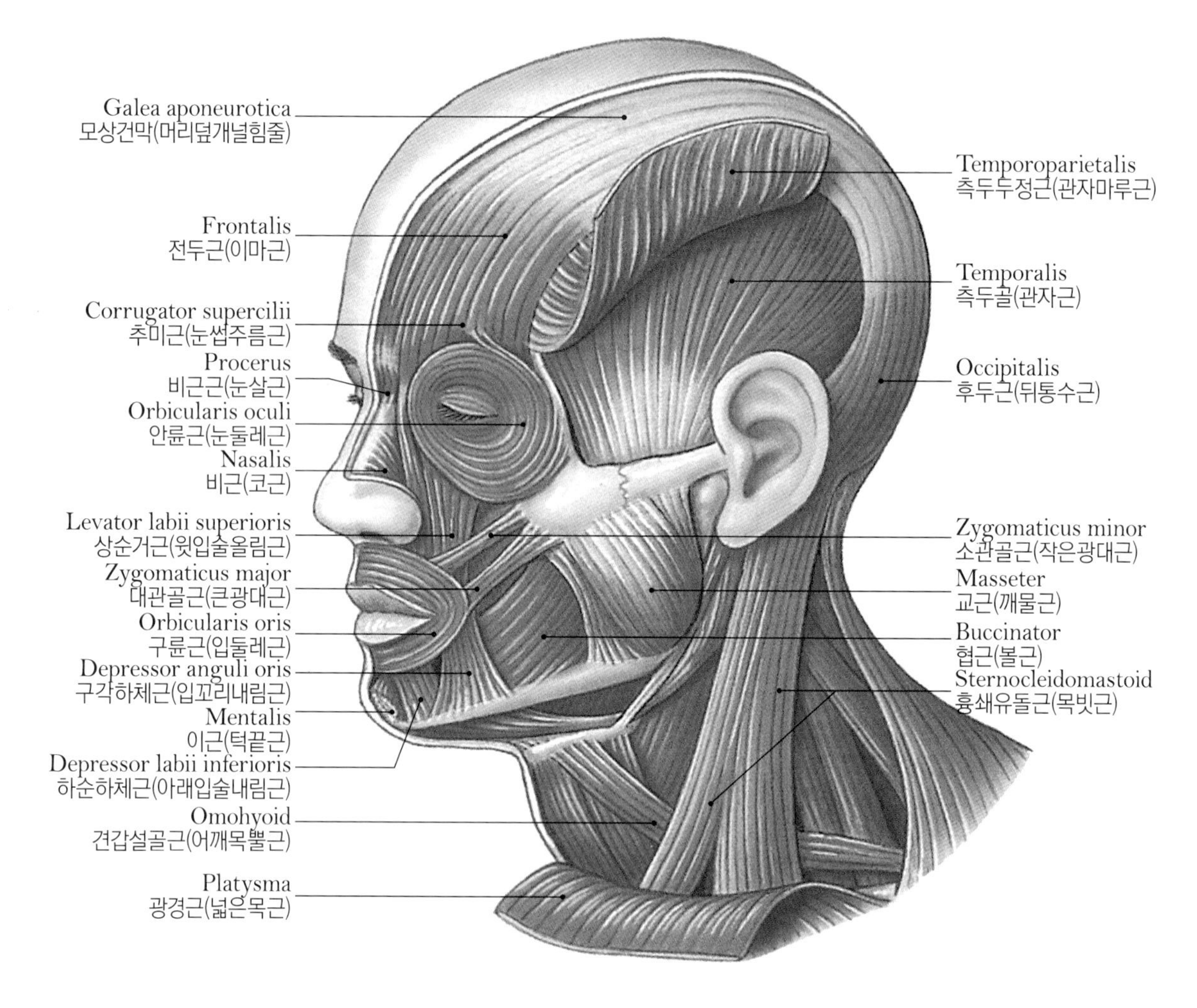

Muscles of Facial Expression(얼굴표정근)

머리와 목의 근육(가쪽)

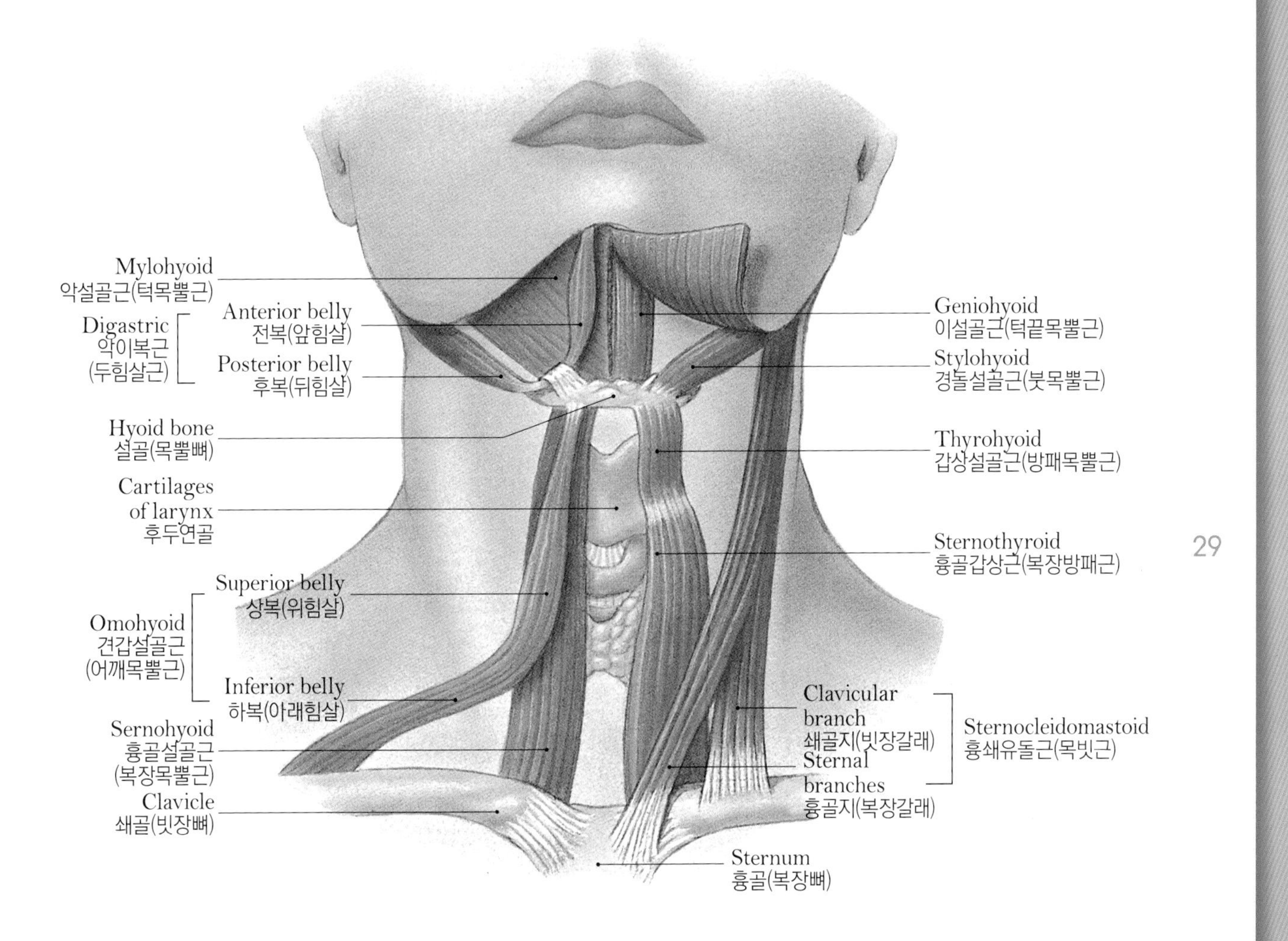
Mylohyoid
악설골근(턱목뿔근)
Digastric
악이복근
(두힘살근)
Anterior belly
전복(앞힘살)
Posterior belly
후복(뒤힘살)
Hyoid bone
설골(목뿔뼈)
Cartilages
of larynx
후두연골
Omohyoid
견갑설골근
(어깨목뿔근)
Superior belly
상복(위힘살)
Inferior belly
하복(아래힘살)
Sernohyoid
흉골설골근
(복장목뿔근)
Clavicle
쇄골(빗장뼈)
Geniohyoid
이설골근(턱끝목뿔근)
Stylohyoid
경돌설골근(붓목뿔근)
Thyrohyoid
갑상설골근(방패목뿔근)
Sternothyroid
흉골갑상근(복장방패근)
Clavicular
branch
쇄골지(빗장갈래)
Sternal
branches
흉골지(복장갈래)
Sternocleidomastoid
흉쇄유돌근(목빗근)
Sternum
흉골(복장뼈)

목의 앞쪽 근육

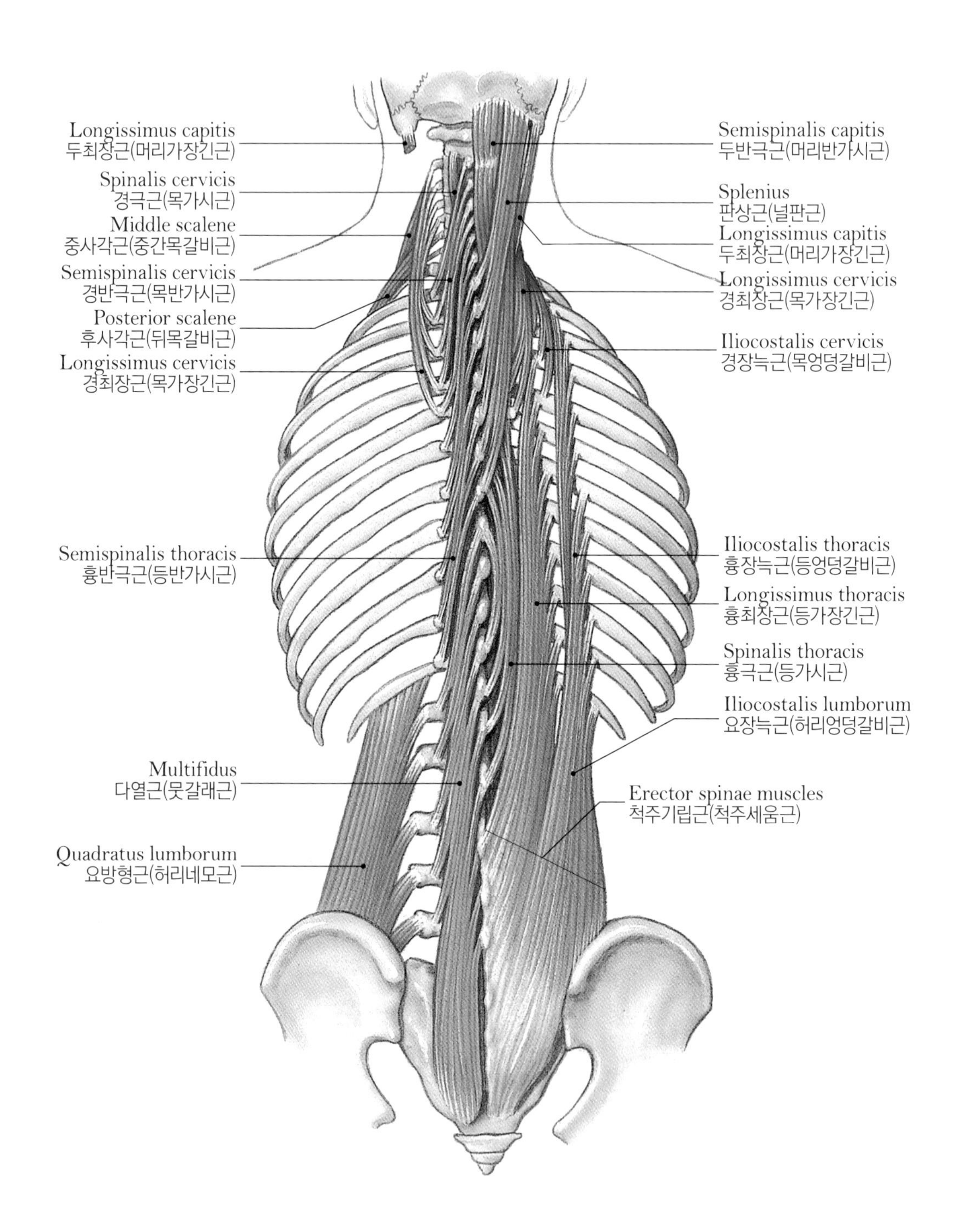
Longissimus capitis
두최장근(머리가장긴근)
Spinalis cervicis
경극근(목가시근)
Middle scalene
중사각근(중간목갈비근)
Semispinalis cervicis
경반극근(목반가시근)
Posterior scalene
후사각근(뒤목갈비근)
Longissimus cervicis
경최장근(목가장긴근)
Semispinalis thoracis
흉반극근(등반가시근)
Multifidus
다열근(뭇갈래근)
Quadratus lumborum
요방형근(허리네모근)
Semispinalis capitis
두반극근(머리반가시근)
Splenius
판상근(널판근)
Longissimus capitis
두최장근(머리가장긴근)
Longissimus cervicis
경최장근(목가장긴근)
Iliocostalis cervicis
경장늑근(목엉덩갈비근)
Iliocostalis thoracis
흉장늑근(등엉덩갈비근)
Longissimus thoracis
흉최장근(등가장긴근)
Spinalis thoracis
흉극근(등가시근)
Iliocostalis lumborum
요장늑근(허리엉덩갈비근)
Erector spinae muscles
척주기립근(척주세움근)

척주의 근육

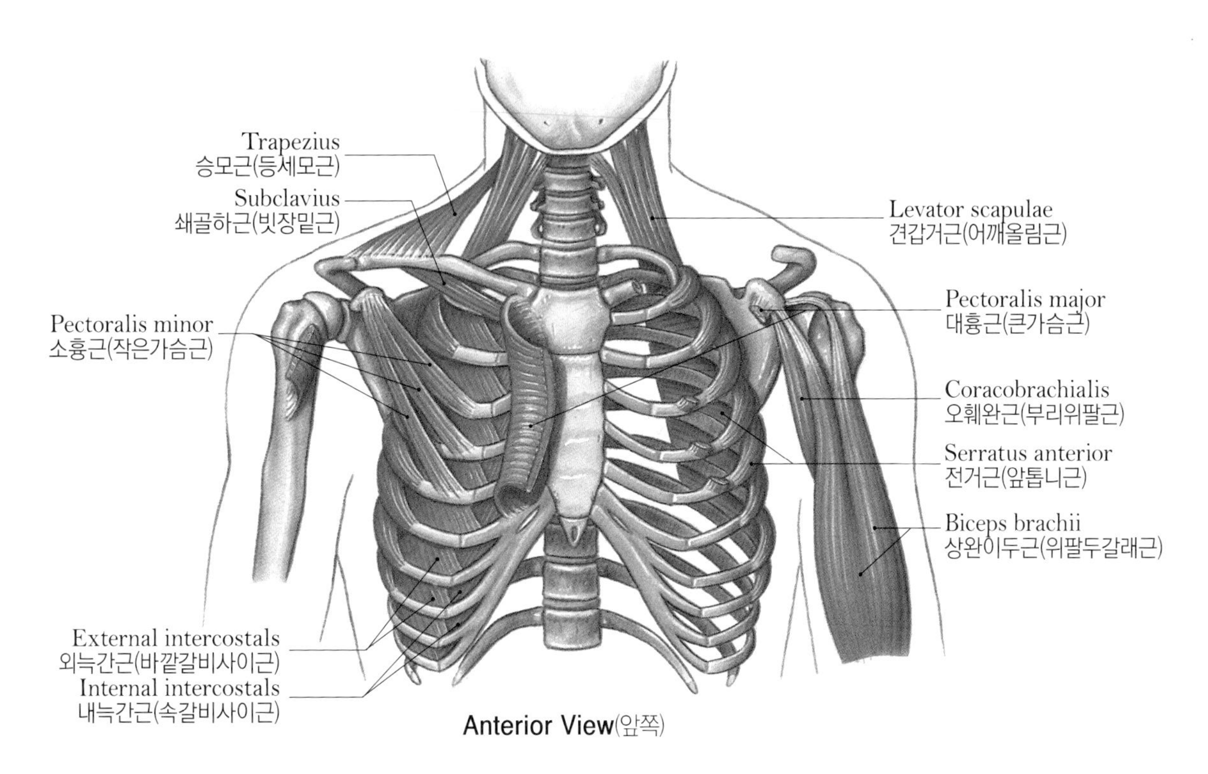

Anterior View(앞쪽)

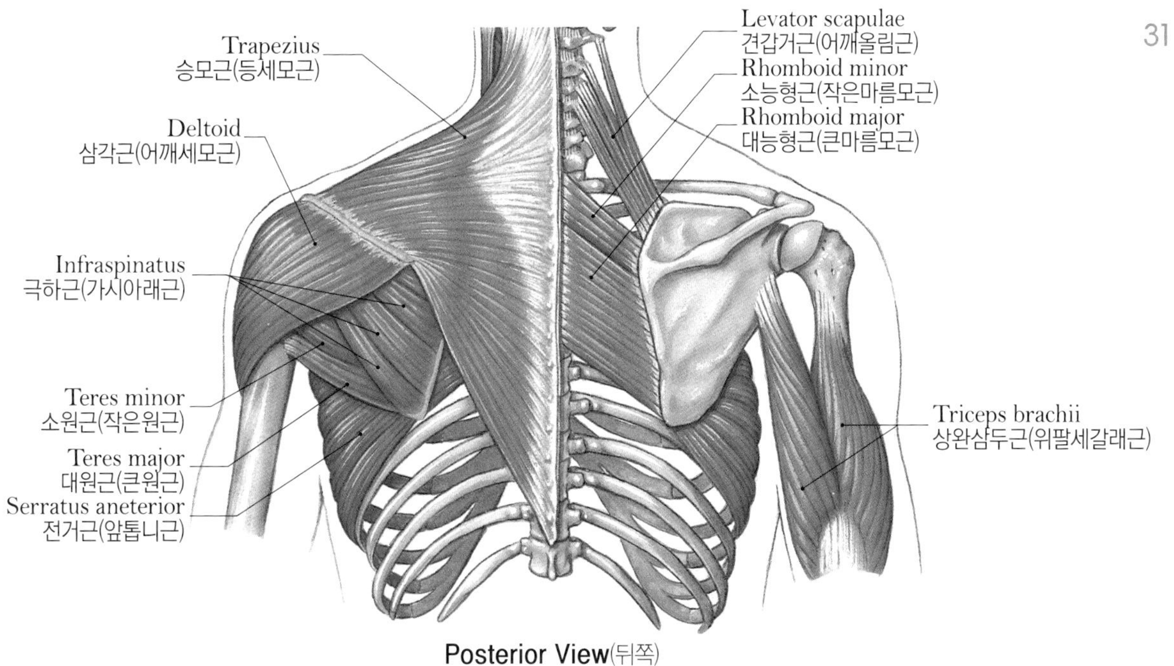

Posterior View(뒤쪽)

어깨의 근육

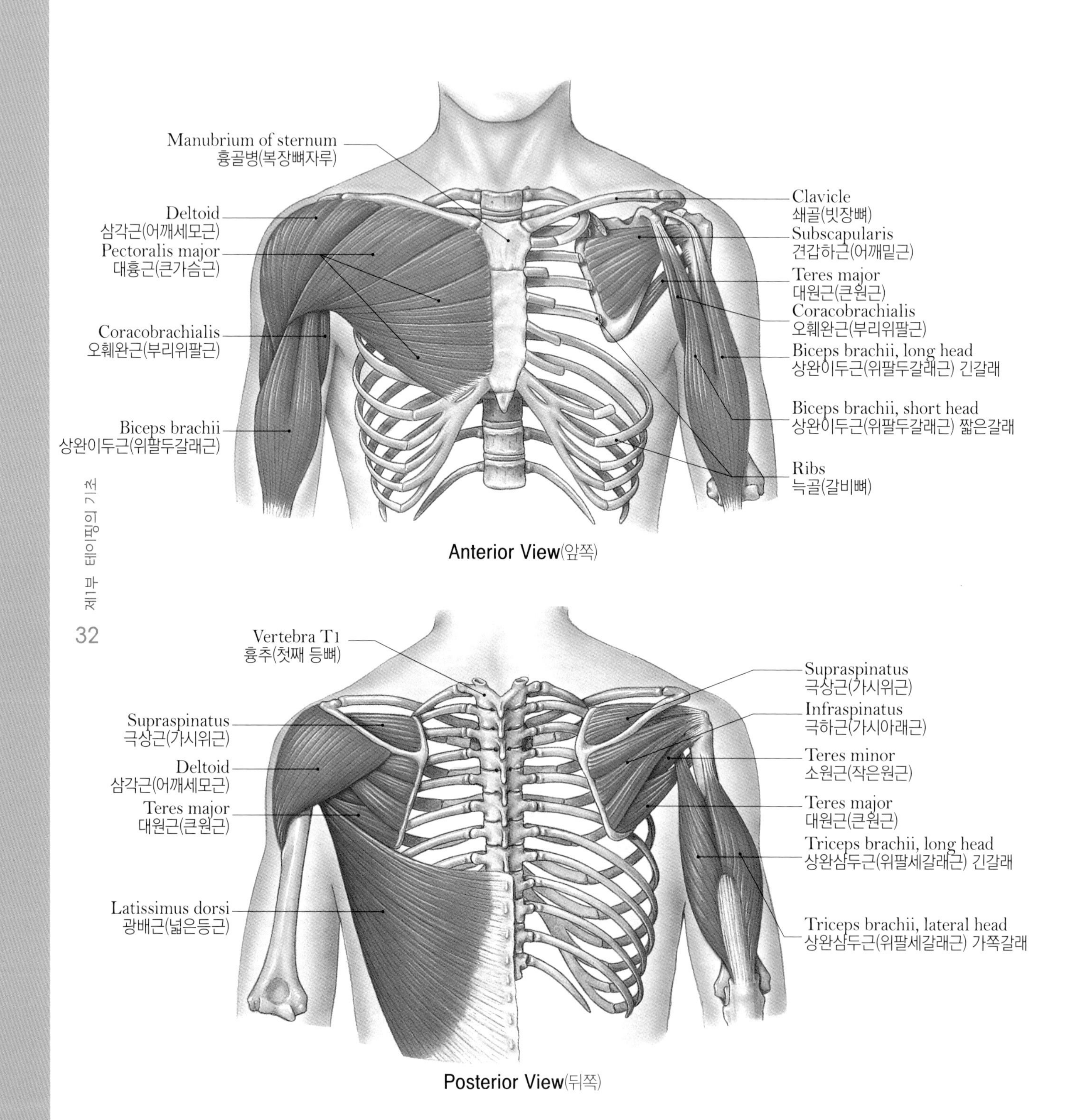

Anterior View(앞쪽)

Posterior View(뒤쪽)

팔을 움직이는 근육

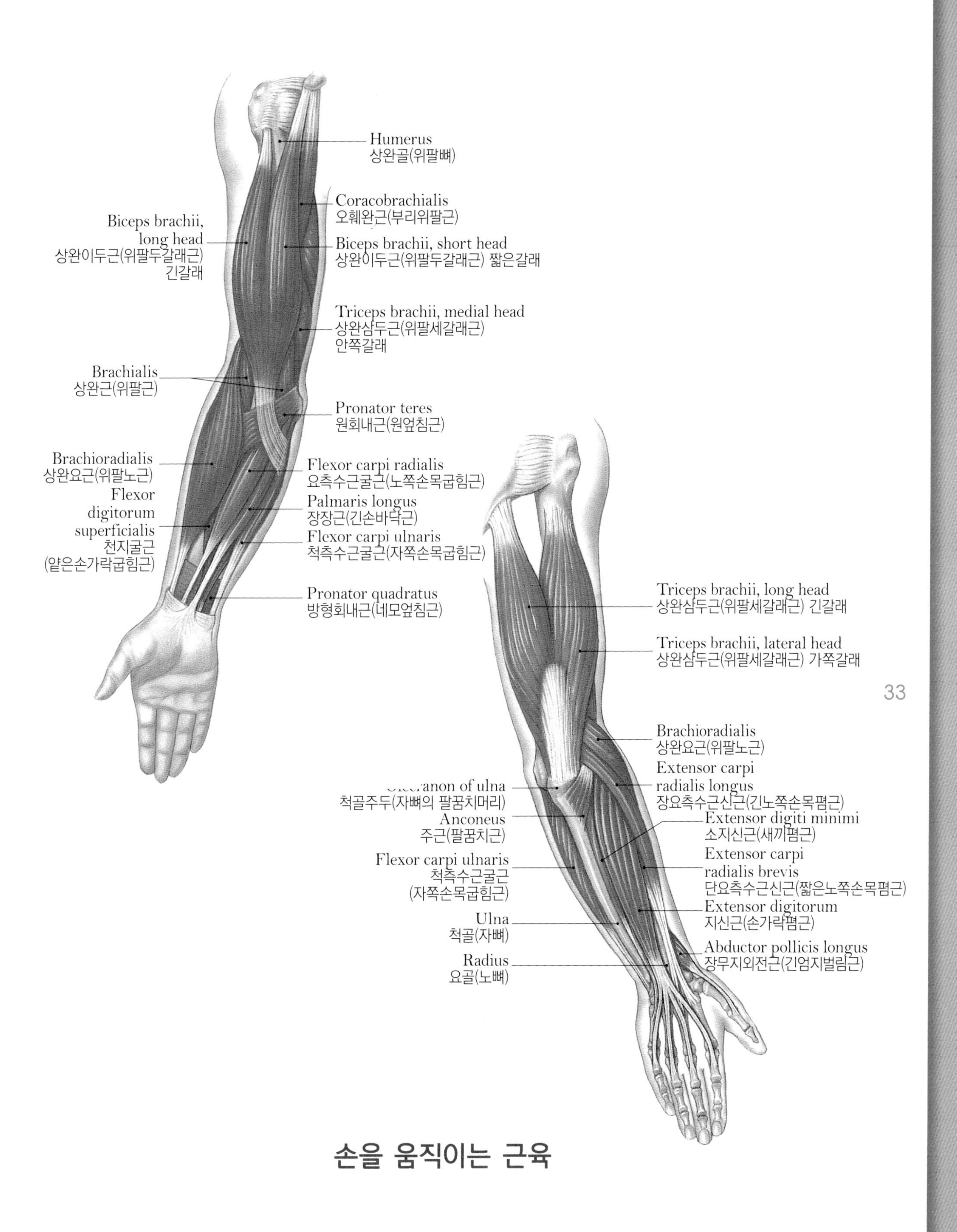

Humerus
상완골(위팔뼈)
Coracobrachialis
오훼완근(부리위팔근)
Biceps brachii, long head
상완이두근(위팔두갈래근) 긴갈래
Biceps brachii, short head
상완이두근(위팔두갈래근) 짧은갈래
Triceps brachii, medial head
상완삼두근(위팔세갈래근) 안쪽갈래
Brachialis
상완근(위팔근)
Pronator teres
원회내근(원엎침근)
Brachioradialis
상완요근(위팔노근)
Flexor carpi radialis
요측수근굴근(노쪽손목굽힘근)
Flexor digitorum superficialis
천지굴근
(얕은손가락굽힘근)
Palmaris longus
장장근(긴손바닥근)
Flexor carpi ulnaris
척측수근굴근(자쪽손목굽힘근)
Pronator quadratus
방형회내근(네모엎침근)
Triceps brachii, long head
상완삼두근(위팔세갈래근) 긴갈래
Triceps brachii, lateral head
상완삼두근(위팔세갈래근) 가쪽갈래
Brachioradialis
상완요근(위팔노근)
Extensor carpi radialis longus
장요측수근신근(긴노쪽손목폄근)
척골주두(자뼈의 팔꿈치머리)
Anconeus
주근(팔꿈치근)
Extensor digiti minimi
소지신근(새끼폄근)
Flexor carpi ulnaris
척측수근굴근
(자쪽손목굽힘근)
Extensor carpi radialis brevis
단요측수근신근(짧은노쪽손목폄근)
Extensor digitorum
지신근(손가락폄근)
Ulna
척골(자뼈)
Abductor pollicis longus
장무지외전근(긴엄지벌림근)
Radius
요골(노뼈)

손을 움직이는 근육

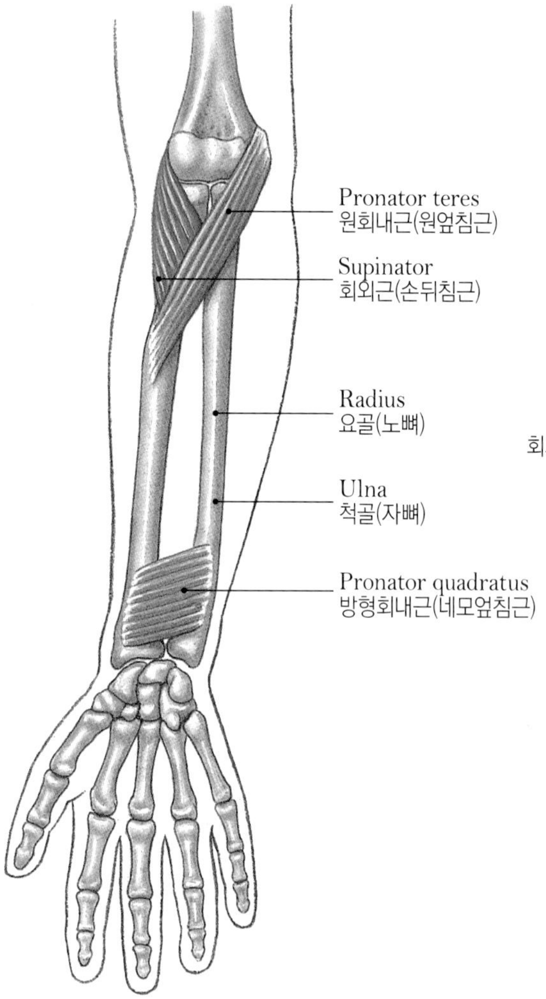

Pronator teres
원회내근(원엎침근)
Supinator
회외근(손뒤침근)
Radius
요골(노뼈)
Ulna
척골(자뼈)
Pronator quadratus
방형회내근(네모엎침근)

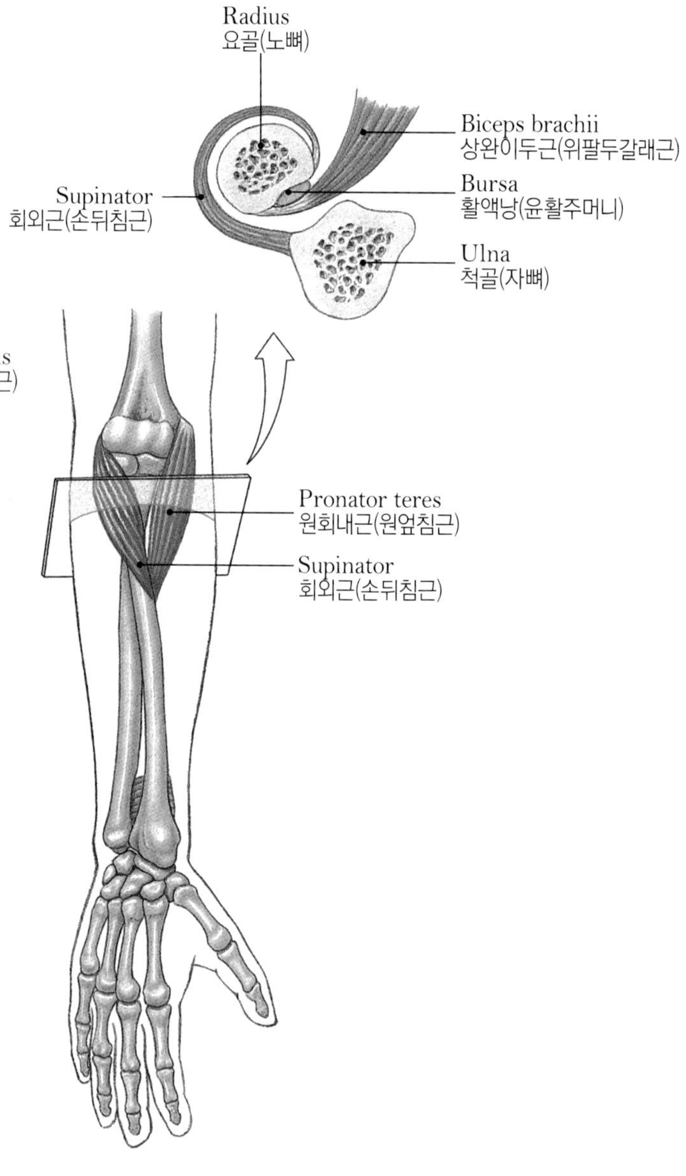

Radius
요골(노뼈)
Biceps brachii
상완이두근(위팔두갈래근)
Supinator
회외근(손뒤침근)
Bursa
활액낭(윤활주머니)
Ulna
척골(자뼈)

Pronator teres
원회내근(원엎침근)
Supinator
회외근(손뒤침근)

아래팔 깊은 층의 근육

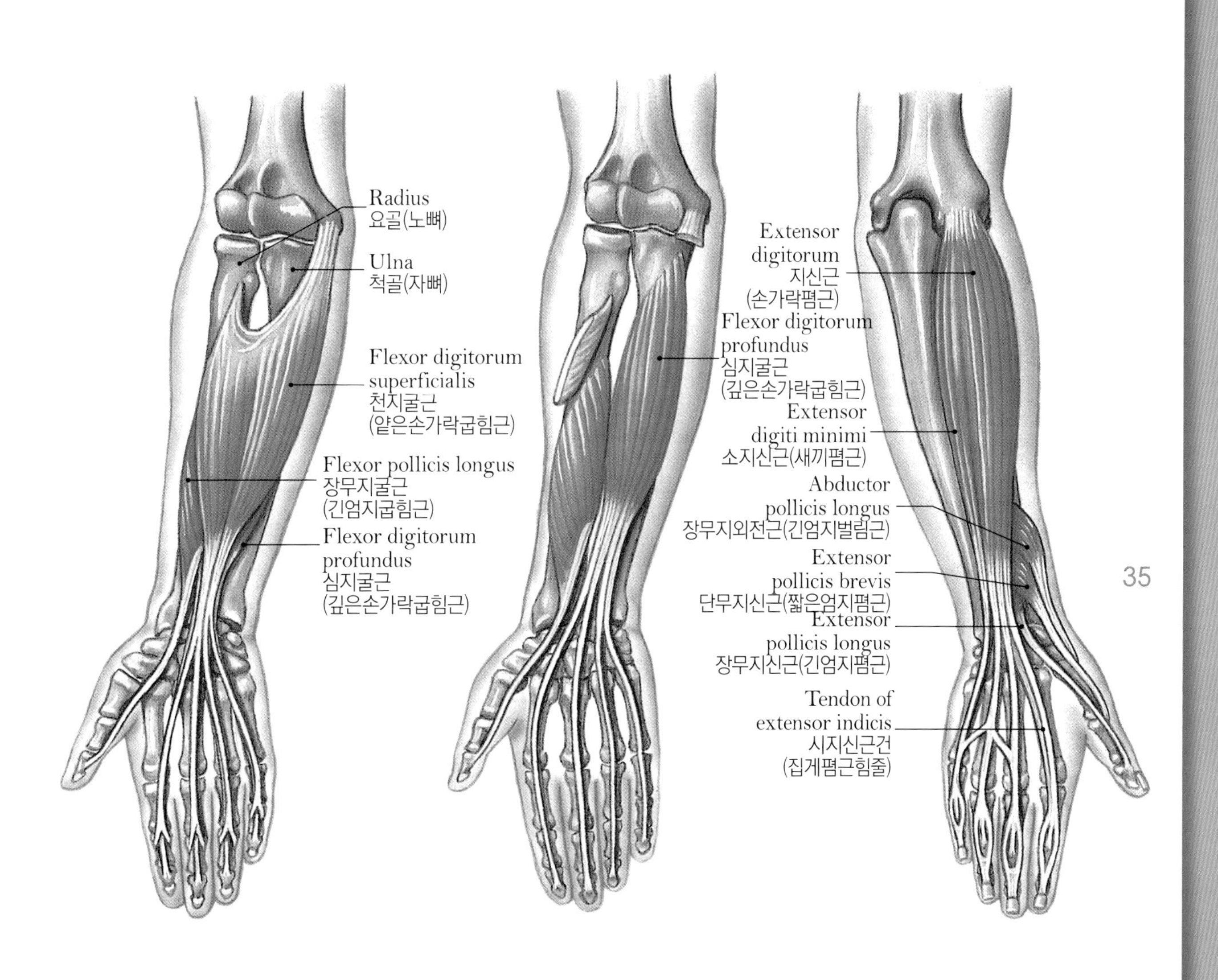
Radius
요골(노뼈)
Ulna
척골(자뼈)
Flexor digitorum superficialis
천지굴근
(얕은손가락굽힘근)
Flexor pollicis longus
장무지굴근
(긴엄지굽힘근)
Flexor digitorum profundus
심지굴근
(깊은손가락굽힘근)
Extensor digitorum
지신근
(손가락폄근)
Flexor digitorum profundus
심지굴근
(깊은손가락굽힘근)
Extensor digiti minimi
소지신근(새끼폄근)
Abductor pollicis longus
장무지외전근(긴엄지벌림근)
Extensor pollicis brevis
단무지신근(짧은엄지폄근)
Extensor pollicis longus
장무지신근(긴엄지폄근)
Tendon of extensor indicis
시지신근건
(집게폄근힘줄)

손가락을 움직이는 근육

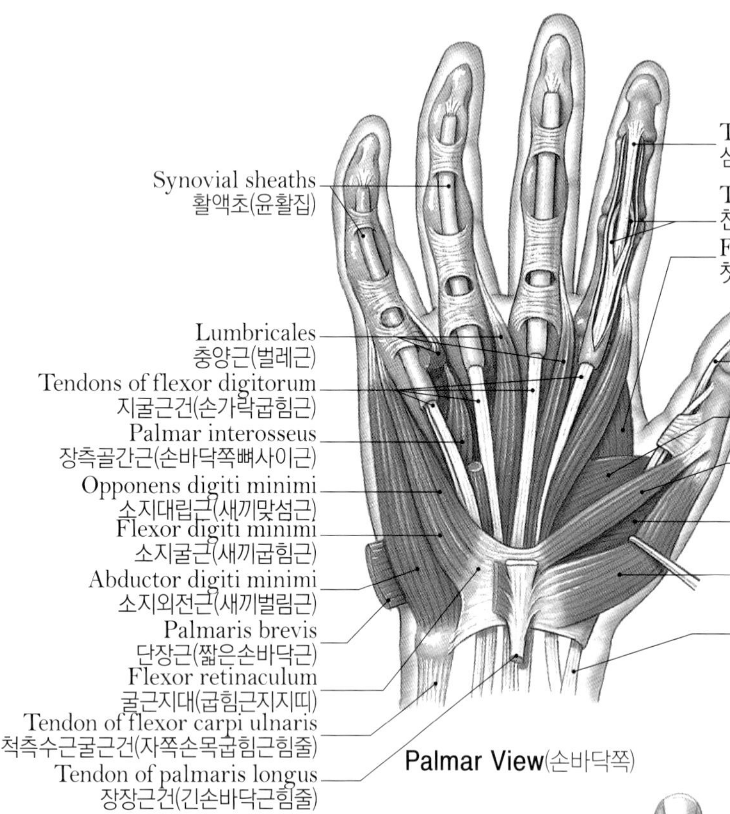

Palmar View(손바닥쪽)

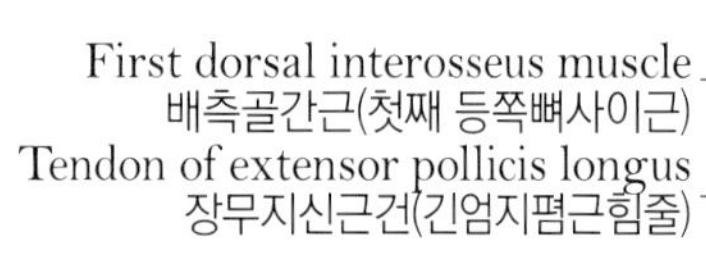

Dorsal View(손등쪽)

손의 근육

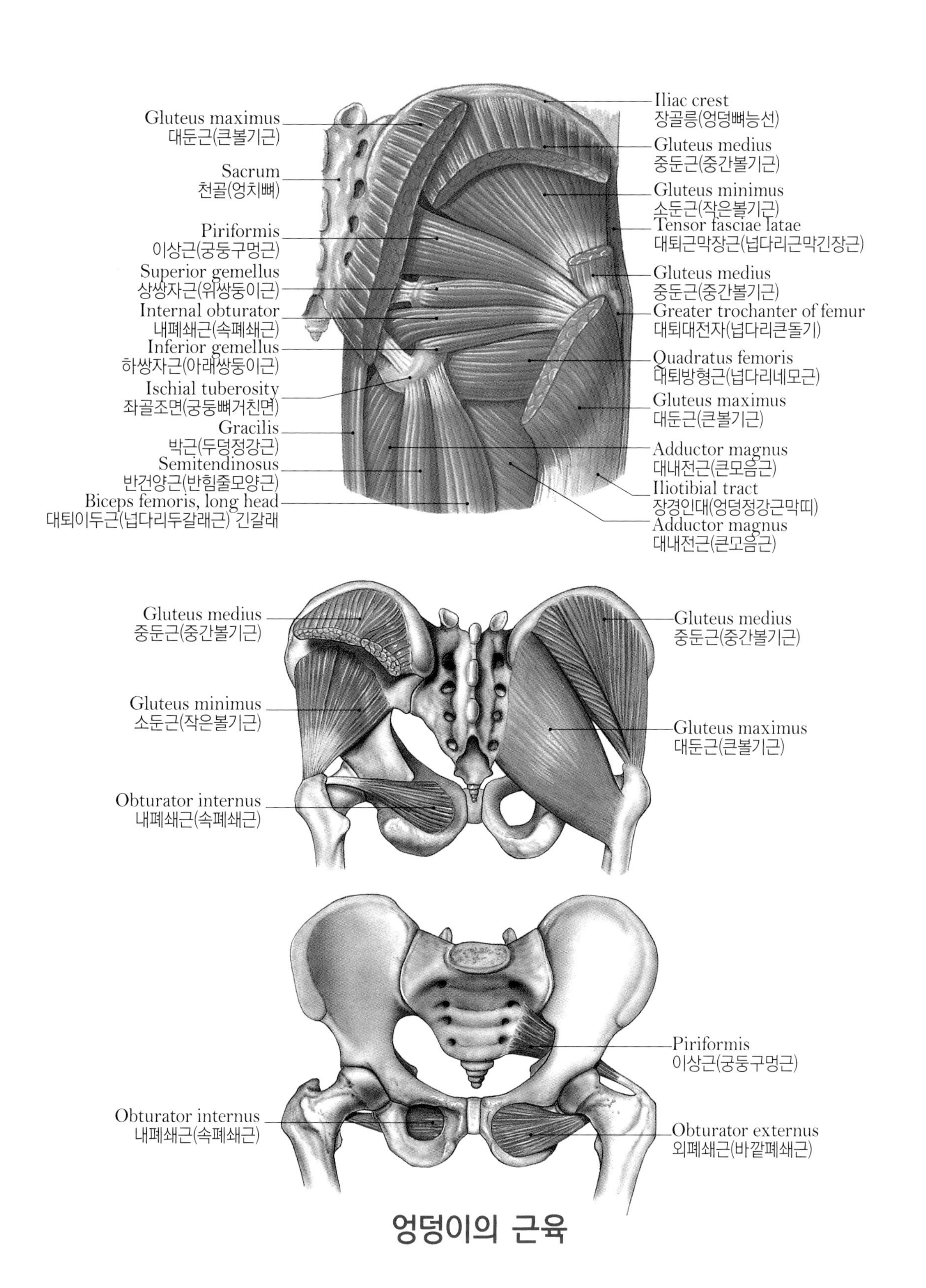
Gluteus maximus
대둔근(큰볼기근)
Sacrum
천골(엉치뼈)
Piriformis
이상근(궁둥구멍근)
Superior gemellus
상쌍자근(위쌍둥이근)
Internal obturator
내폐쇄근(속폐쇄근)
Inferior gemellus
하쌍자근(아래쌍둥이근)
Ischial tuberosity
좌골조면(궁둥뼈거친면)
Gracilis
박근(두덩정강근)
Semitendinosus
반건양근(반힘줄모양근)
Biceps femoris, long head
대퇴이두근(넙다리두갈래근) 긴갈래
Iliac crest
장골릉(엉덩뼈능선)
Gluteus medius
중둔근(중간볼기근)
Gluteus minimus
소둔근(작은볼기근)
Tensor fasciae latae
대퇴근막장근(넙다리근막긴장근)
Gluteus medius
중둔근(중간볼기근)
Greater trochanter of femur
대퇴대전자(넙다리큰돌기)
Quadratus femoris
대퇴방형근(넙다리네모근)
Gluteus maximus
대둔근(큰볼기근)
Adductor magnus
대내전근(큰모음근)
Iliotibial tract
장경인대(엉덩정강근막띠)
Adductor magnus
대내전근(큰모음근)
Gluteus medius
중둔근(중간볼기근)
Gluteus minimus
소둔근(작은볼기근)
Obturator internus
내폐쇄근(속폐쇄근)
Gluteus medius
중둔근(중간볼기근)
Gluteus maximus
대둔근(큰볼기근)
Piriformis
이상근(궁둥구멍근)
Obturator internus
내폐쇄근(속폐쇄근)
Obturator externus
외폐쇄근(바깥폐쇄근)

엉덩이의 근육

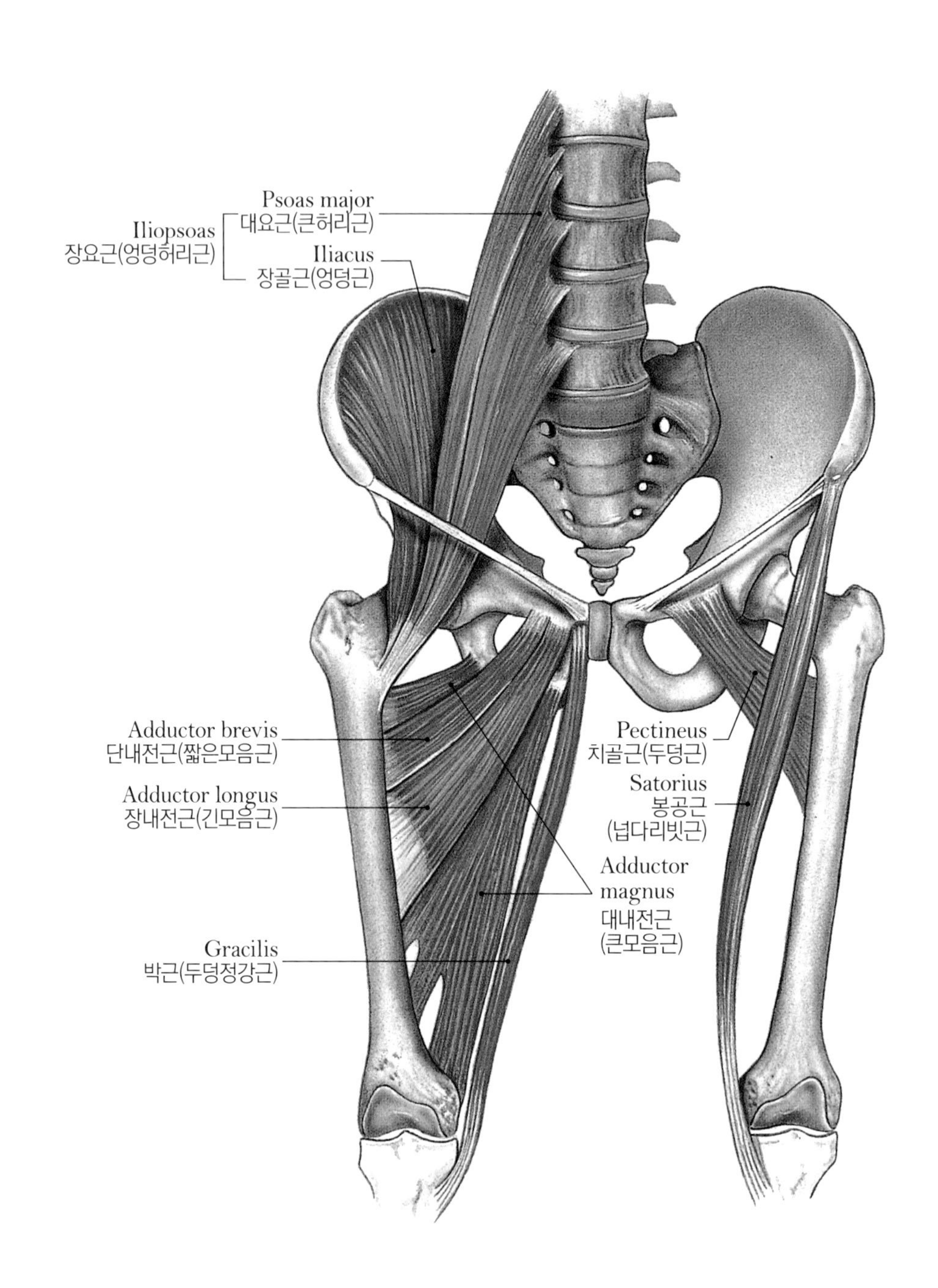

엉덩허리근(장요근)과 모음근 무리

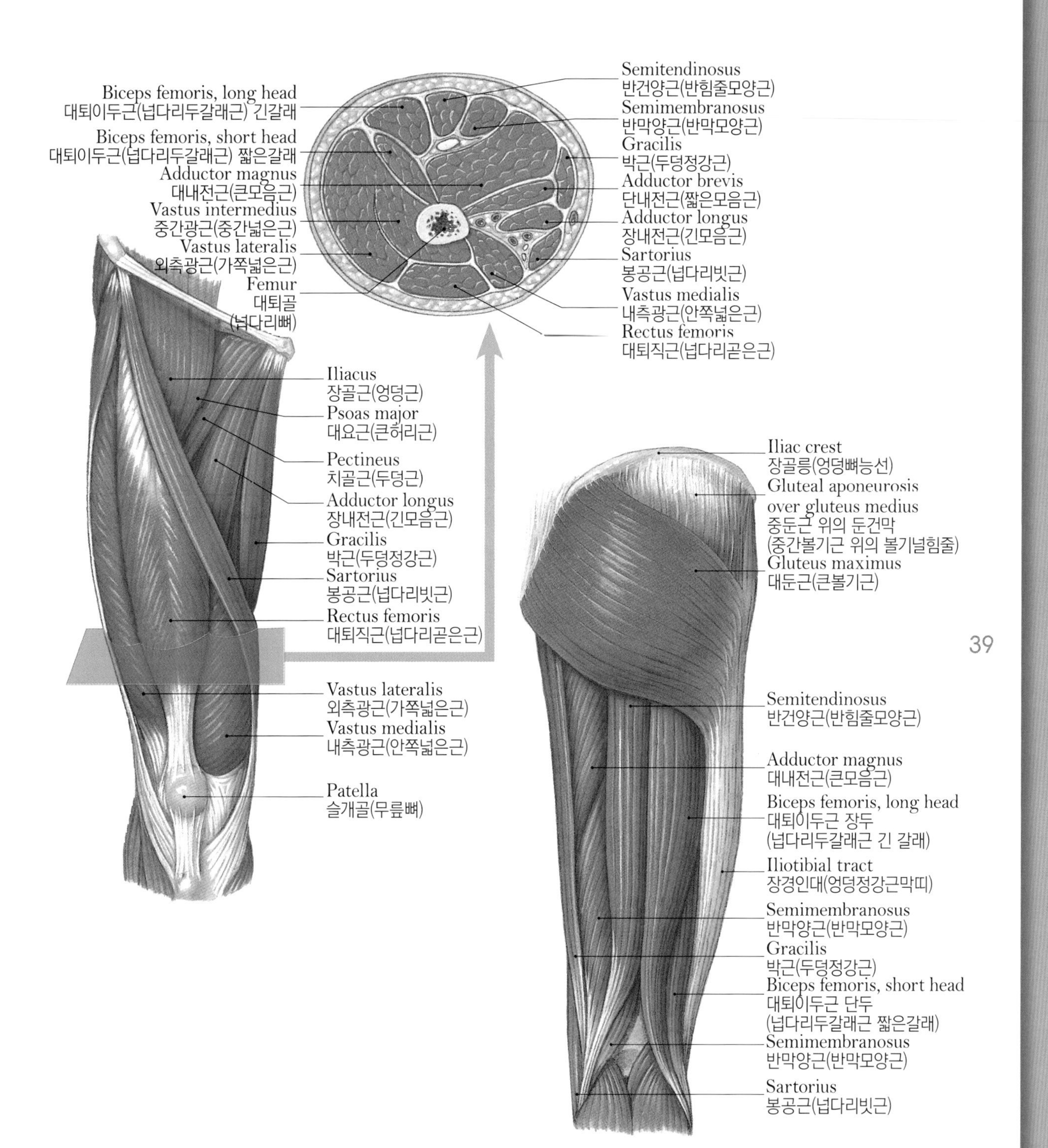

Biceps femoris, long head
대퇴이두근(넙다리두갈래근) 긴갈래
Biceps femoris, short head
대퇴이두근(넙다리두갈래근) 짧은갈래
Adductor magnus
대내전근(큰모음근)
Vastus intermedius
중간광근(중간넓은근)
Vastus lateralis
외측광근(가쪽넓은근)
Femur
대퇴골
(넙다리뼈)
Semitendinosus
반건양근(반힘줄모양근)
Semimembranosus
반막양근(반막모양근)
Gracilis
박근(두덩정강근)
Adductor brevis
단내전근(짧은모음근)
Adductor longus
장내전근(긴모음근)
Sartorius
봉공근(넙다리빗근)
Vastus medialis
내측광근(안쪽넓은근)
Rectus femoris
대퇴직근(넙다리곧은근)
Iliacus
장골근(엉덩근)
Psoas major
대요근(큰허리근)
Pectineus
치골근(두덩근)
Adductor longus
장내전근(긴모음근)
Gracilis
박근(두덩정강근)
Sartorius
봉공근(넙다리빗근)
Rectus femoris
대퇴직근(넙다리곧은근)
Vastus lateralis
외측광근(가쪽넓은근)
Vastus medialis
내측광근(안쪽넓은근)
Patella
슬개골(무릎뼈)
Iliac crest
장골릉(엉덩뼈능선)
Gluteal aponeurosis
over gluteus medius
중둔근 위의 둔건막
(중간볼기근 위의 볼기널힘줄)
Gluteus maximus
대둔근(큰볼기근)
Semitendinosus
반건양근(반힘줄모양근)
Adductor magnus
대내전근(큰모음근)
Biceps femoris, long head
대퇴이두근 장두
(넙다리두갈래근 긴 갈래)
Iliotibial tract
장경인대(엉덩정강근막띠)
Semimembranosus
반막양근(반막모양근)
Gracilis
박근(두덩정강근)
Biceps femoris, short head
대퇴이두근 단두
(넙다리두갈래근 짧은갈래)
Semimembranosus
반막양근(반막모양근)
Sartorius
봉공근(넙다리빗근)

넙다리(대퇴)의 근육

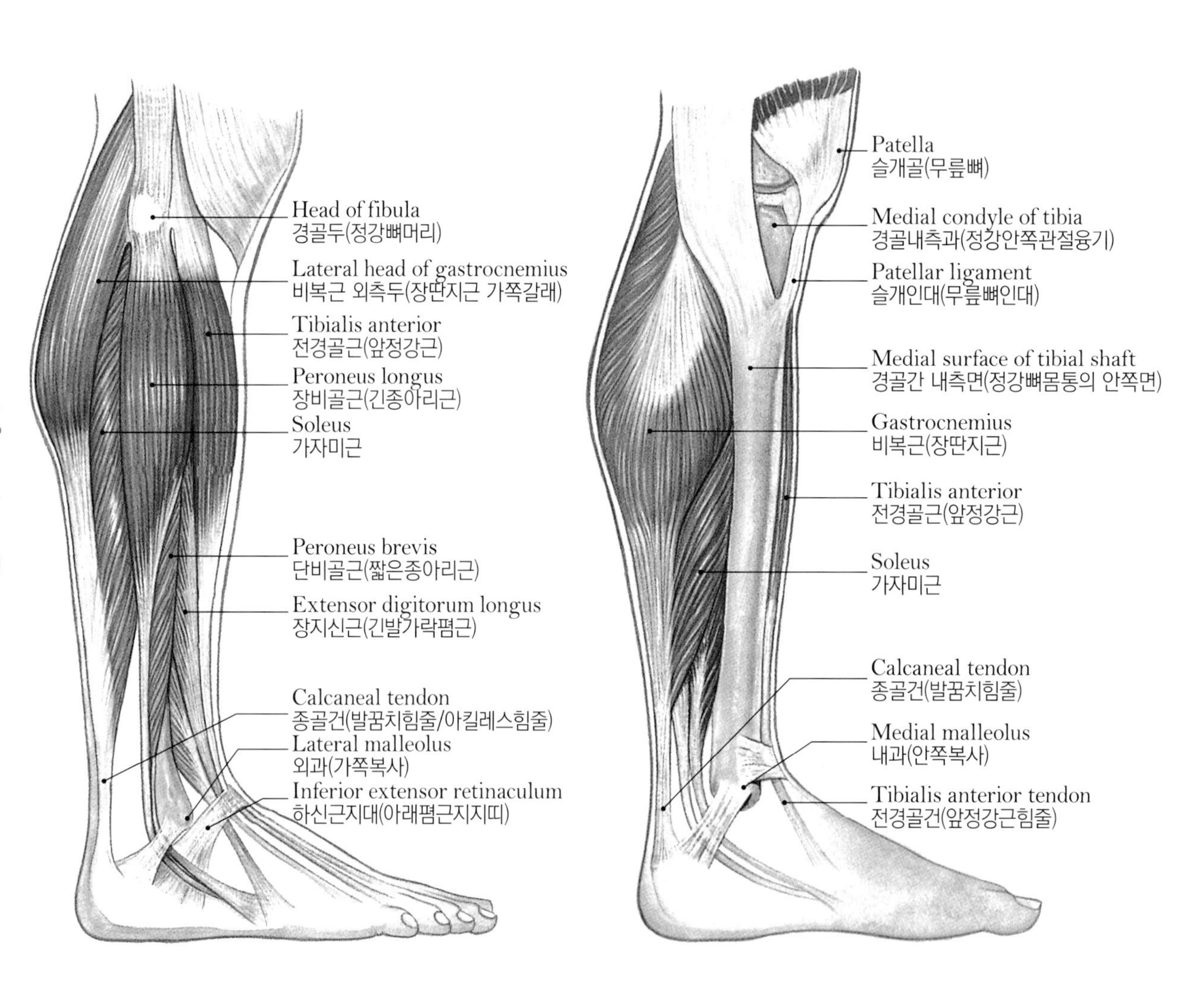
Head of fibula
경골두(정강뼈머리)
Lateral head of gastrocnemius
비복근 외측두(장딴지근 가쪽갈래)
Tibialis anterior
전경골근(앞정강근)
Peroneus longus
장비골근(긴종아리근)
Soleus
가자미근
Peroneus brevis
단비골근(짧은종아리근)
Extensor digitorum longus
장지신근(긴발가락폄근)
Calcaneal tendon
종골건(발꿈치힘줄/아킬레스힘줄)
Lateral malleolus
외과(가쪽복사)
Inferior extensor retinaculum
하신근지대(아래폄근지지띠)
Patella
슬개골(무릎뼈)
Medial condyle of tibia
경골내측과(정강안쪽관절융기)
Patellar ligament
슬개인대(무릎뼈인대)
Medial surface of tibial shaft
경골간 내측면(정강뼈몸통의 안쪽면)
Gastrocnemius
비복근(장딴지근)
Tibialis anterior
전경골근(앞정강근)
Soleus
가자미근
Calcaneal tendon
종골건(발꿈치힘줄)
Medial malleolus
내과(안쪽복사)
Tibialis anterior tendon
전경골건(앞정강근힘줄)

장딴지(비복)의 근육

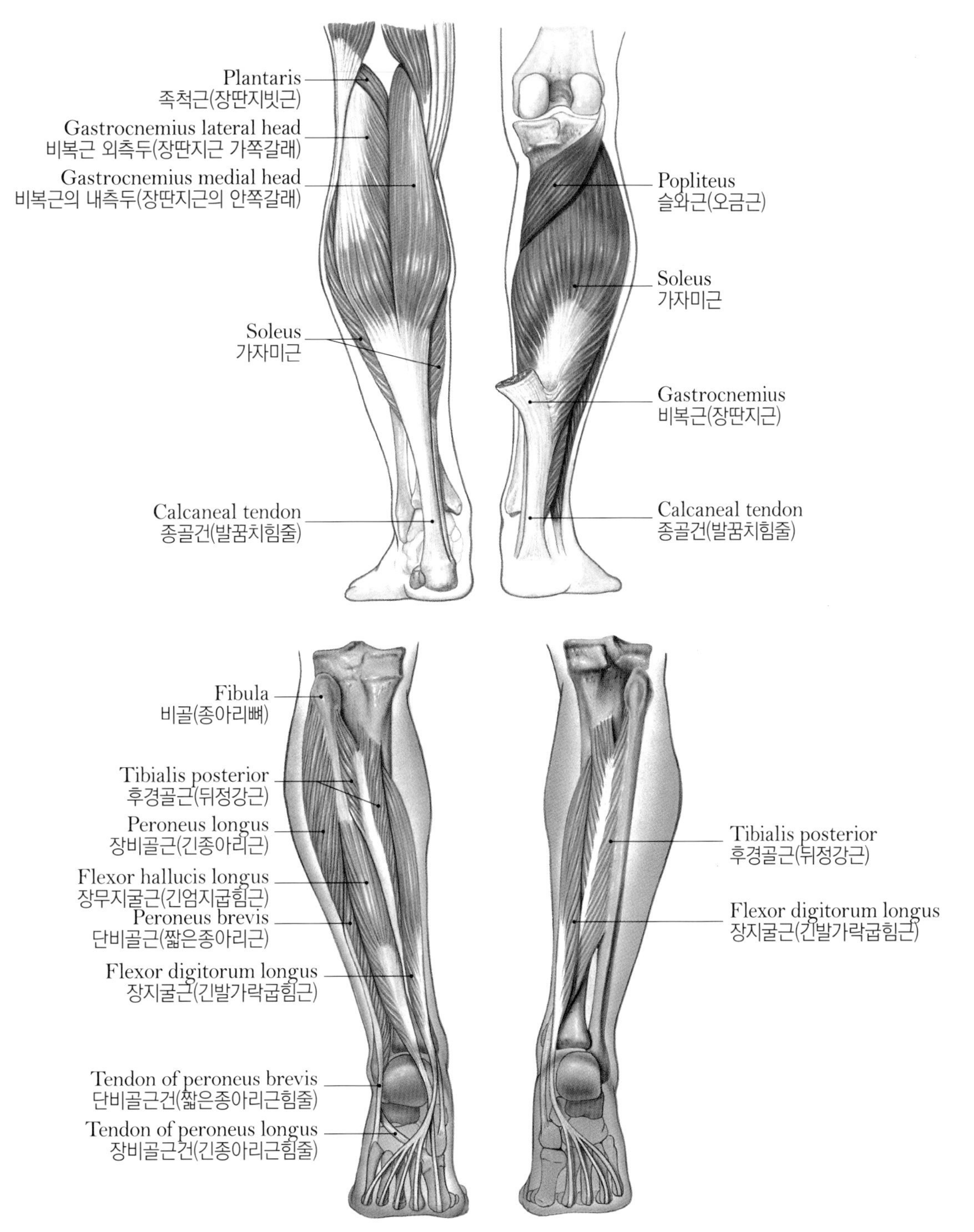

발과 발가락을 움직이는 근육

Tendon of peroneus brevis
단비골근건(짧은종아리근힘줄)
Superior extensor retinaculum
상신근지대(위폄근지지띠)
Lateral malleolus of fibula
경골외과(종아리가쪽복사)
Inferior extensor retinaculum
하신근지대(아래폄근지지띠)
Tendons of extensor digitorum longus
장지신근건(긴발가락폄근힘줄)
Dorsal interosseus muscles
배측골간근(등쪽뼈사이근)
Tendons of extensor digitorum brevis
단지신근건(짧은발가락폄근힘줄)
Medial malleolus of tibia
경골내과(종아리안쪽복사)
Tendon of tibialis anterior
전경골건(앞정강근힘줄)
Tendon of extensor hallucis longus
장무지신근건(긴엄지폄근힘줄)
Abductor hallucis
무지외전근(엄지벌림근)
Extensor expansion
신근팽창대(폄근확장띠)

Lumbricals
충양근(벌레근)
Tendons of flexor digitorum brevis
단지굴근건(짧은발가락굽힘근힘줄)
Flexor digiti minimi brevis
단소지굴근(짧은새끼굽힘근)
Abductor digiti minimi
소지외전근(새끼벌림근)
Plantar aponeurosis
족척건막(발바닥널힘줄)
Fibrous tendon sheaths
섬유건초(섬유힘줄집)
Flexor hallucis brevis
단무지굴근(짧은엄지굽힘근)
Abductor hallucis
무지외전근(엄지벌림근)
Flexor digitorum brevis
단지굴근(짧은발가락굽힘근)
Calcaneus
종골(발꿈치뼈)

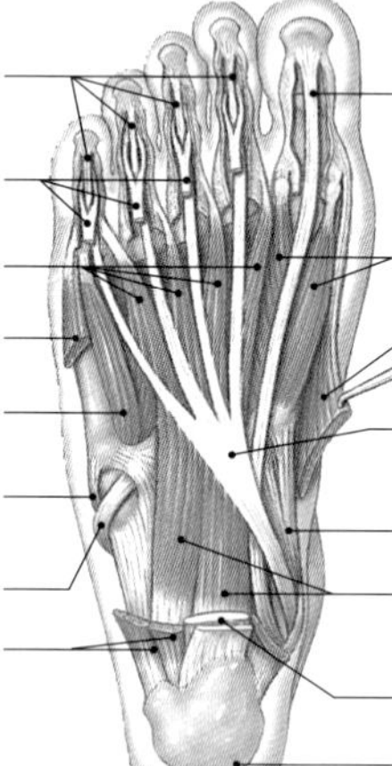

발의 근육

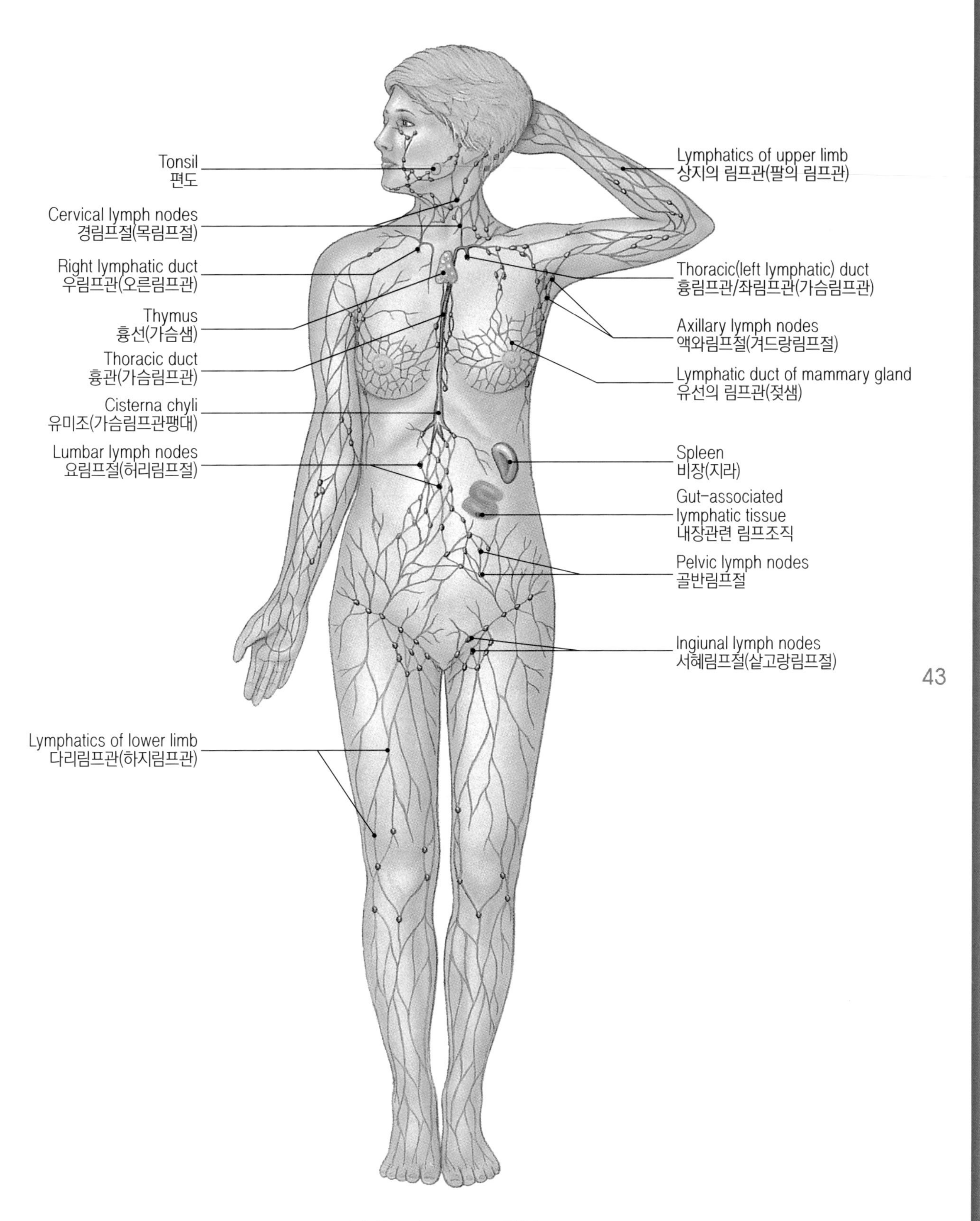
Tonsil
편도
Cervical lymph nodes
경림프절(목림프절)
Right lymphatic duct
우림프관(오른림프관)
Thymus
흉선(가슴샘)
Thoracic duct
흉관(가슴림프관)
Cisterna chyli
유미조(가슴림프관팽대)
Lumbar lymph nodes
요림프절(허리림프절)
Lymphatics of lower limb
다리림프관(하지림프관)
Lymphatics of upper limb
상지의 림프관(팔의 림프관)
Thoracic(left lymphatic) duct
흉림프관/좌림프관(가슴림프관)
Axillary lymph nodes
액와림프절(겨드랑림프절)
Lymphatic duct of mammary gland
유선의 림프관(젖샘)
Spleen
비장(지라)
Gut-associated
lymphatic tissue
내장관련 림프조직
Pelvic lymph nodes
골반림프절
Ingiunal lymph nodes
서혜림프절(샅고랑림프절)

인체의 림프계통

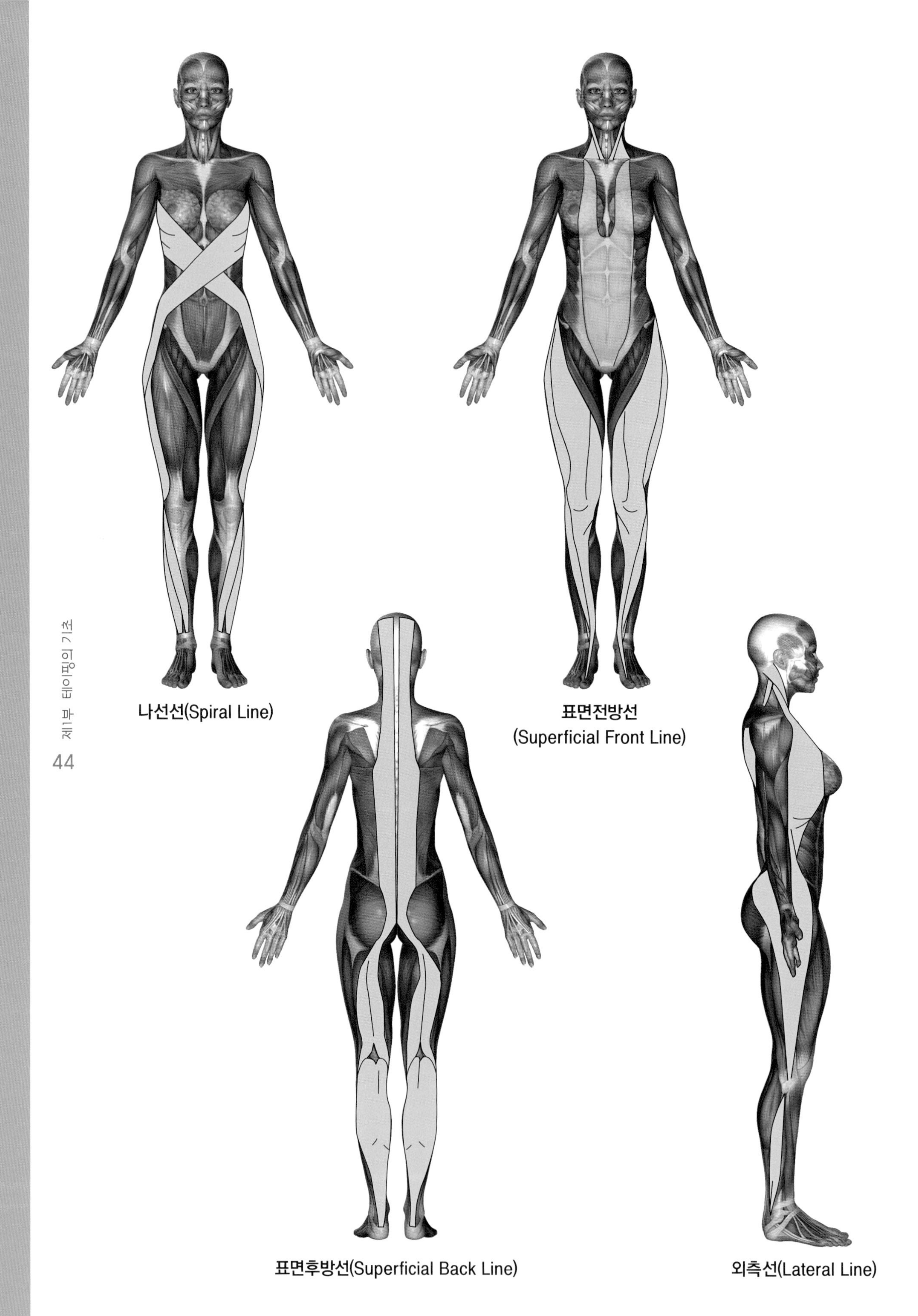
나선선(Spiral Line)
표면전방선
(Superficial Front Line)
표면후방선(Superficial Back Line)
외측선(Lateral Line)

인체의 근막경선

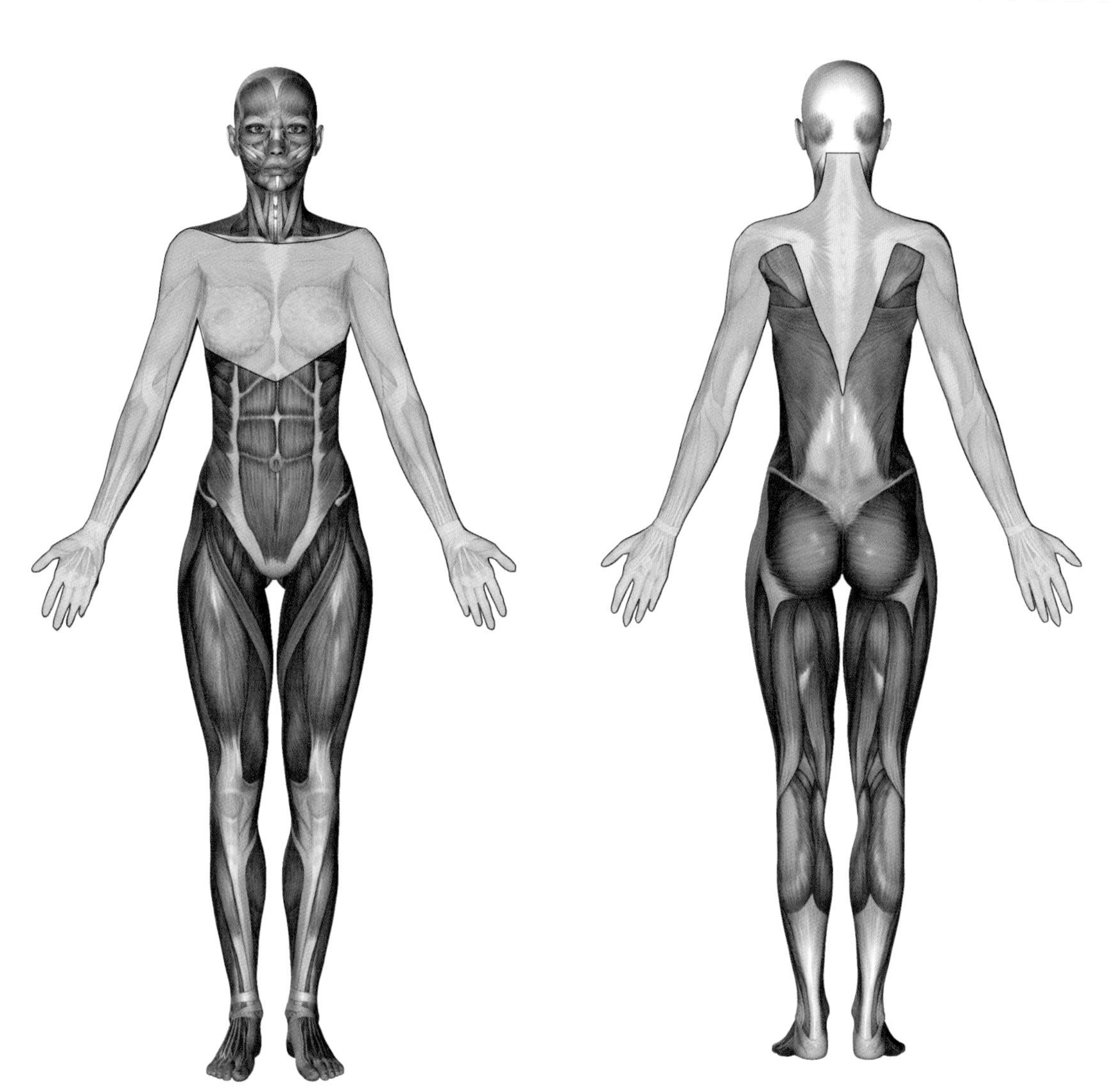

상지선(The arm line)

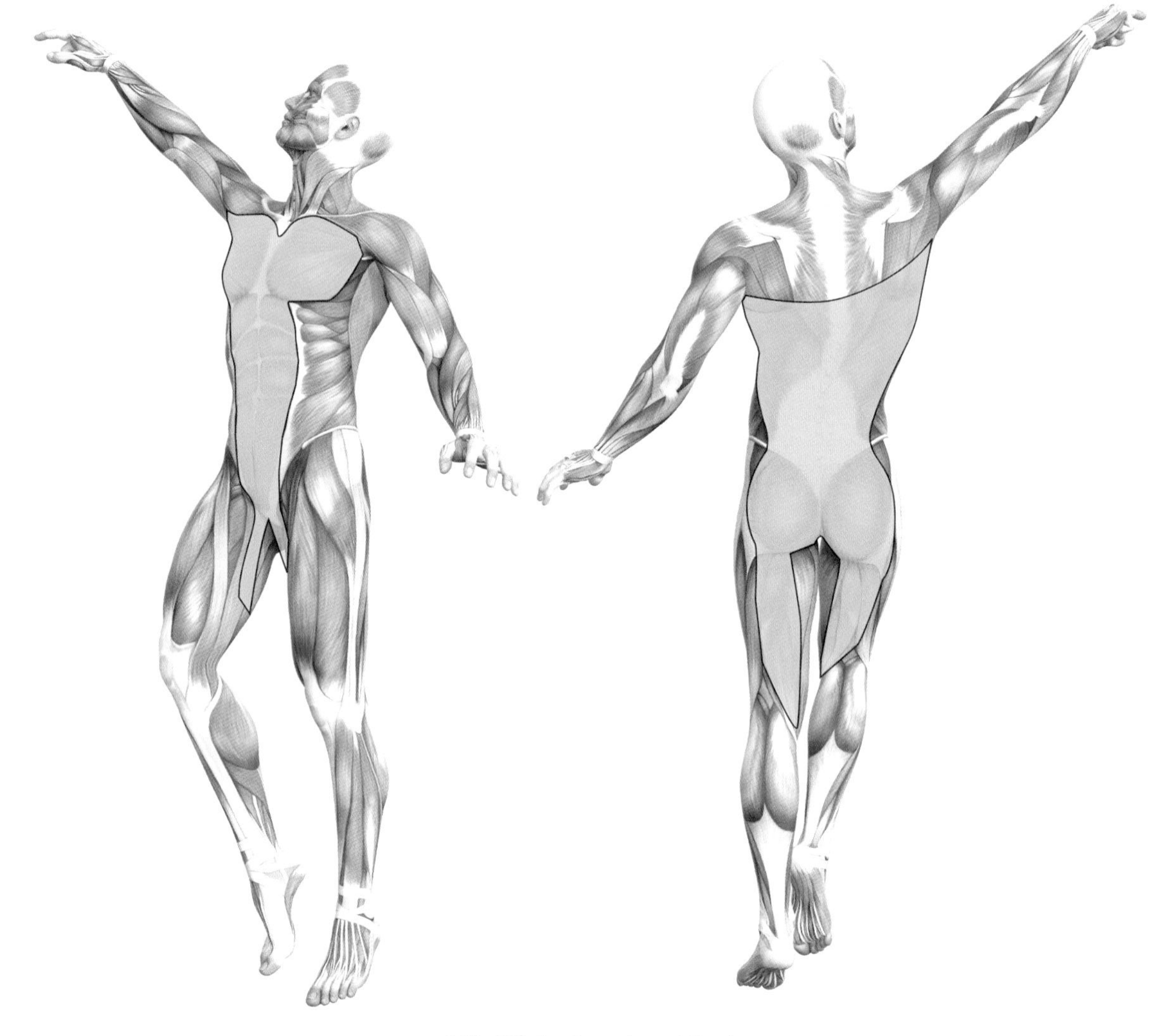

기능선(The functional line)

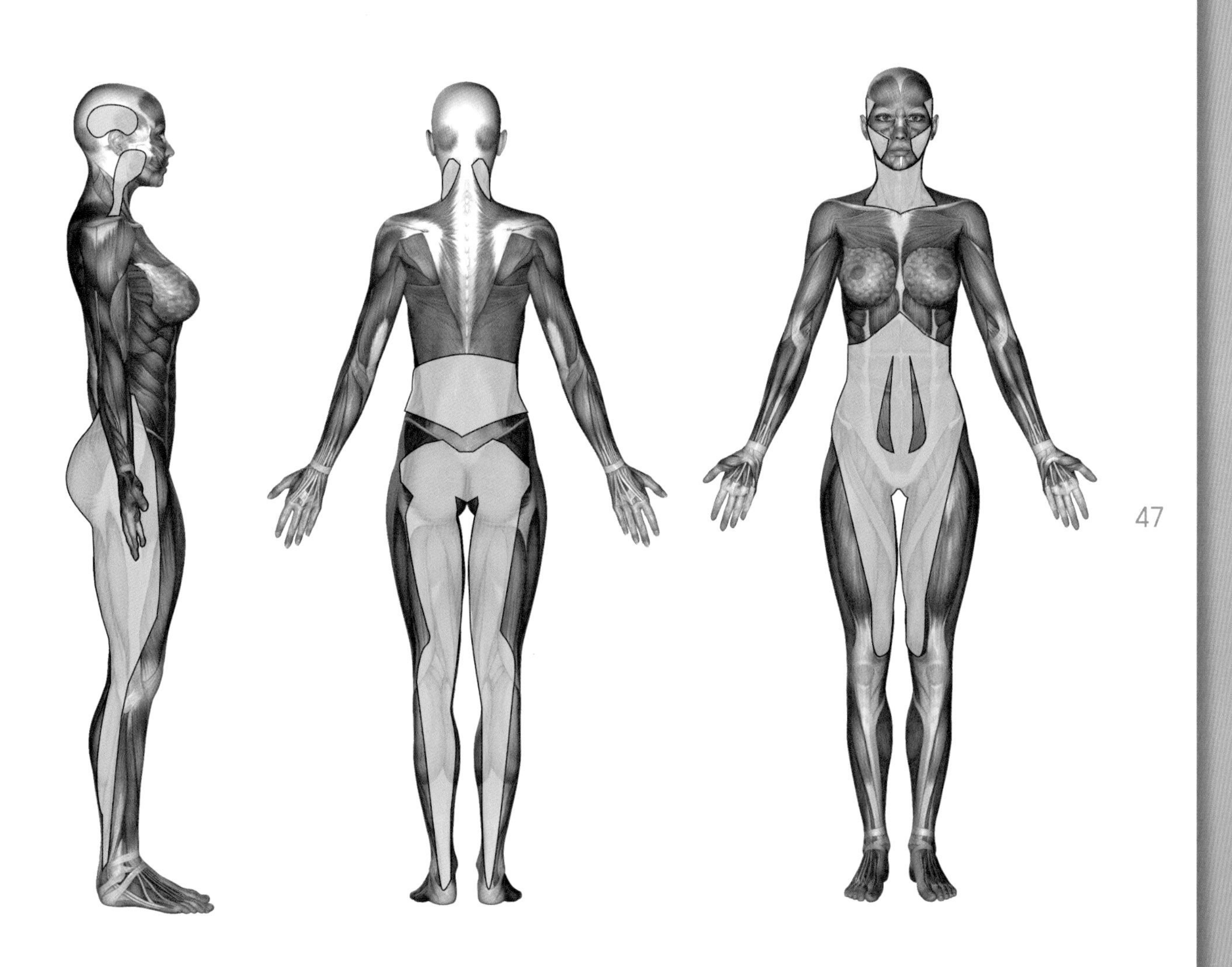

심부전방선(The deep front line)

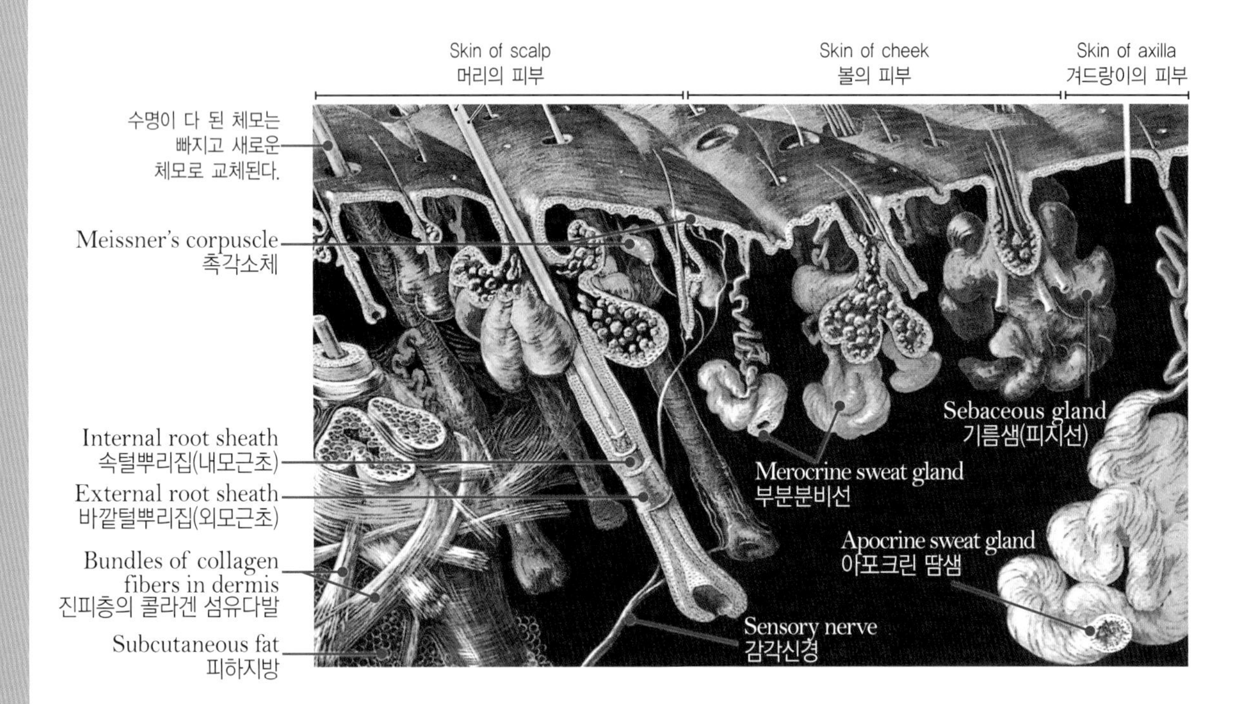
Skin of scalp
머리의 피부
Skin of cheek
볼의 피부
Skin of axilla
겨드랑이의 피부
수명이 다 된 체모는
빠지고 새로운
체모로 교체된다.
Meissner's corpuscle
촉각소체
Internal root sheath
속털뿌리집(내모근초)
External root sheath
바깥털뿌리집(외모근초)
Bundles of collagen
fibers in dermis
진피층의 콜라겐 섬유다발
Subcutaneous fat
피하지방
Sebaceous gland
기름샘(피지선)
Merocrine sweat gland
부분분비선
Apocrine sweat gland
아포크린 땀샘
Sensory nerve
감각신경

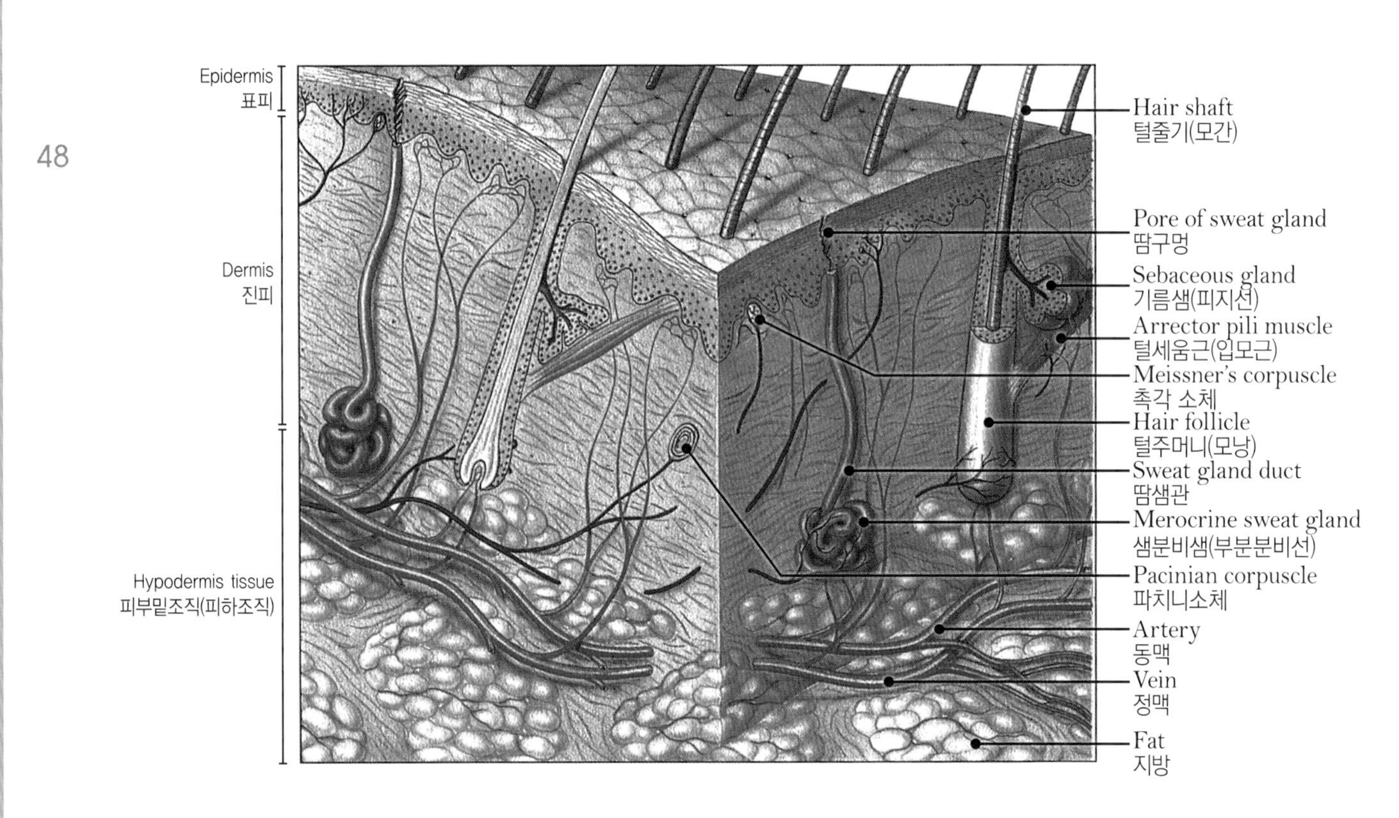
Epidermis
표피
Dermis
진피
Hypodermis tissue
피부밑조직(피하조직)
Hair shaft
털줄기(모간)
Pore of sweat gland
땀구멍
Sebaceous gland
기름샘(피지선)
Arrector pili muscle
털세움근(입모근)
Meissner's corpuscle
촉각 소체
Hair follicle
털주머니(모낭)
Sweat gland duct
땀샘관
Merocrine sweat gland
샘분비샘(부분분비선)
Pacinian corpuscle
파치니소체
Artery
동맥
Vein
정맥
Fat
지방

피부의 구성

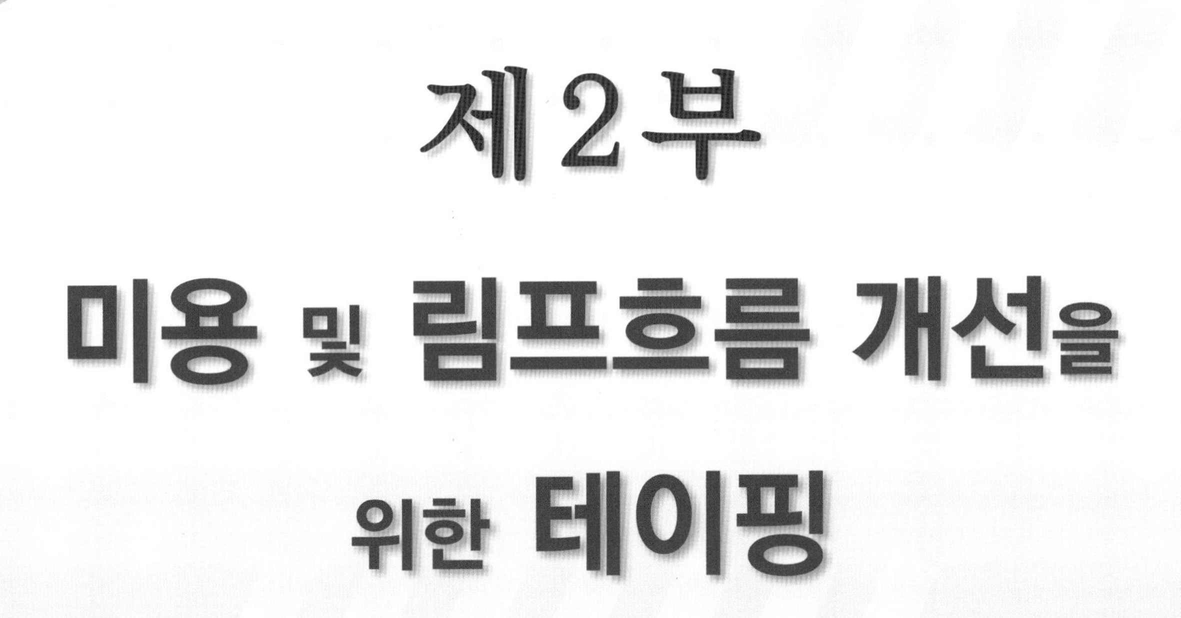

제2부

미용 및 림프흐름 개선을 위한 테이핑

TIP

사람마다 신체부위의 너비와 길이가 다르기 때문에 테이프를 붙일 때 미리 붙일 부위의 길이를 재서 테이프를 길이에 맞게 잘라서 사용해야 한다. 본문에 표시한 테이프의 길이는 일반적인 예시이다.

키네시오 테이프를 자르는 형태

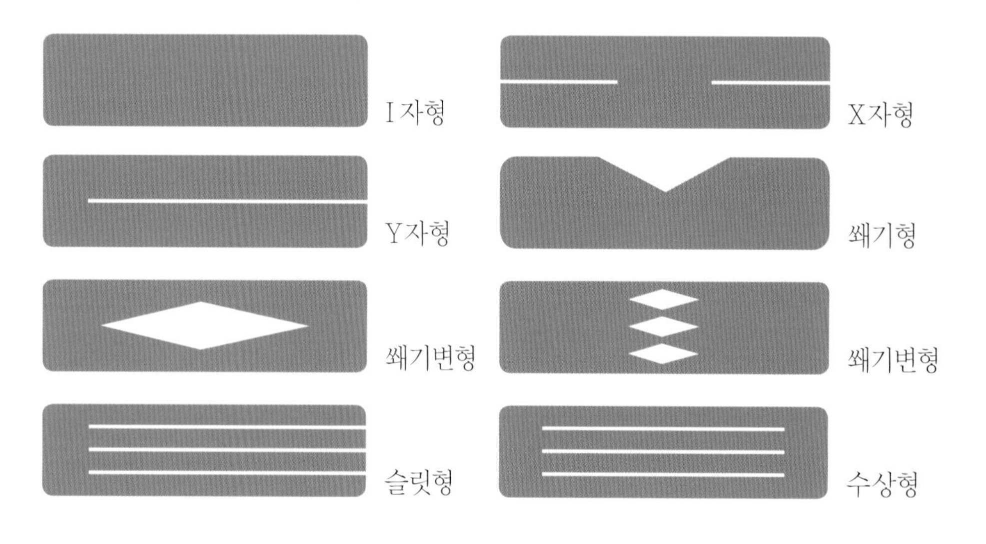

Taping

01 얼굴 리프팅 1

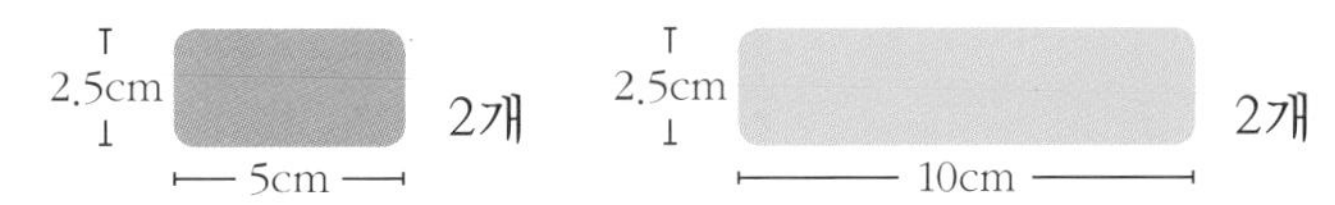

1

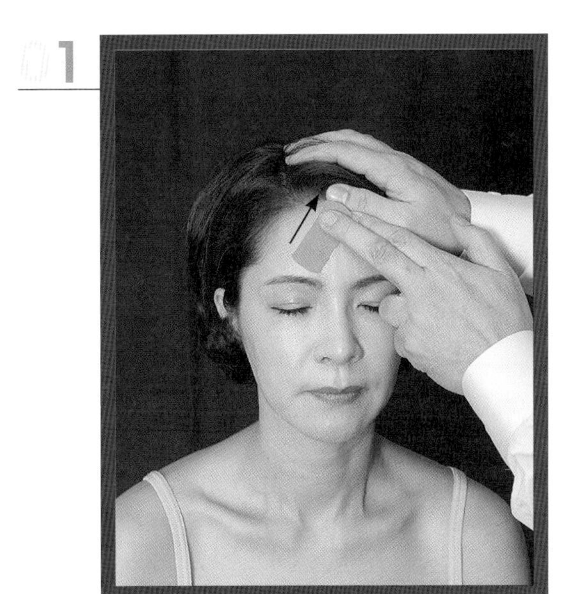

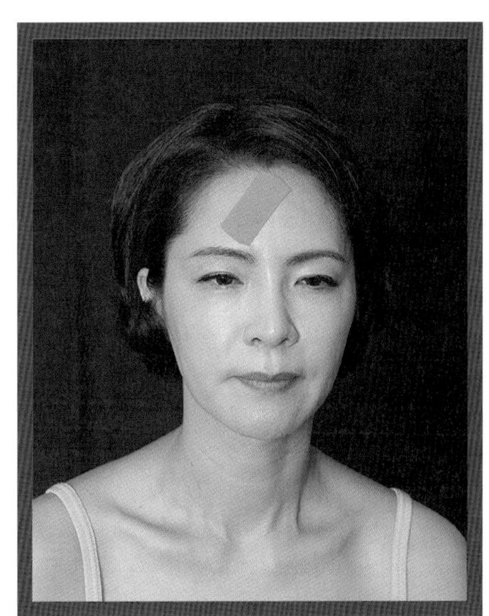

피부를 화살표 방향으로 당긴 상태에서 눈썹 위쪽에 5cm I자형 테이프를 그림과 같이 붙인다.

2

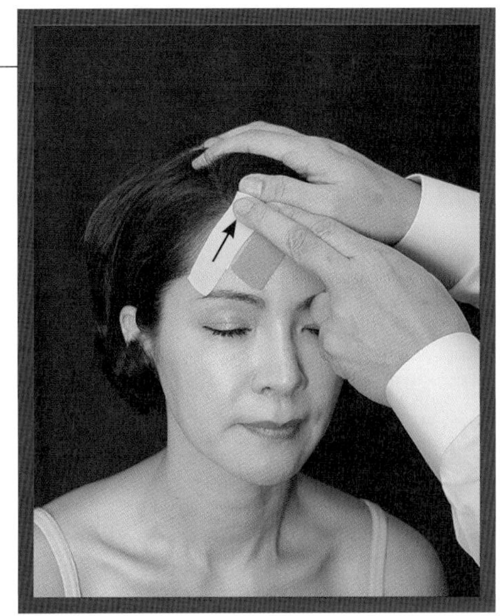

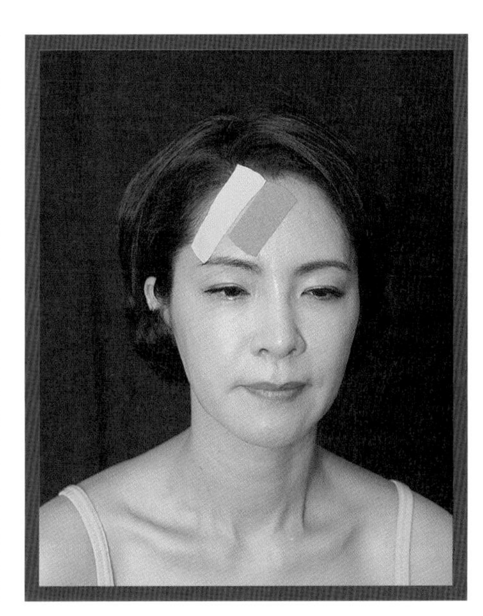

10cm I자형 테이프를 1번 테이핑 위쪽에 같은 방법으로 나란히 붙인다.

3

반대쪽 이마에도 같은 방법으로 테이핑한다.

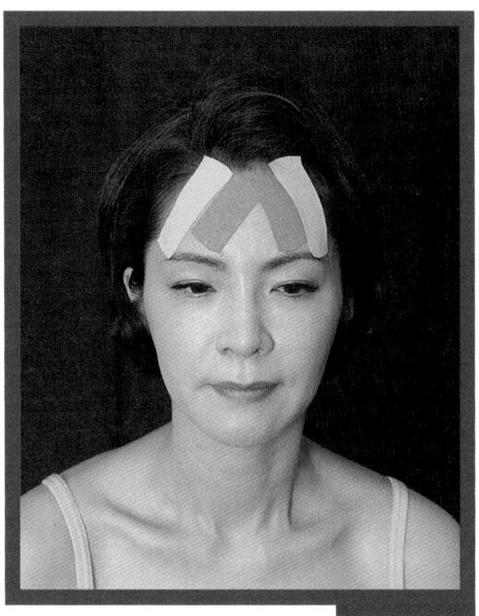

완성본

Taping

02 얼굴 리프팅 2

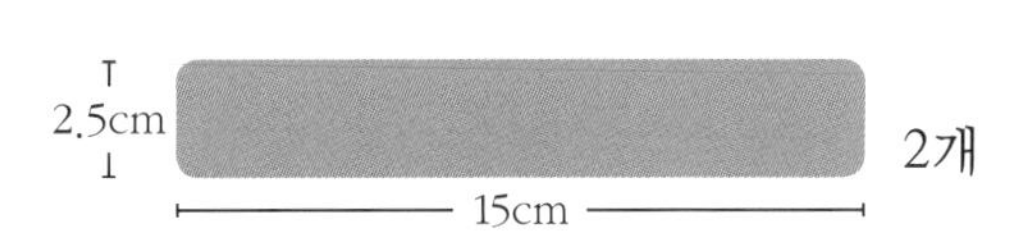

피부를 귀쪽(화살표 방향)으로 당긴 후에 I자형 테이프를 턱선 중심에서 귀밑까지 붙인다.

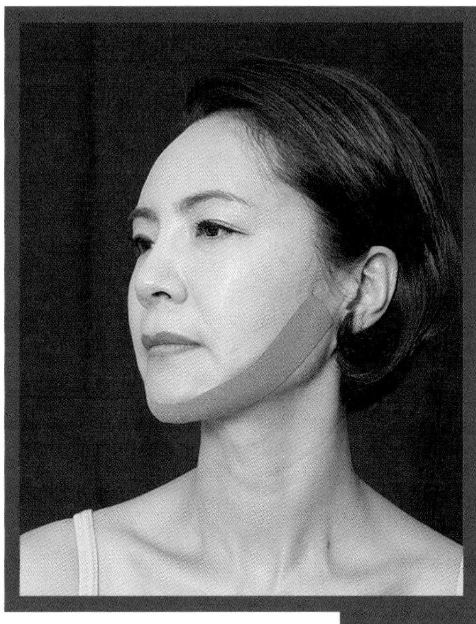

완성본

Taping

03 얼굴 리프팅 3

2.5cm 15cm 2개

01

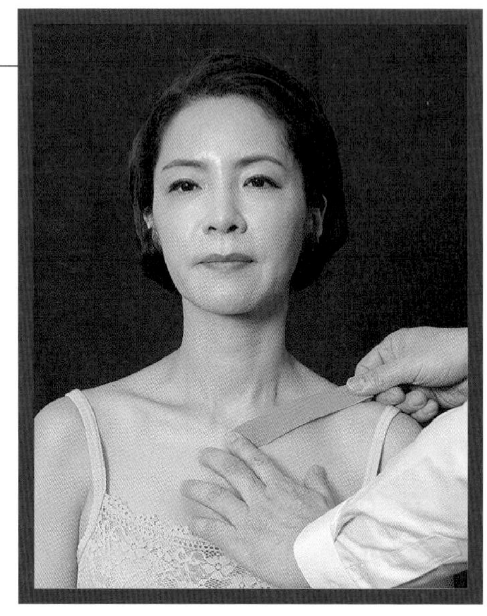

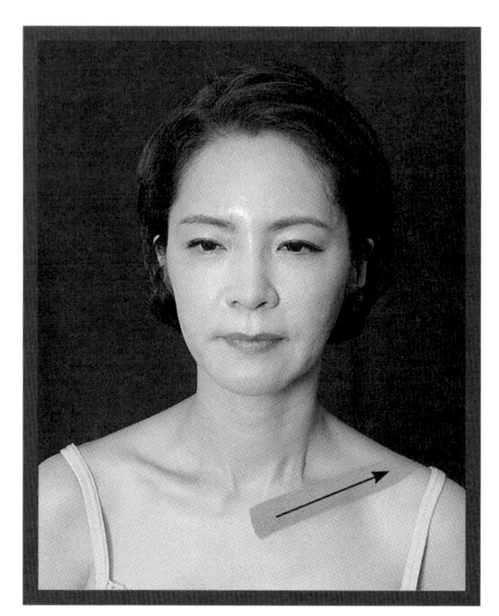

I자형 테이프를 쇄골 중심부에서부터 화살표 방향으로 쇄골하근까지 붙인다.

02

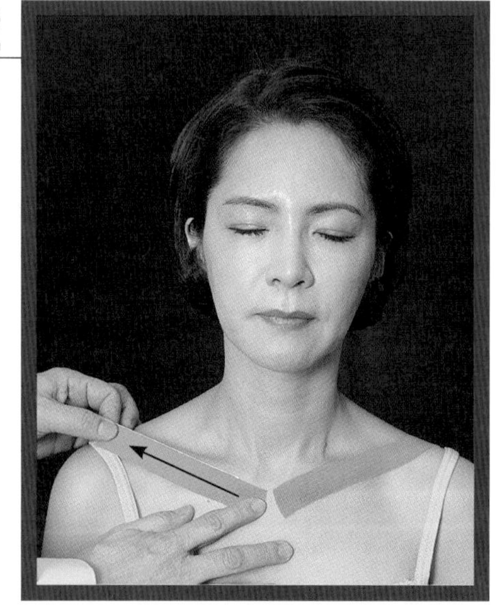

반대쪽에도 같은 방법으로 테이핑한다.

완성본

Taping

04 가슴 업

5cm

1개

40cm

01

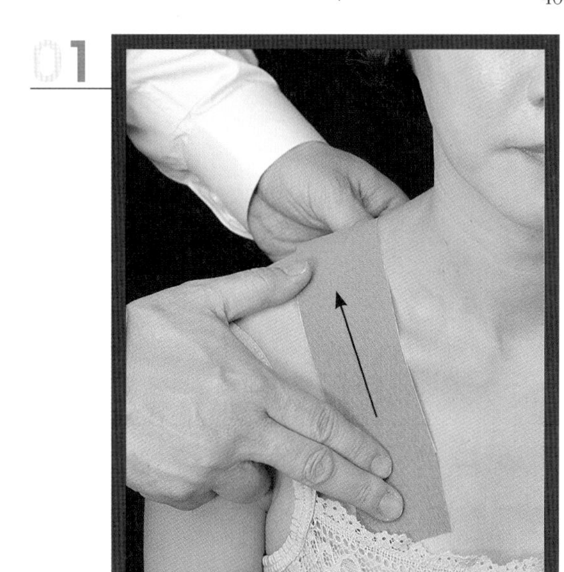

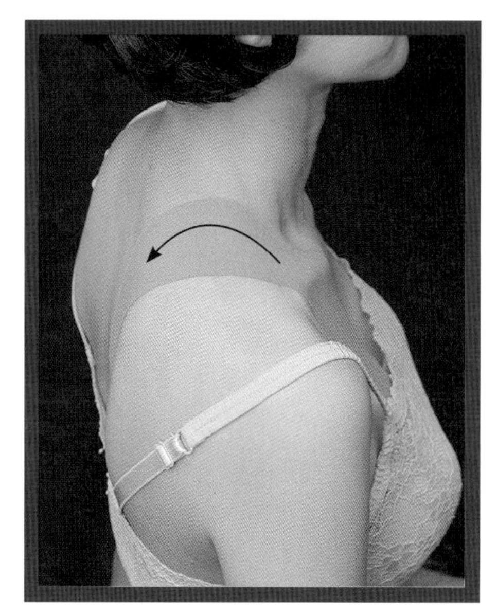

I자형 테이프를 늑골 3번부위에서부터 어깨까지 80%의 힘으로 당겨서 붙인 후 등의 흉추 3번부위까지 테이프를 늘리지 않고 얹듯이 붙인다.

02

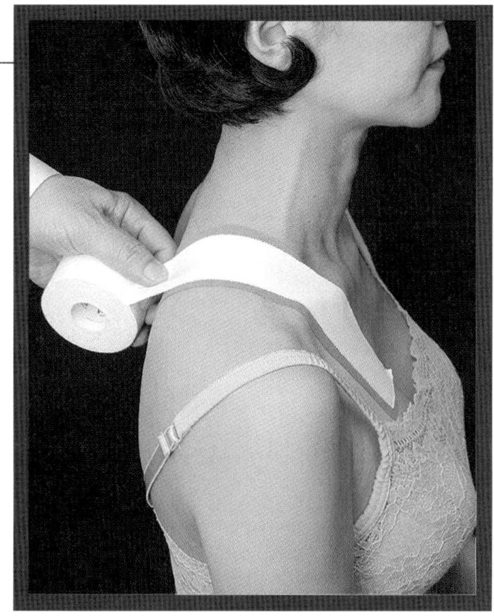

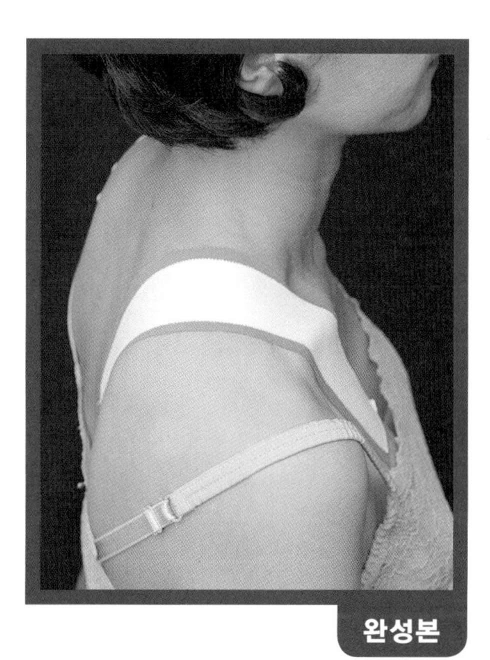

그 위에 같은 방식으로 C테이프(비탄력 테이프)를 붙인다.

완성본

Taping

05 일자목 교정

2.5cm
10cm
2개

01

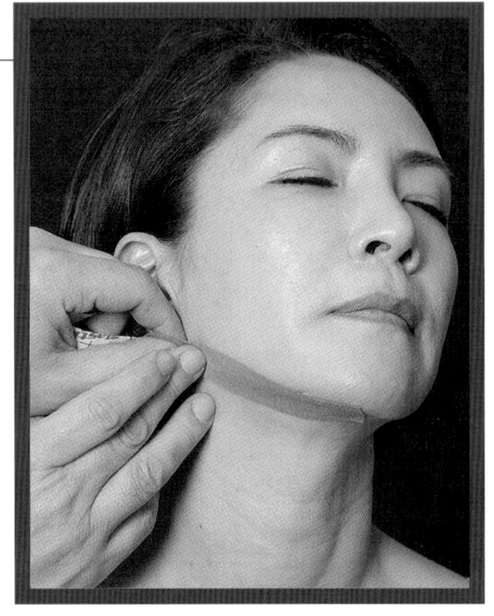

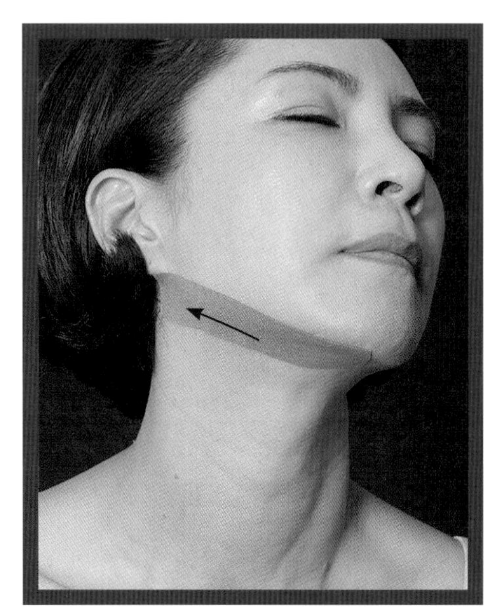

I자형 테이프를 턱선의 중심에서부터 턱선을 따라 귀밑까지 붙인다.

02

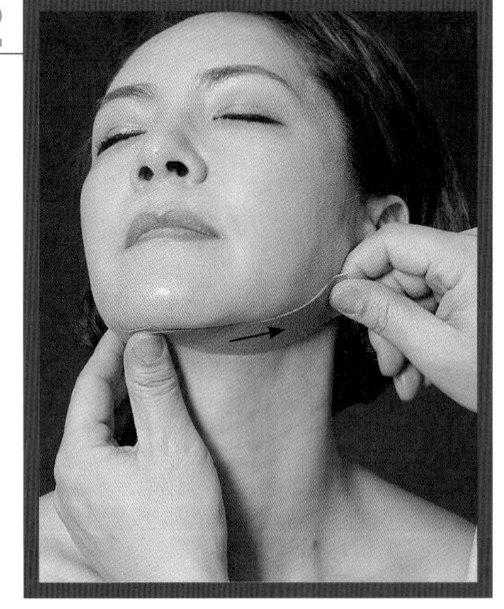

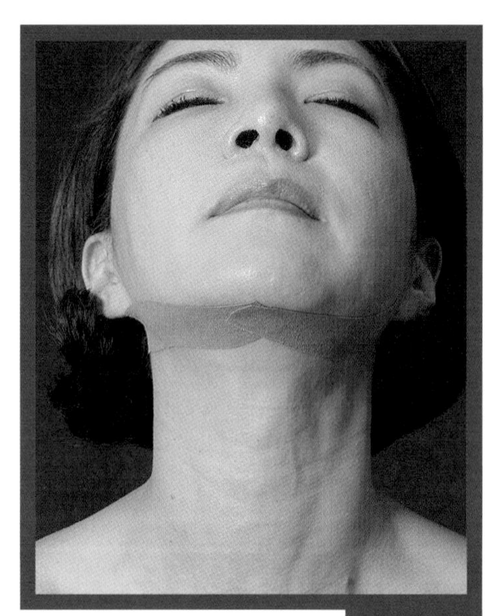

반대쪽에도 같은 방법으로 붙인다.

완성본

Taping

06 둥근어깨 만들기

5cm

2개

45cm

01

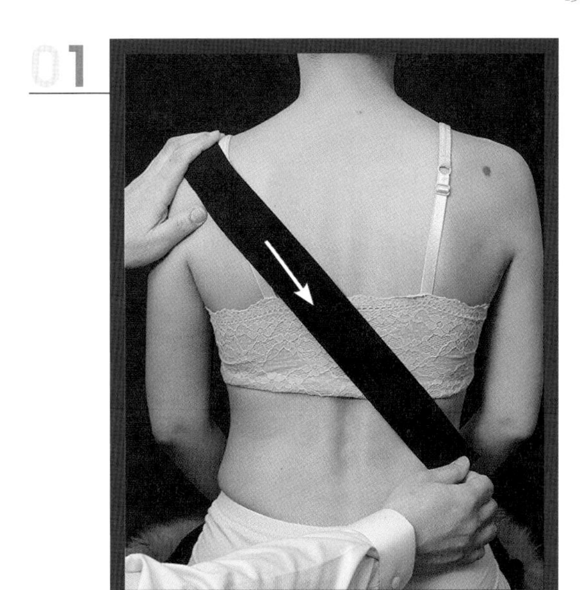

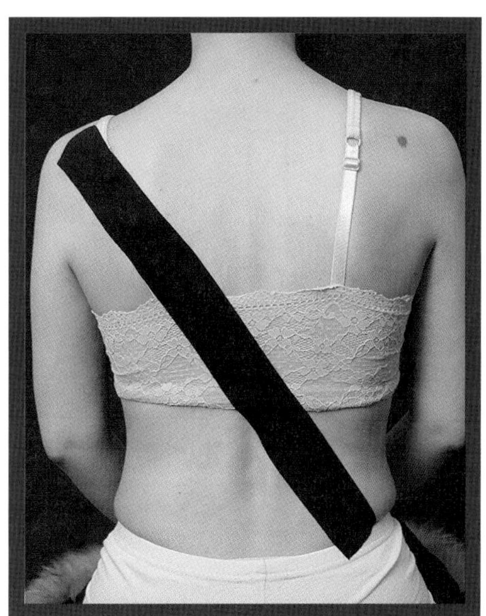

I자형 테이프를 견봉부위에서부터 대각선쪽의 장골릉부위에 붙인다. 이때 테이프는 30% 당겨서 붙인다.

02

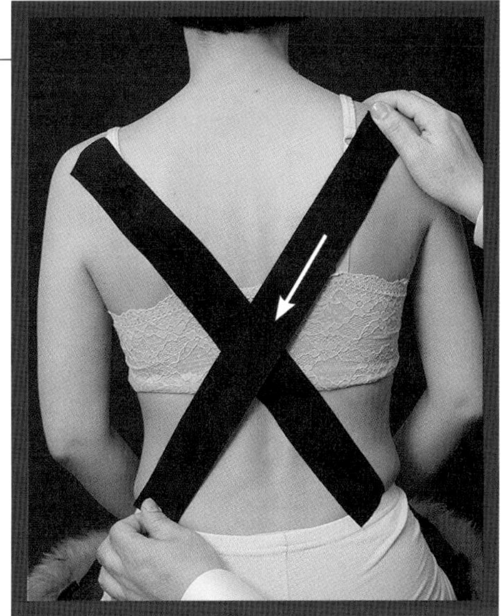

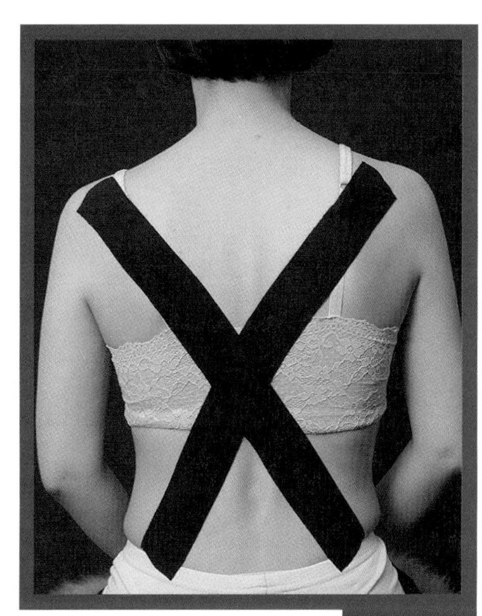

완성본

반대쪽에도 같은 방법으로 붙인다.

Taping

07 변비 1

5cm 15cm 2개 5cm 20cm 1개

01

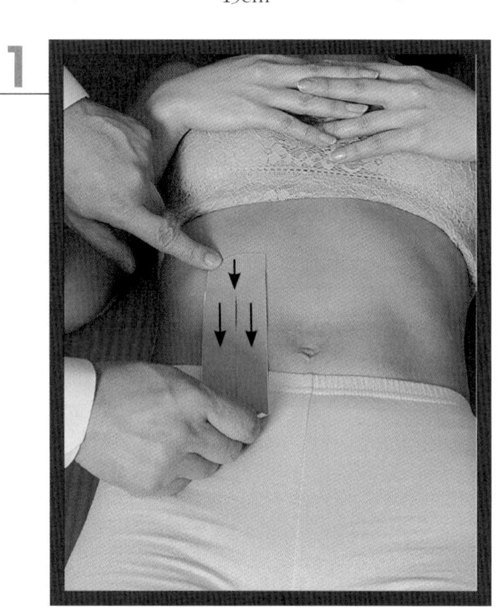

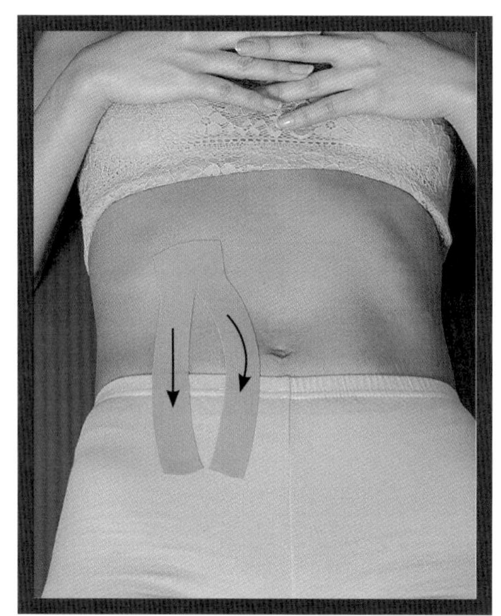

15cm Y자형 테이프의 기부를 복부의 오른쪽 늑골 12번 가쪽 아래에 붙인 다음 두 갈래는 상전장골극(화살표 방향)을 따라 그림처럼 붙인다.

02

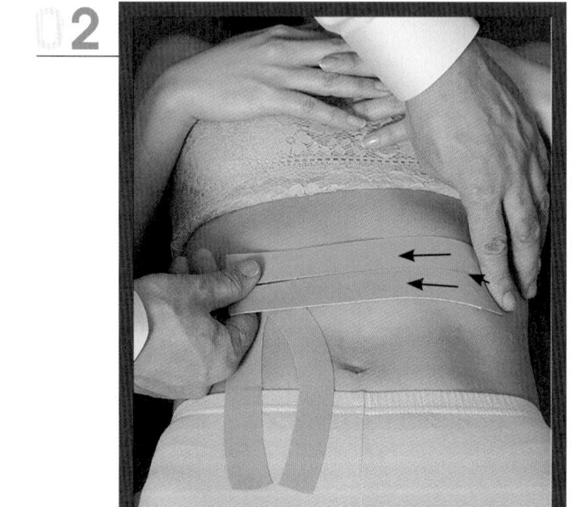

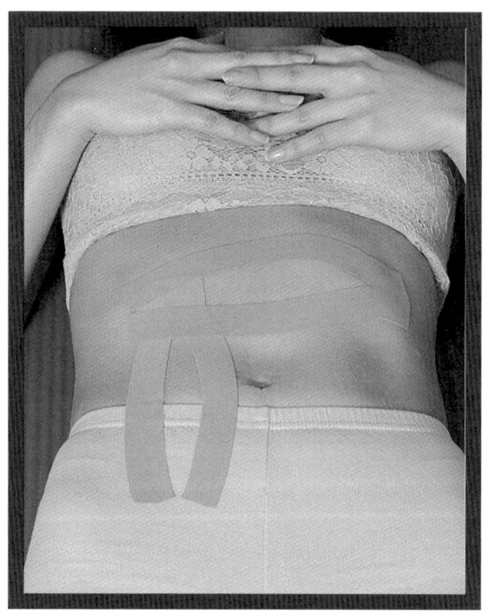

20cm Y자형 테이프의 기부를 복부 왼쪽에 붙이고 두 갈래는 그림처럼 붙인다.

03

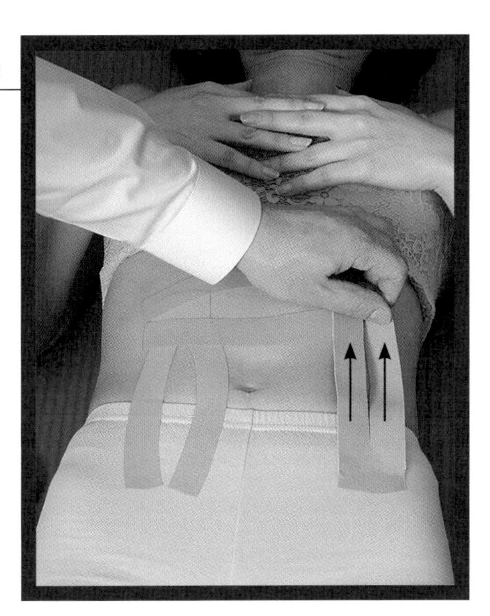

15cm Y자형 테이프의 기부를 왼쪽 상전장골극에 붙이고 두 갈래는 그림처럼 붙인다.

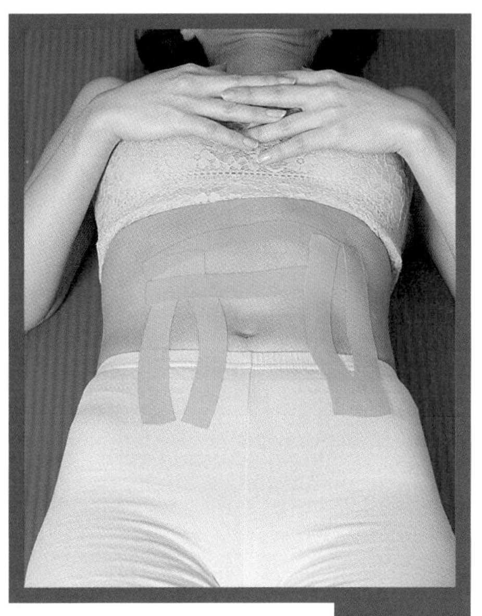

완성본

Taping

08 변비 2

5cm 15cm 2개

5cm 20cm 2개

01

15cm Y자형 테이프의 기부를 배꼽 아래에 붙인 다음 두 갈래는 배꼽 위쪽으로 올려 그림과 같이 붙인다. 이때 테이프는 20% 늘려서 붙인다.

02

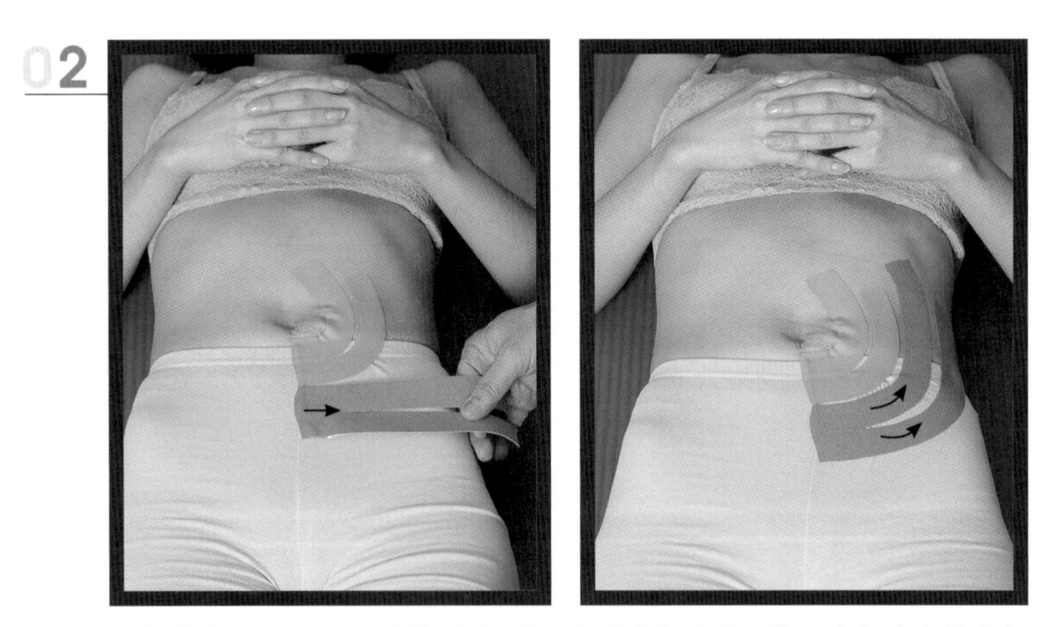

같은 방법으로 20cm Y자형 테이프를 1번 테이핑 아래쪽에 그림과 같이 붙인다.

03

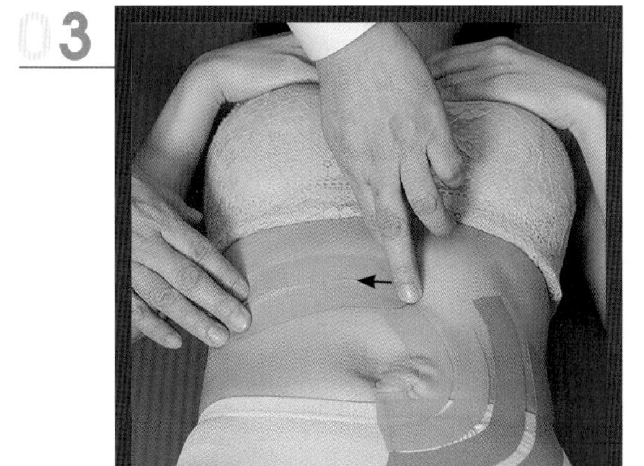

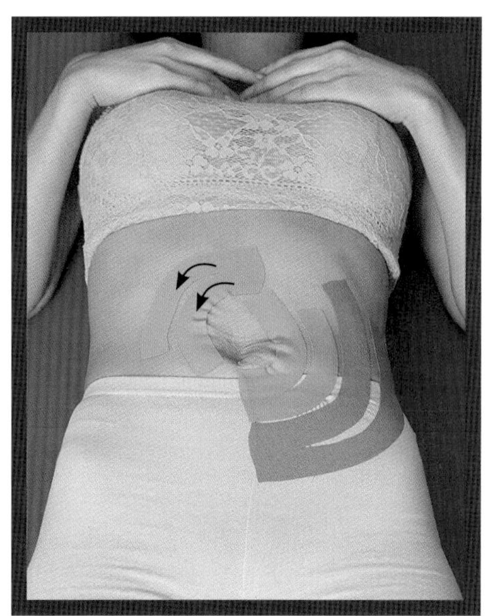

15cm Y자형 테이프의 기부를 배꼽 위쪽에 붙이고 두 갈래는 배꼽 아래쪽으로 내려서 그림과 같이 붙인다.

04

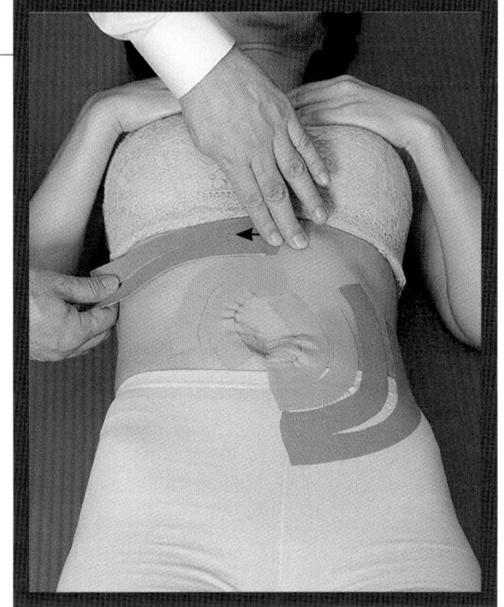

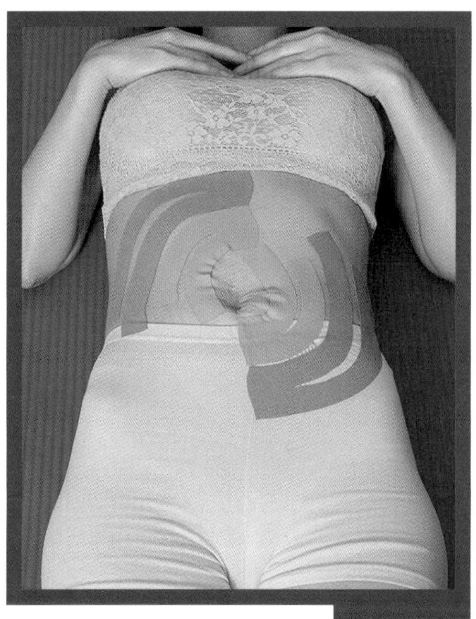

완성본

20cm Y자형 테이프를 3번 테이핑 위쪽에 같은 방법으로 붙인다.

Taping

변비 3

5cm

20cm

4개

01

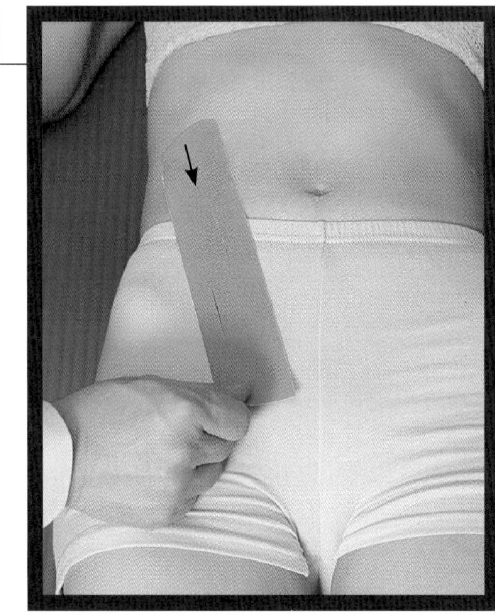

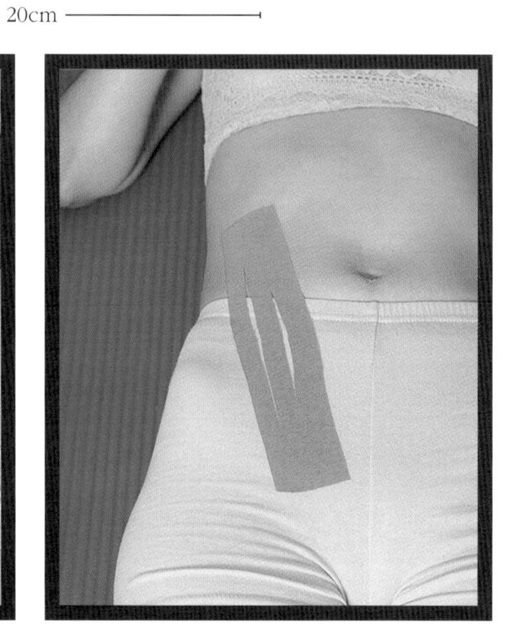

그림과 같이 자른 테이프를 횡격막에서부터 서혜부쪽으로 비스듬히 붙이고 사이를 벌려준다.

02

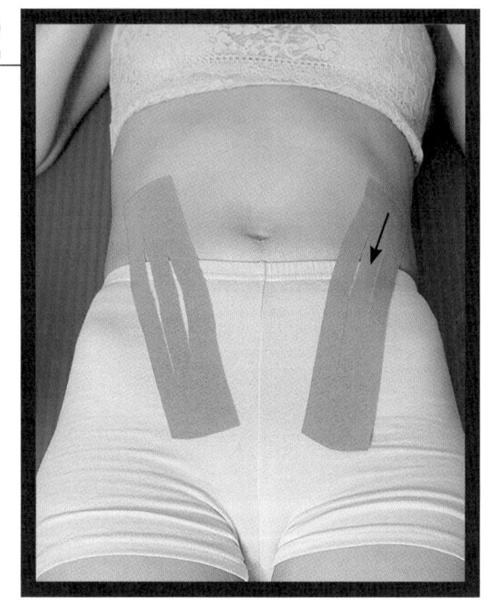

반대쪽에도 같은 방법으로 붙인다.

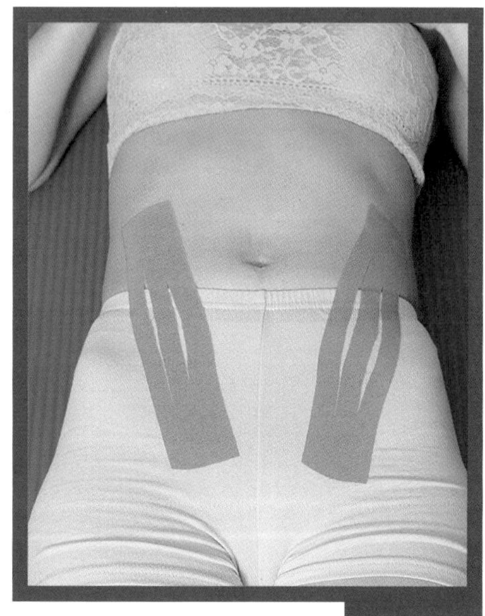

앞면

완성본

03

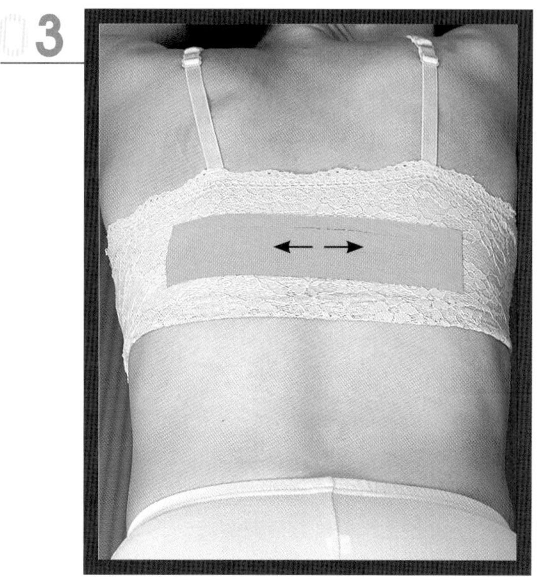

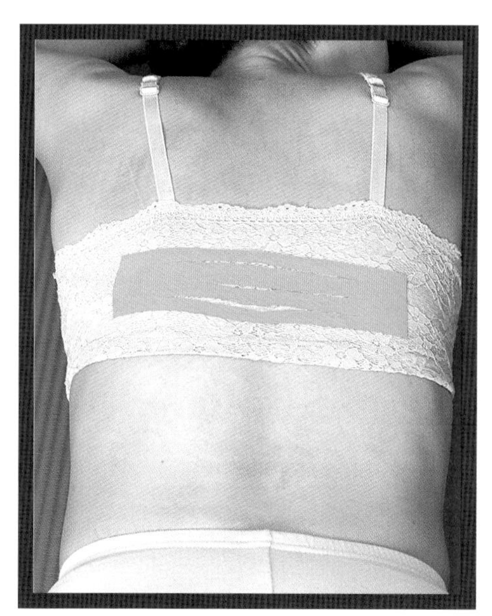

흉추 8번 위에 그림과 같이 자른 I자형 테이프를 가로로 붙이고 사이를 벌려준다.

04

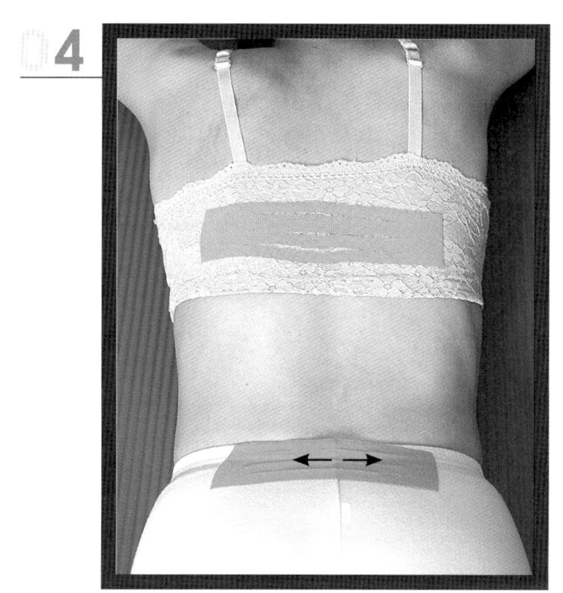

천골 위쪽에도 같은 방법으로 붙인다.

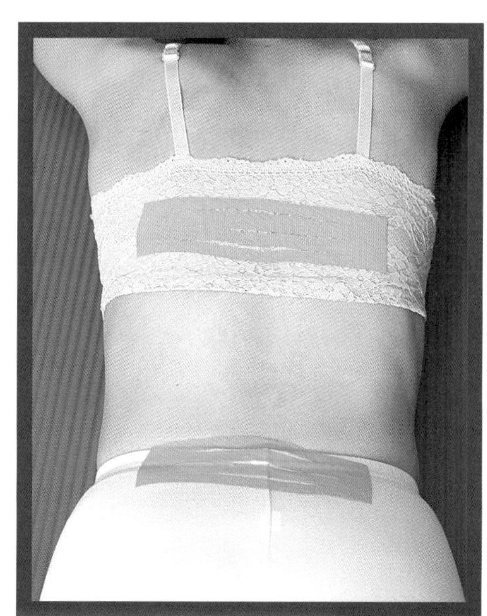

뒷면

완성본

Taping

10 복부 슬리밍 1

1

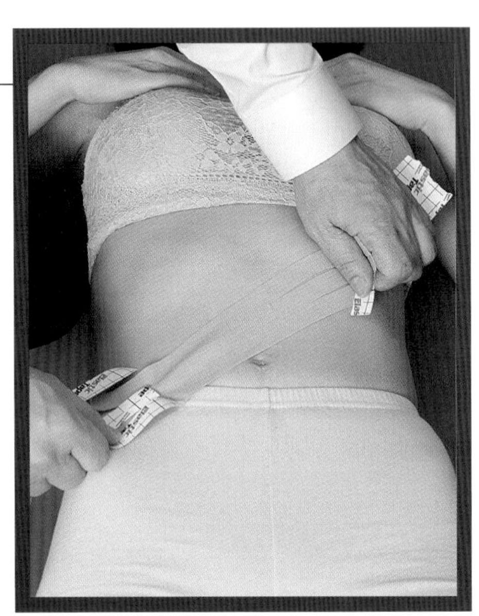

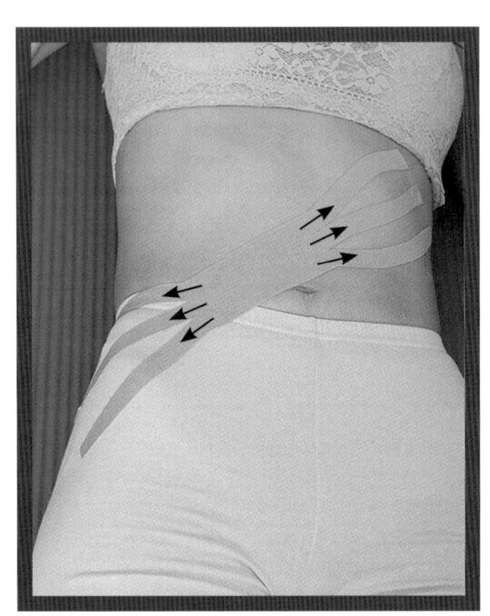

그림과 같은 테이프의 중심을 배꼽 위쪽에 붙이고 양쪽 각 갈래는 벌려서 그림과 같이 붙인다.

2

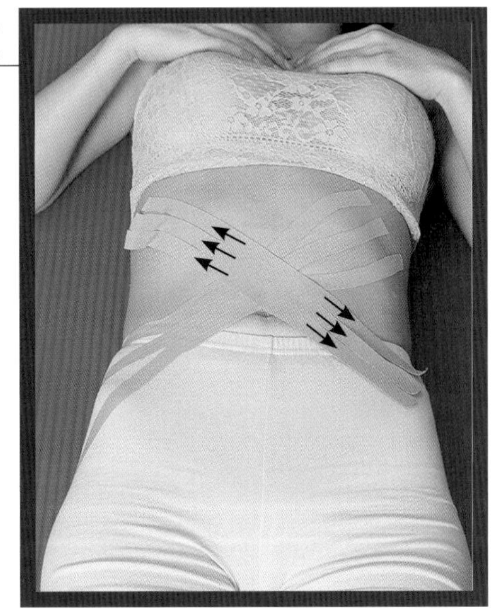

1번 테이핑과 X자 형태가 되도록 같은 방법으로 테이핑한다.

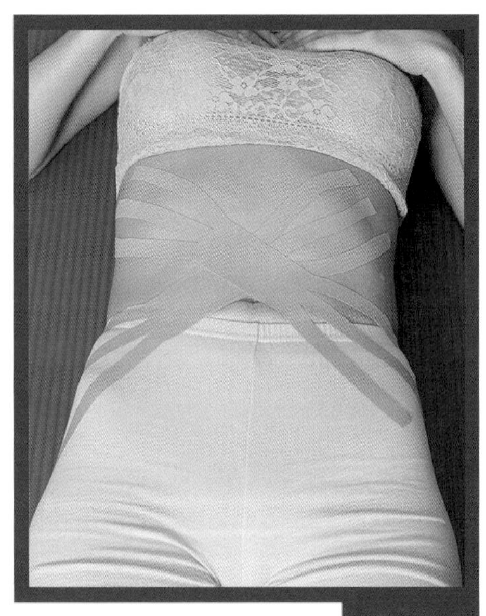

완성본

Taping

11 복부 슬리밍 2

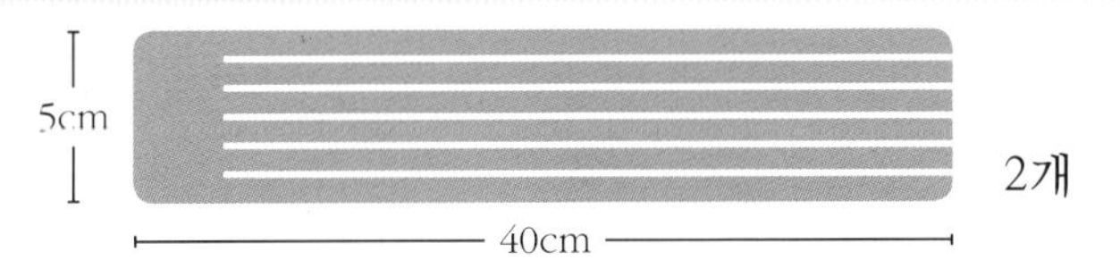

1

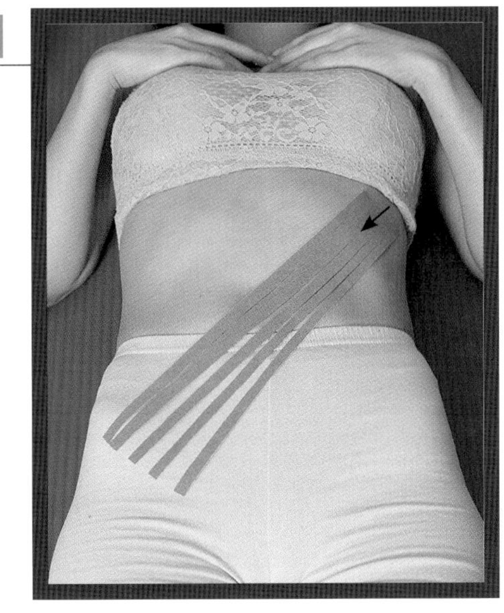

6갈래 테이프의 기부를 늑골 12번 위에 그림과 같이 붙인다.

복부의 림프 흐름 개선 테이핑은 복부의 림프와 혈액순환을 도와 복부 슬리밍에 도움을 준다.

2

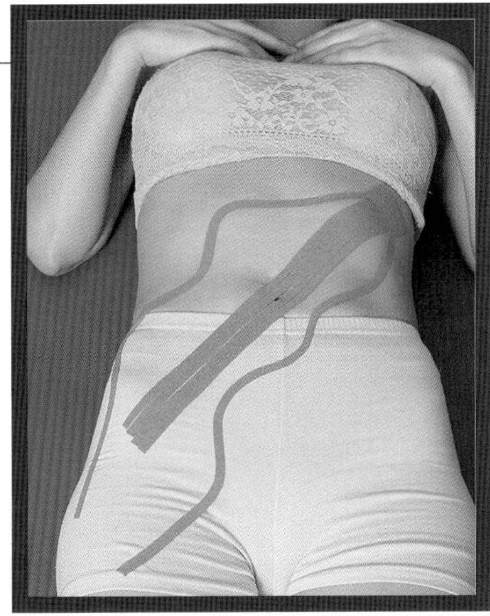

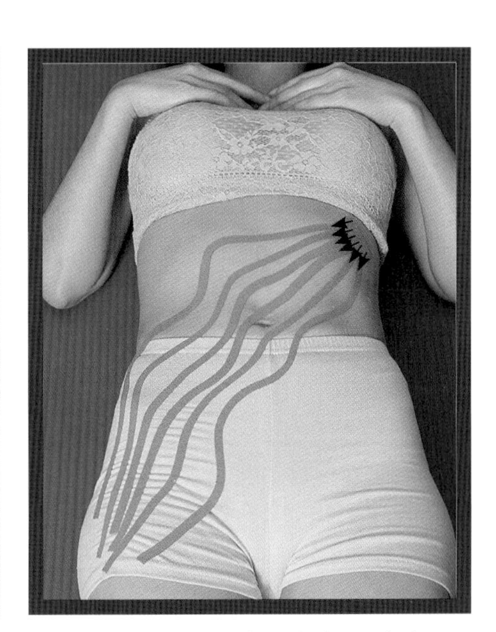

테이프의 각 갈래를 양쪽 늑골 12번 위에서부터 붙여서 서혜부까지 순서대로 6갈래를 그림과 같이 붙인다. 이때 테이프가 배꼽을 덮지 않도록 한다.

3

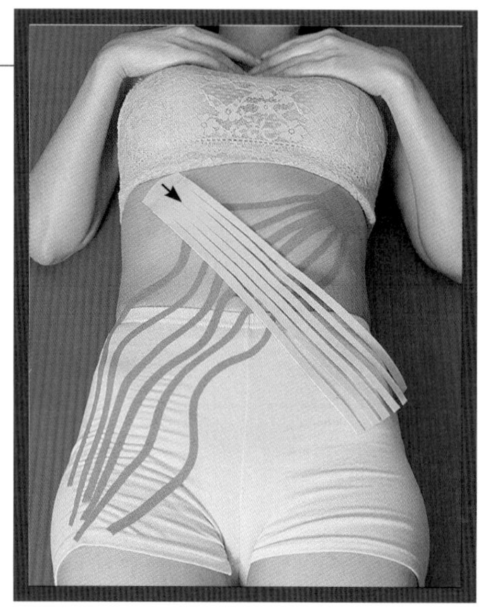

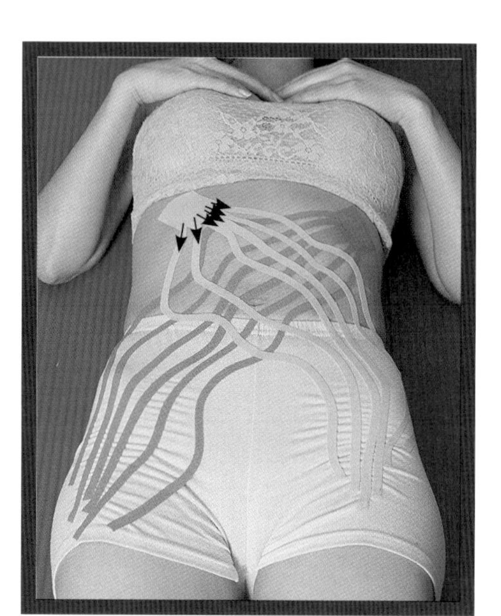

반대쪽에도 같은 방법으로 테이핑한다.

4

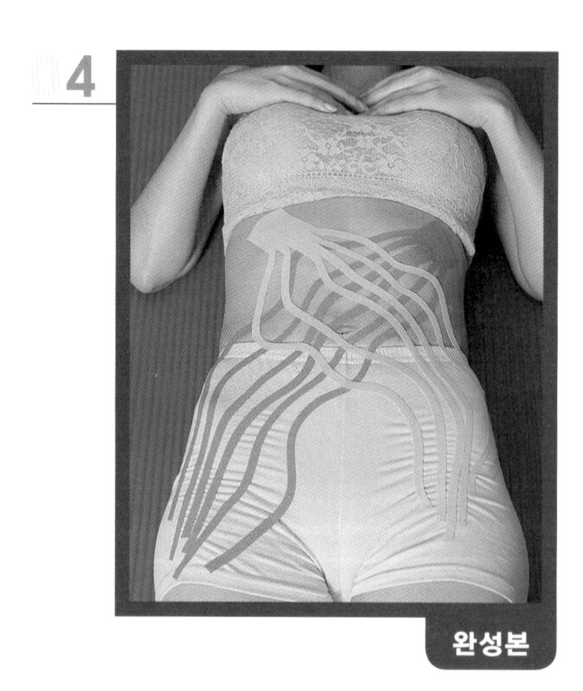

완성본

Taping

12 옆구리 슬리밍

5cm

1개

35cm

01

4갈래 테이프의 기부를 늑골 12번 위쪽에 붙인 다음 각 갈래 사이를 일정하게 벌려서 뒤쪽 천골까지 비스듬히 붙인다.

완성본

Taping

13 옆구리와 허리 슬리밍

5cm

30cm

2개

1

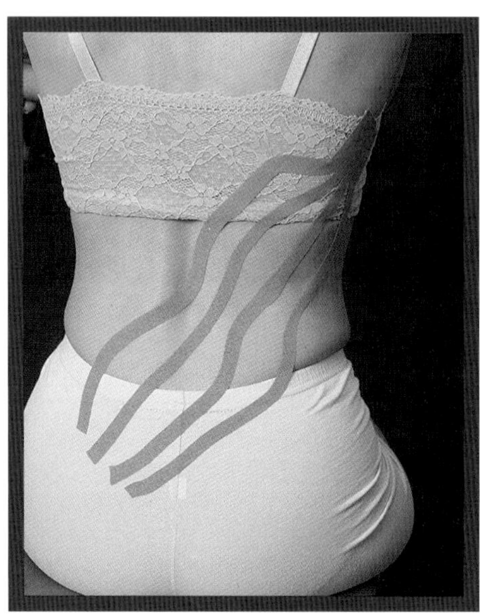

4갈래 테이프의 기부를 겨드랑이 아래쪽에 붙인 다음 각 갈래는 그림과 같이 붙인다.

2

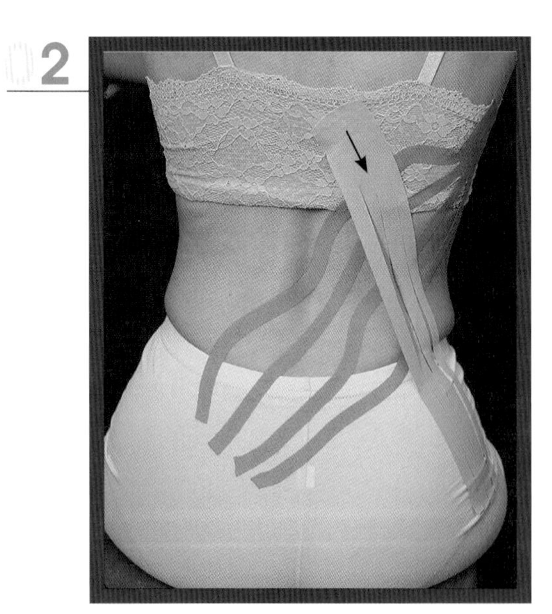

완성본

4갈래 테이프의 기부를 흉추 7번 위쪽에 붙인 다음 각 갈래는 그림과 같이 붙인다.

Taping

14 식욕부진

2.5cm

40cm

2개

01

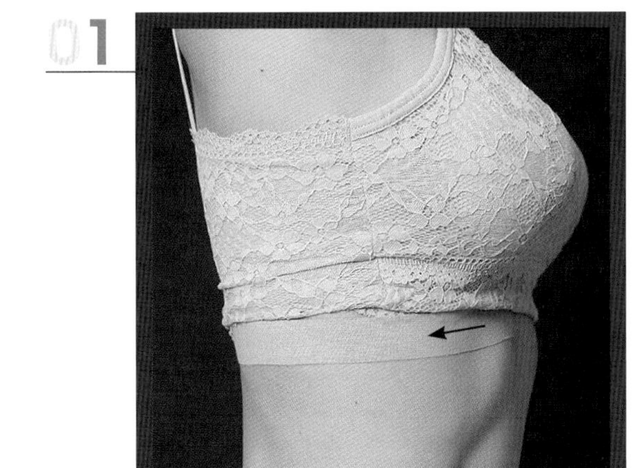

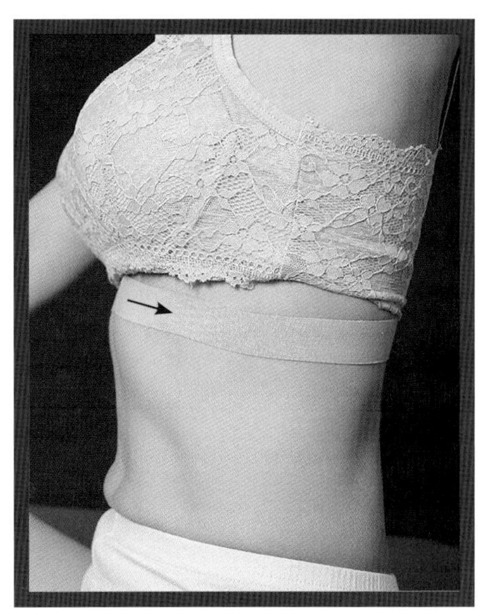

I자형 테이프를 앞면에서 늑골이 갈라지는 부위(늑골 12번/검상돌기)에서부터 뒷면의 흉추 옆부분까지 가로로 붙인다. 반대쪽도 같은 방법으로 붙인다.

02

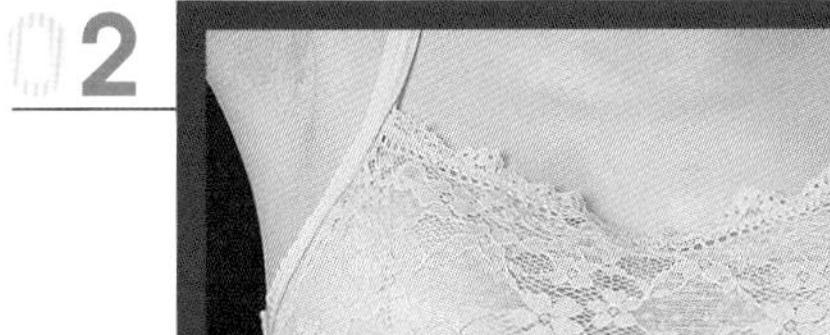

앞면 완성본

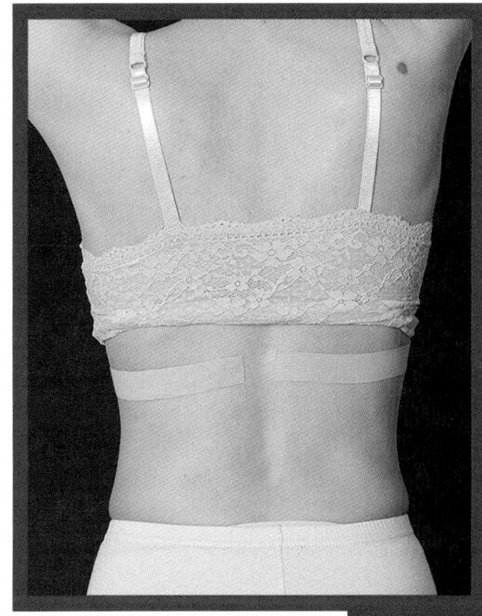

뒷면 완성본

Taping

15 힙 업 1

5cm 15cm 2개

01

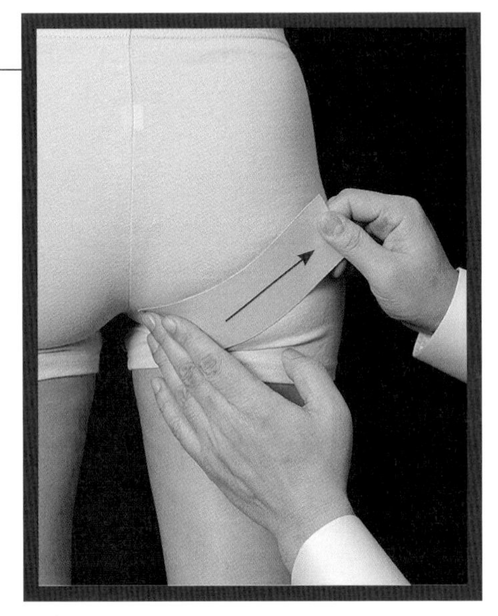

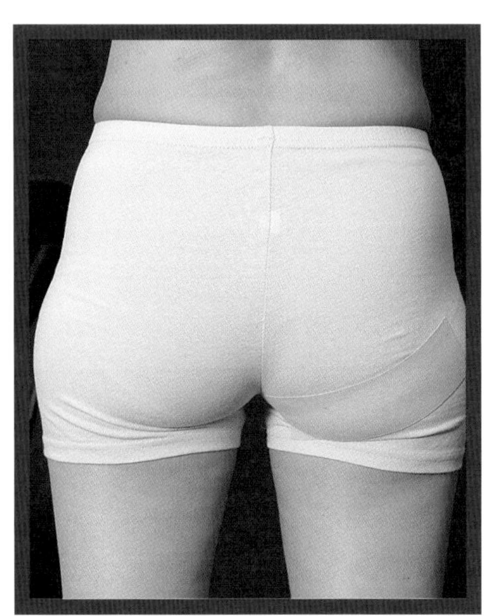

좌골 아래쪽에 I자형 테이프를 붙인다. 이때 둔부주름을 따라 테이프를 늘리지 않고 화살표 방향(엉덩이 가쪽)으로 올리듯이 붙인다.

02

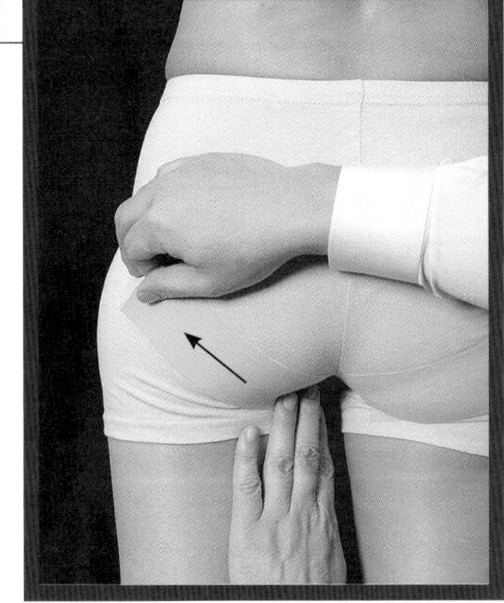

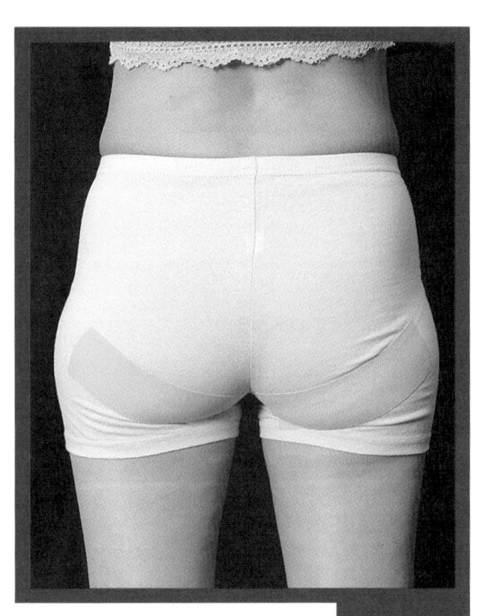

반대쪽에도 같은 방법으로 테이핑한다.

완성본

Taping

16 힙 업 2

5cm

2개

15cm

01

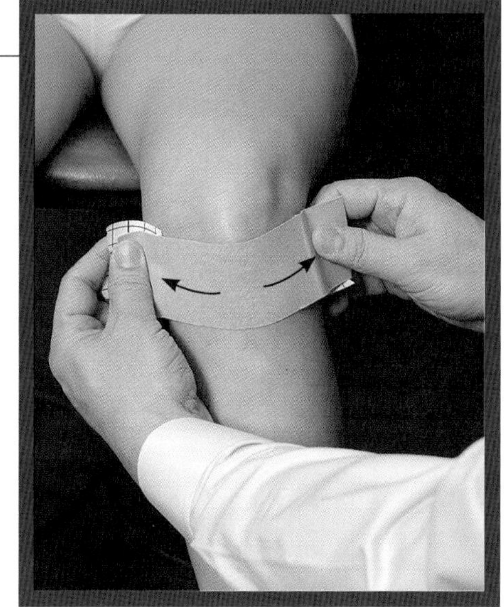

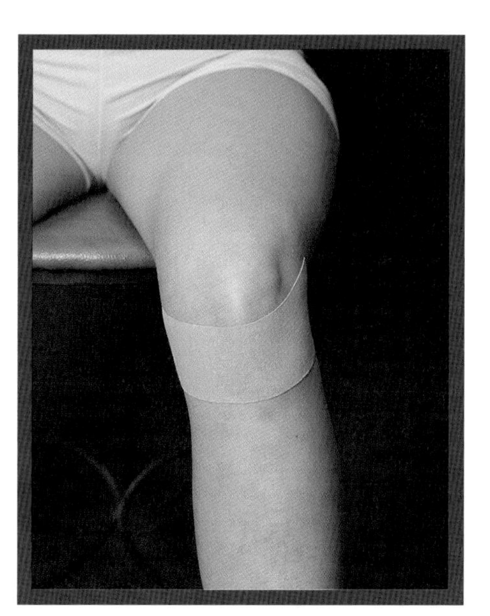

I자형 테이프의 가운데를 무릎 정면 중심에 붙인 다음 무릎을 감싸면서 위로 올리듯이 붙인다.

02

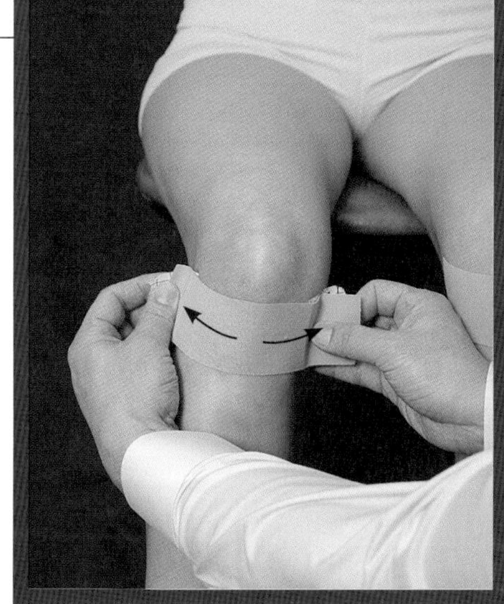

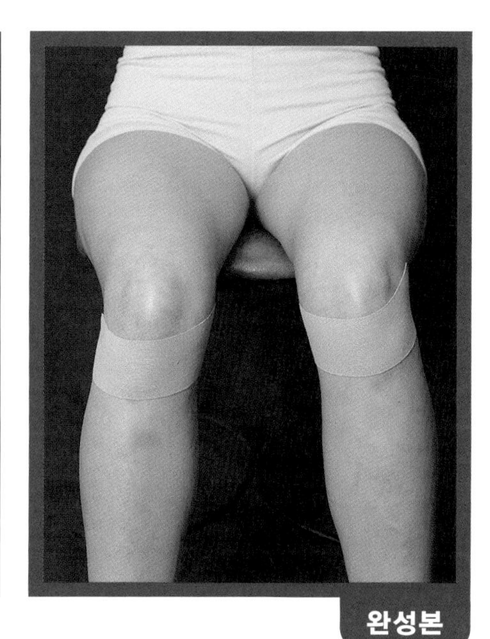

완성본

반대쪽 무릎에도 같은 방법으로 테이핑 한다.

Taping

17 몸통의 자세 교정 1

5cm 15cm 2개

5cm 25cm 2개

01

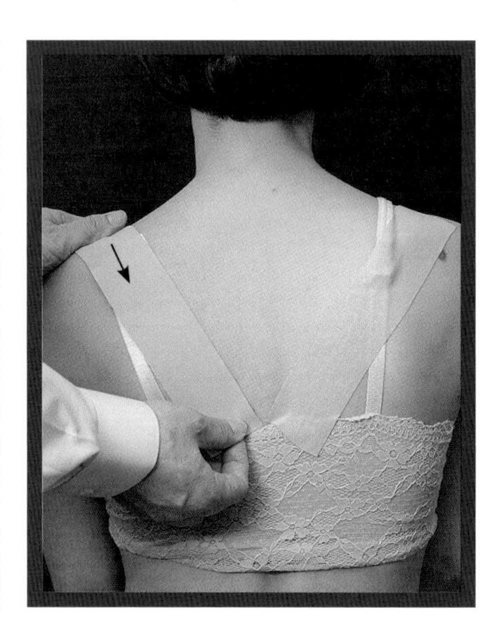

20cm I자형 테이프를 견봉에서부터 비스듬히(척추 방향) 내려서 붙인다.

반대쪽도 같은 방법으로 붙여서 큰 V자 모양을 만든다.

02

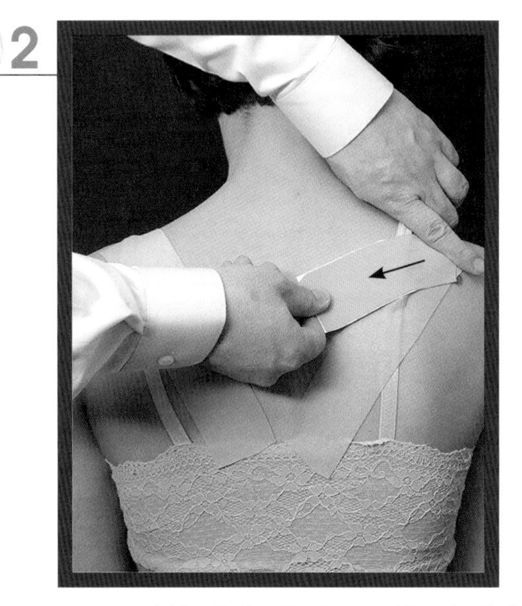

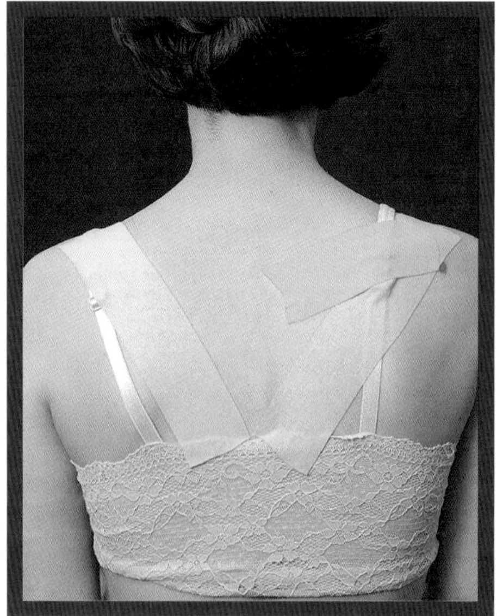

15cm I자형 테이프를 오른쪽의 1번 테이핑 위에서부터 흉추쪽으로 비스듬히 붙인다.

03

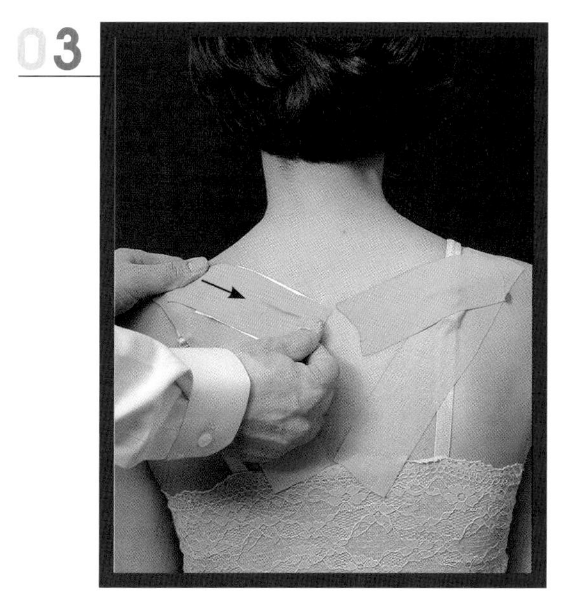

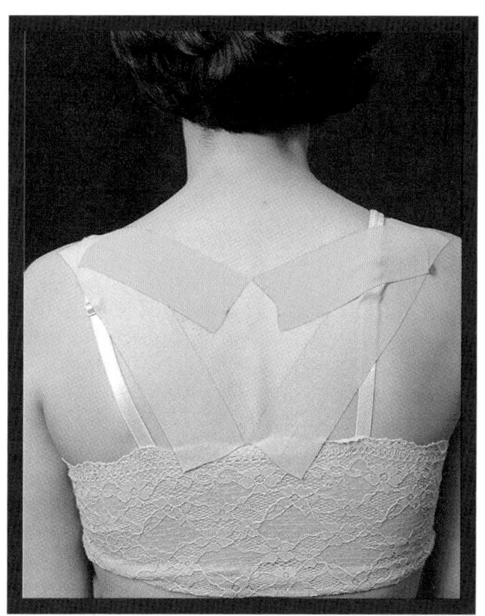

반대쪽에도 같은 방법으로 테이핑을 하여 작은 V자 모양을 만든다.

04

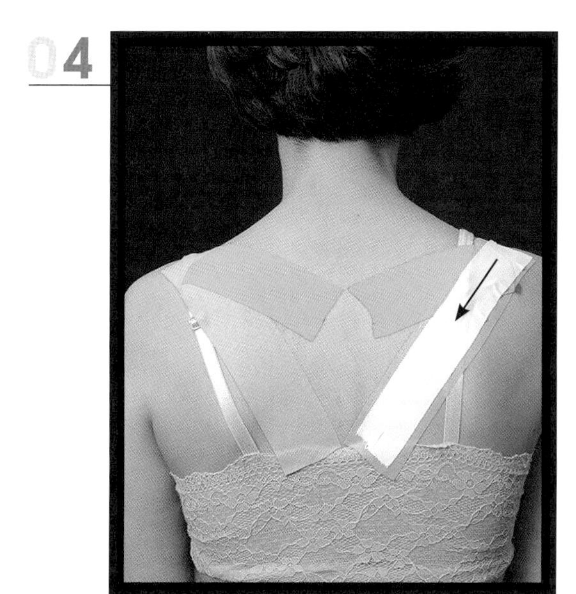

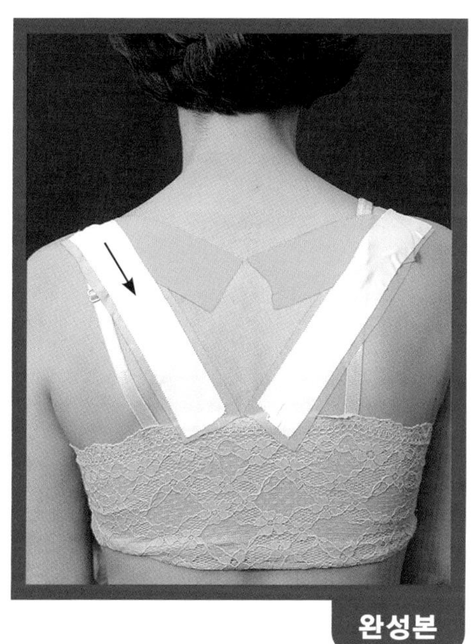

큰 V자 형태의 테이핑 위에 C테이프(비탄력테이프)를 붙여서 강화시켜준다.

완성본

Taping

18 몸통의 자세 교정 2

5cm

2개

40cm

1

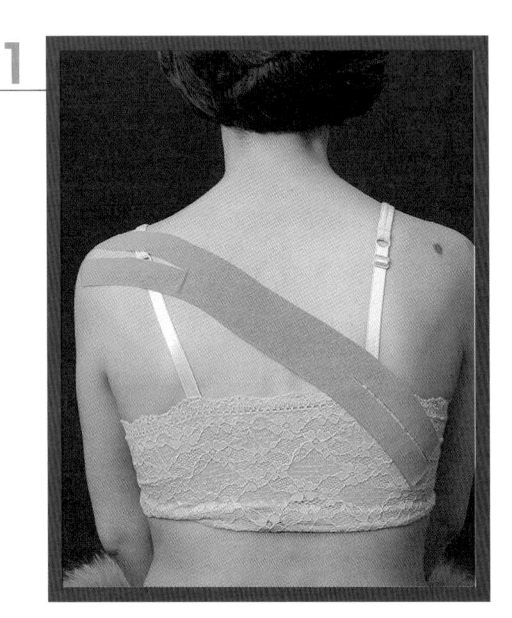

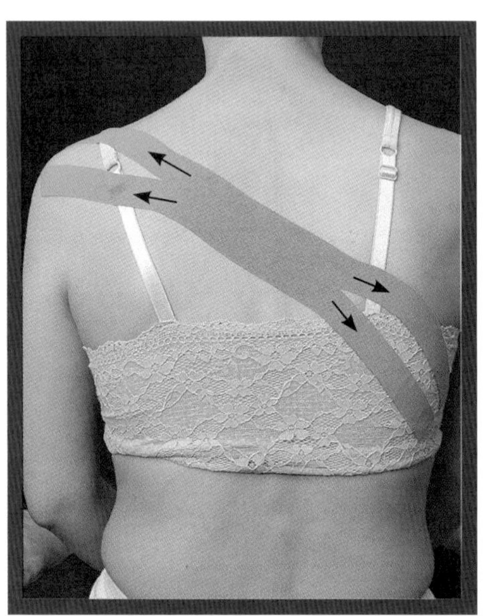

X자형 테이프를 견봉에서부터 늑골 12번까지 비스듬히 붙인 다음 각 끝을 X자 형태로 벌려준다.

2

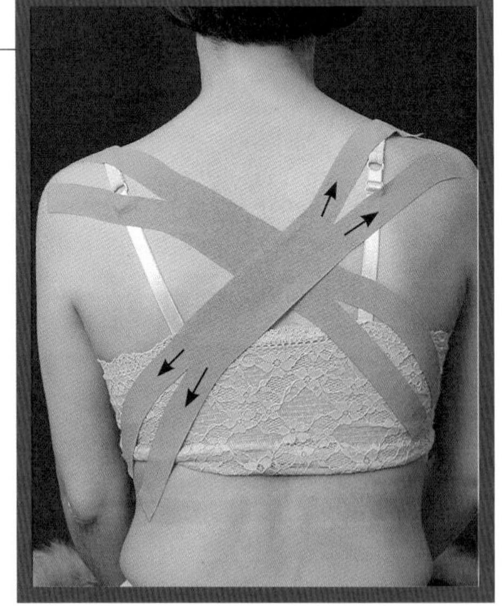

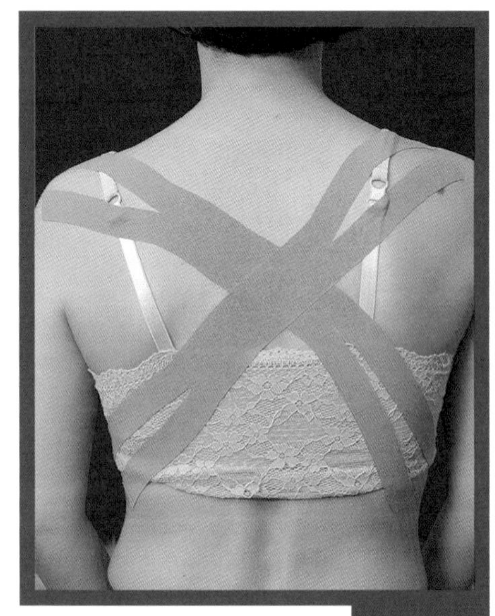

반대쪽에도 같은 방법으로 붙인다.

완성본

Taping

19 어깨의 림프흐름 개선 1

5cm

3개

35cm

01

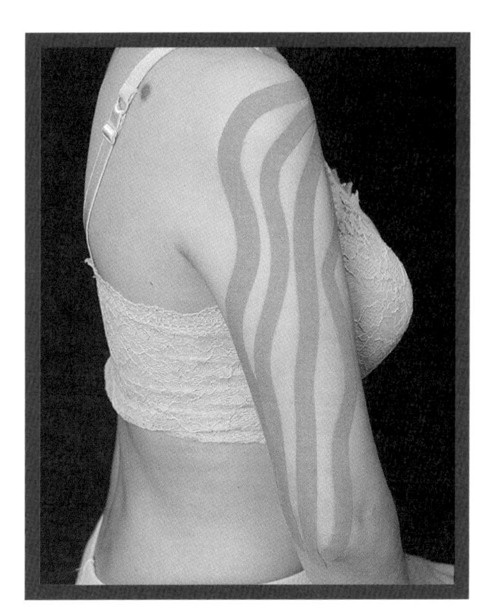

4갈래 테이프의 기부를 어깨 앞쪽에 붙이고 각 갈래는 팔꿈치쪽으로 그림과 같이 붙인다.

02

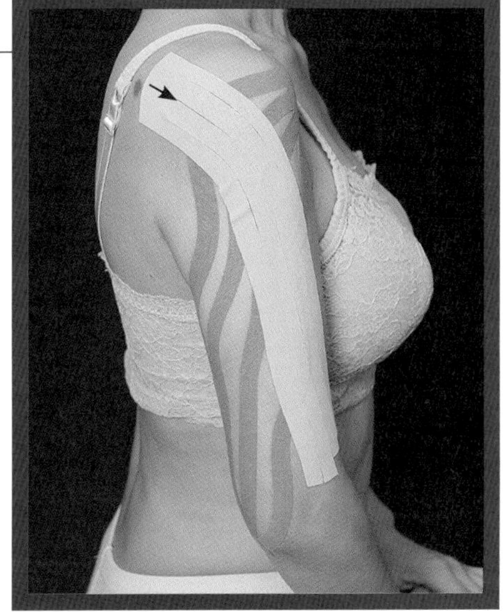

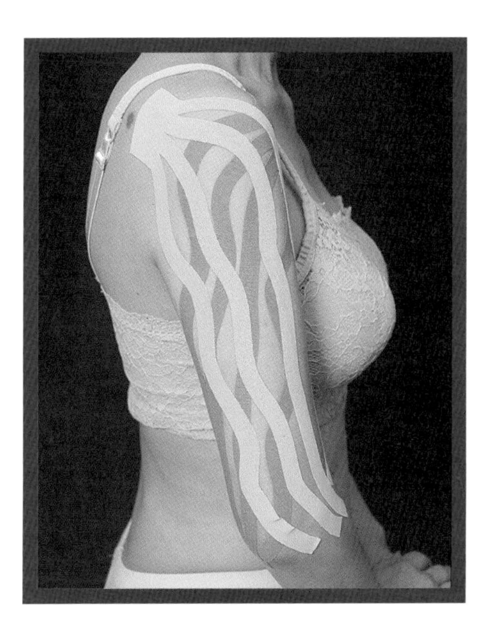

4갈래 테이프의 기부를 어깨 뒤쪽에 붙이고 각 갈래는 발꿈치쪽으로 그림과 같이 붙인다.

03

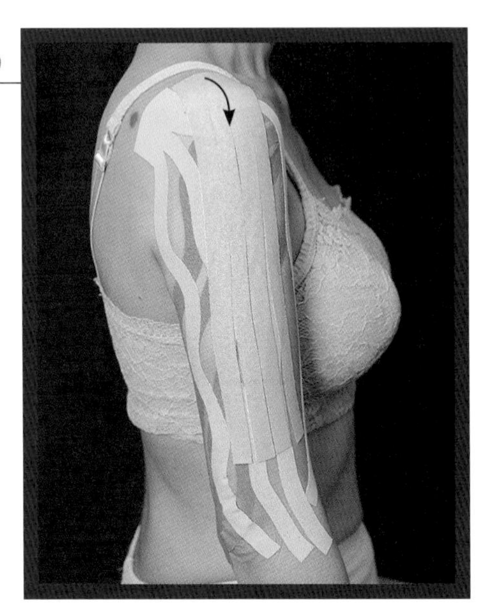

4갈래 테이프의 기부를 어깨 중심에 붙이고 각 갈래는 팔꿈치쪽으로 그림과 같이 붙인다.

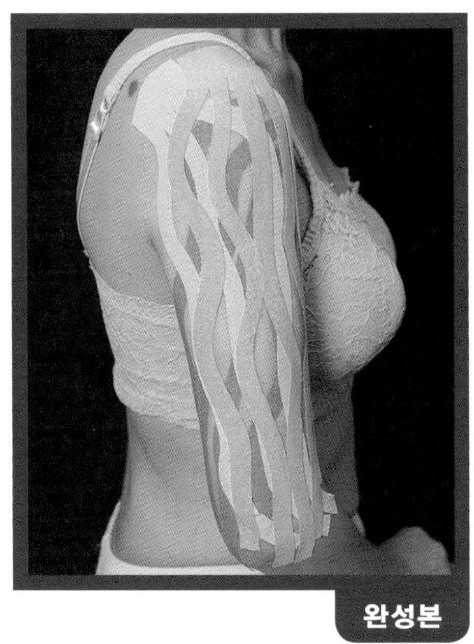

완성본

Taping

20 어깨의 림프흐름 개선 2

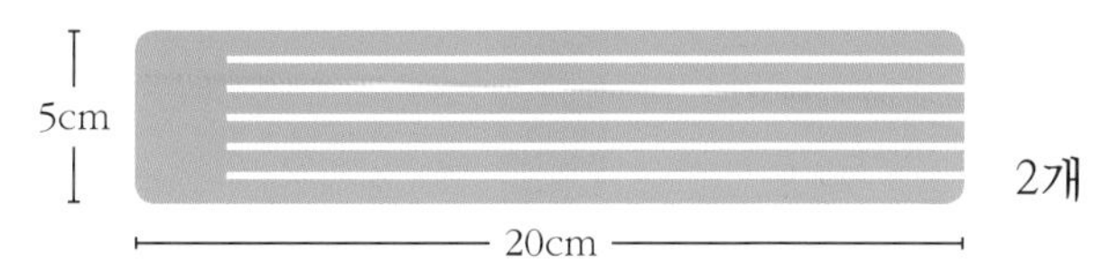

01

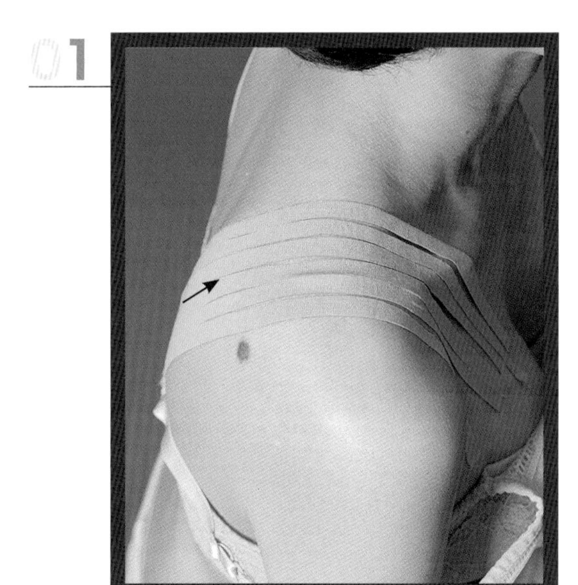

6갈래 테이프의 기부를 어깨 뒤쪽에 붙인 다음 각 갈래는 어깨를 타고 내려가 가슴쪽으로 붙인 후 사이를 균등하게 벌려준다.

02

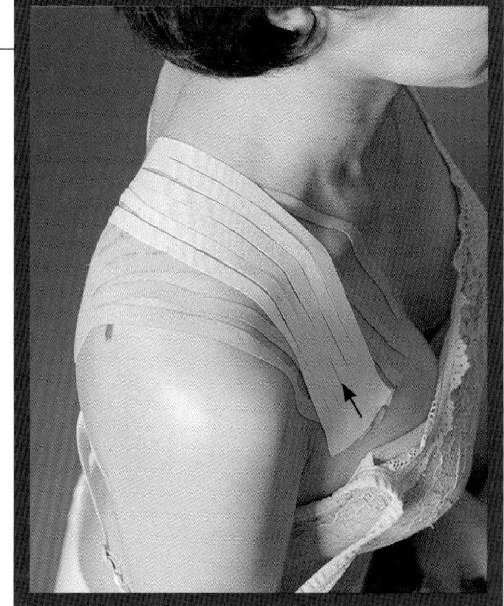

완성본

6갈래 테이프의 기부를 가슴 가쪽에 붙인 다음 각 갈래는 어깨 뒤쪽으로 그림과 같이 붙인다.

Taping

21 어깨의 림프흐름 개선 3

5cm

20cm

2개

1

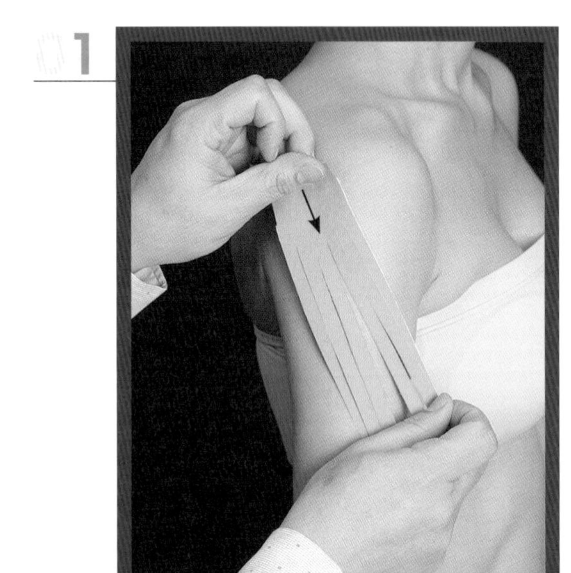

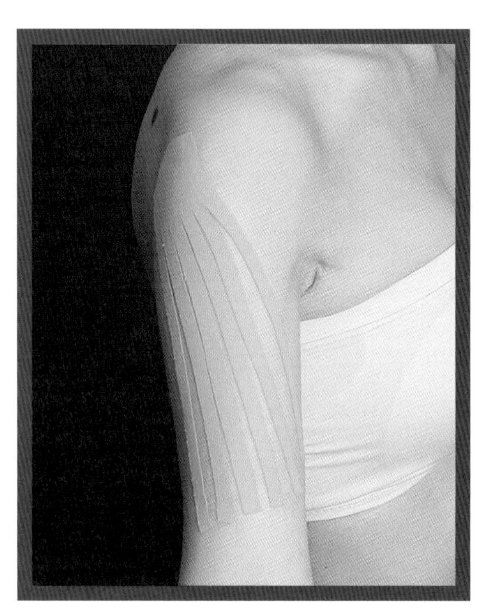

6갈래 테이프의 기부를 어깨 뒷면에 붙이고 각 갈래는 그림과 같이 비스듬히 사이를 고르게 벌려 붙인다.

2

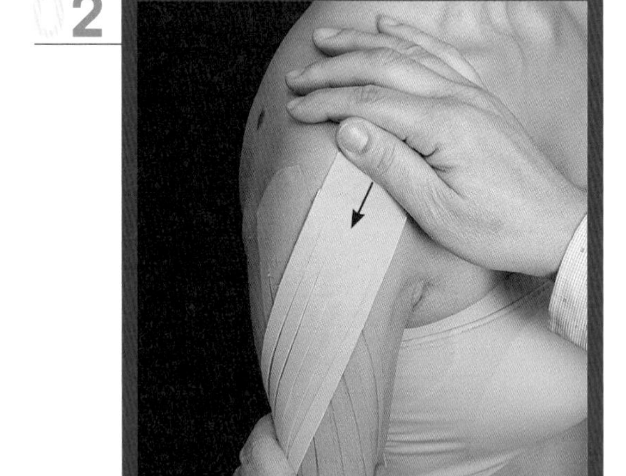

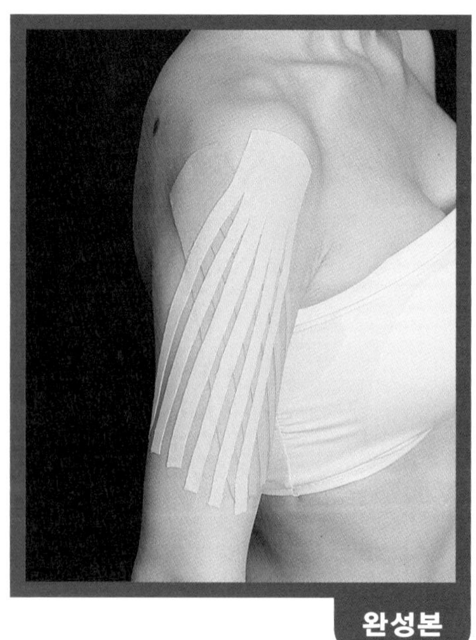

완성본

6갈래 테이프의 기부를 어깨의 앞면에 붙이고 각 갈래는 그림과 같이 붙인다.

Taping

22 복부의 림프흐름 개선

01

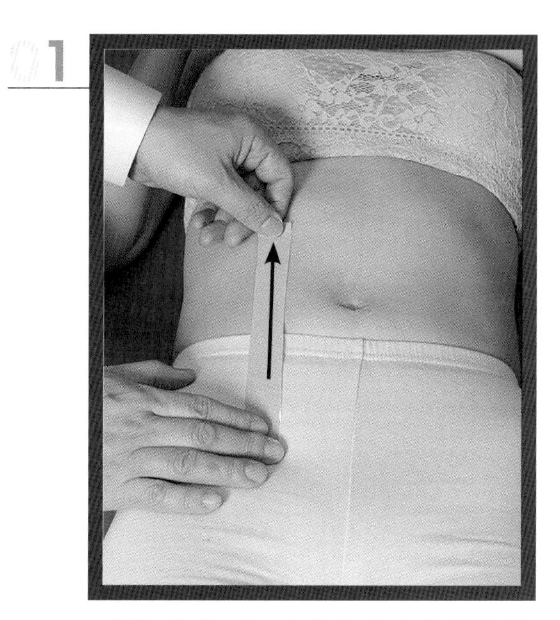

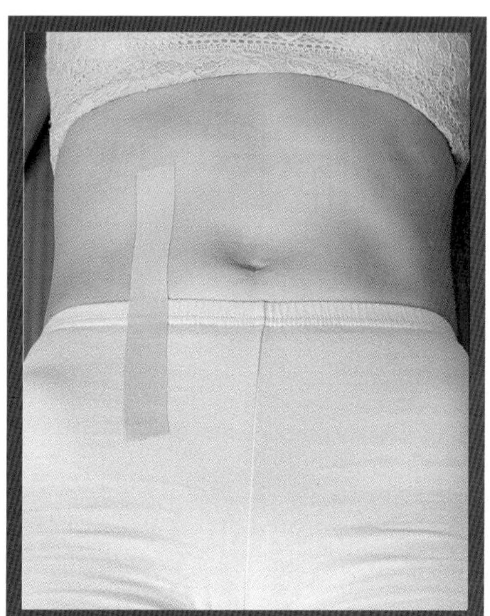

I자형 테이프를 대장의 상행결장(화살표 방향)을 따라 붙인다.

02

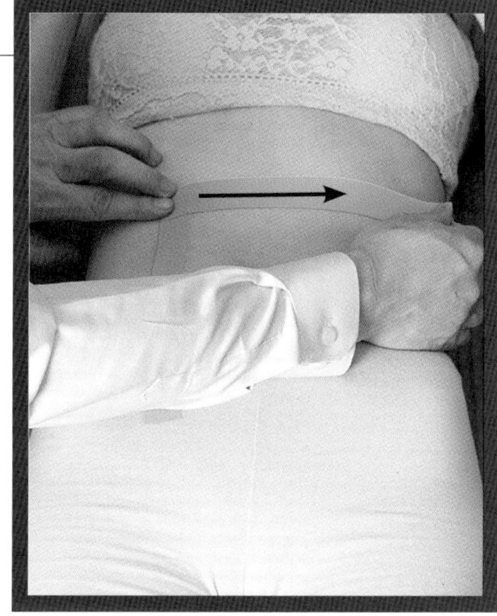

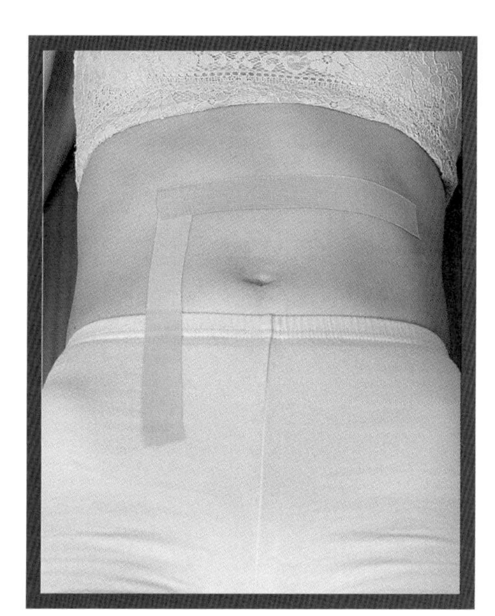

다른 I자형 테이프를 횡행결장(화살표 방향)을 따라 가로로 붙인다.

03

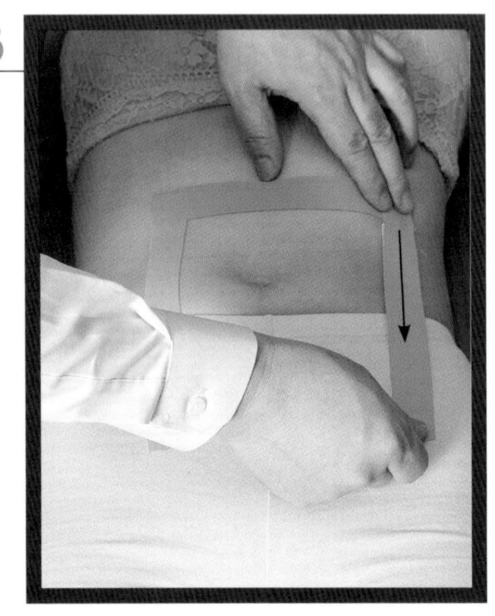

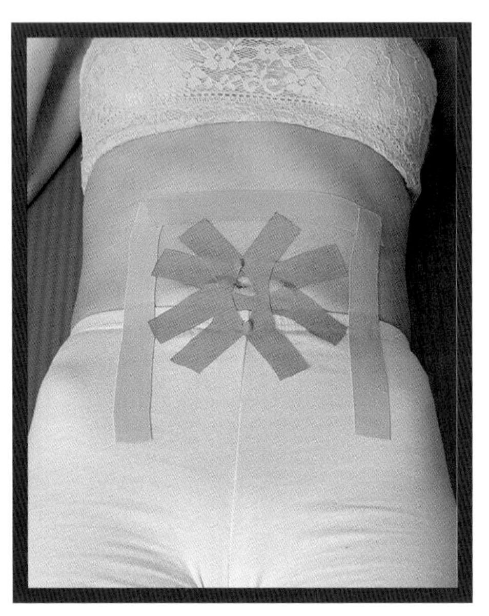

반대쪽 상행결장을 따라 I자형 테이프를 붙인 다음 그 가운데를 그림과 같은 테이프를 X자형으로 2개 붙인다. 이때 테이프가 배꼽을 덮지 않도록 한다.

04

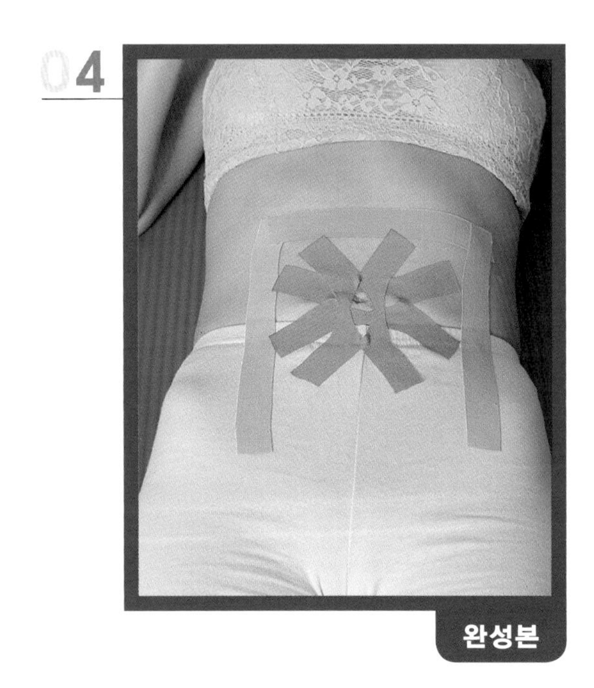

완성본

Taping

23 서혜부와 복부의 림프흐름 개선

5cm

40cm

2개

1

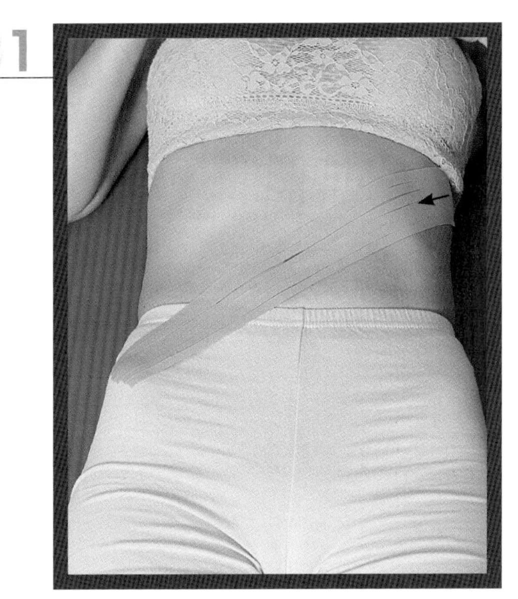

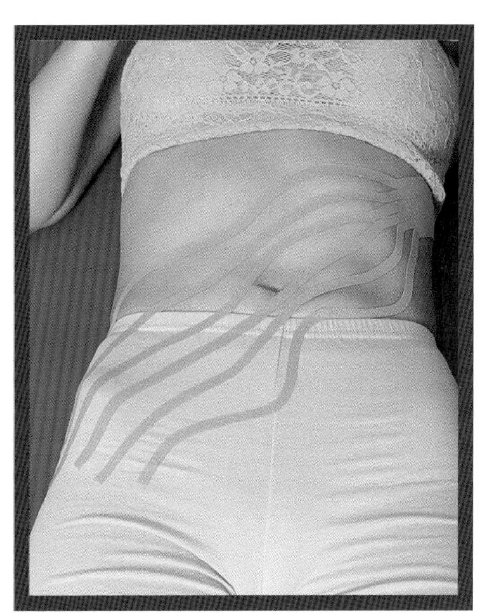

6갈래 테이프의 기부를 늑골 12번 위에 붙이고 각 갈래는 대각선 방향의 서혜부 위쪽으로 그림과 같이 붙인다. 이때 배꼽은 덮지 않고 위아래 3줄씩 붙인다.

2

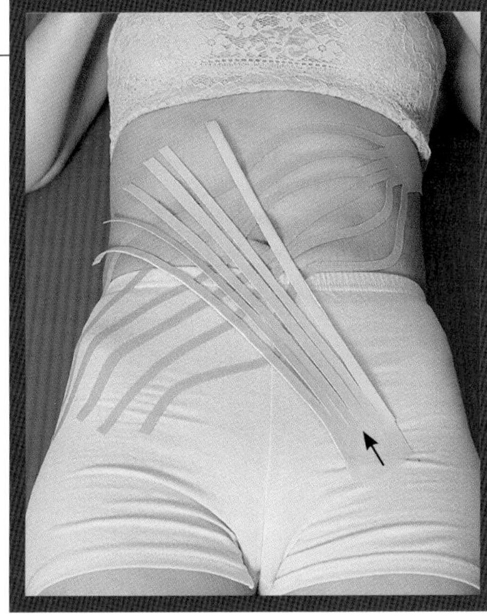

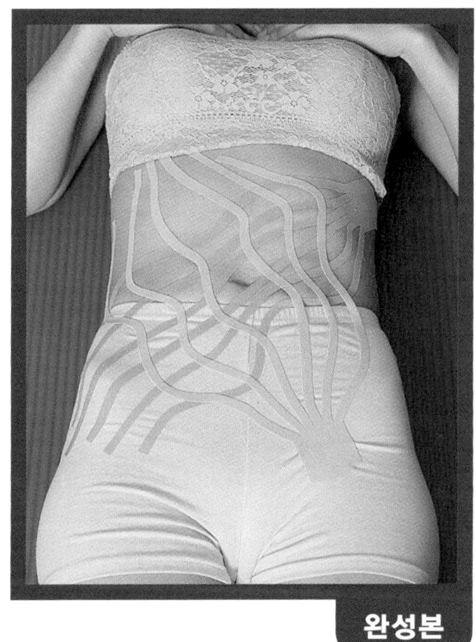

6갈래 테이프의 기부를 서혜부 위쪽에 붙이고 각 갈래는 대각선쪽으로 그림과 같이 붙인다.

완성본

Taping

24 허리의 림프흐름 개선 1

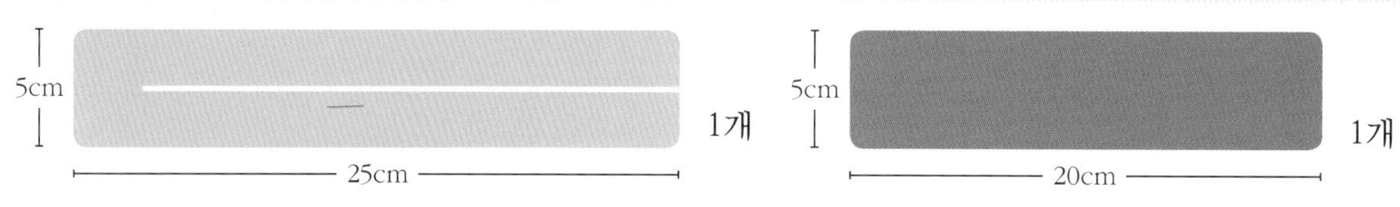

1

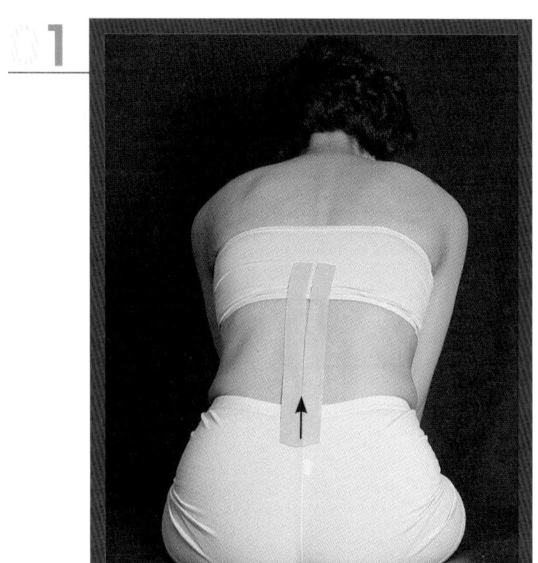

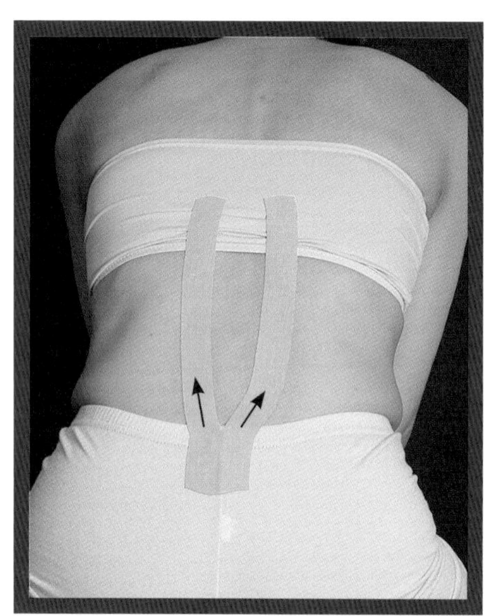

윗몸을 앞으로 굽힌 후 Y자형 테이프의 기부를 요추부위에 붙인 다음 두 갈래는 위쪽으로 벌려서 붙인다.

2

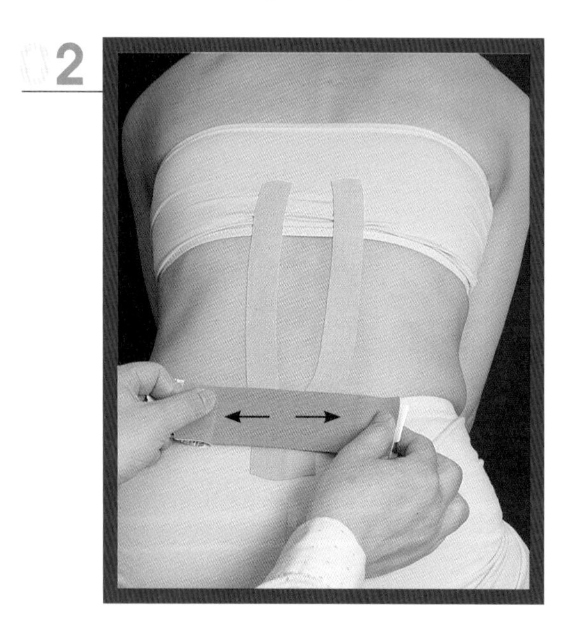

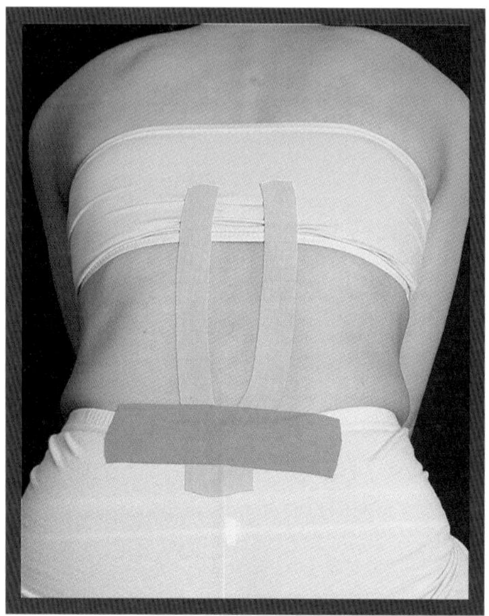

I자형 테이프를 1번 테이핑의 기부에 수평으로 붙인다.

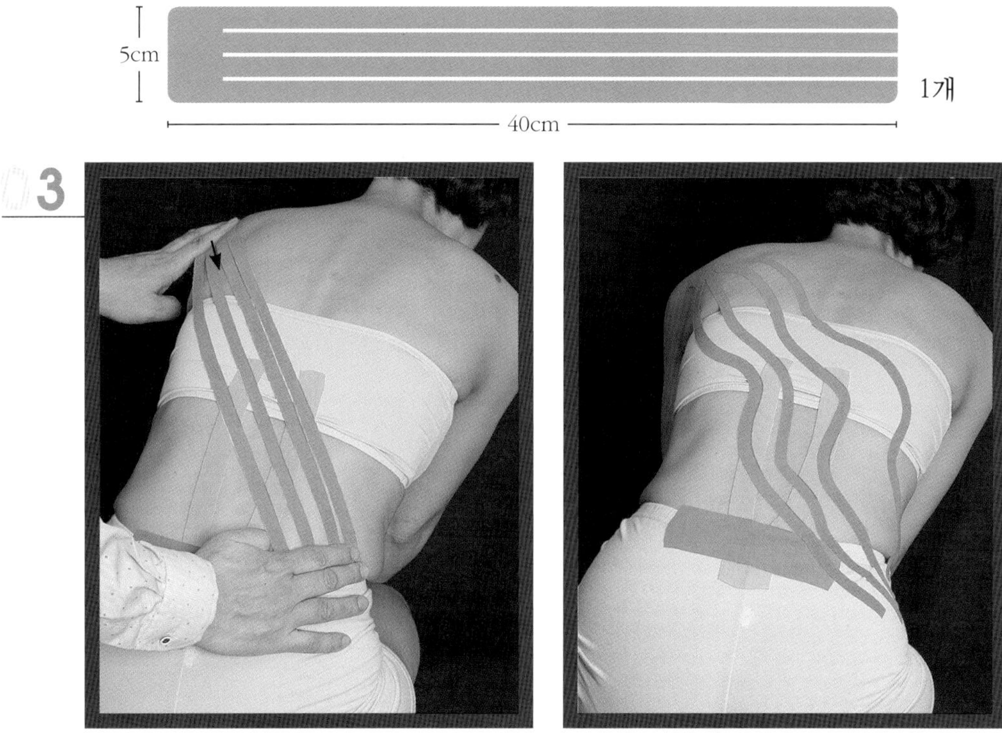

4갈래 테이프의 기부를 견봉 아래쪽에 붙인 다음 4갈래를 각각 균등하게 벌려서 그림과 같이 붙인다.

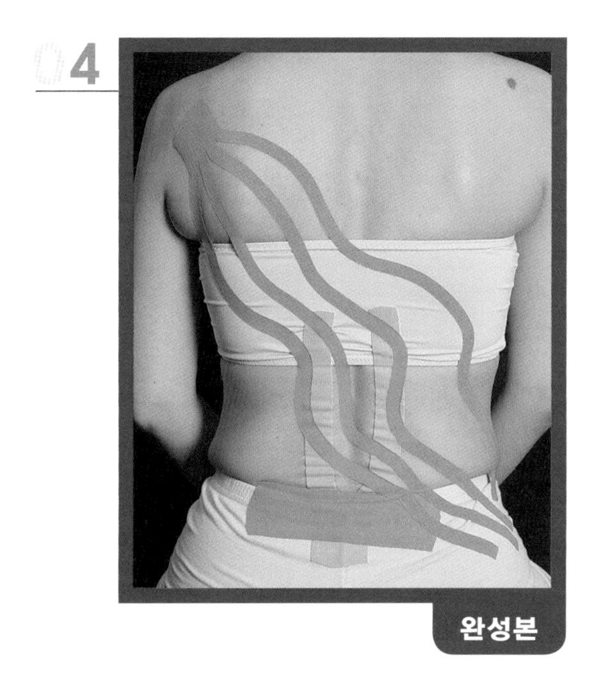

완성본

Taping

25 허리의 림프흐름 개선 2

5cm 20cm 3개

5cm 25cm 1개

1

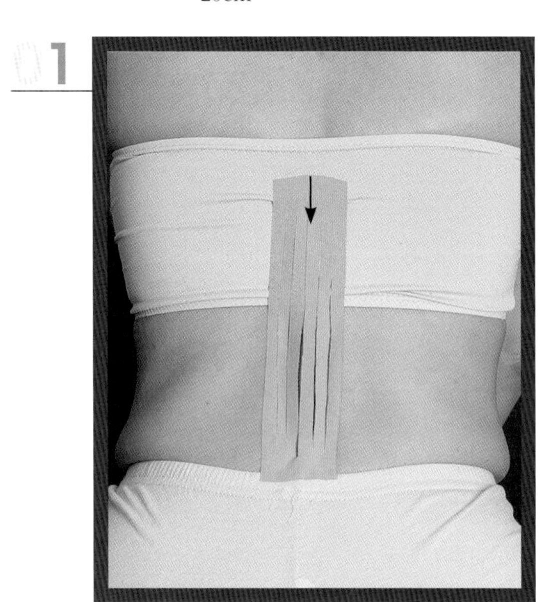

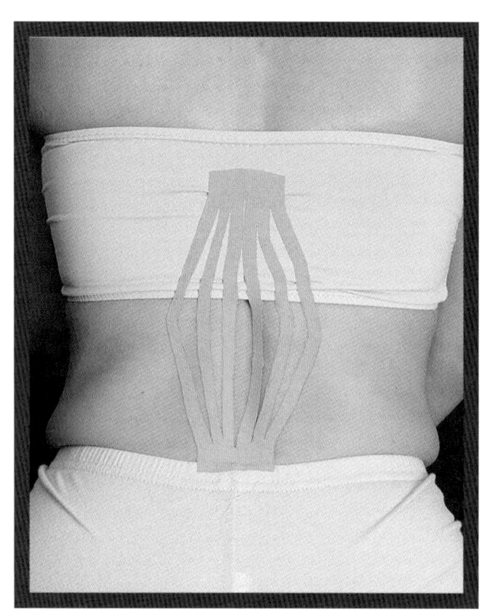

그림과 같은 테이프의 한쪽을 흉추 12번부터 요추부위까지 붙이고 6줄 중앙을 각각 균등하게 벌린다.

2

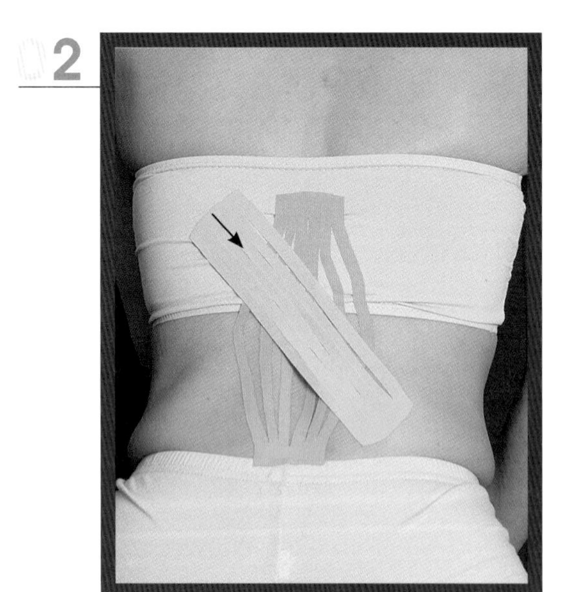

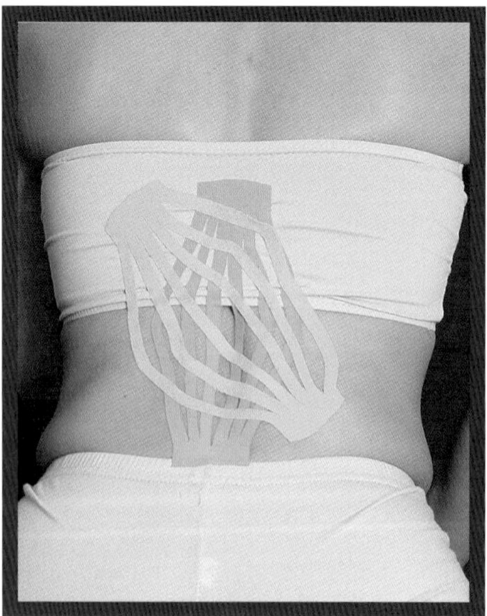

같은 방법으로 왼쪽에서부터 비스듬히 한 번 더 붙인다.

03

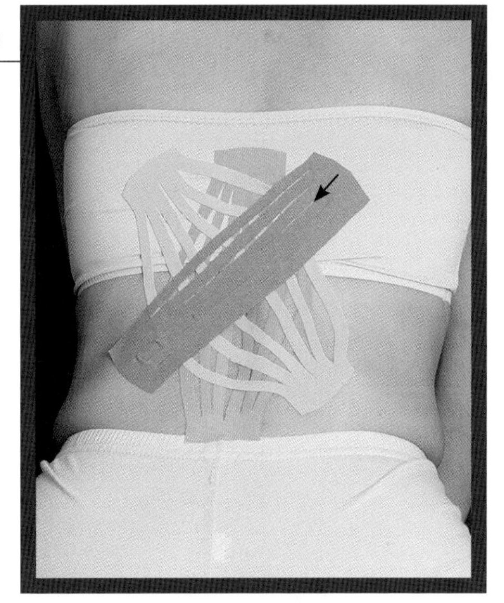

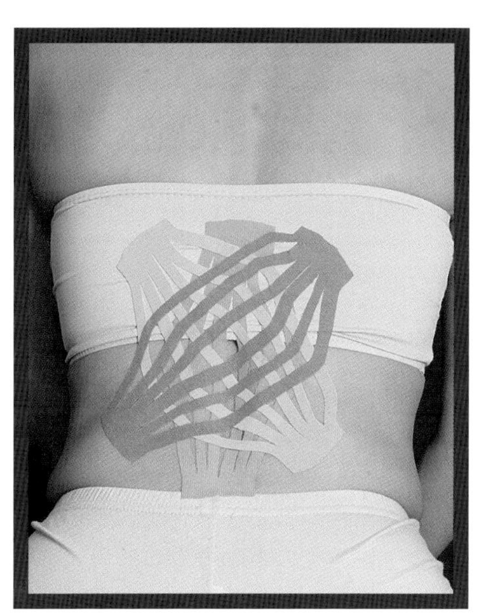

2번 테이핑과 X자 형태가 되도록 오른쪽에서 한 번 더 붙인다.

04

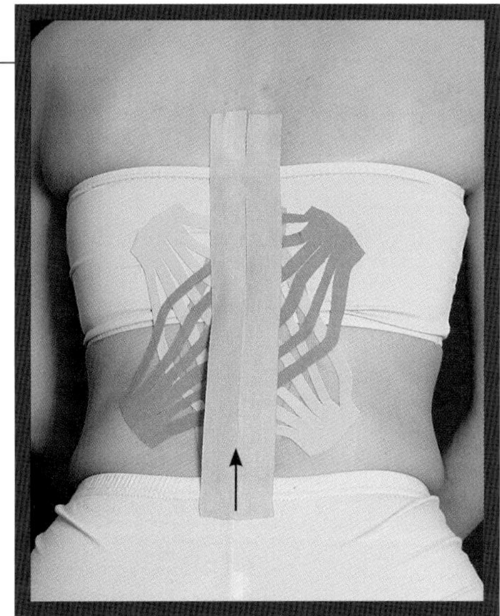

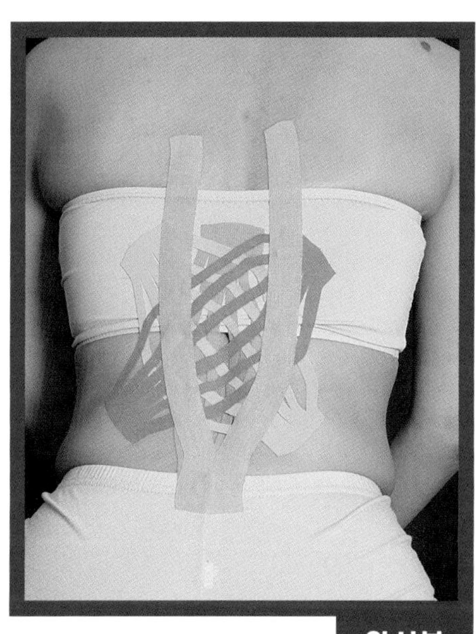

Y자형 테이프의 기부를 요추부위에 붙이고 각 갈래는 척추라인을 따라 옆으로 벌려서 붙인다.

완성본

Taping

26 허리의 자세 교정 1

5cm

15cm

2개

01

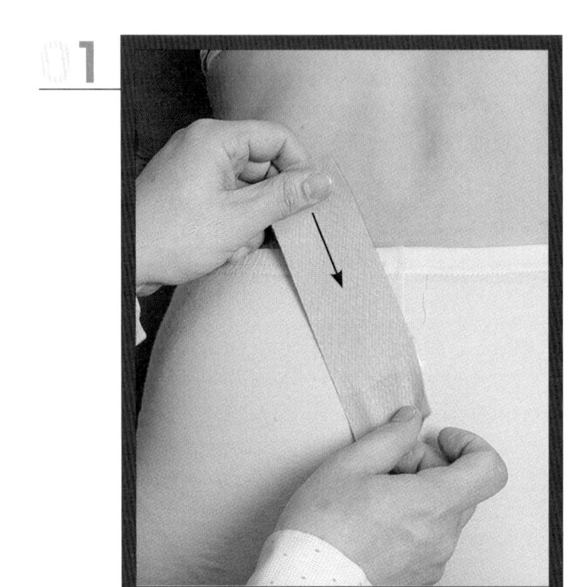

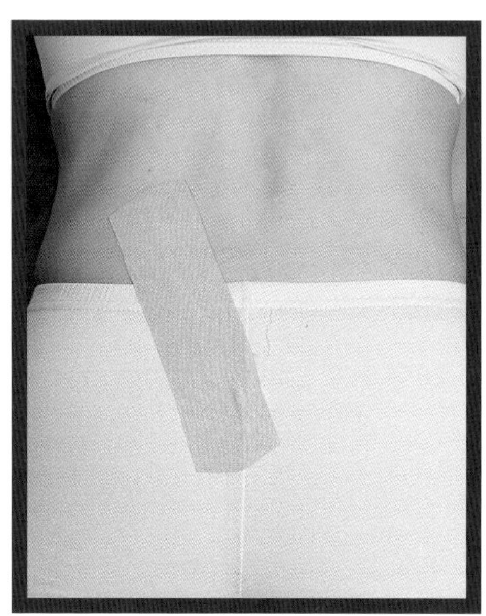

허리를 숙인 자세에서 I자형 테이프를 허리에서부터 꼬리뼈라인까지 붙인다.

02

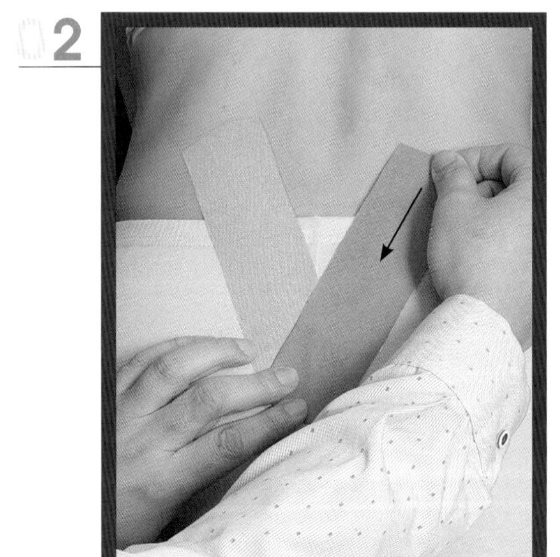

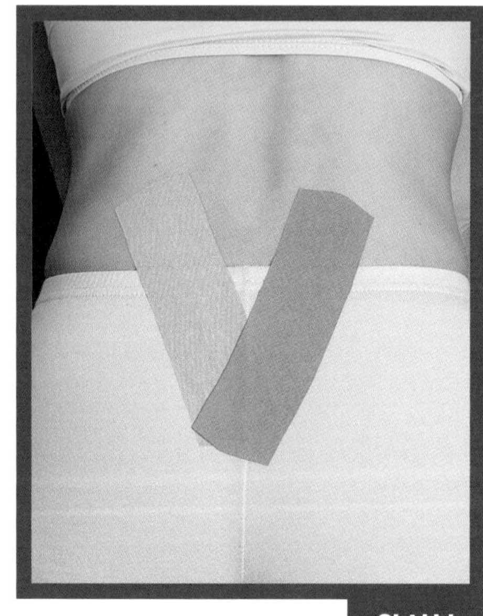

반대쪽도 같은 방법으로 붙여서 V자 형태를 만든다.

완성본

Taping

27 허리의 자세 교정 2

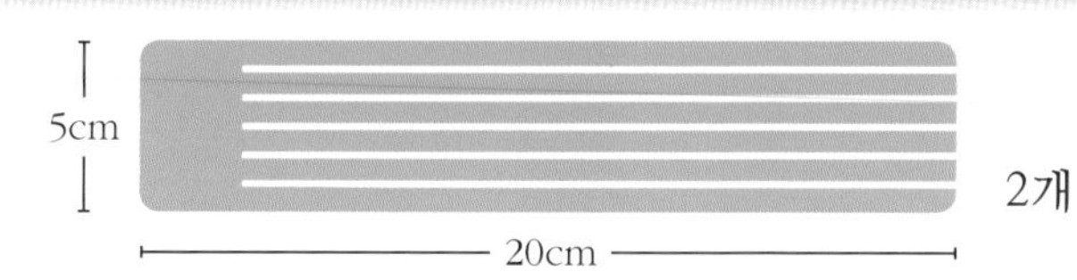

01

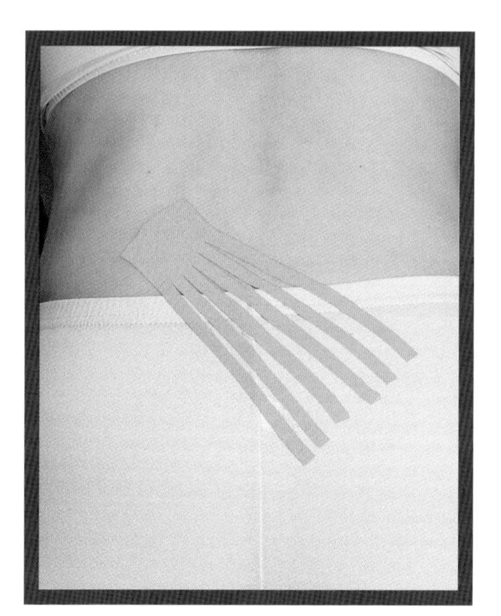

6갈래 테이프의 기부를 허리에 붙인 후 6갈래를 그림과 같이 각각 균등하게 벌려서 꼬리뼈부위에 붙인다.

02

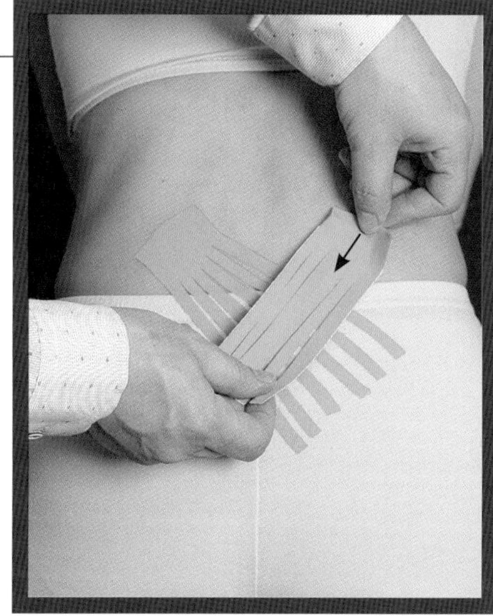

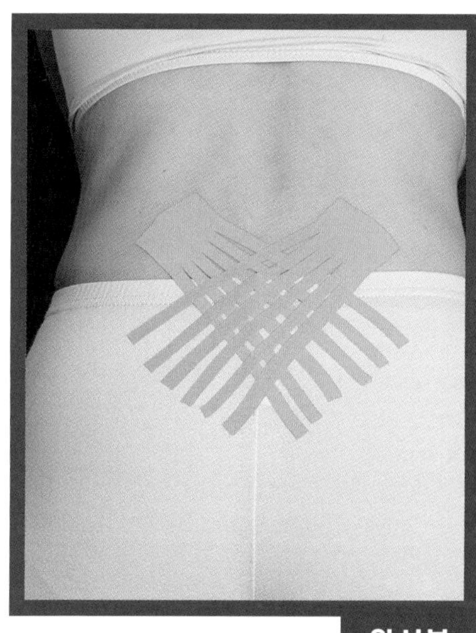

반대쪽에도 같은 방법으로 붙인다.

완성본

Taping

28 허리의 자세 교정 3

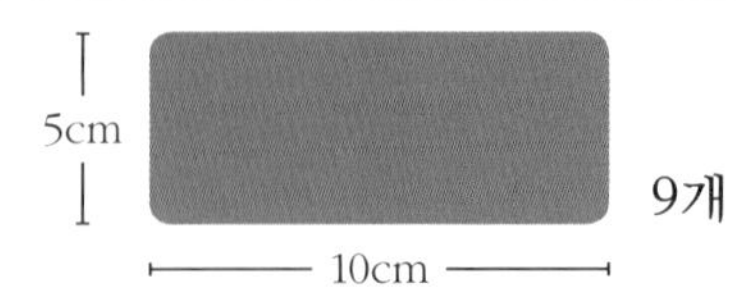

01

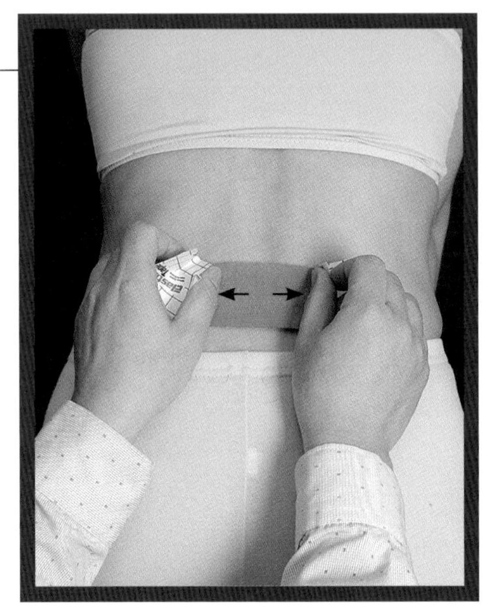

I자형 테이프의 뒷면중심을 찢어 요추 중앙에 가로로 붙인다.

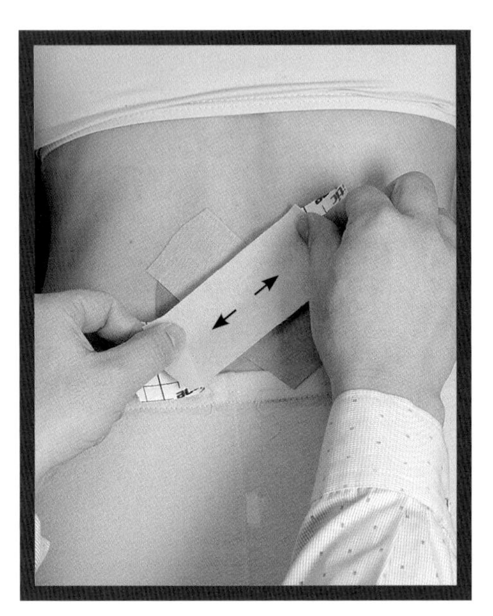

I자형 테이프를 X자 형태로 2개를 붙인다.

02

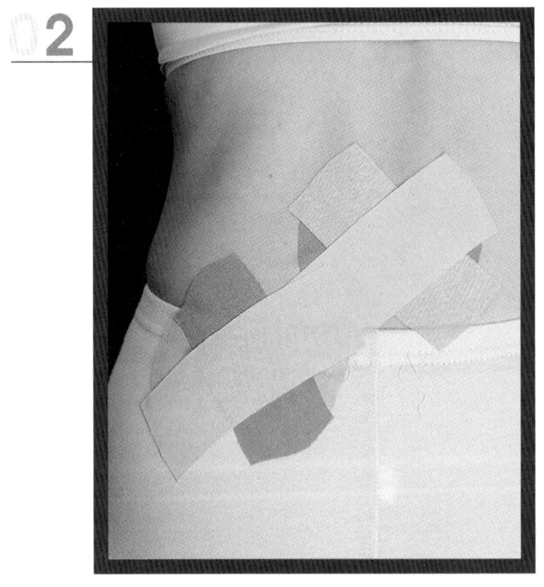

양쪽 장골릉부위에 1번과 같은 형태로 테이핑한다.

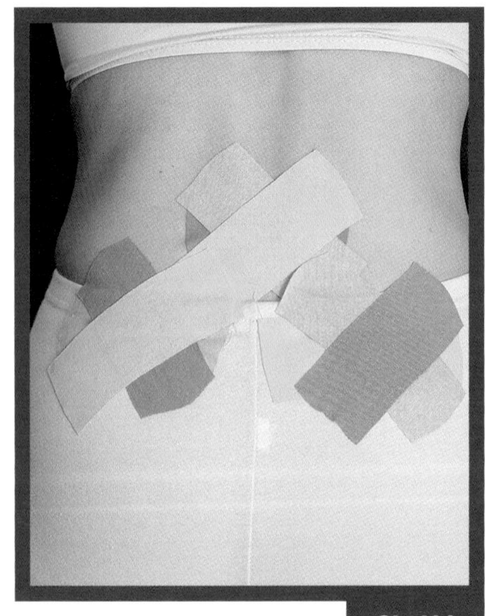

완성본

Taping

29 서혜부의 림프흐름 개선 1

5cm

2개

25cm

01

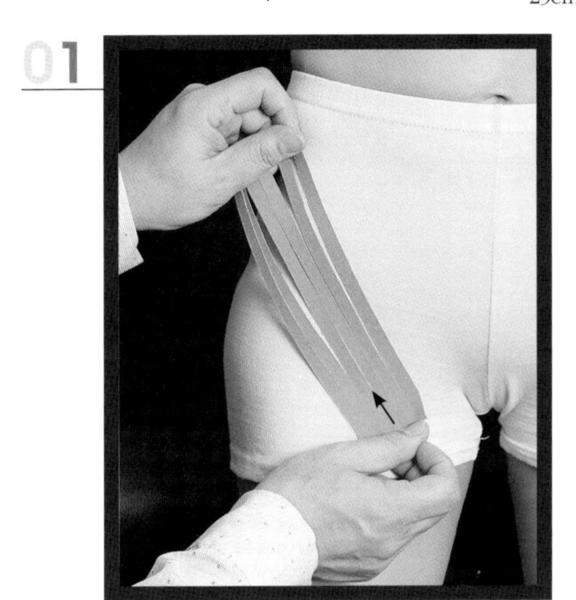

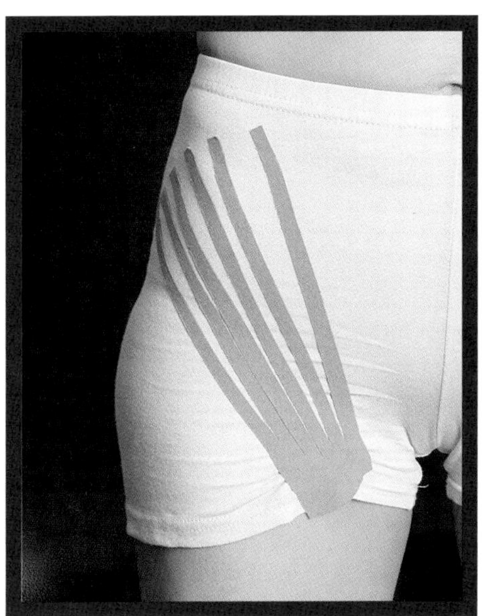

6갈래 테이프의 기부를 서혜부 아래쪽에 붙인 다음 6갈래를 비스듬히 ASIS(전상장골극)쪽으로 고르게 벌려서 붙인다.

02

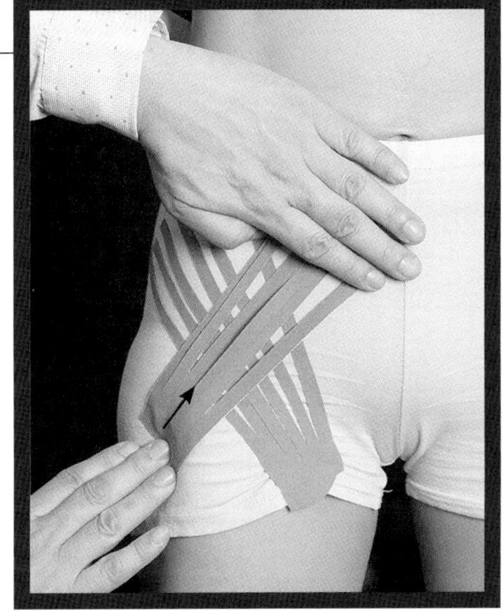

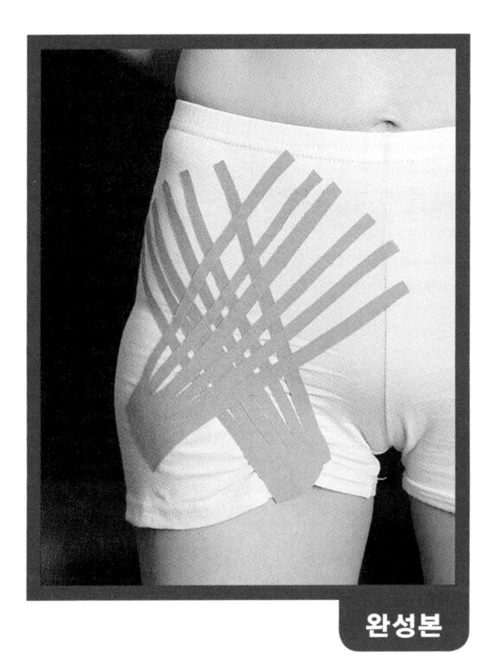

완성본

1번 테이핑과 교차하도록 같은 방법으로 6갈래 테이프를 한 번 더 붙인다.

Taping

30 서혜부의 림프흐름 개선 2

5cm

20cm

2개

1

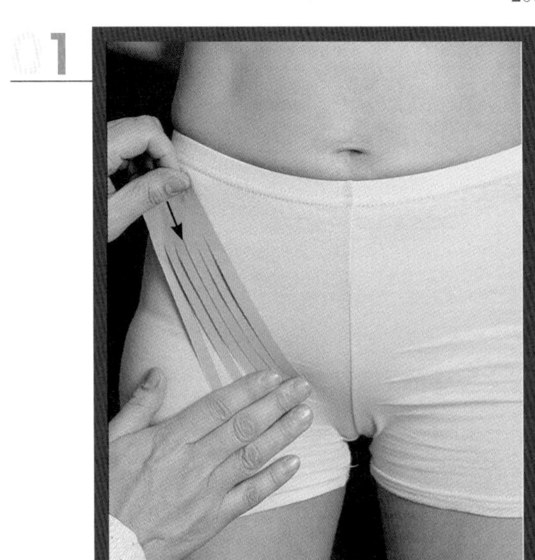

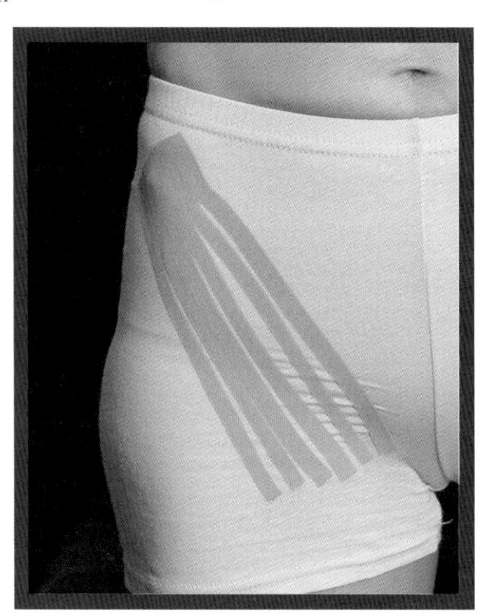

6갈래 테이프의 기부를 ASIS(전상장골극)에 붙인 다음 각 갈래를 서혜부쪽으로 고르게 벌려서 붙인다.

2

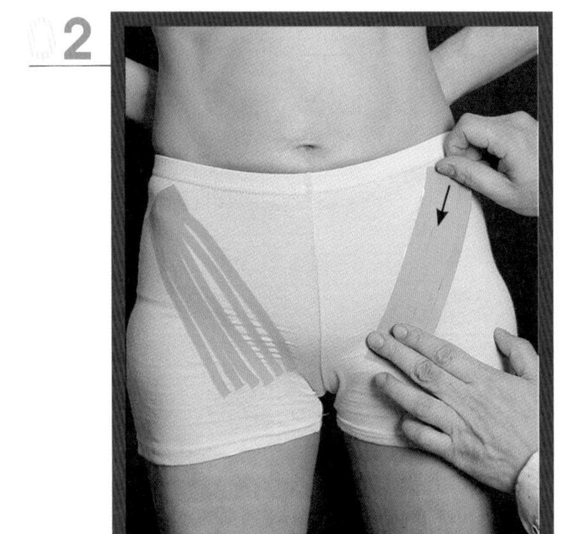

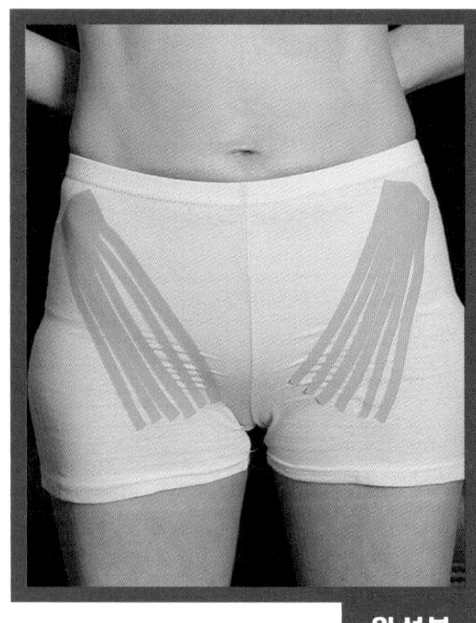

완성본

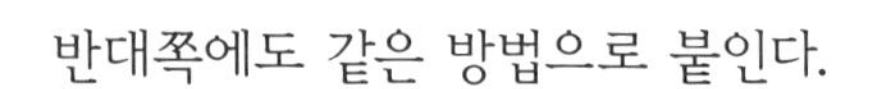

반대쪽에도 같은 방법으로 붙인다.

Taping

31 고관절의 림프흐름 개선 1

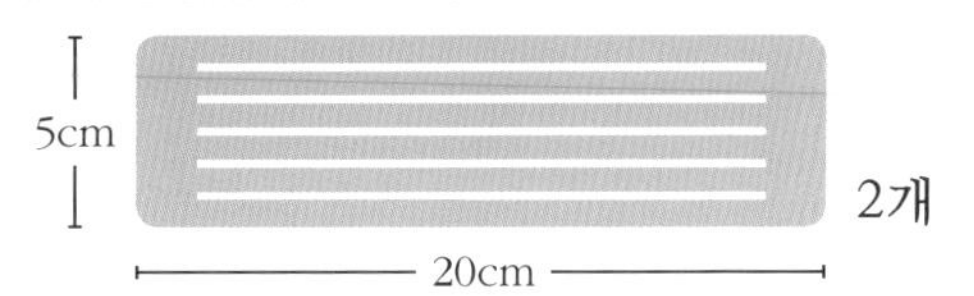

01

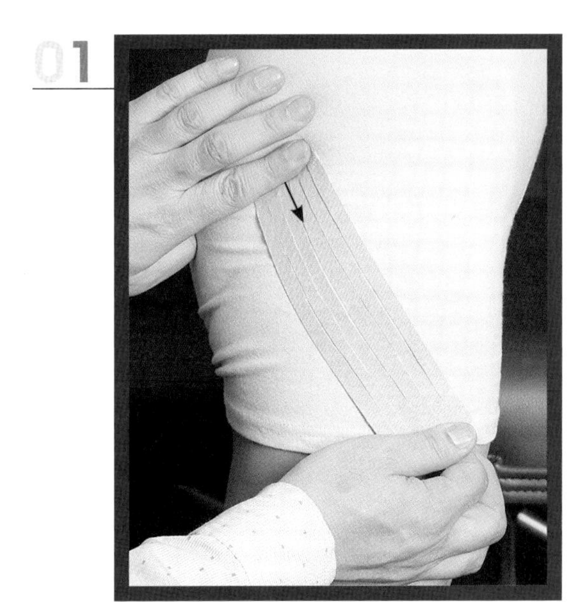

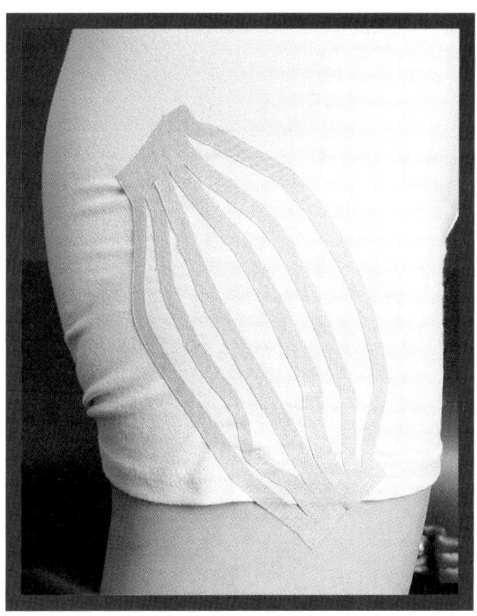

그림과 같은 테이프의 한쪽을 고관절을 덮어서 비스듬히 붙이고 다른 쪽은 아래로 비스듬히 6줄을 균등하게 벌려 붙인다.

02

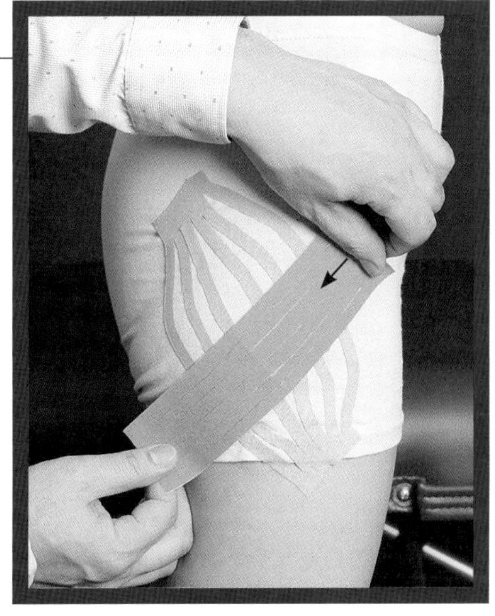

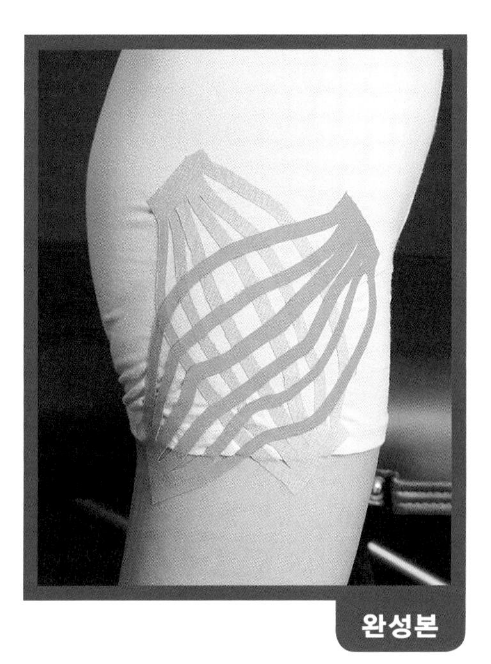

1번 테이핑과 교차하도록 그림과 같이 테이프를 붙인다.

완성본

Taping

32 고관절의 림프흐름 개선 2

5cm

15cm

3개

01

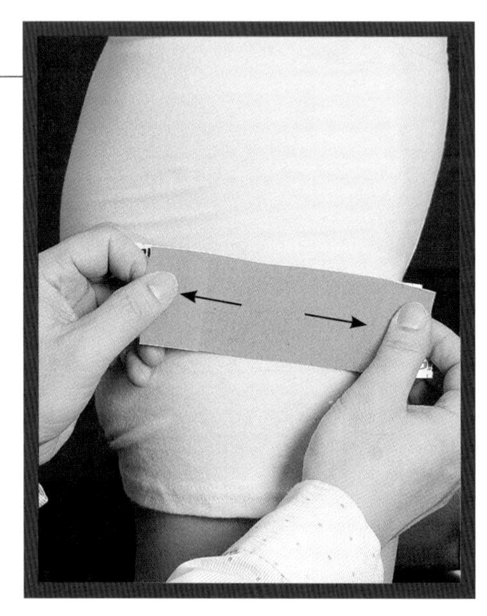

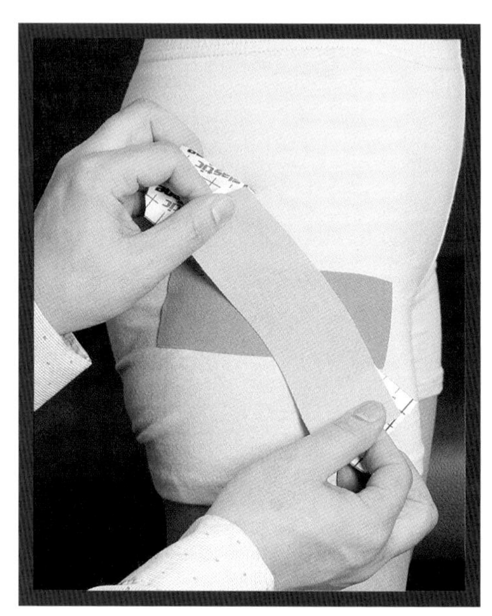

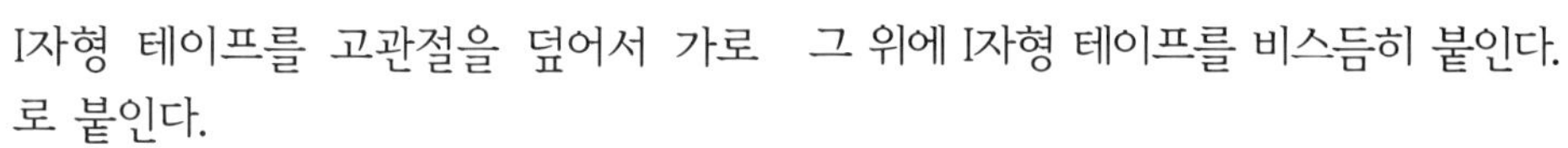

I자형 테이프를 고관절을 덮어서 가로로 붙인다.

그 위에 I자형 테이프를 비스듬히 붙인다.

02

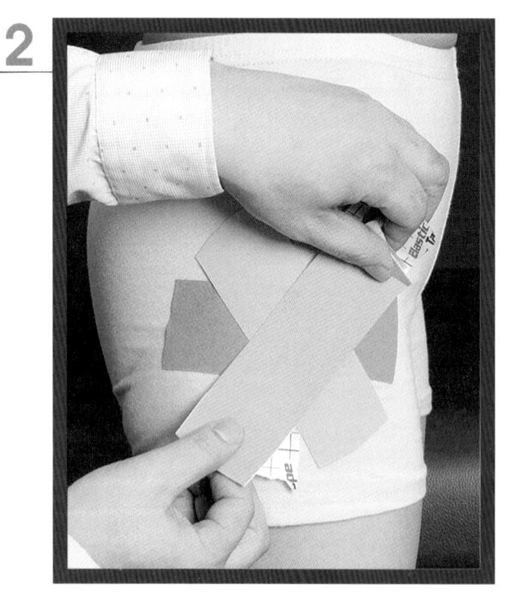

그 위에 I자형 테이프를 X자 형태가 되도록 붙인다.

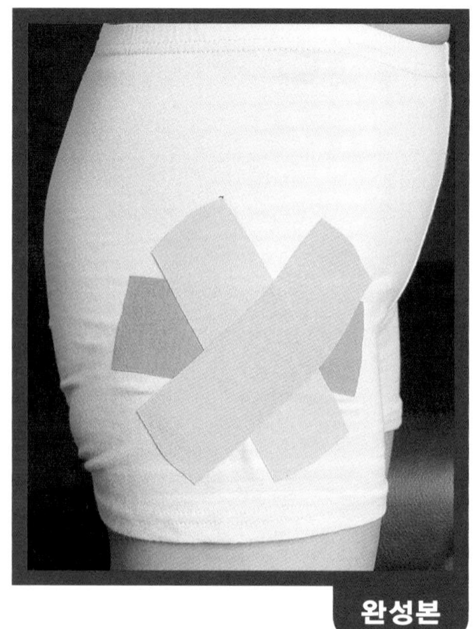

완성본

Taping

33 허벅지의 림프흐름 개선

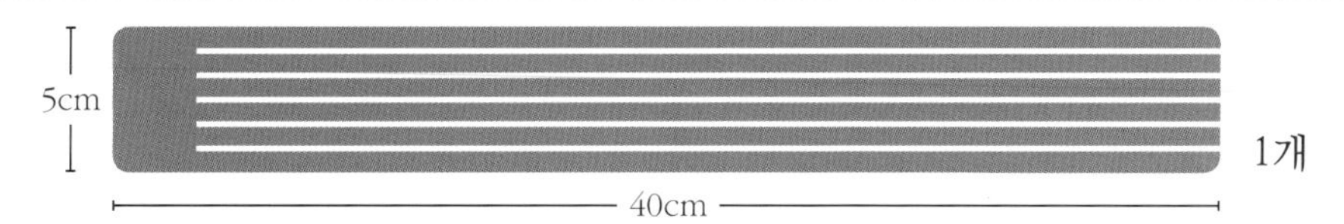

1

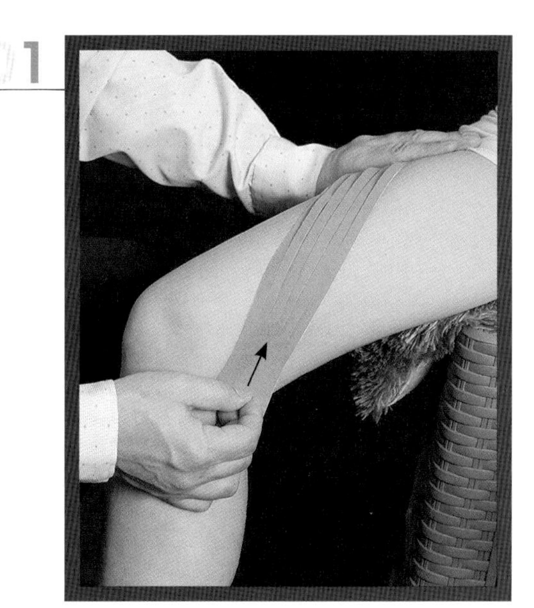

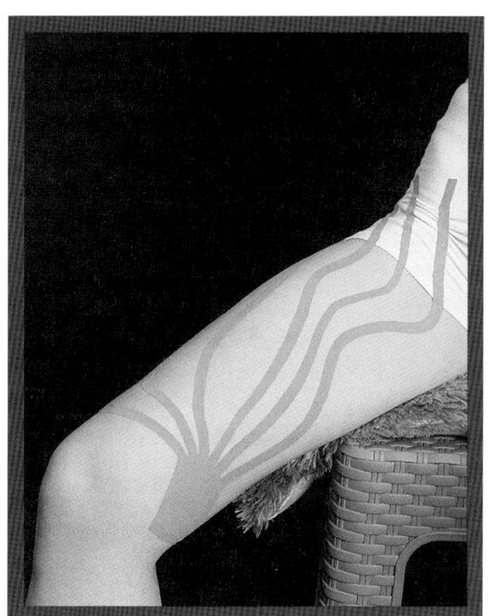

6갈래 테이프의 기부를 무릎 안쪽에 붙인 다음 각 갈래는 허벅지에 그림과 같이 물결모양으로 붙인다.

2

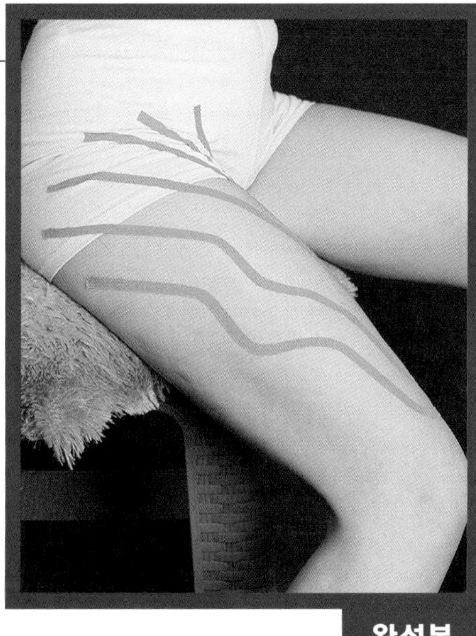

완성본

Taping

34 무릎의 가동성 향상

1

스쿼트 자세를 할 때 잘 굽혀지지 않는 쪽의 무릎에 테이핑을 한다.

2

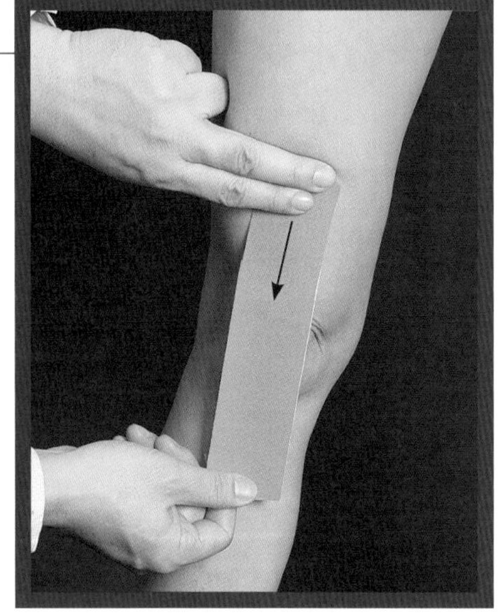

무릎 위부터 아래까지 I자형 테이프를 붙인다.

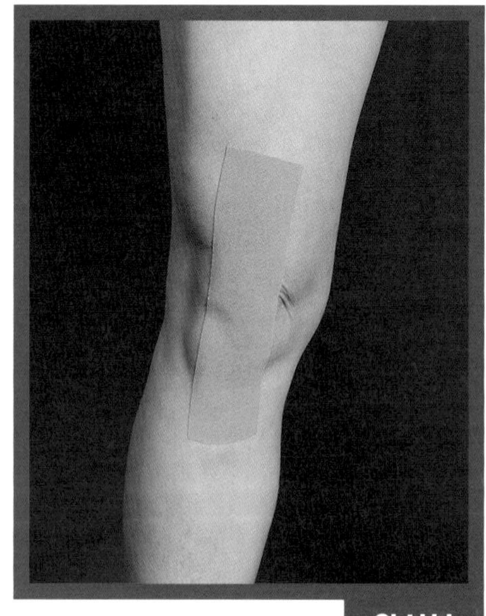

완성본

Taping

35 종아리 슬리밍

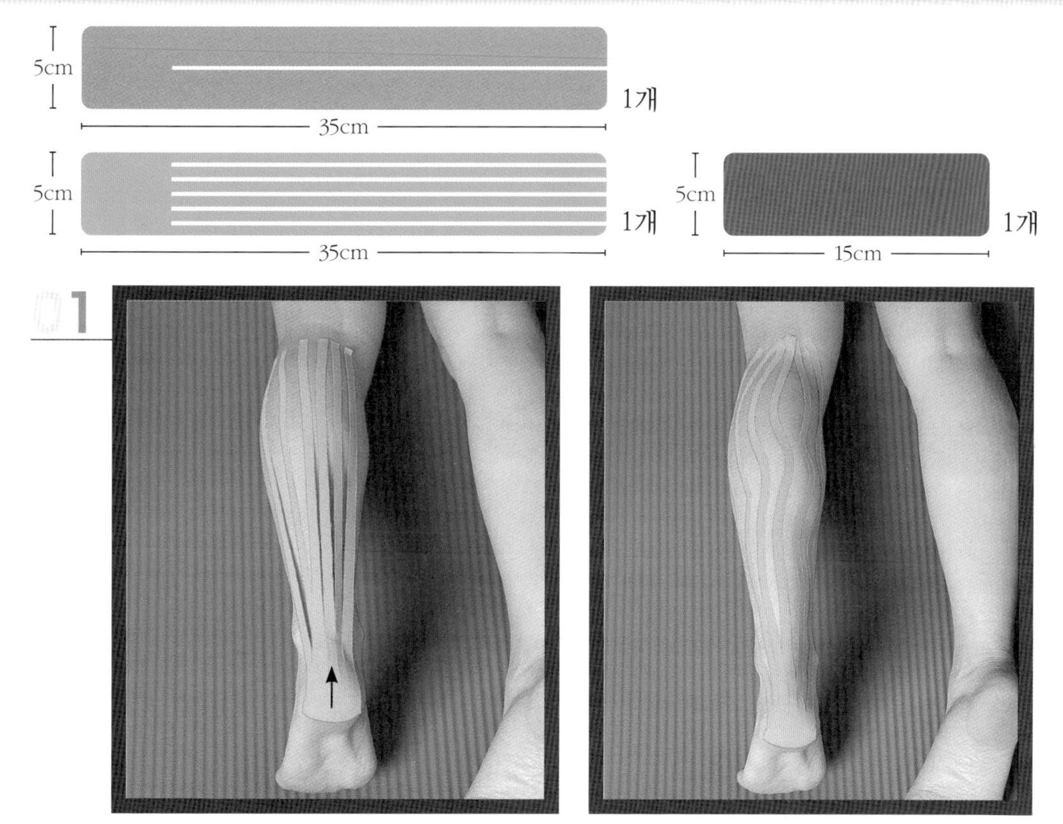

발끝을 세우게 한 후 6갈래 테이프의 기부를 발바닥 종골에 붙이고 6갈래는 그림처럼 붙인다.

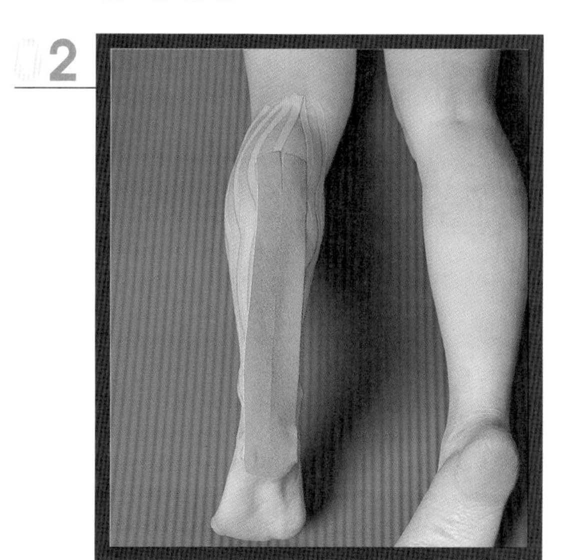

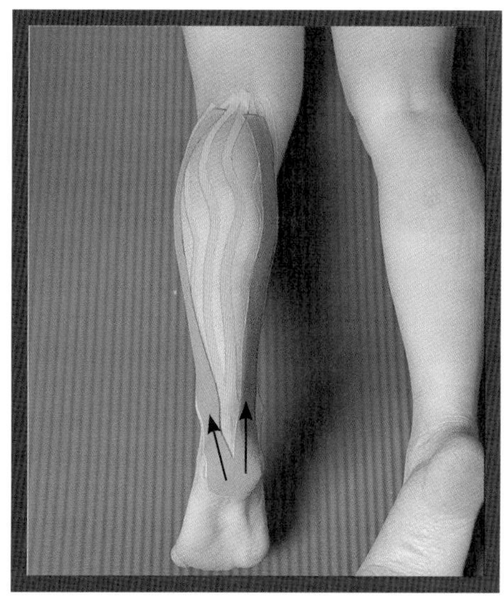

Y자형 테이프의 기부를 발바닥 종골에 붙인 후 두 갈래는 종아리 양옆을 따라 오금밑에 붙인다.

3

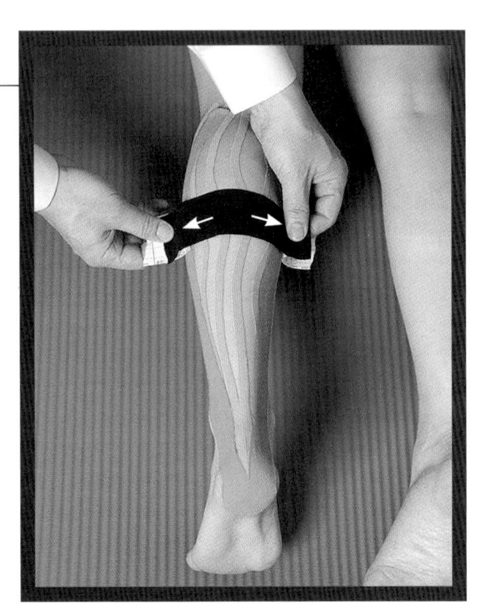

I자형 테이프를 종아리 중심부분에 가로로 붙인다.

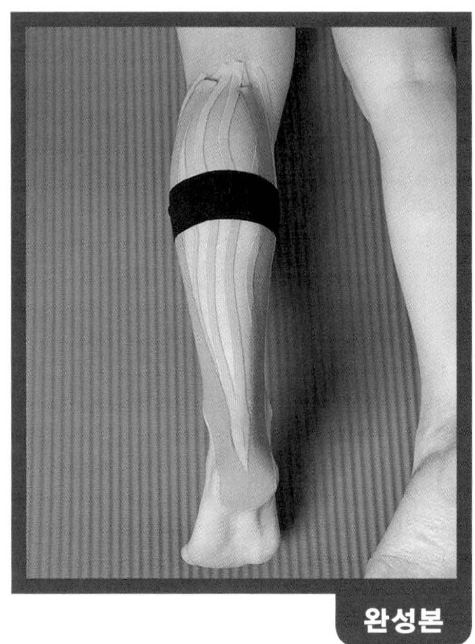

완성본

Taping

36 발목의 가동성 향상 1

5cm, 20cm, 2개

5cm, 20cm, 2개

1

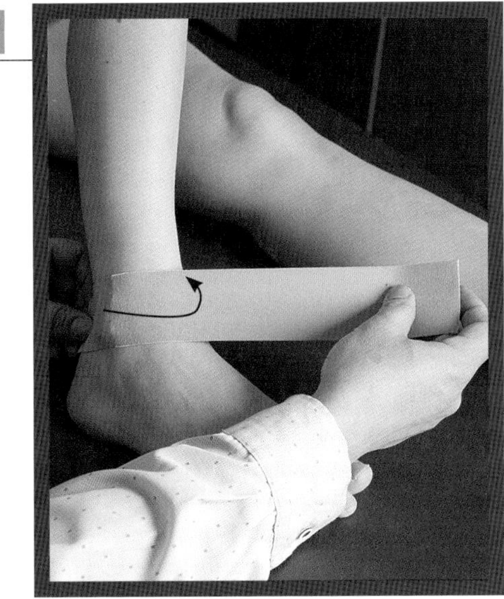

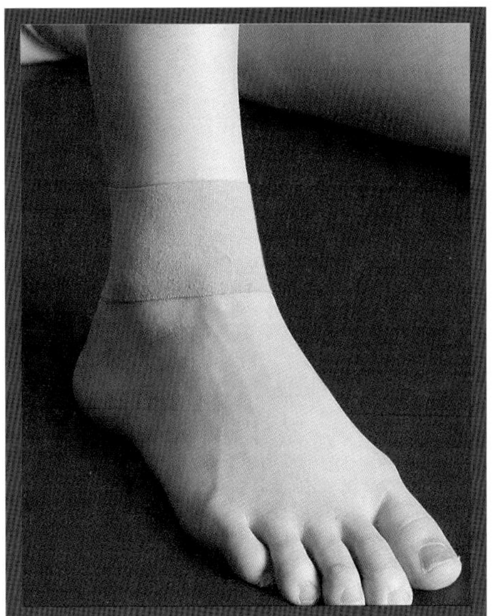

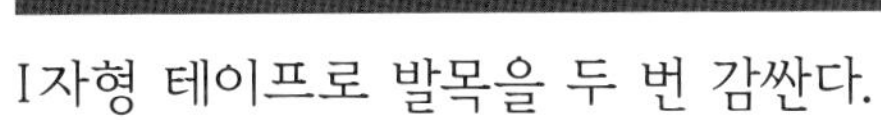

I자형 테이프로 발목을 두 번 감싼다.

2

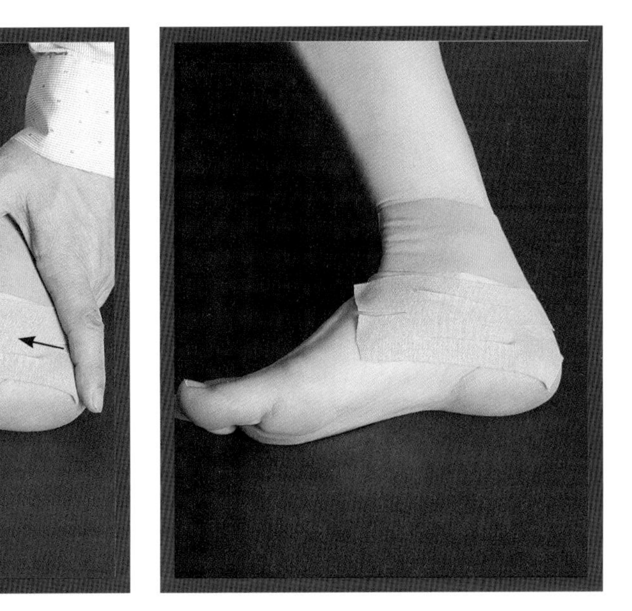

M자형 테이프를 발목 안쪽 아래에 붙이고 가운데와 양쪽 끝부분을 벌려준다.

03

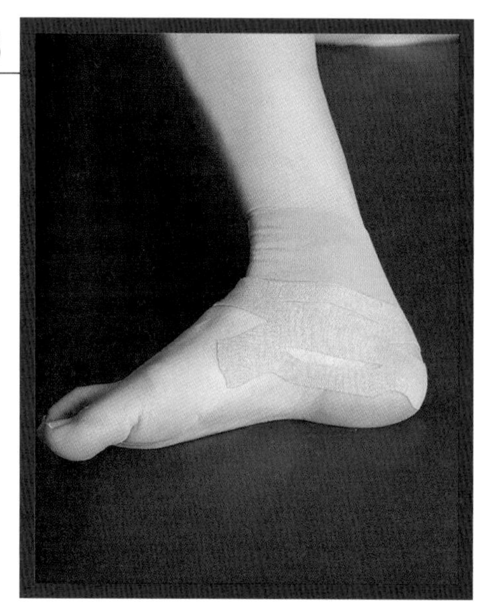

M자형 테이프를 붙인 모습

M자형 테이프는 테이프를 반으로 접어 1/3로 나눈 후 양쪽 바깥쪽을 두 번 자르고 반대로 돌려서 가운데를 한 번 잘라서 만든다.

04

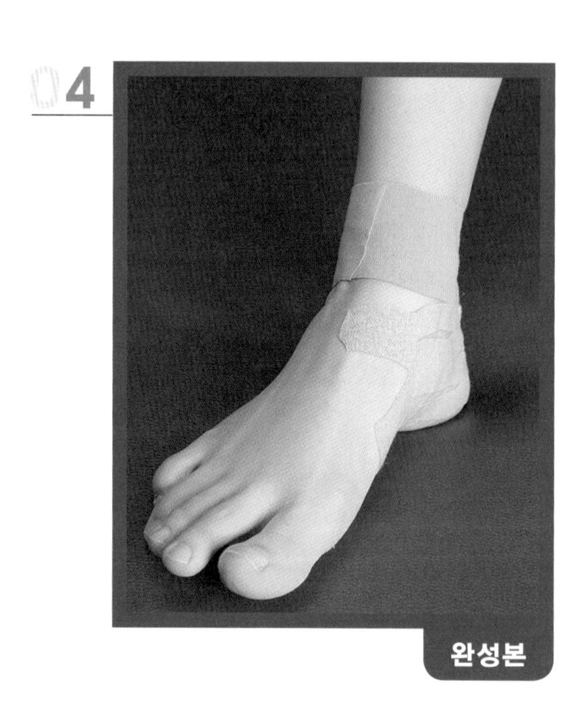

완성본

Taping

37 발목의 가동성 향상 2

5cm

15cm

3개

테이핑 후 발목의 족배굴곡이나 족저굴곡이 잘되는지 확인한다. 잘되지 않으면 그 옆에 한 번 더 붙인다.

1

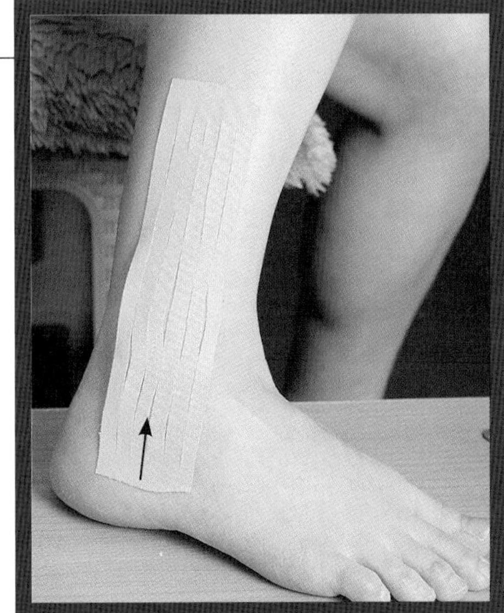

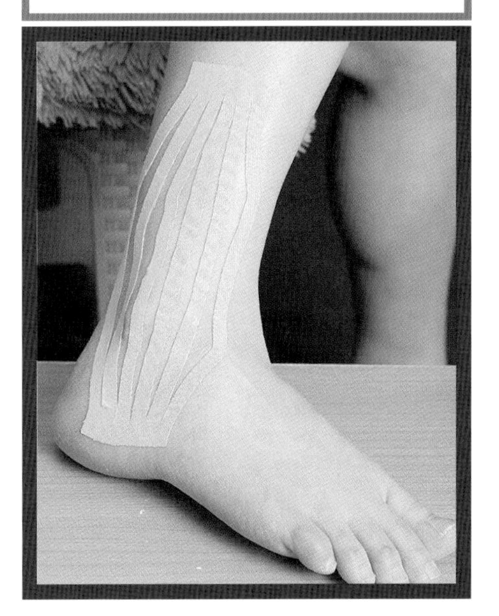

그림과 같은 6줄로 균등하게 자른 테이프를 가쪽 복사뼈 중심 아래부터 무릎쪽으로 붙인 후 사이를 균등하게 벌린다.

2

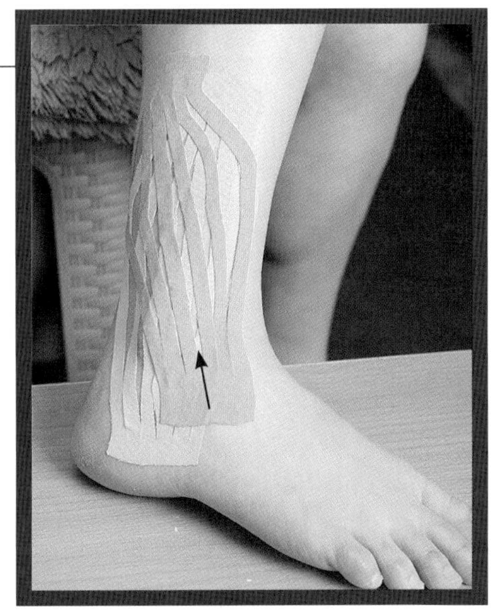

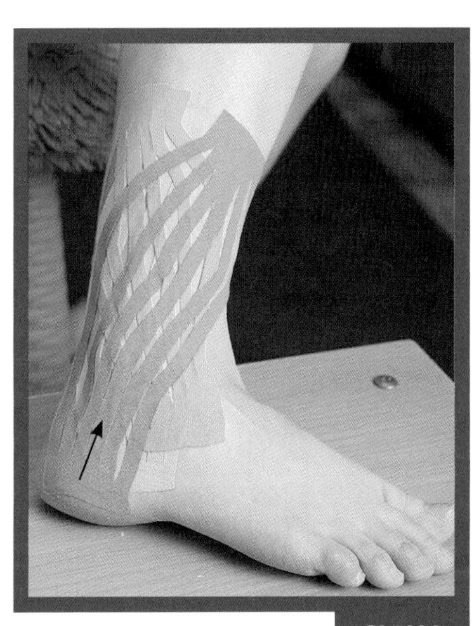

완성본

같은 방법으로 좌우에 비스듬히 각각 하나씩 붙인다.

Taping

38 발목의 림프흐름 개선

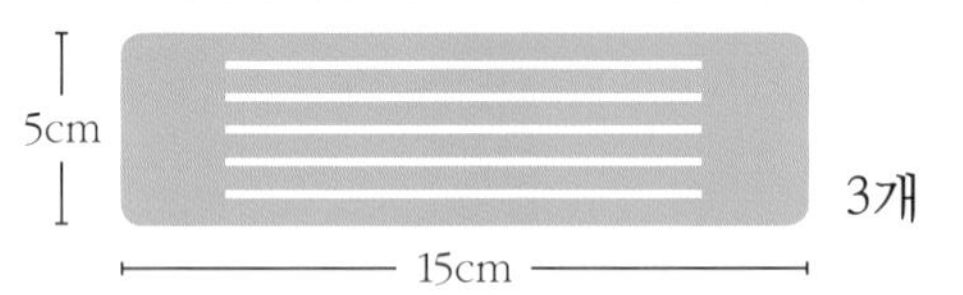

1

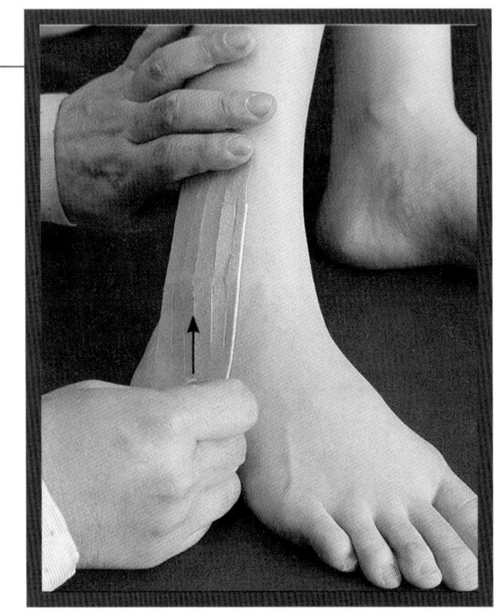

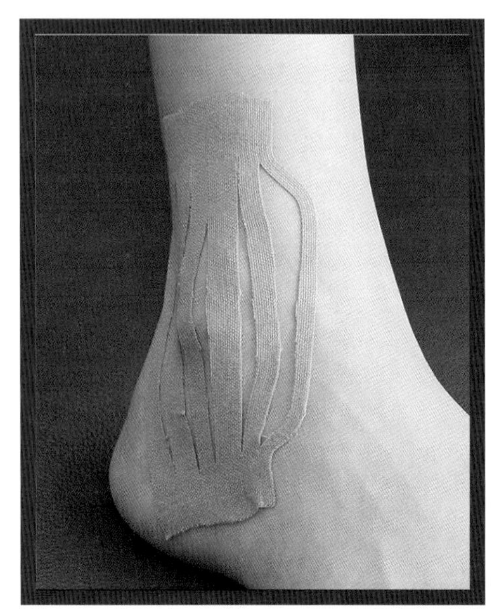

그림과 같은 테이프를 가쪽 복사뼈 밑에서 위로 올려 6갈래가 가쪽 복사뼈를 덮도록 그림과 같이 붙인다.

2

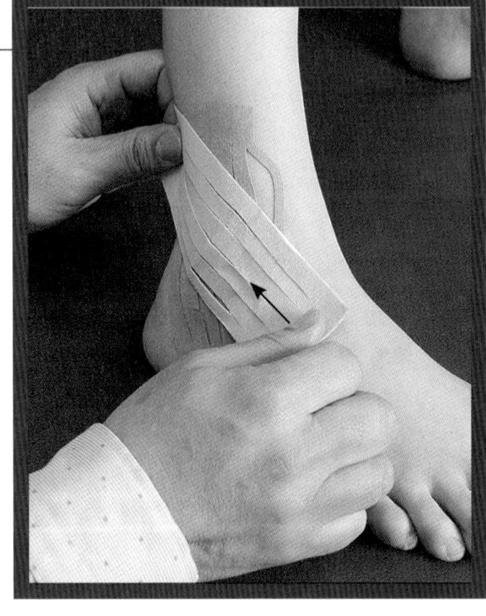

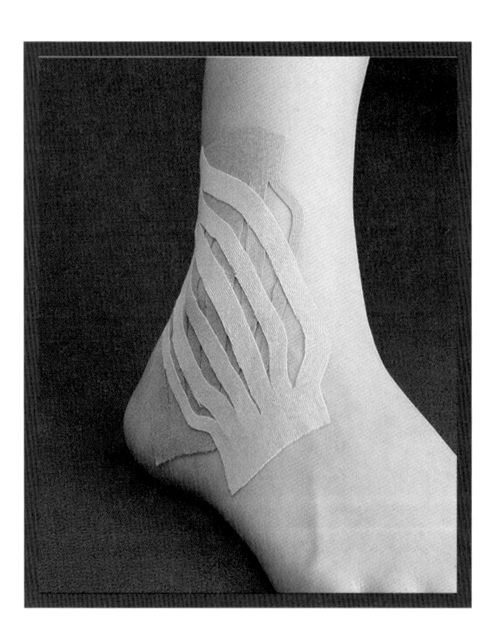

그림과 같은 테이프를 1번 테이핑 위에 같은 방법으로 비스듬히 붙인다.

03

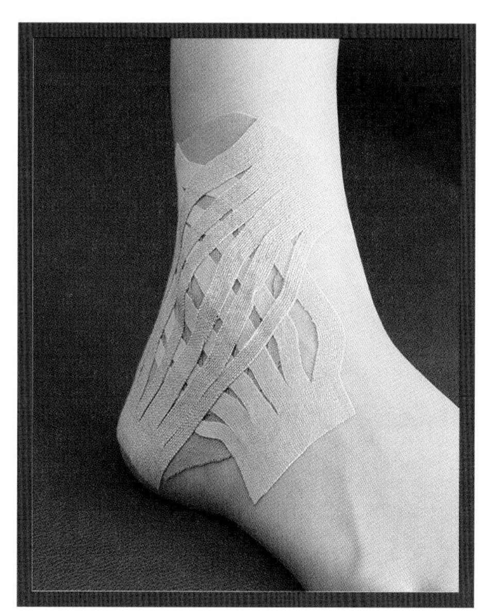

그림과 같은 테이프를 2번 테이핑과 X자 형태가 되도록 붙인다.

04

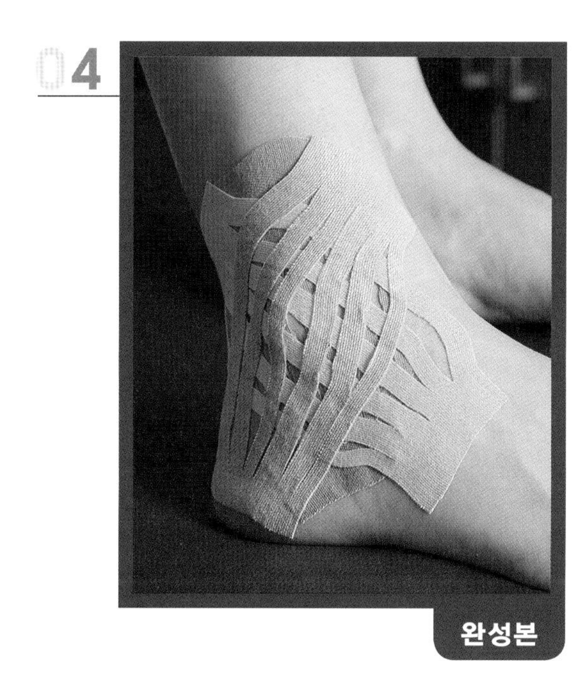

완성본

Taping

39 발목과 발의 안정화

5cm

20cm

3개

01

I자형 테이프를 발꿈치 바닥에서부터 양쪽 복사뼈를 덮어서 윗방향으로 붙인다.

02

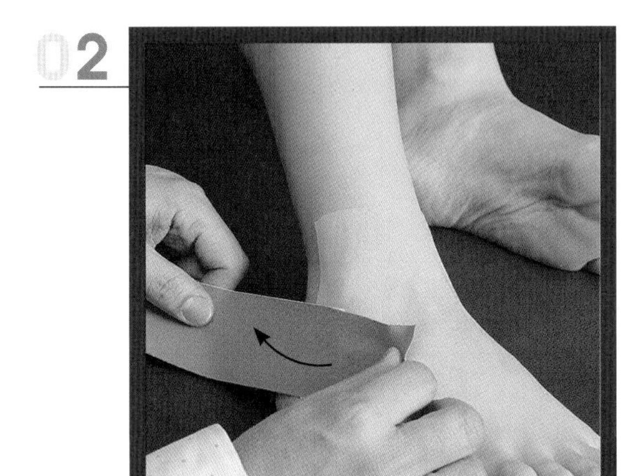

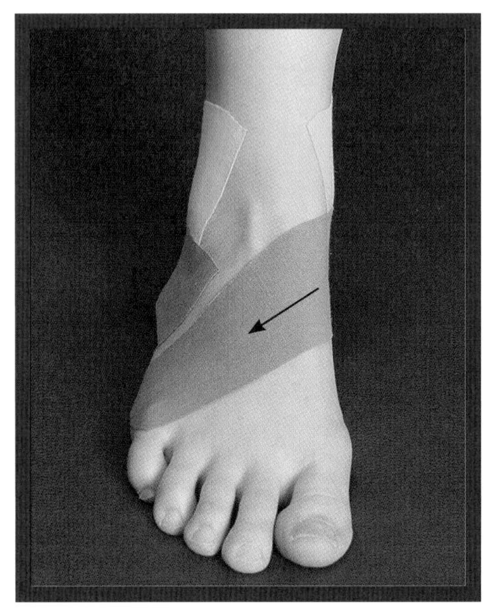

I자형 테이프를 가쪽 복사뼈밑에서 아킬레스건을 감싸서 발등부위에 붙인다.

03

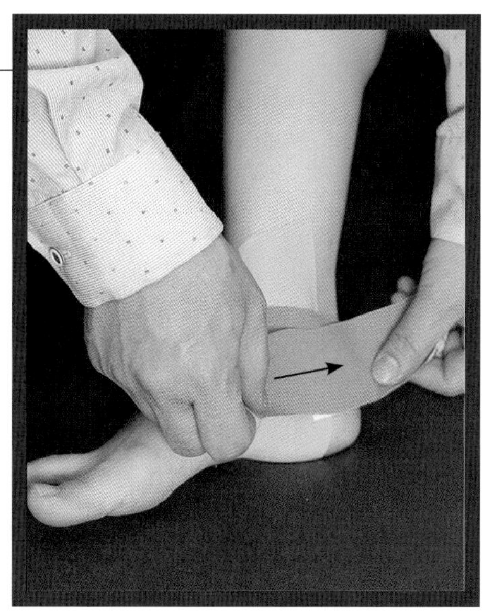

I자형 테이프를 안쪽 복사뼈밑에서 아킬레스건을 감싸서 발등부위에 붙인다.

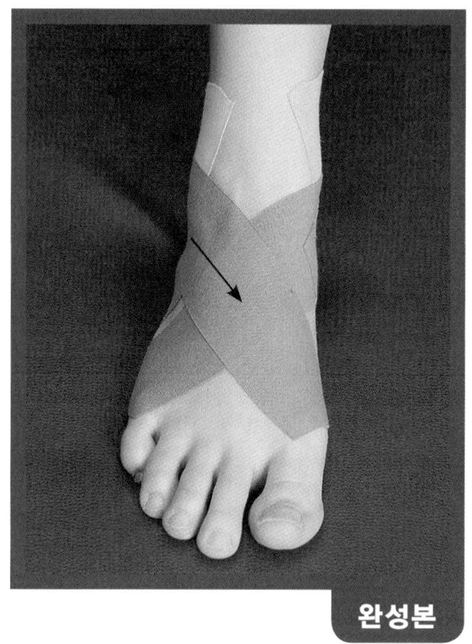

완성본

Taping

40 족부 안정화 1

5cm | 15cm | 1개

5cm | 25cm | 1개

01

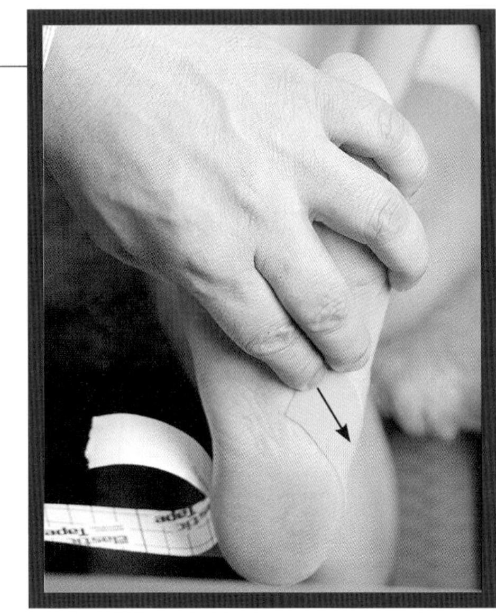

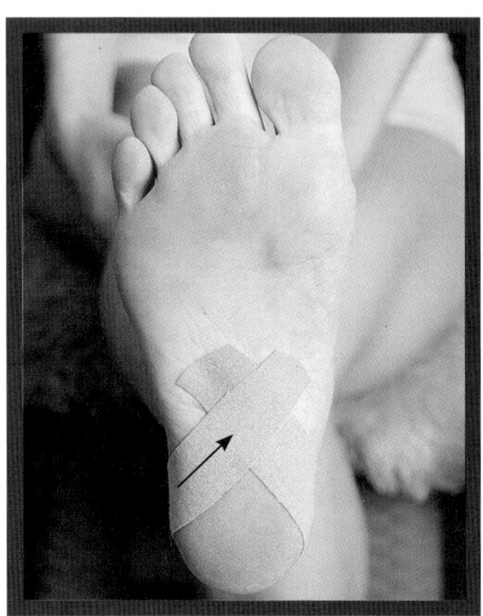

I자형 테이프를 발바닥 뒤쪽의 중심부터 발꿈치를 돌아 양쪽 끝이 발바닥에서 X자 형태가 되도록 붙인다.

02

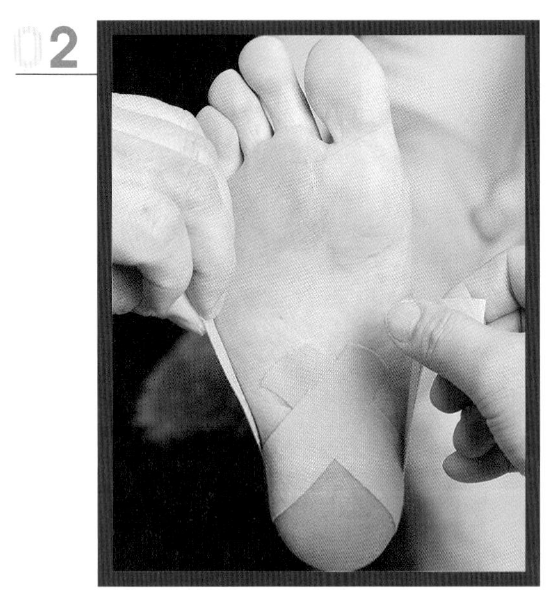

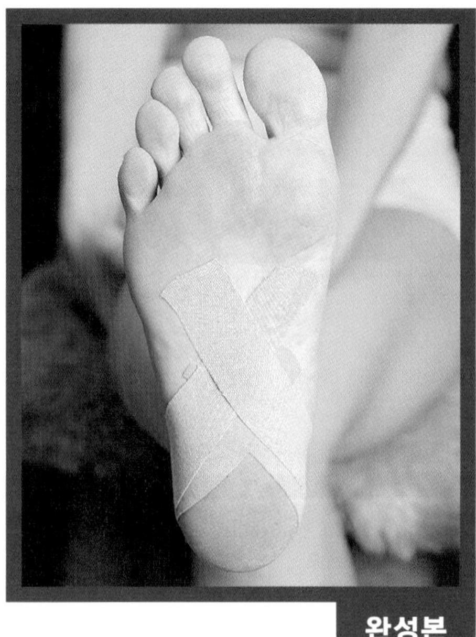

그 위에 같은 방법으로 한 번 더 테이핑을 해준다.

완성본

Taping

41 족부 안정화 2

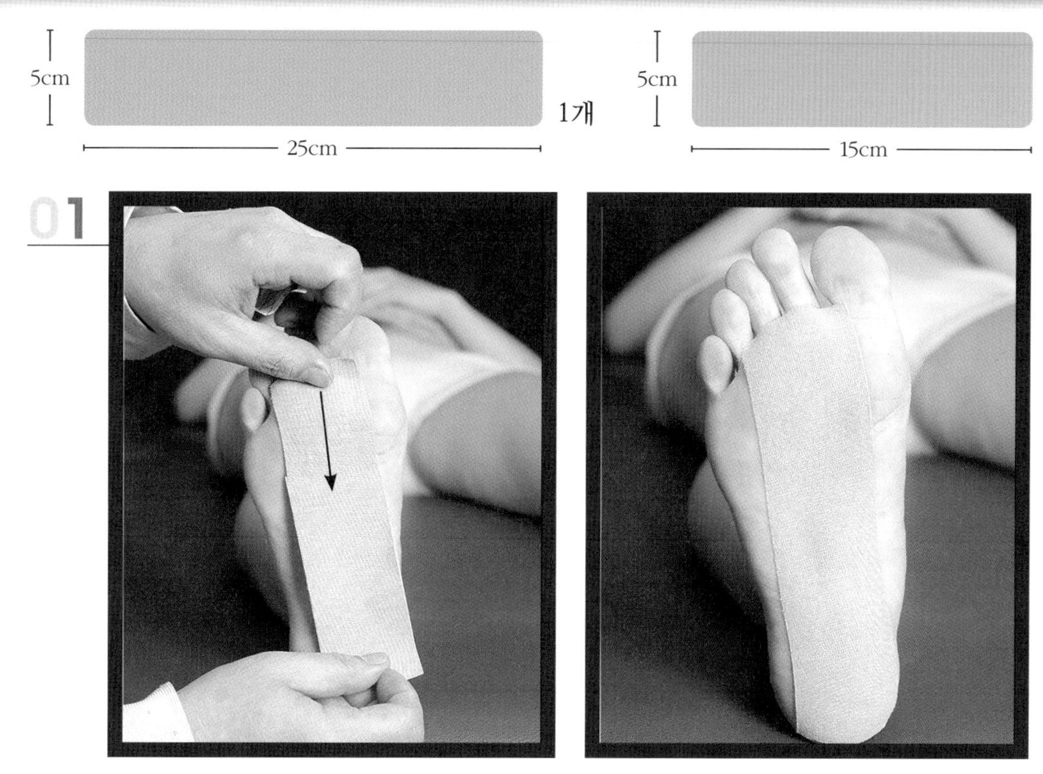

I자형 테이프를 발바닥의 발가락밑동에서부터 발꿈치까지 붙인다.

02

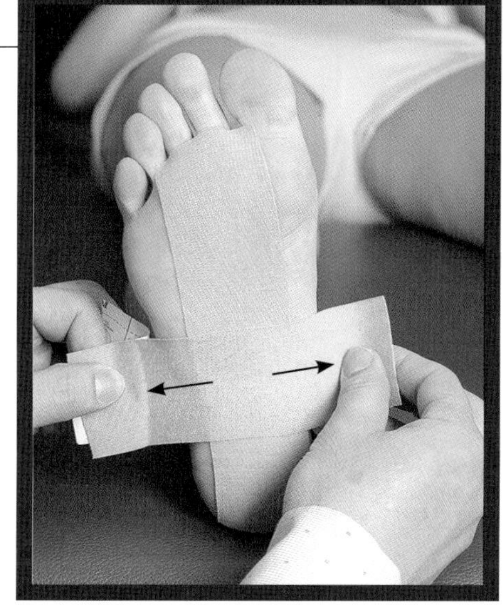

발바닥 중심에 I자형 테이프를 세로로 붙인다.

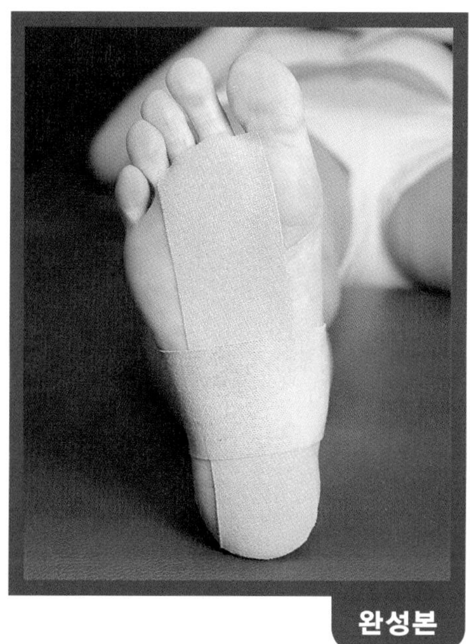

완성본

Taping

42 족부 안정화 3

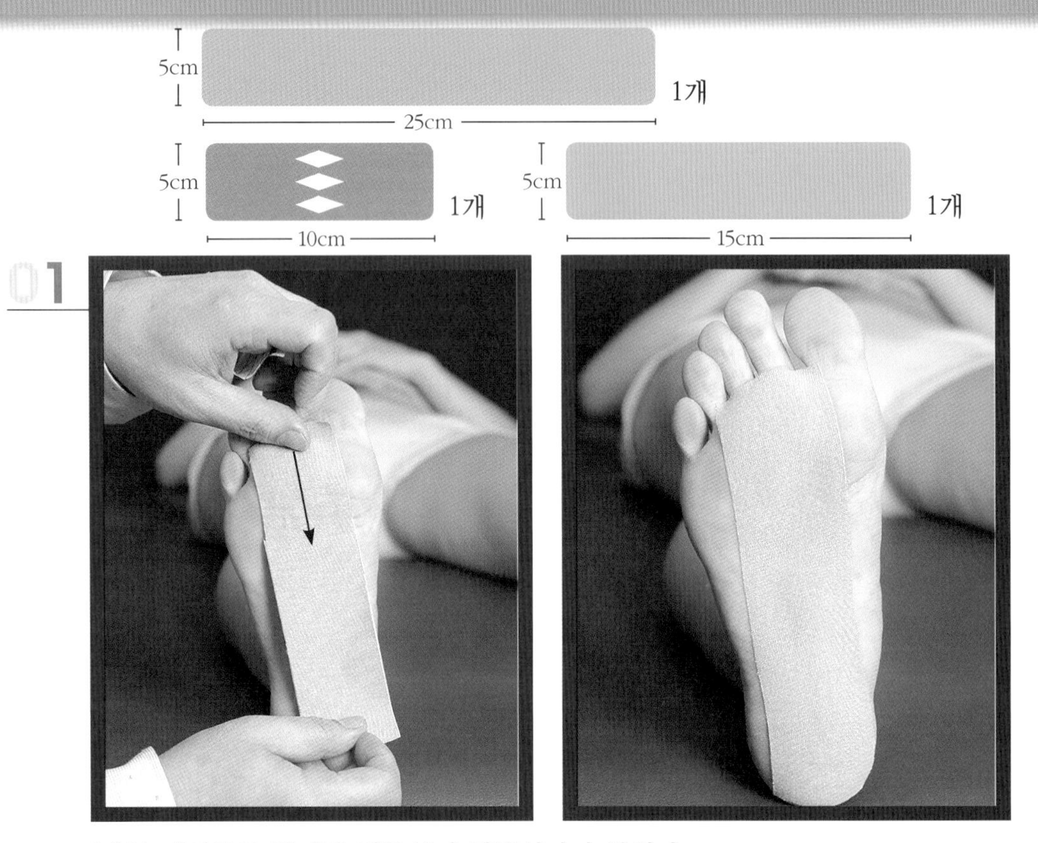

I자형 테이프를 발가락 밑동부터 발꿈치까지 붙인다.

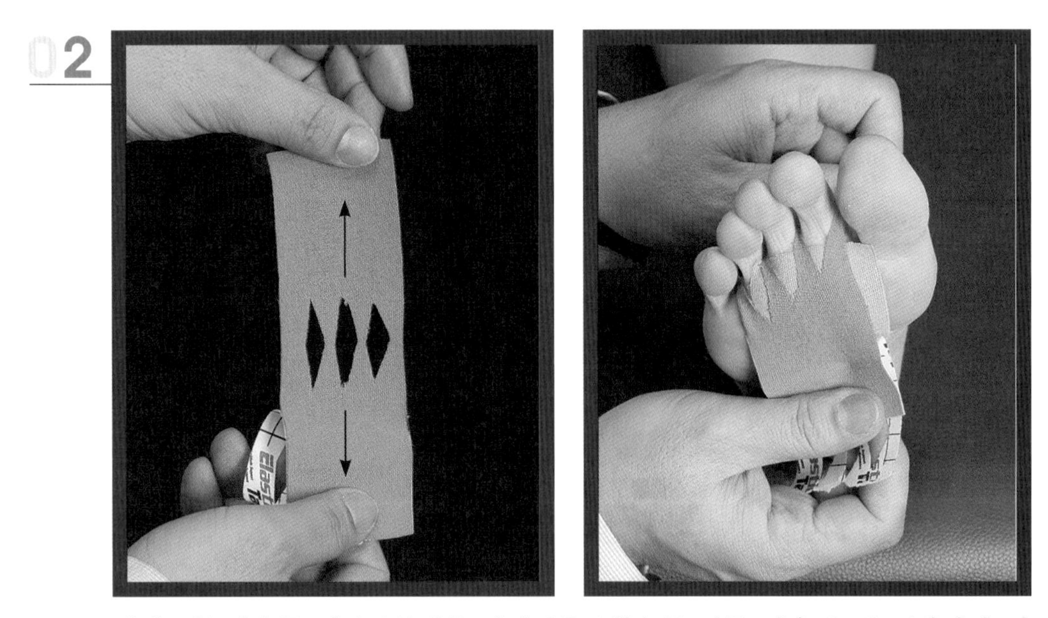

테이프를 반으로 접어 3군데를 다이아몬드형으로 자른 다음 2, 3, 4발가락 사이에 끼우고 발등과 발바닥쪽으로 당겨서 붙인다.

03

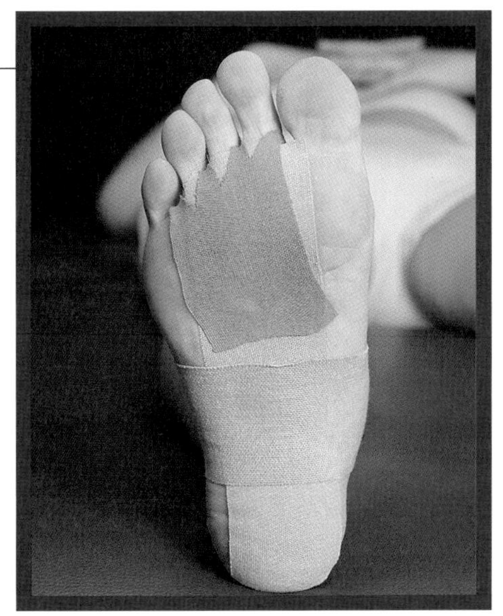

발바닥 중심에 I자형 테이프를 가로로 붙인다.

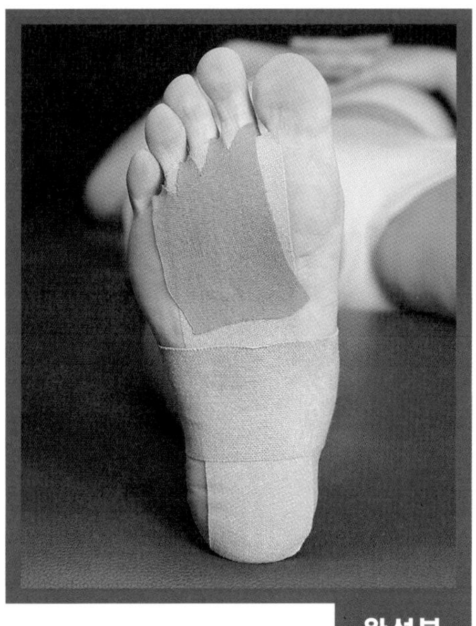

완성본

Taping

43 족부 안정화 4

5cm × 30cm 1개

2.5cm × 5cm 3개

01

I자형 테이프로 발꿈치를 감싸서 양쪽 복사뼈를 덮어서 위로 올려 붙인다.

02

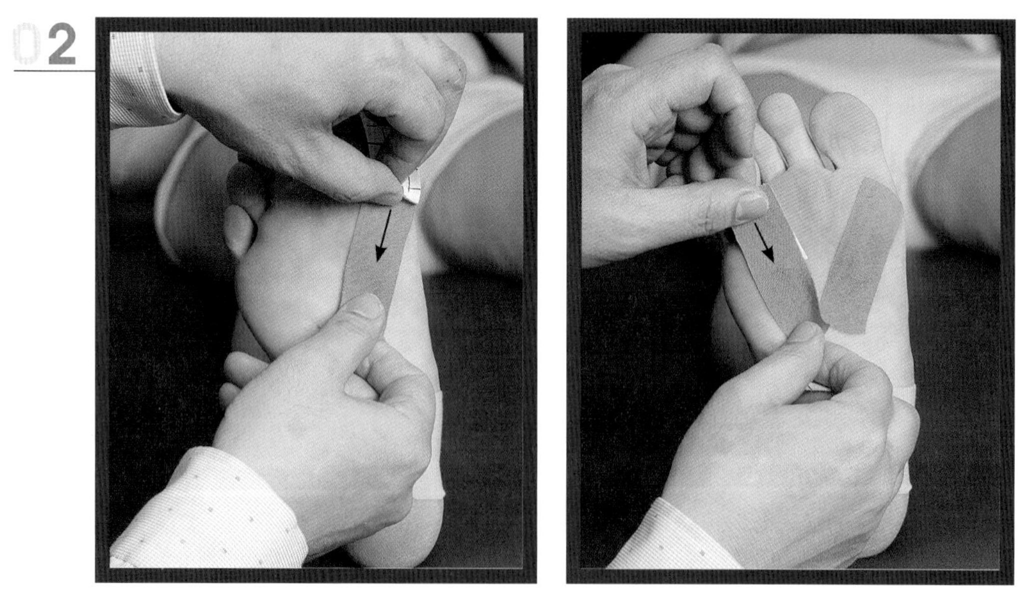

발바닥에 그림처럼 I자형 테이프를 2군데 붙인다.

03

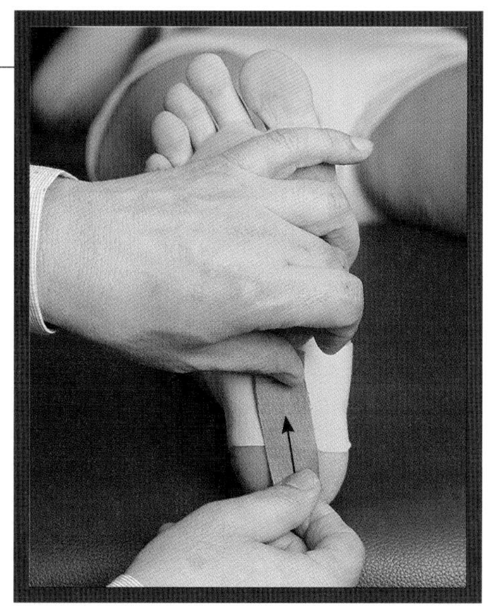

I자형 테이프를 발꿈치에 세로로 붙인다.

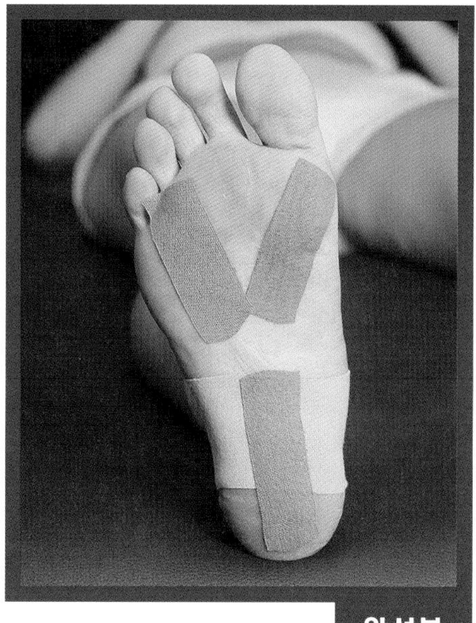

완성본

Taping

44 족부 안정화 5

5cm

40cm

2개

01

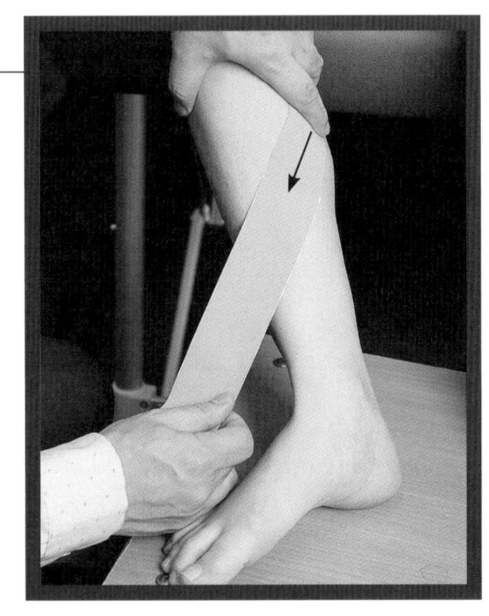

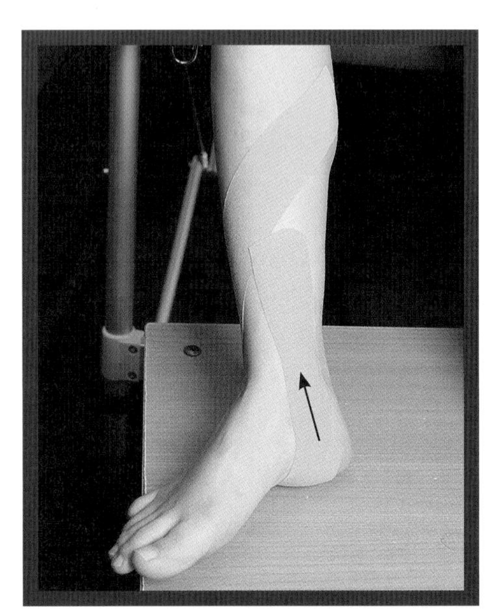

I자형 테이프를 종아리 안쪽 중간부분에서부터 가쪽 복사뼈를 감싸서 발바닥 아치부분을 지나 다시 안쪽 복사뼈를 덮어서 그림과 같이 붙인다.

02

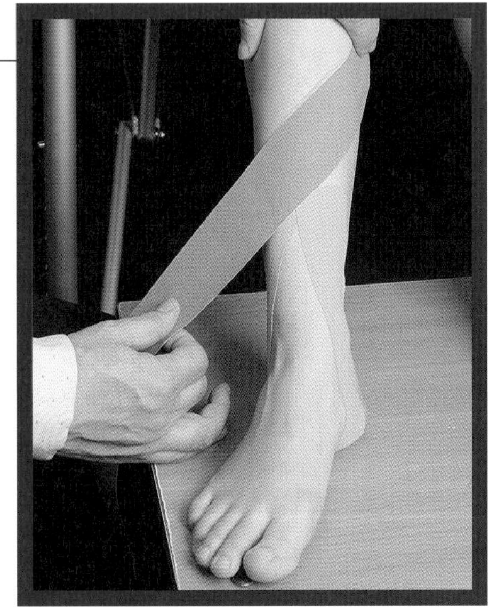

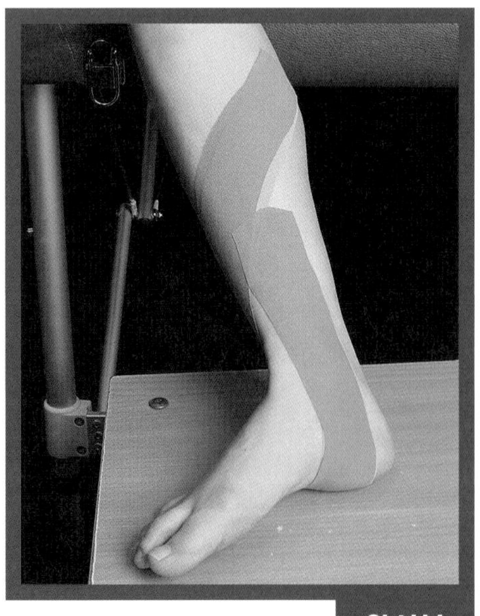

똑같은 방법으로 보강 테이핑을 해준다.

완성본

Taping

45 족부 안정화 6

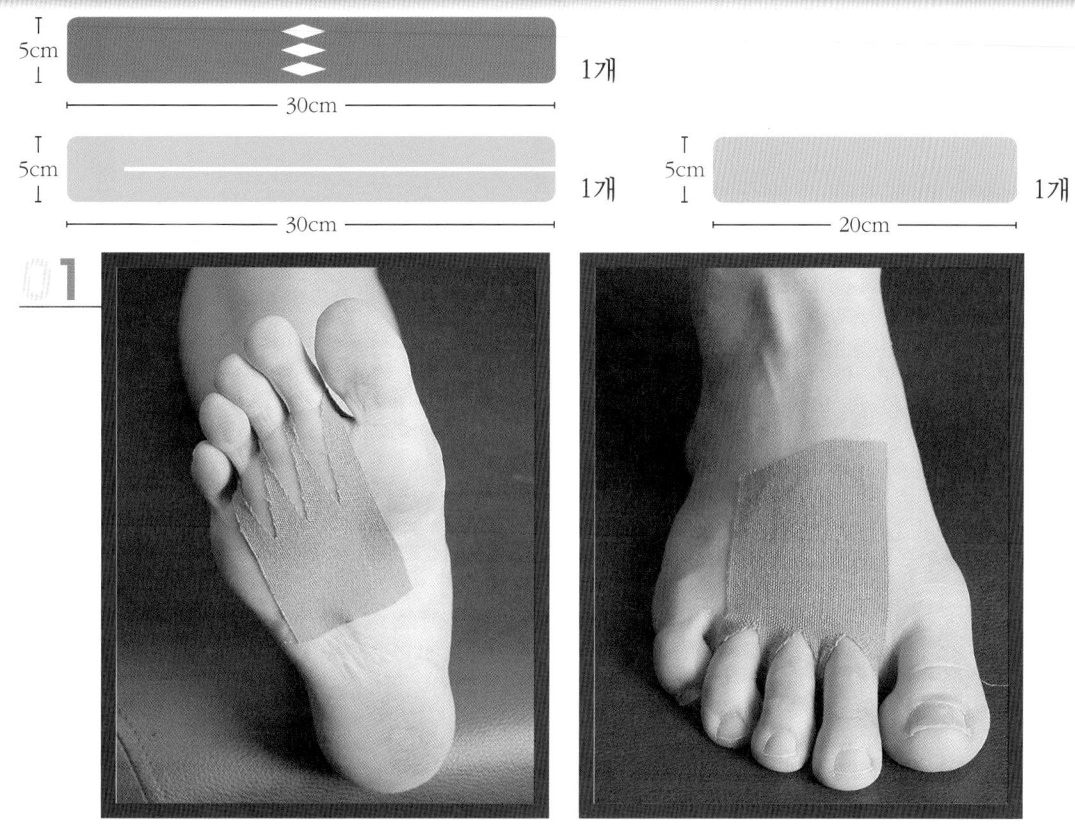

01

그림과 같이 3군데를 다이아몬드형으로 자른 테이프를 2, 3, 4발가락 사이에 끼워서 붙인다.

02

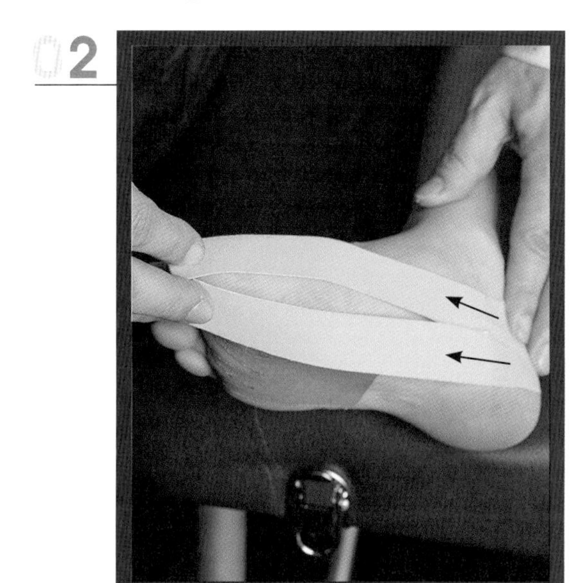

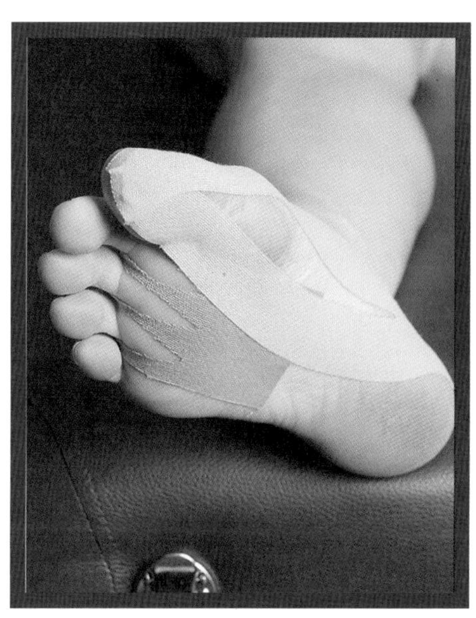

Y자형 테이프의 기부를 발뒤꿈치쪽에 붙이고 엄지발가락에 그림처럼 겹쳐서 붙인다.

03

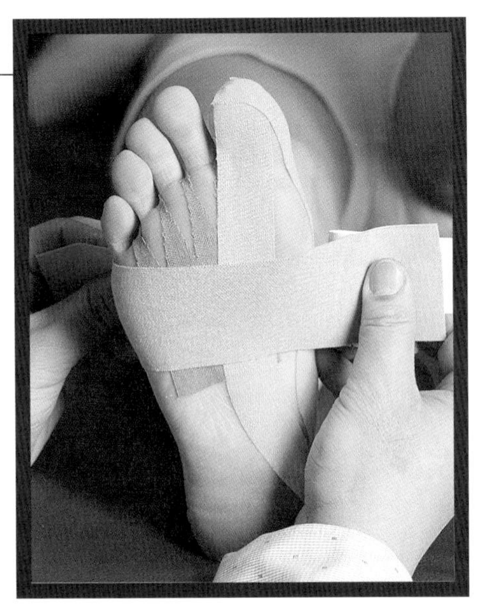

I자형 테이프를 발바닥 중심에 가로로 붙인다.

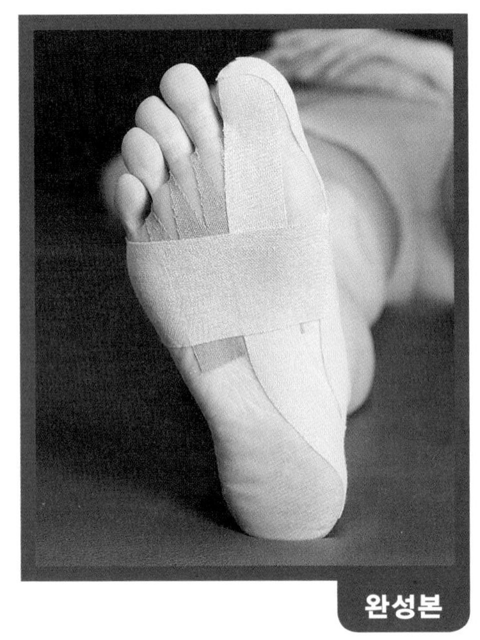

완성본

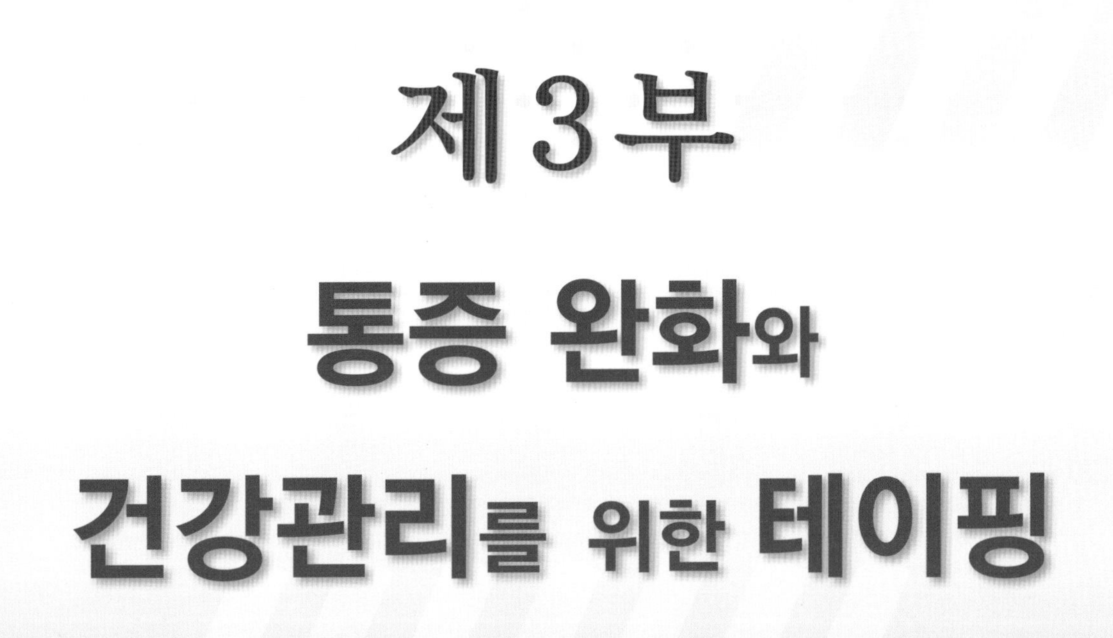

제3부

통증 완화와 건강관리를 위한 테이핑

제1장

몸통

TIP

사람마다 신체부위의 너비와 길이가 다르기 때문에 테이프를 붙일 때 미리 붙일 부위의 길이를 재서 테이프를 길이에 맞게 잘라서 사용해야 한다. 본문에 표시한 테이프의 길이는 일반적인 예시이다.

키네시오 테이프를 자르는 형태

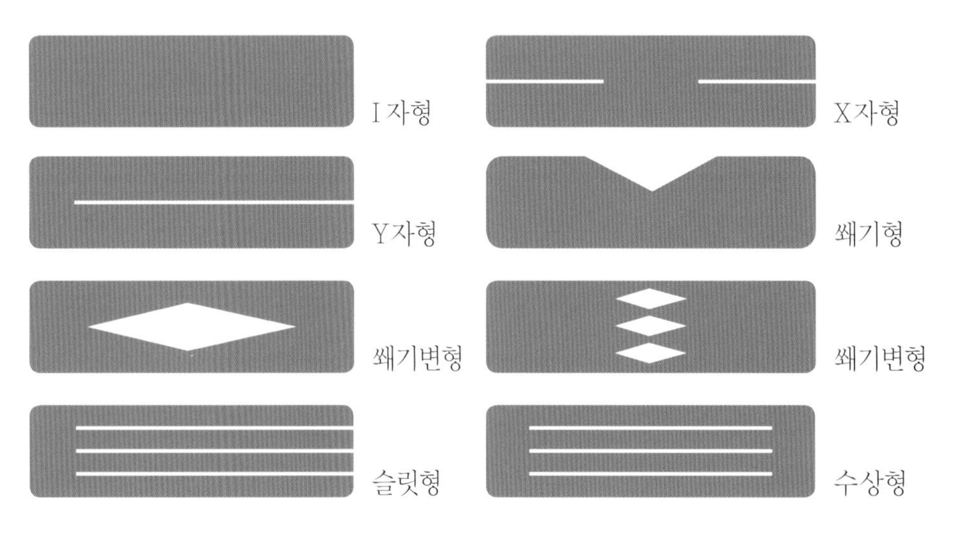

Taping

01 흉쇄유돌근 근반응 검사

01

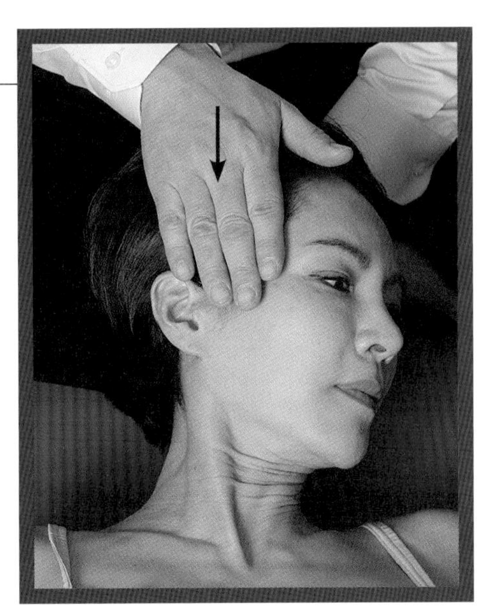

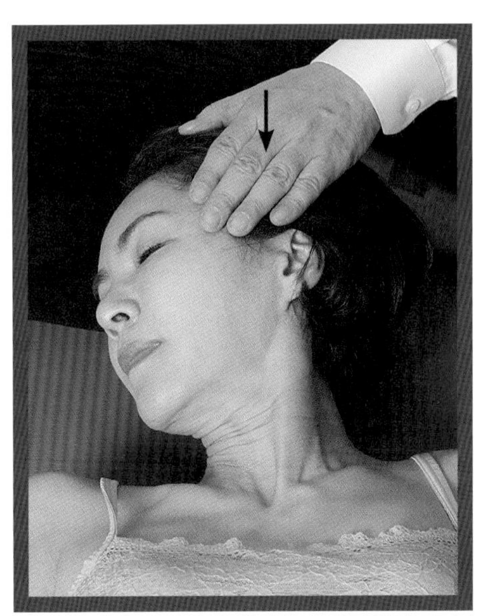

피검사자는 똑바로 누워 머리를 한쪽으로 돌려 고개를 든 후 흉쇄유돌근에 힘을 준다. 검사자가 측두골을 누르면 피검사자는 이에 저항하여 머리를 든다. 반대쪽으로 돌려서 같은 방법으로 검사한 후 약한 쪽의 흉쇄유돌근에 테이핑을 한다.

02

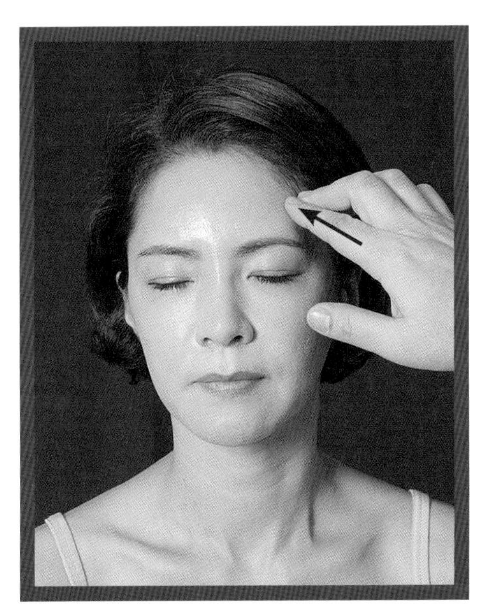

피검사자를 앉게 한 다음 이마 옆쪽을 화살표 방향(45도 방향)으로 밀면 피검사자는 이에 저항하여 버틴다. 반대쪽도 같은 방법으로 검사한 후 약한 쪽의 흉쇄유돌근에 테이핑을 한다.

Taping

02 소흉근 근반응 검사

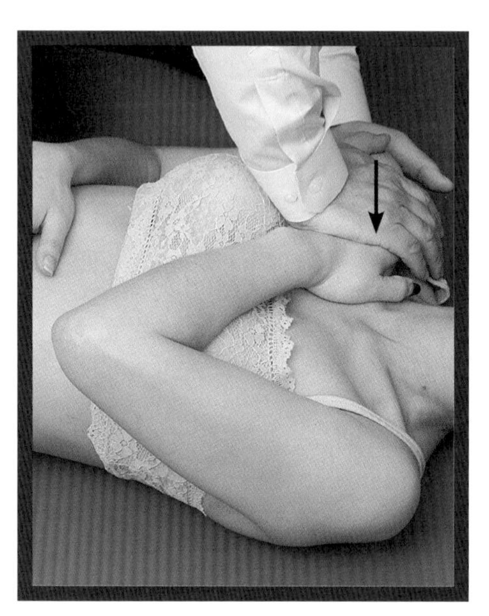

피검사자는 누워서 한 손은 검사하려는 소흉근에 대고, 다른 손은 배위에 놓는다. 검사자는 한 손으로 어깨 뒤쪽을 받치고 다른 손으로 피검사자의 손을 화살표 방향으로 누르면 피검사자는 이에 저항하여 버틴다. 약한 쪽의 소흉근에 테이핑을 한다.

03 복직근 근반응 검사

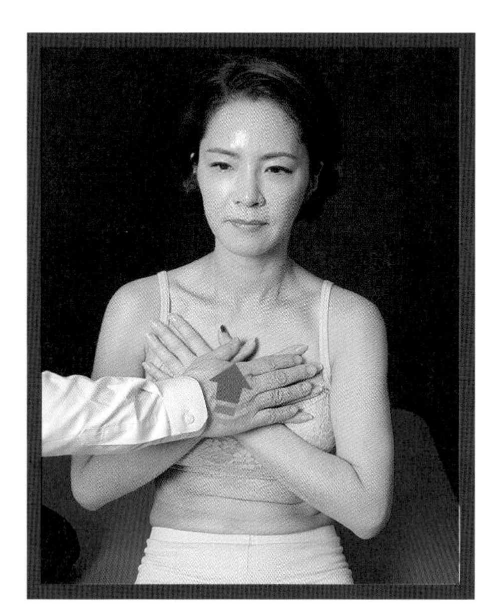

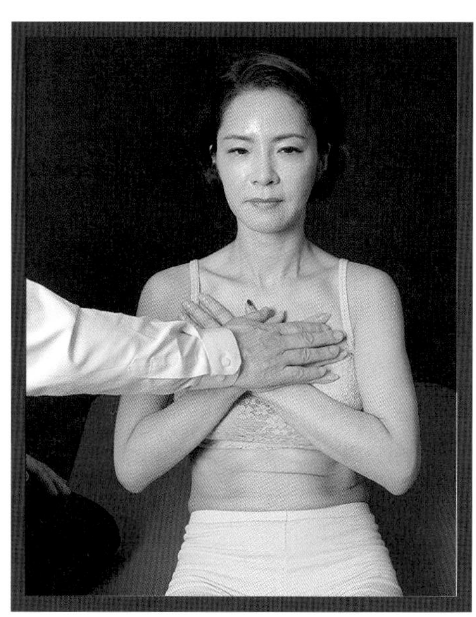

피검사자는 양다리를 펴고 앉아서 양손을 그림처럼 겹친다. 검사자가 겹쳐진 손을 뒤쪽으로 밀면 피검사자는 이에 저항하여 버틴다. 이때 힘없이 뒤로 밀린다면 복직근이 약한 것이므로 테이핑을 해준다.

Taping

04 장요근 근반응 검사

1

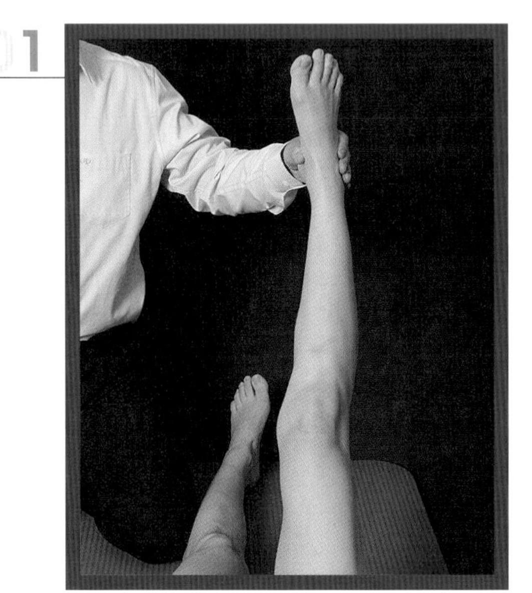

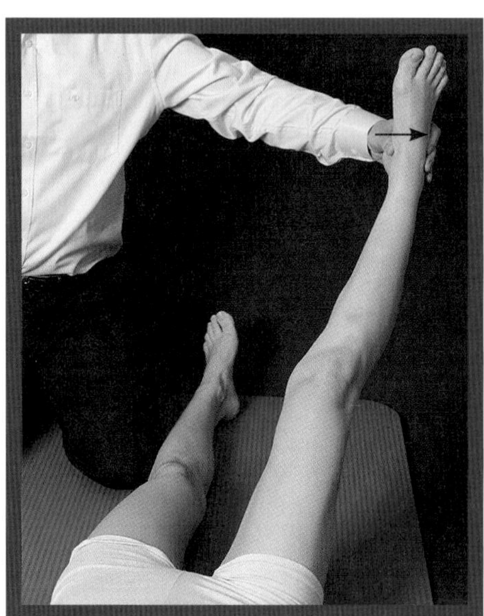

검사자는 피검사자의 무릎을 펴서 고관절을 굴곡시킨 후 15도 외전시킨다.

2

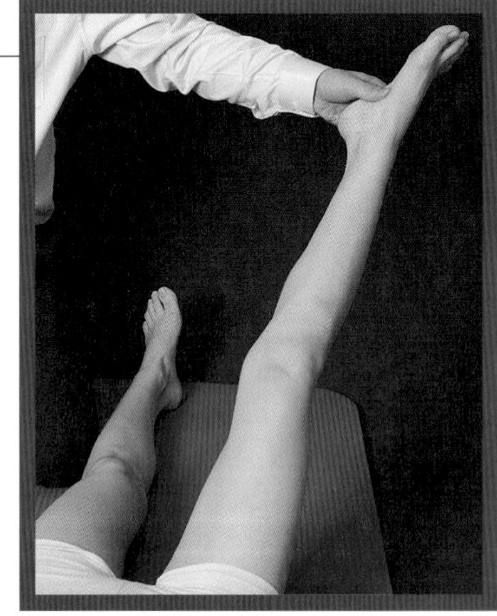

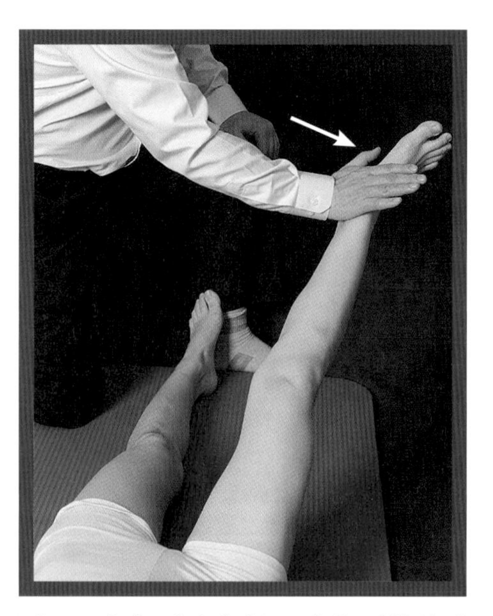

검사자가 발을 외회전시킨 후에 화살표쪽으로 밀면 피검사자는 이에 저항하여 버틴다. 양쪽 다리를 모두 검사한 후에 약한 쪽의 장요근에 테이핑을 한다.

Taping

05 요방형근 근반응 검사

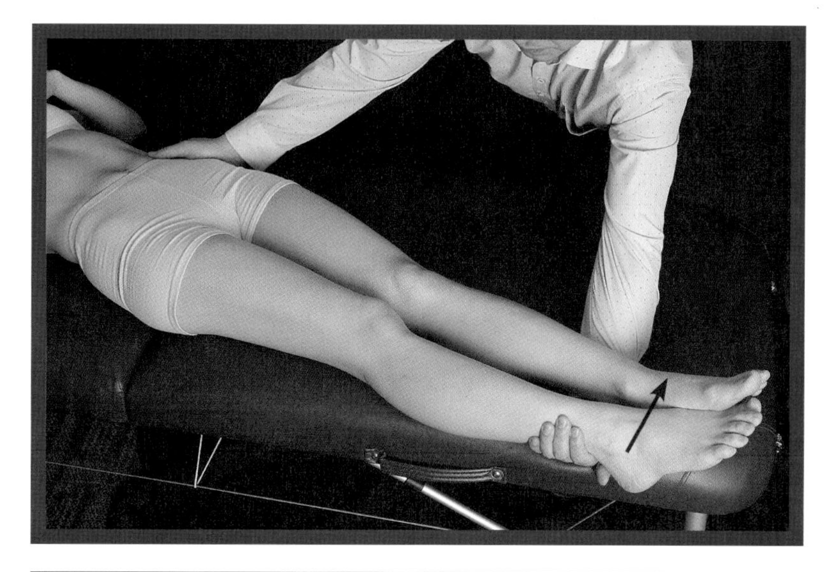

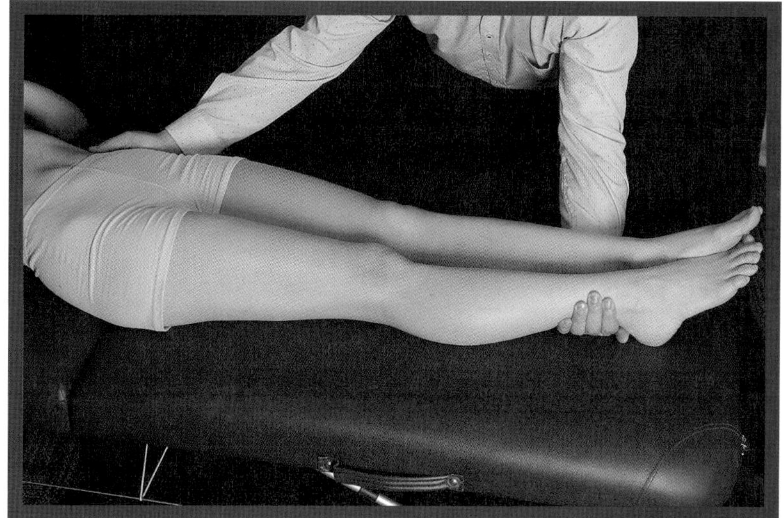

피검사자는 누워서 양쪽 발을 모으고 가쪽으로 30도 정도 벌린다. 검사자는 피검사자의 골반을 고정시키고 발이 들리지 않도록 수평으로 화살표 방향으로 당겨서 요방형근을 검사한다. 양쪽 모두 검사하여 약한 쪽의 요방형근에 테이핑을 한다.

Taping 06 삼차신경통 완화

2.5cm × 5cm 3개

01

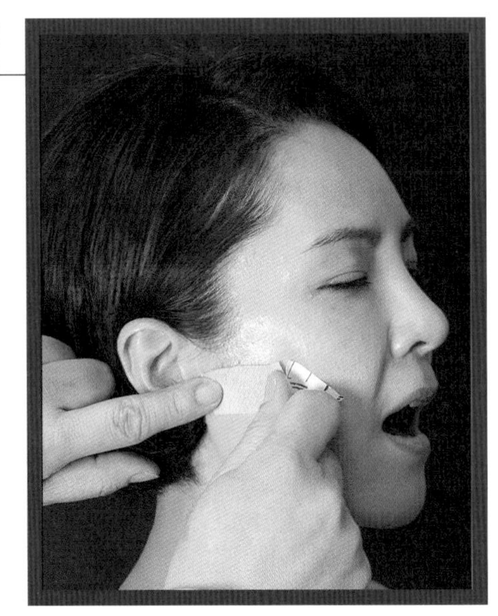

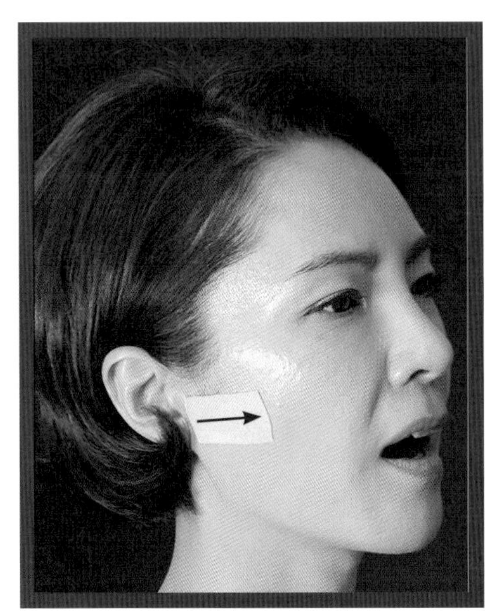

피검사자의 입을 벌리게 한 다음 사진의 검지손가락이 닿은 부분에서 앞쪽(화살표 방향)으로 I자형 테이프를 붙인다.

02

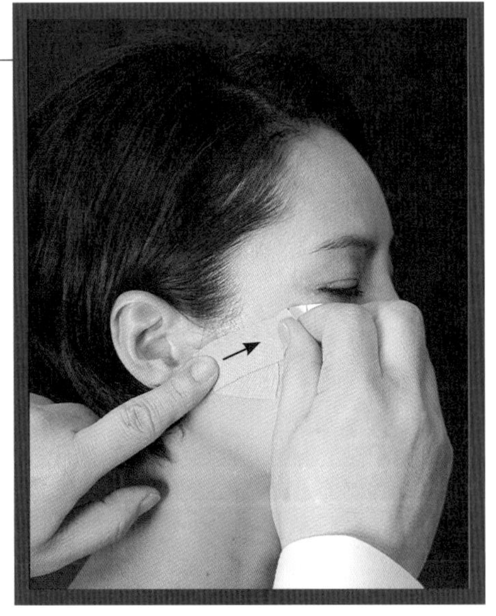

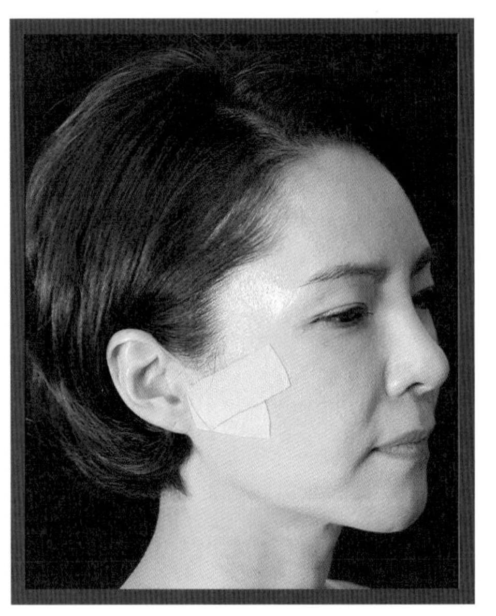

I자형 테이프를 위쪽으로 45도 올려 붙인다.

03

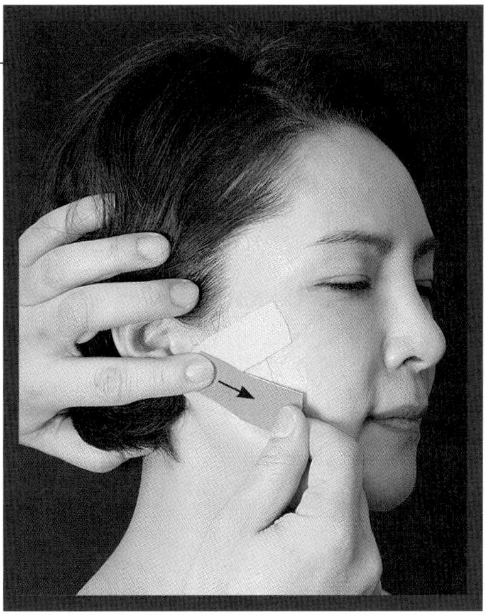

I자형 테이프를 아래쪽으로 45도 내려서 붙여 마무리한다. 통증이 심하면 귀와 나란한 방향으로 한 줄 더 테이핑한다.

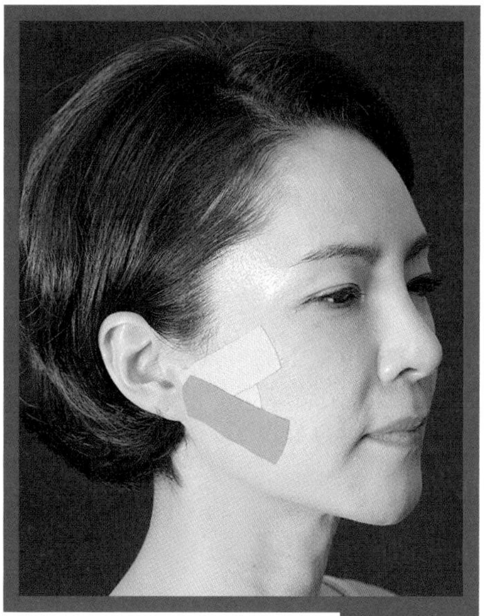

완성본

삼차신경통은 심한 통증이 수십초~수분 동안 이어지듯 지속되며, 보통 한쪽 얼굴에 나타난다. 찬바람이나 스트레스에 민감하게 반응하며, 전기가 흐르는 듯한 아픈 통증이 얼굴의 한 지점에서 다른 부위로 지나가는 듯이 나타난다. 테이프는 늘이지 않고 붙인다.

Taping

편두통 완화

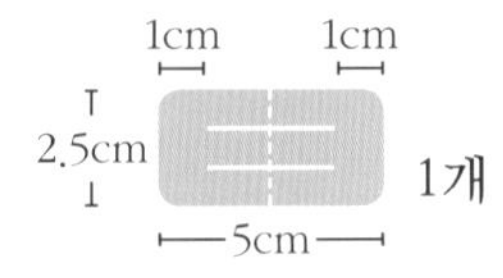

01

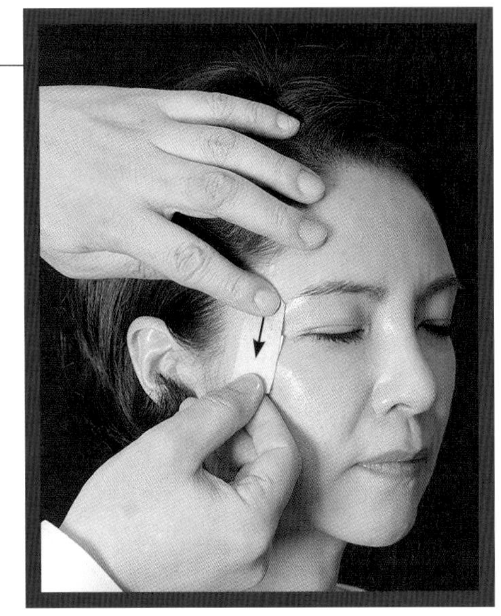

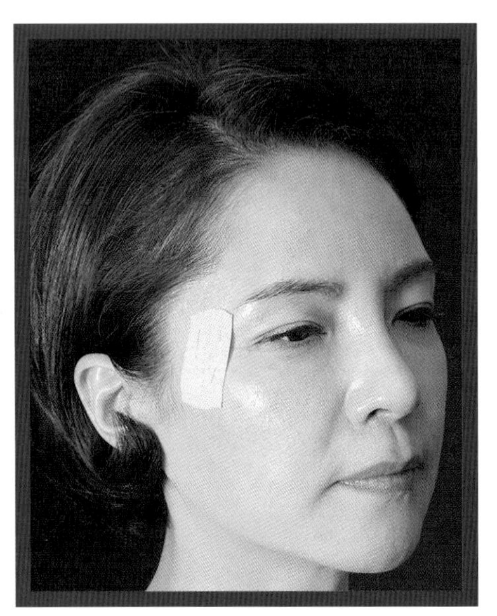

그림과 같은 테이프를 눈꼬리 옆쪽에 세로로 붙인다.

02

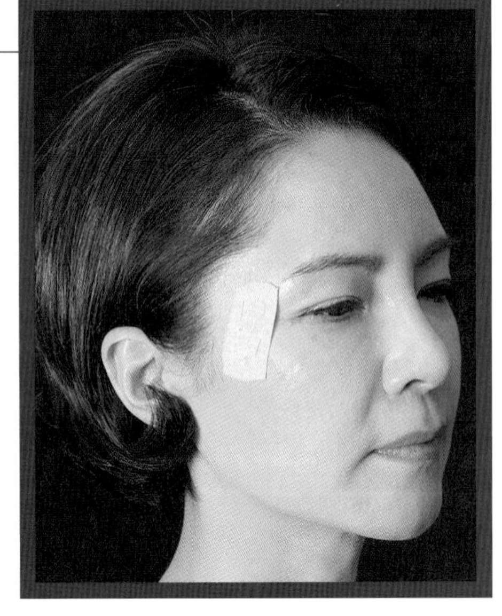

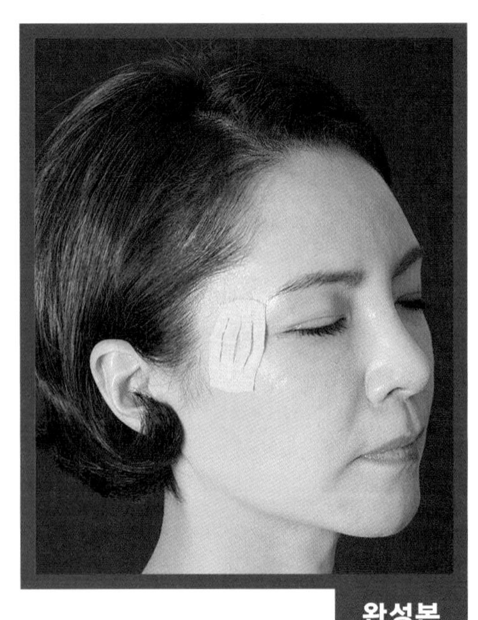

테이프의 사이를 벌려서 마무리한다.

완성본

Taping

08 비염

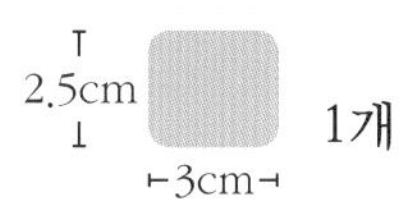

01

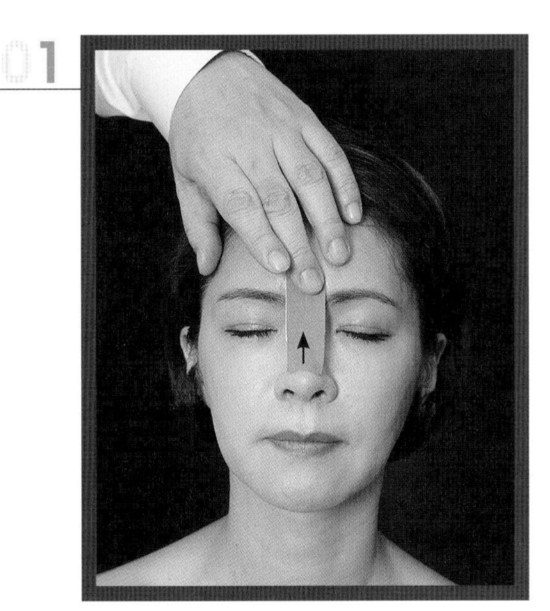

그림과 같이 자른 테이프를 콧등에 붙인다.

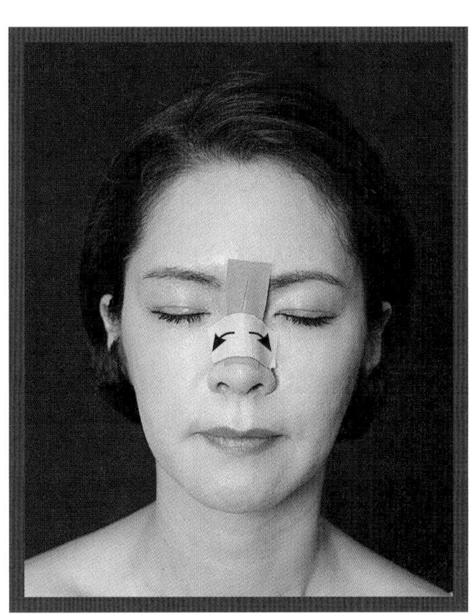

그 위에 3cm I자형 테이프를 가로로 붙인다.

02

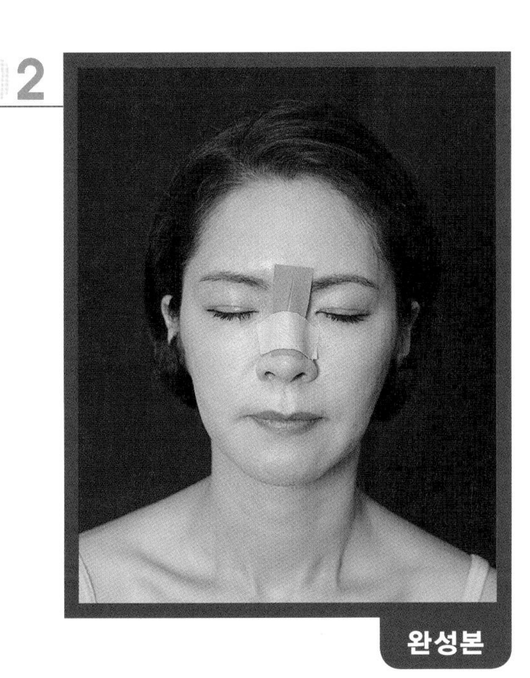

완성본

생리통 완화

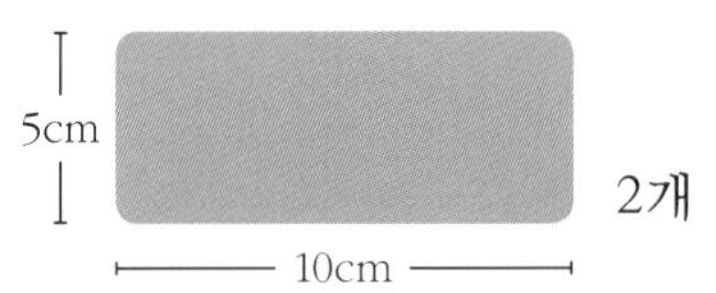

01

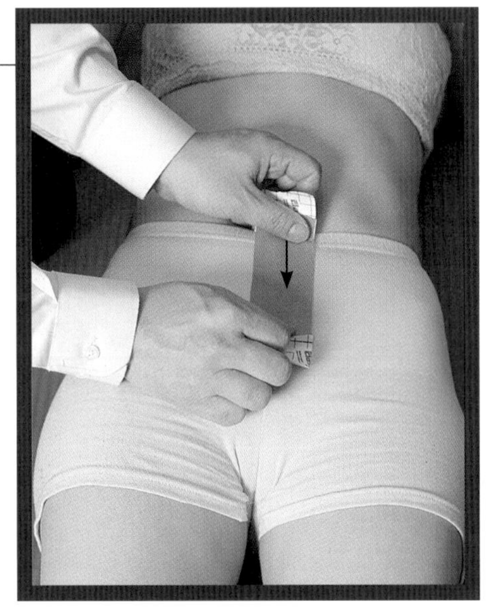

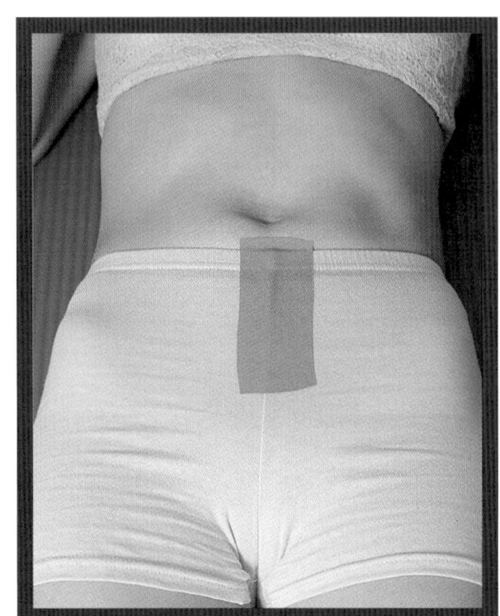

I자형 테이프를 배꼽 아래에서부터 치골까지 붙인다.

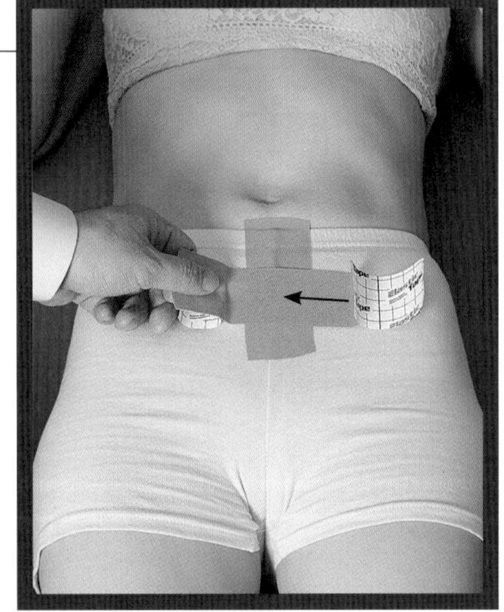

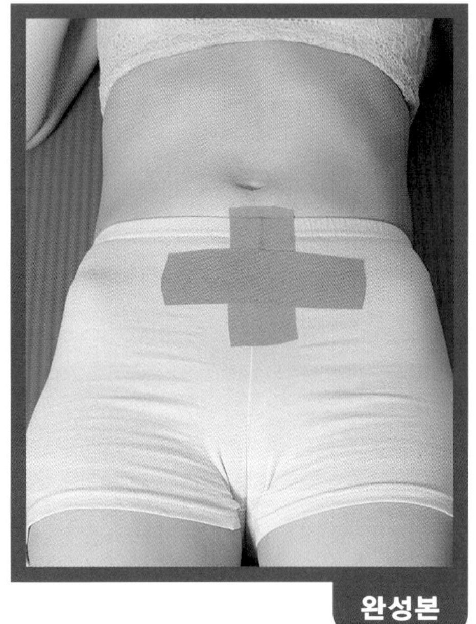

I자형 테이프를 그 위에 가로로 붙여서 십자형태를 만든다.

완성본

Taping

10 현기증

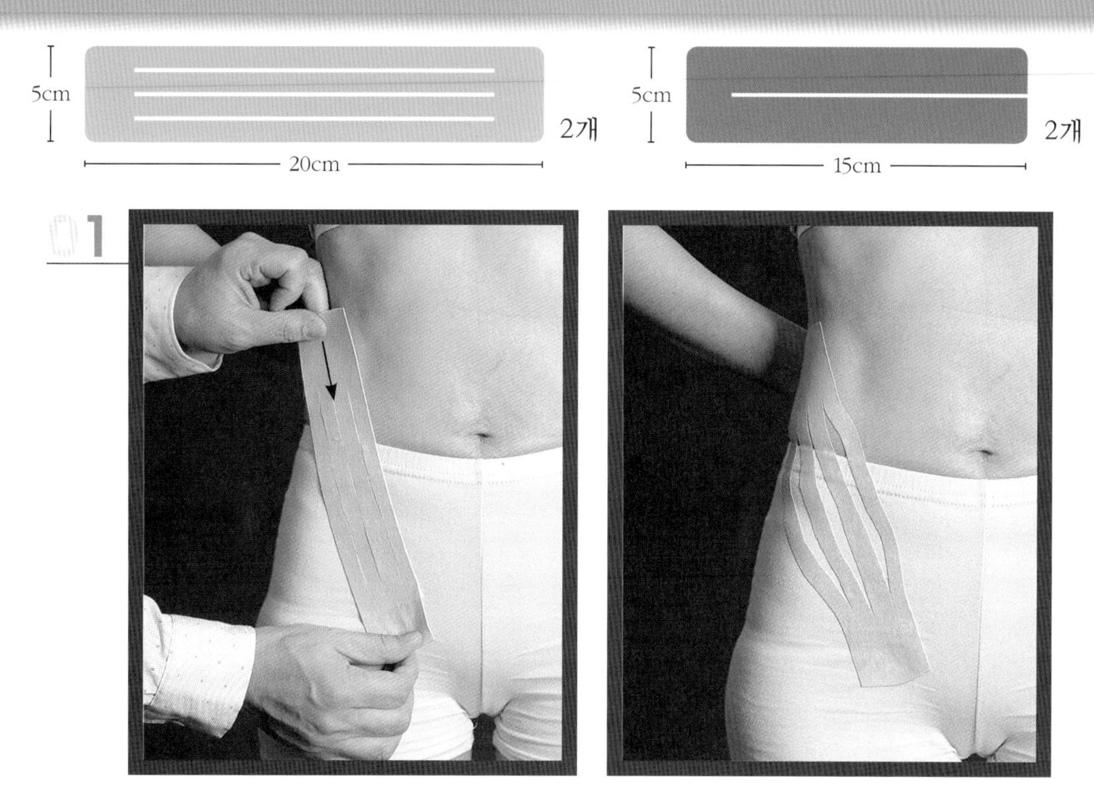

그림과 같은 테이프를 옆구리쪽 늑골 12번부위에서부터 서혜부쪽으로 붙이고 가운데를 벌려준다.

02

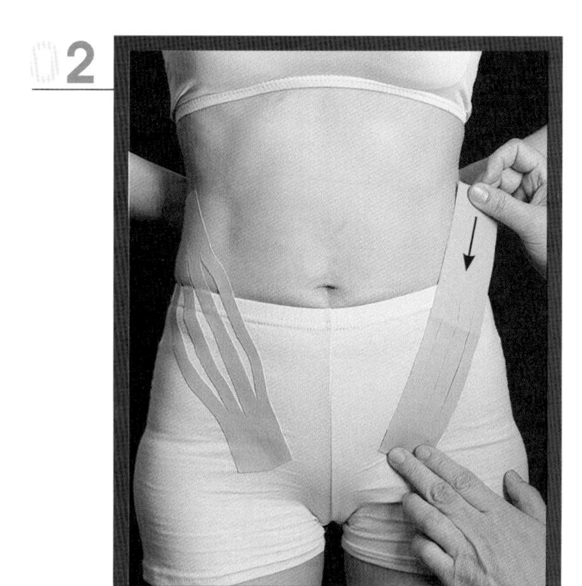

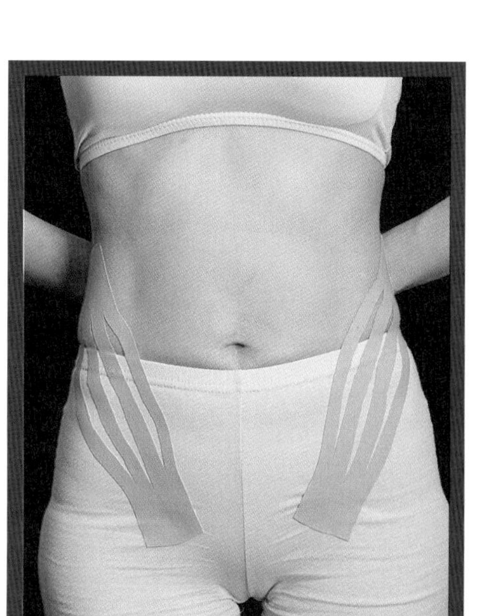

반대쪽에도 같은 방법으로 붙인다.

03

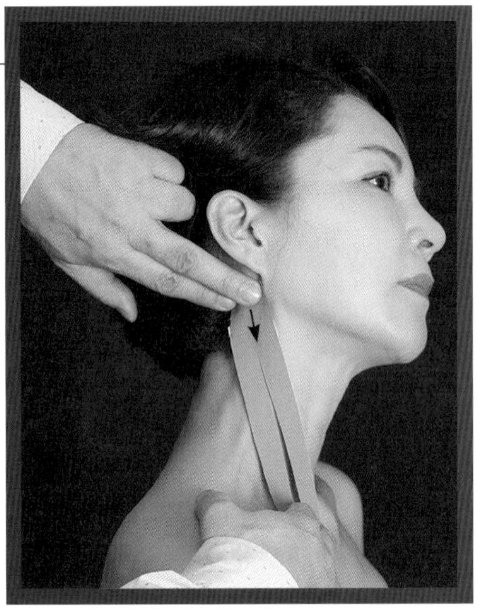

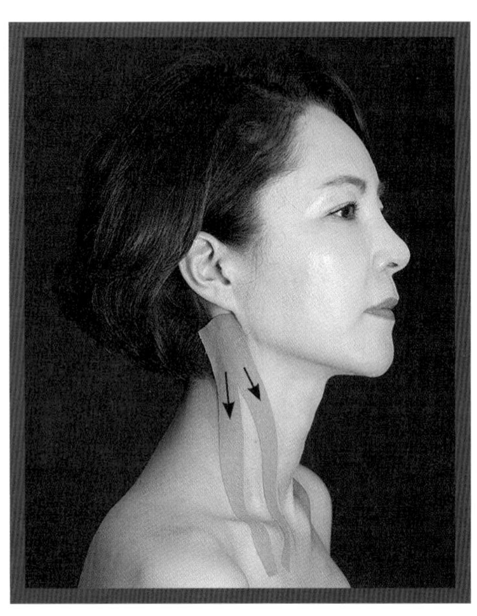

Y자형 테이프의 기부를 귀밑 유양돌기에 붙인 다음 한 갈래는 고개를 테이핑하려는 반대쪽으로 측굴시킨 후 흉쇄유돌근을 따라 붙이고, 다른 갈래는 고개를 안쪽으로 회전시킨 후 붙인다.

04

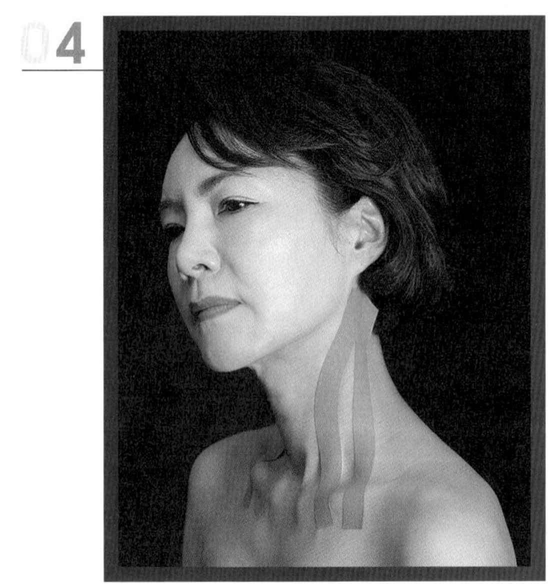

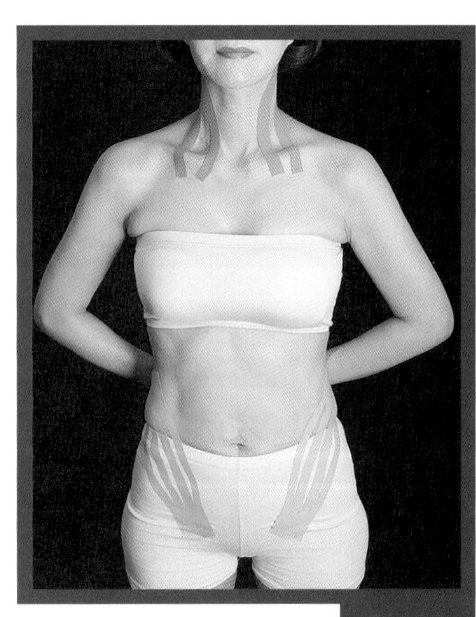

반대쪽에도 같은 방법으로 붙인다.

완성본

Taping

11 흉쇄유돌근 테이핑

흉쇄유돌근 근반응 검사 ···› p.117 참조

3.75cm 15cm 2개

1

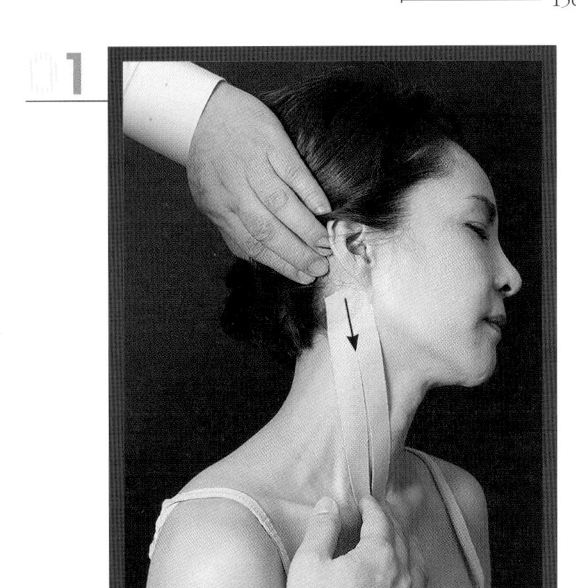

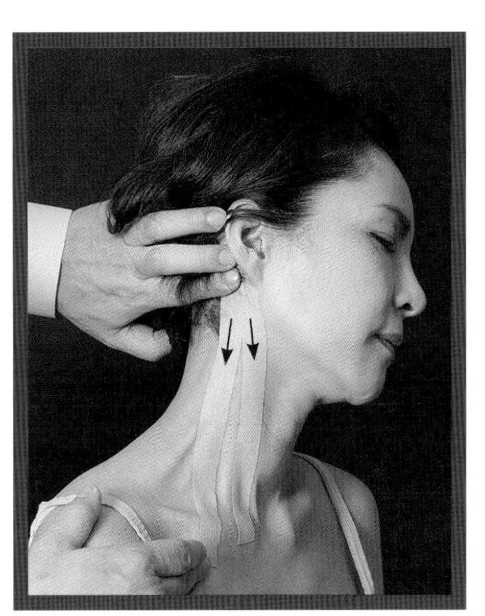

Y자형 테이프의 기부를 귀밑 유양돌기에 붙이고 두 갈래는 벌려서 쇄골과 흉골에 각각 붙인다. 이때 머리는 반대쪽으로 측굴시킨다.

2

완성본

Taping

12 두판상근 테이핑

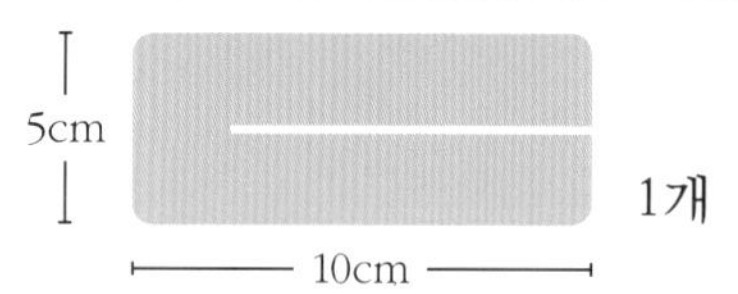

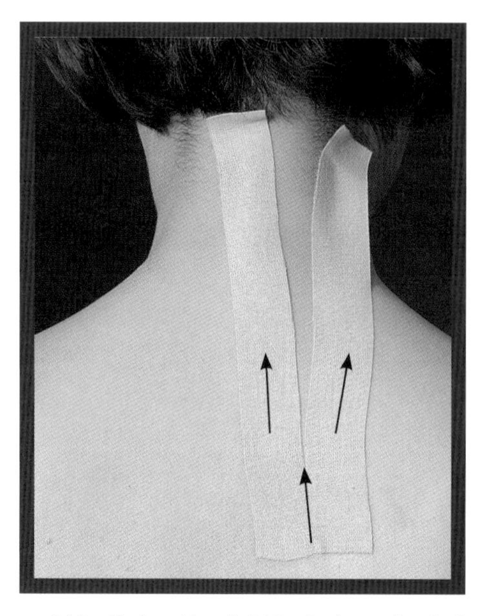

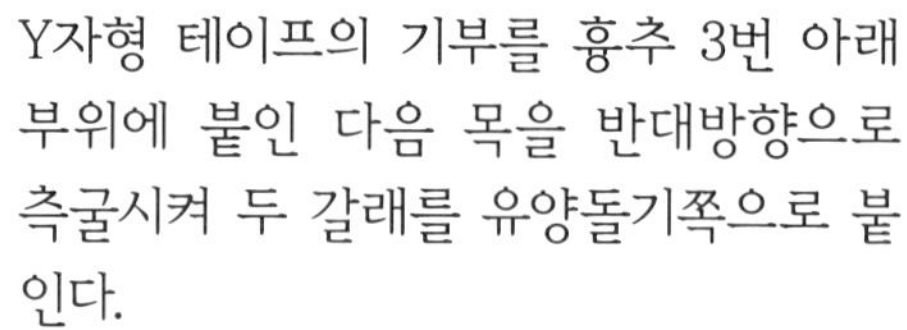
Y자형 테이프의 기부를 흉추 3번 아래 부위에 붙인 다음 목을 반대방향으로 측굴시켜 두 갈래를 유양돌기쪽으로 붙인다.

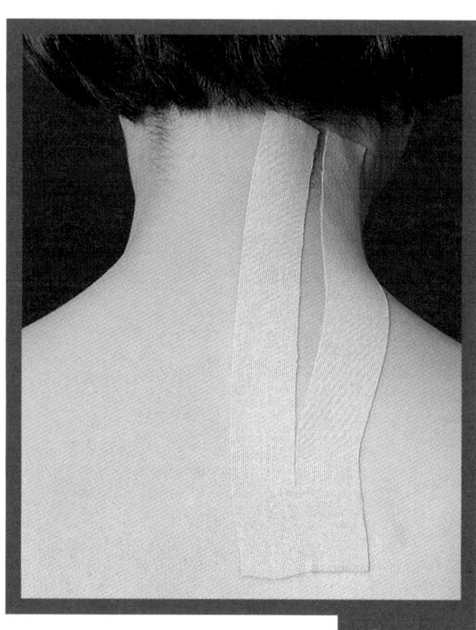
완성본

Taping

13 목의 염증(인후염)

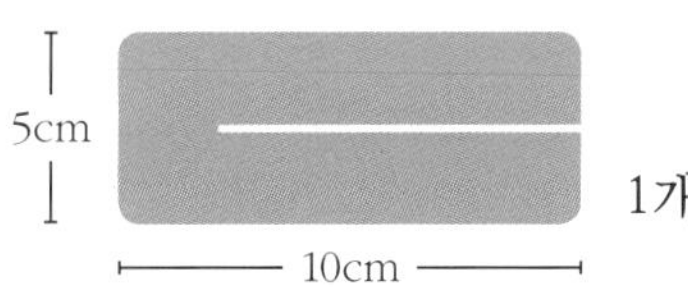

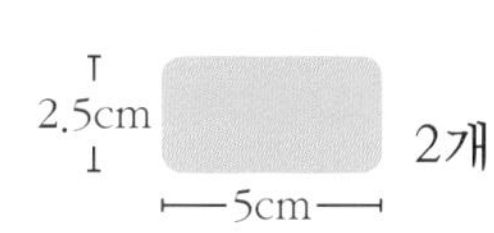

1

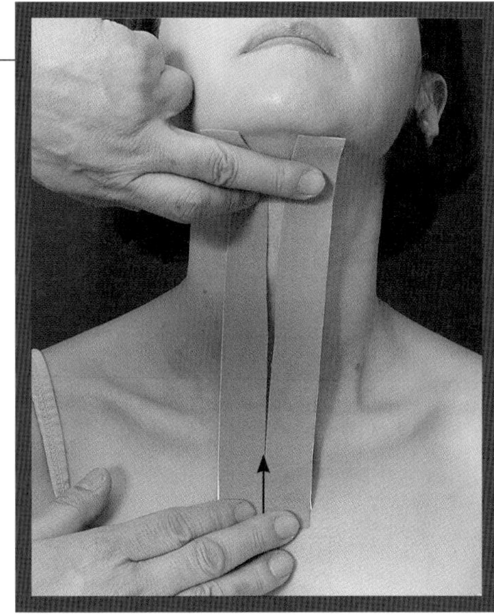

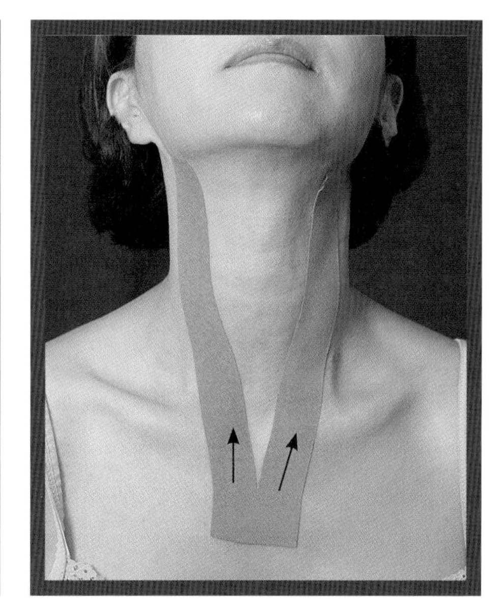

Y자형 테이프의 기부를 목 아래쪽(흉골 위쪽 중앙)에 붙이고 각 갈래는 양쪽으로 나누어 붙인다.

2

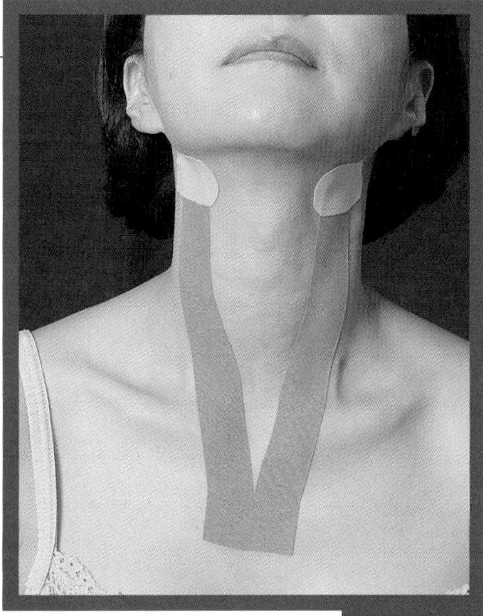

완성본

목이 따갑거나, 음식을 삼킬 때 불편하거나, 기침을 자주하고, 심해지면 열이 발생하고, 염증이 있을 때 도움을 주는 테이핑이다.

양쪽 끝부분에 I자형 테이프를 붙여 완성한다.

Taping

14 어깨통증 완화

5cm

20cm

1개

1

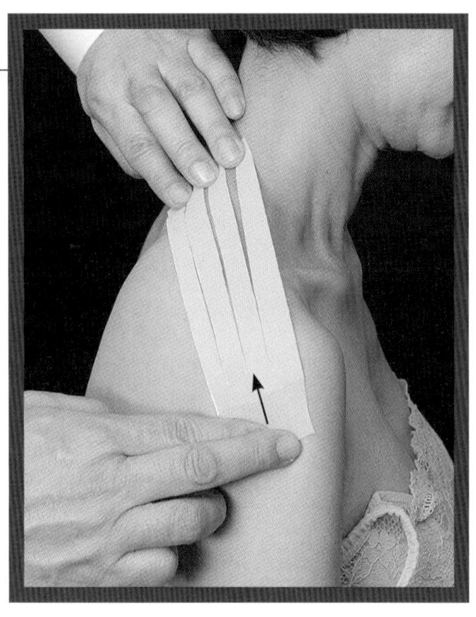

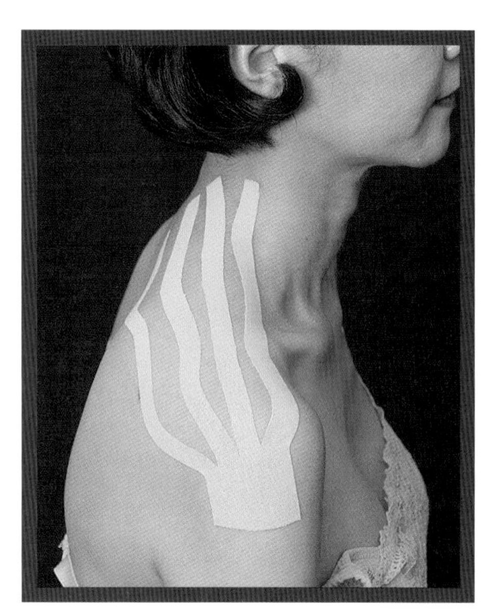

4갈래 테이프의 기부를 견봉 아래쪽에 붙이고 고개를 반대방향으로 측굴시킨 후 각 갈래는 어깨 라인을 따라 그림과 같이 붙인다.

2

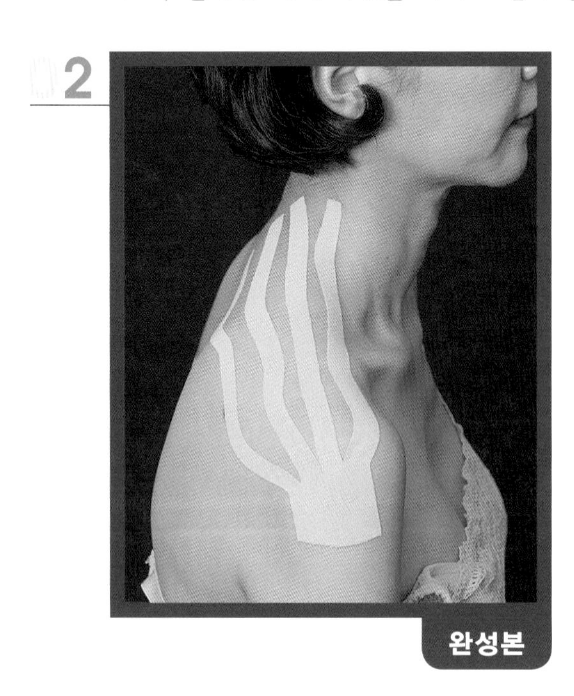

완성본

Taping

15 목과 어깨통증 완화

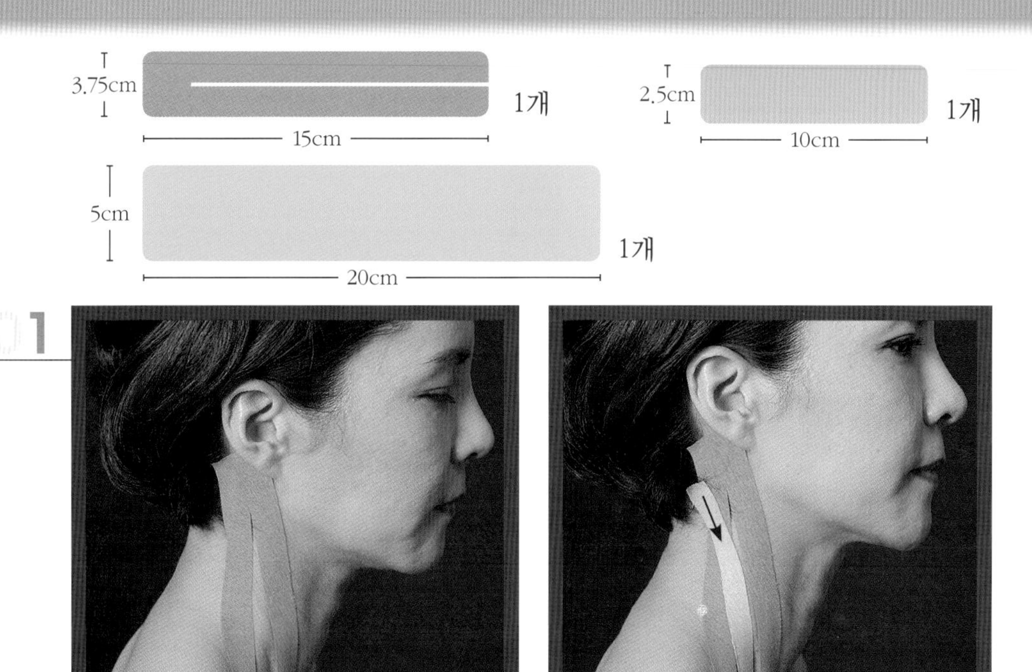

1

Y자형 테이프를 흉쇄유돌근에 붙인 다음 그사이에 I자형 테이프를 붙인다.

2

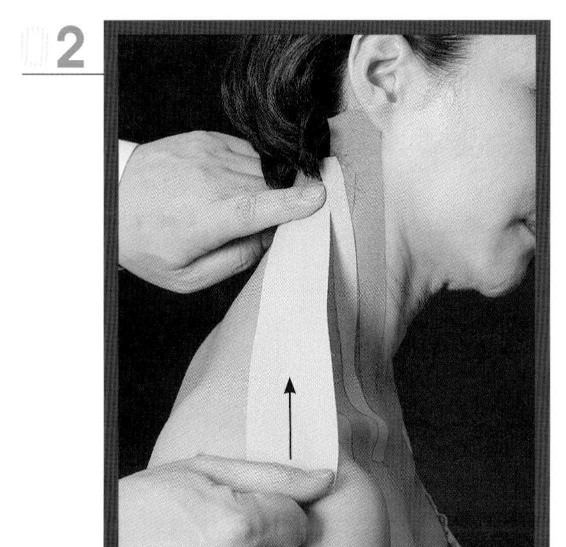

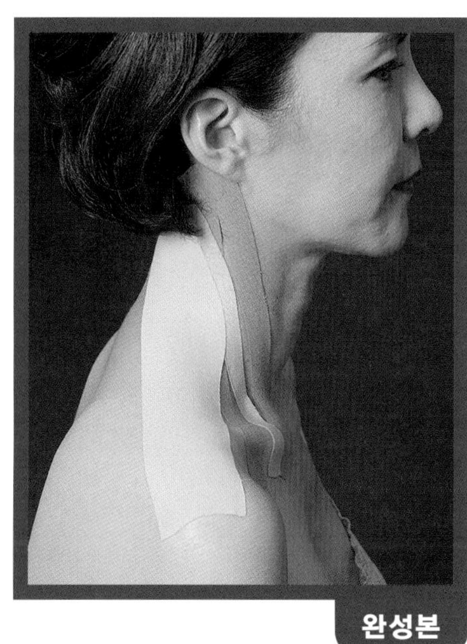

완성본

목을 반대쪽으로 신전시킨 후 상부승모근에 I자형 테이프를 붙인다.

Taping

16 뒷목통증 완화 1

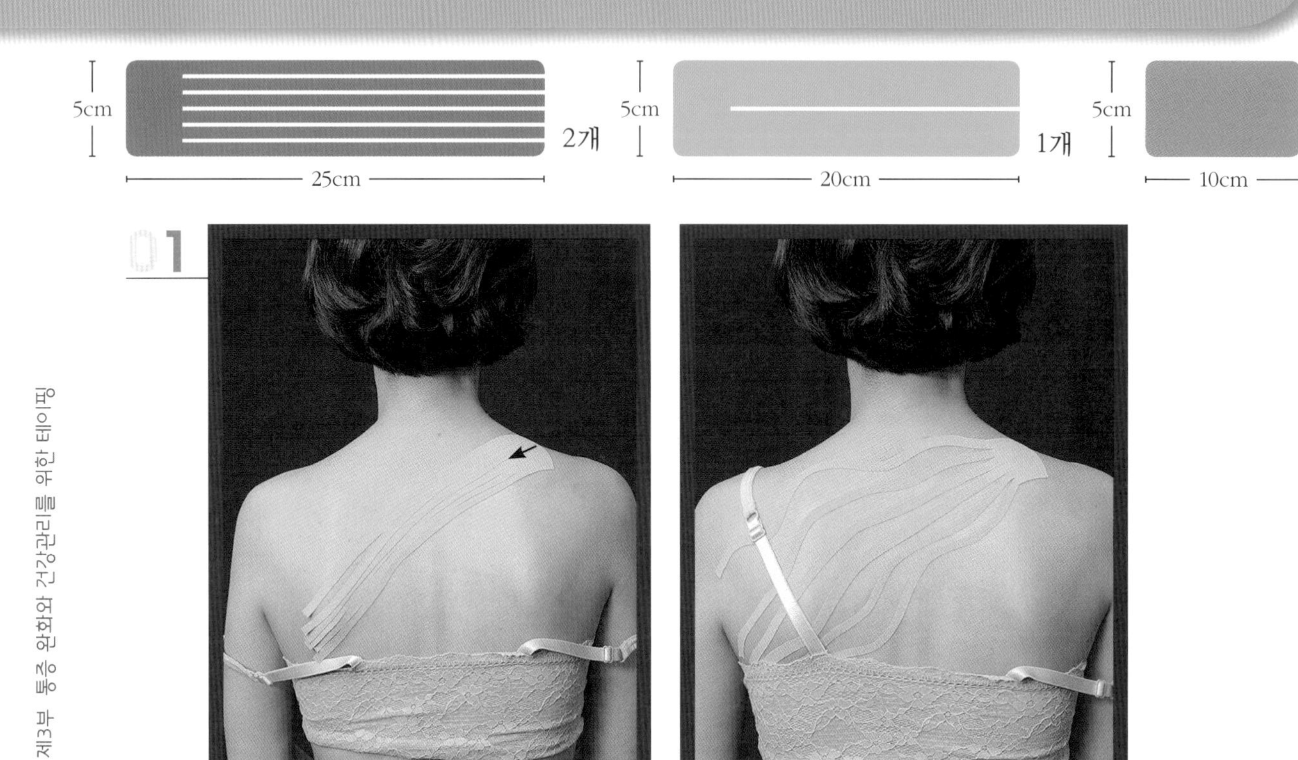

01

6갈래 테이프의 기부를 등쪽 어깨 중심에 붙인 다음 각 갈래는 일정한 간격으로 벌려 그림과 같이 붙인다.

02

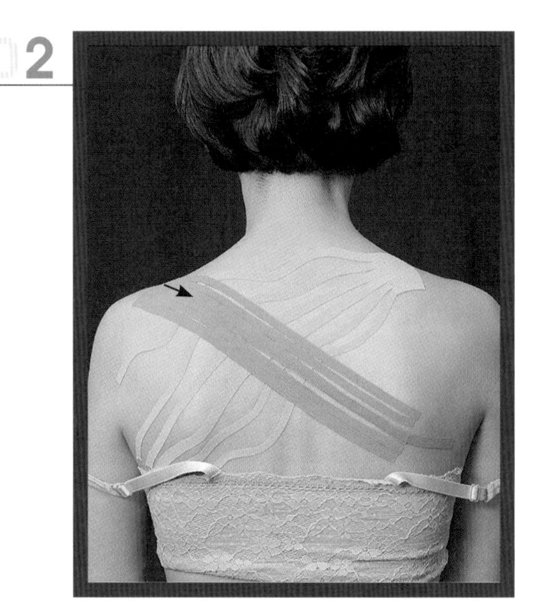

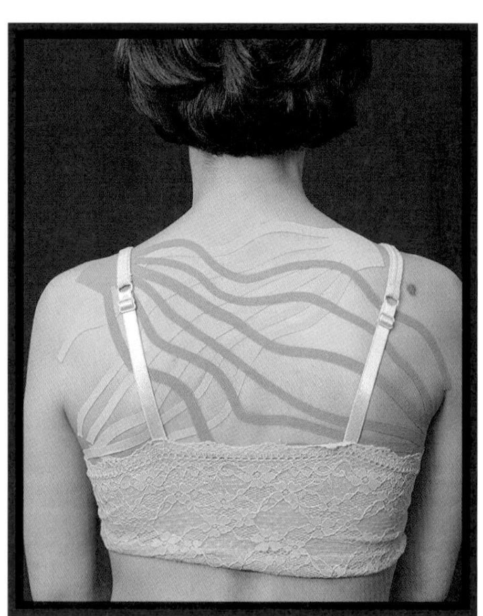

반대쪽에도 같은 방법으로 테이핑한다.

03

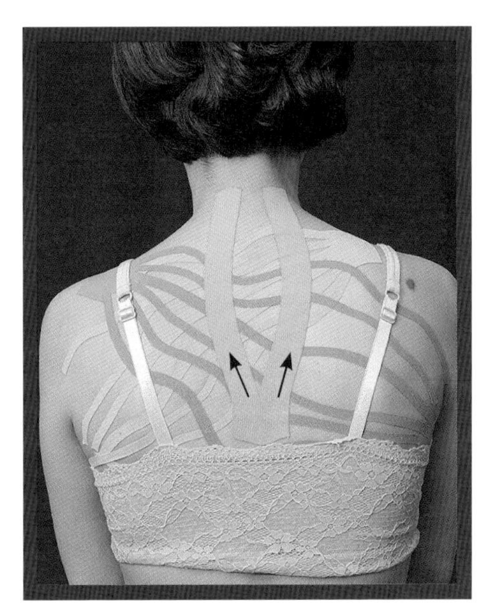

Y자형 테이프의 기부를 흉추 5번부위에 붙인 다음 두 갈래는 그림과 같이 붙인다.

04

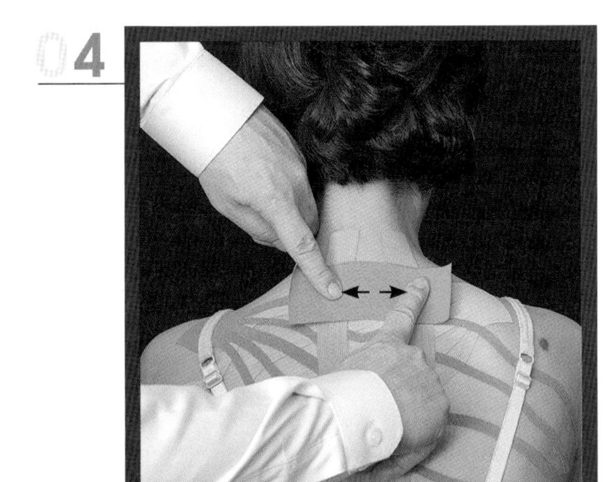

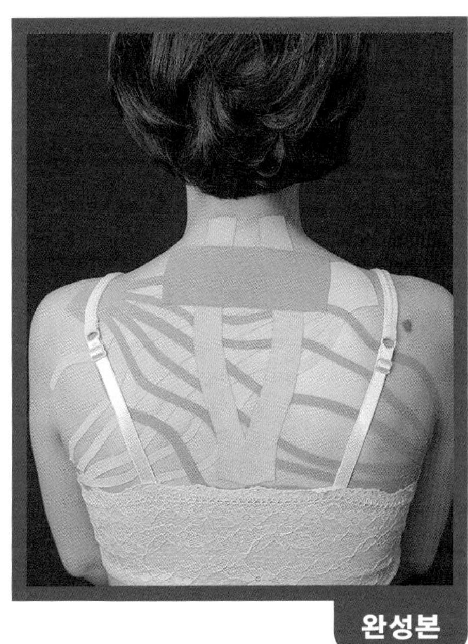

I자형 테이프를 경추 7번부위에 붙인다.

완성본

Taping

17 뒷목통증 완화 2

2.5cm
15cm
1개

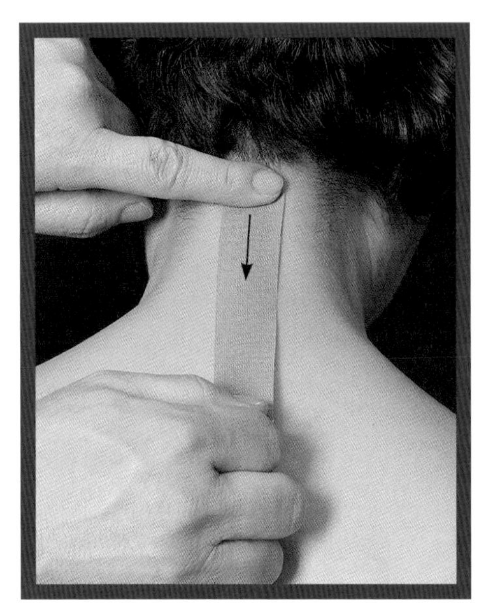

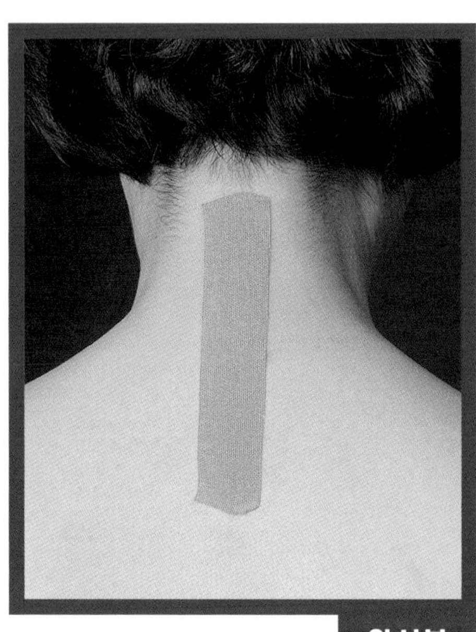

완성본

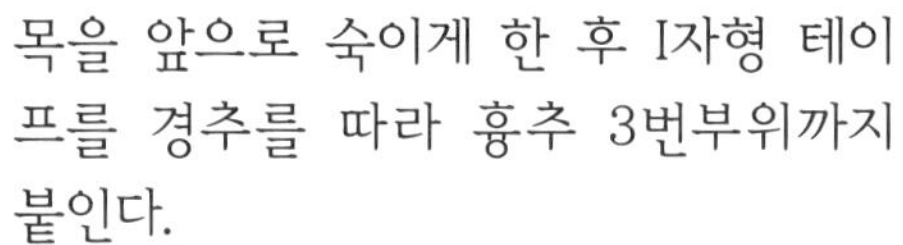

목을 앞으로 숙이게 한 후 I자형 테이프를 경추를 따라 흉추 3번부위까지 붙인다.

Taping

18 뒷목의 불편함 해소 1

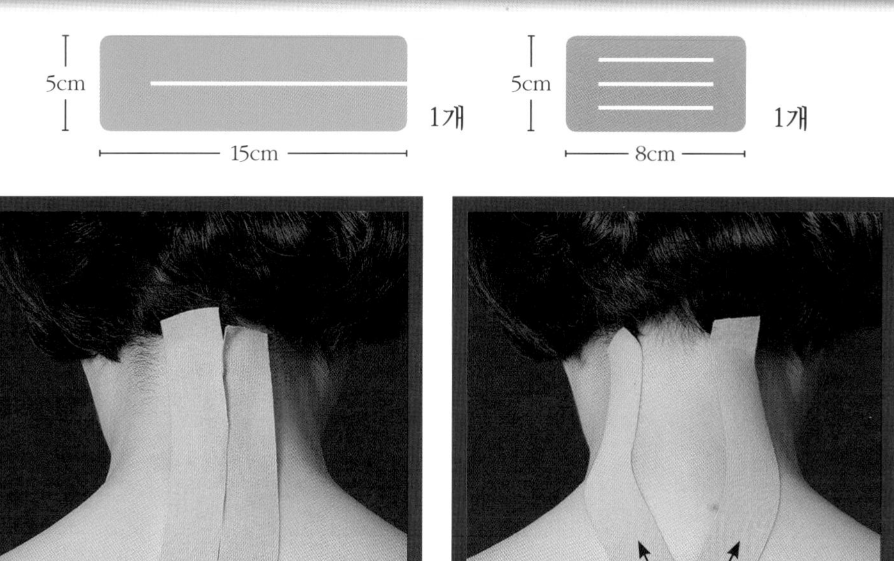

01

목을 굽힌 다음 Y자형 테이프의 기부를 흉추 3번부위에 붙이고 두 갈래는 뒷목 선을 따라 그림과 같이 붙인다.

02

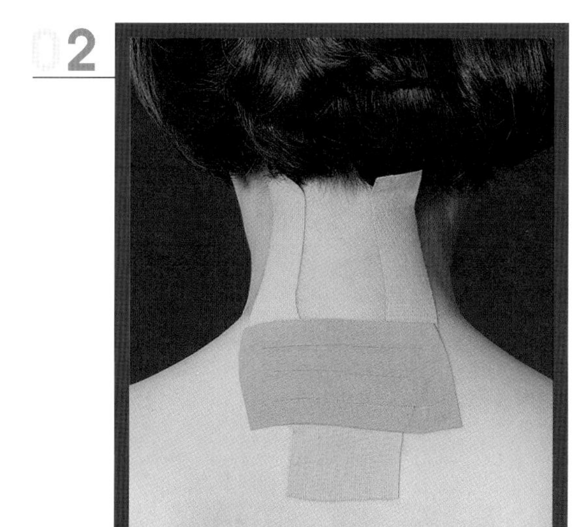

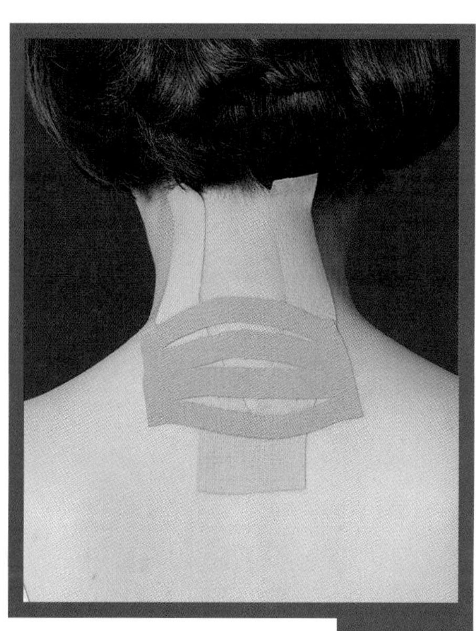

완성본

그림과 같은 테이프를 목 뒤 볼록하게 나온 부분을 덮어서 가로로 붙인 후 가운데를 각각 벌려준다.

Taping

19 뒷목의 불편함 해소 2

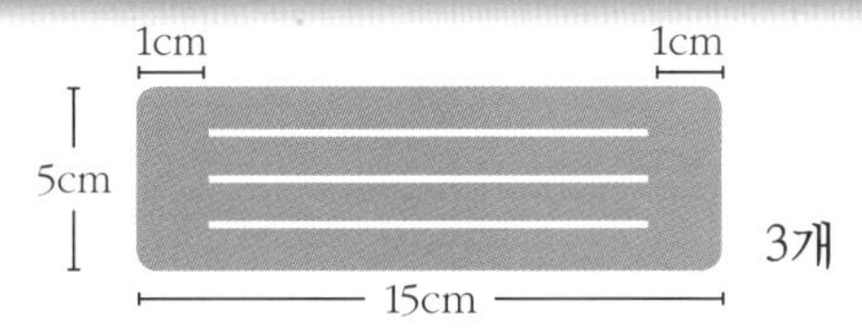

01

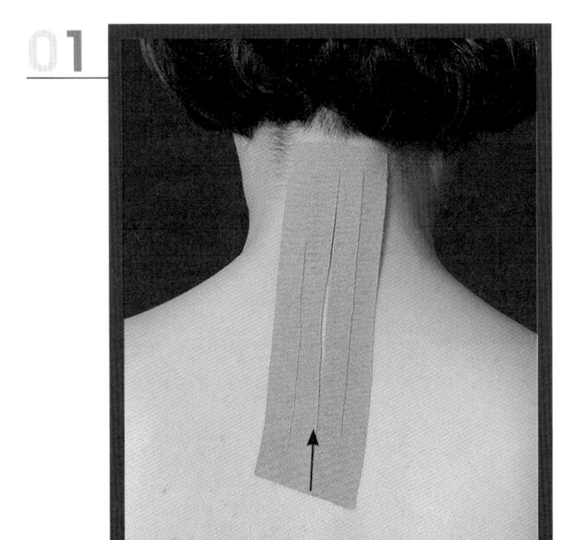

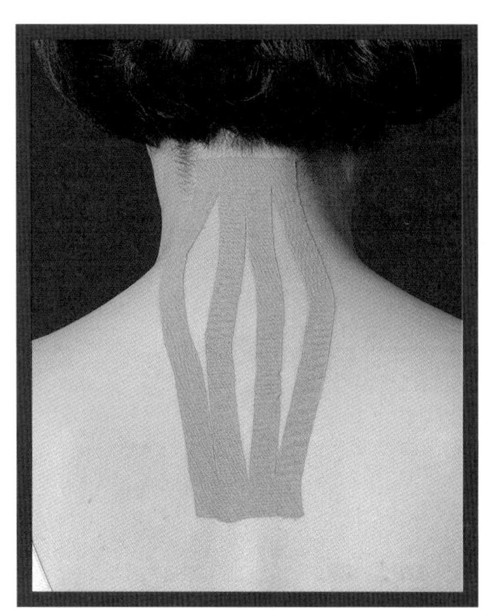

그림과 같은 테이프를 뒷목 중심에 세로로 붙인 다음 가운데를 벌려서 3군데의 공간을 만든다.

02

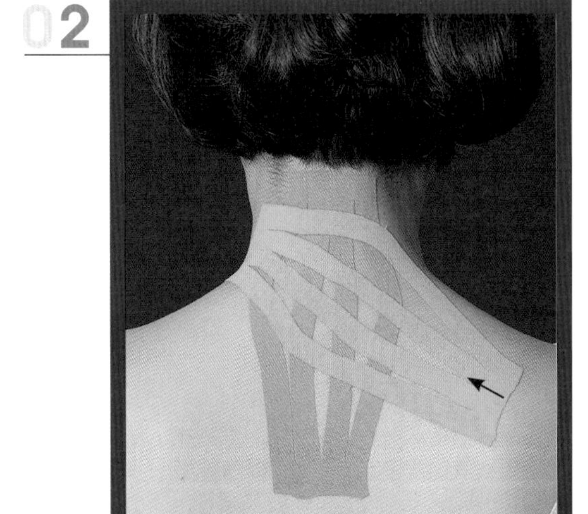

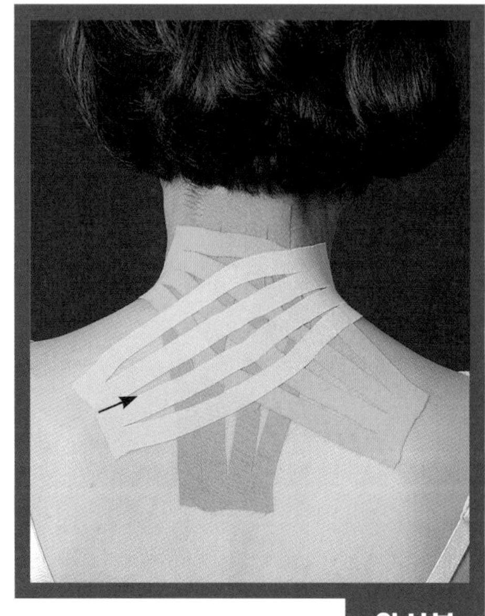

완성본

그 위에 같은 모양의 테이프를 X자 형태가 되도록 좌우측에 붙인다.

Taping

20 뒷목의 불편함 해소 3

5cm 15cm 2개 5cm 10cm 1개

01

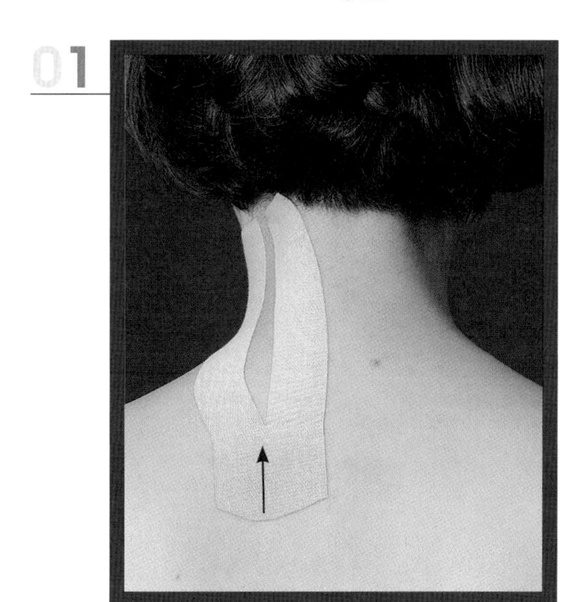

Y자형 테이프를 옆쪽 목선을 따라 그림과 같이 붙인다.

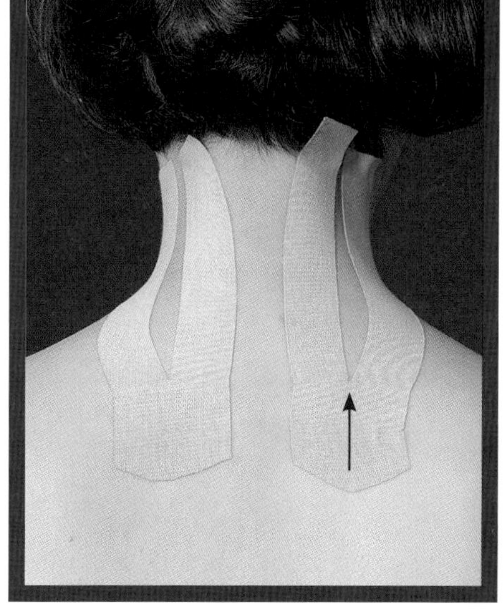

반대쪽 목에도 같은 방법으로 붙인다.

02

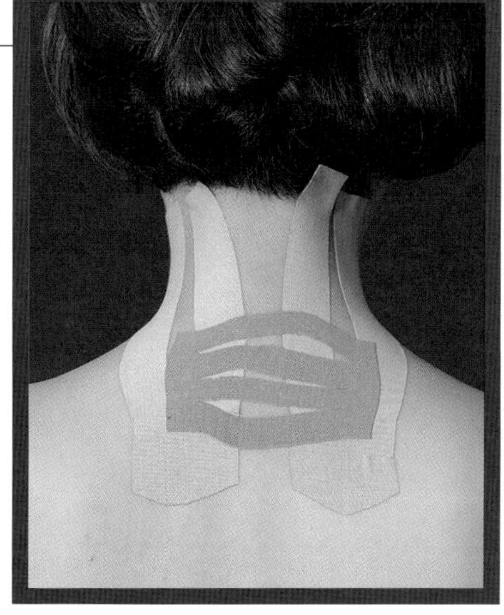

경추 7번~흉추 3번 부위에 그림과 같은 테이프를 붙이고 가운데를 벌려서 3군데의 공간을 만든다.

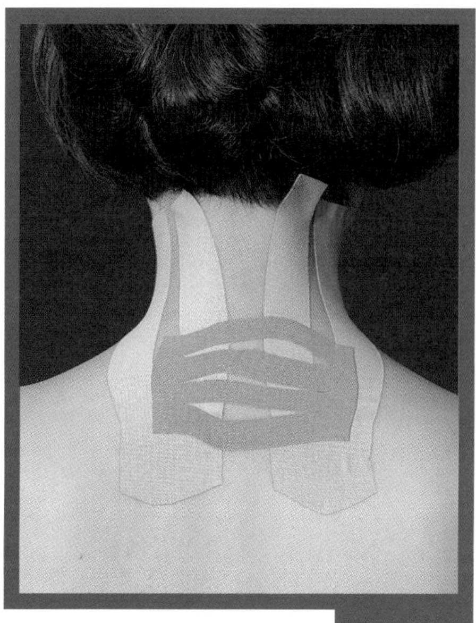

완성본

Taping

21 설골과 사각근 테이핑

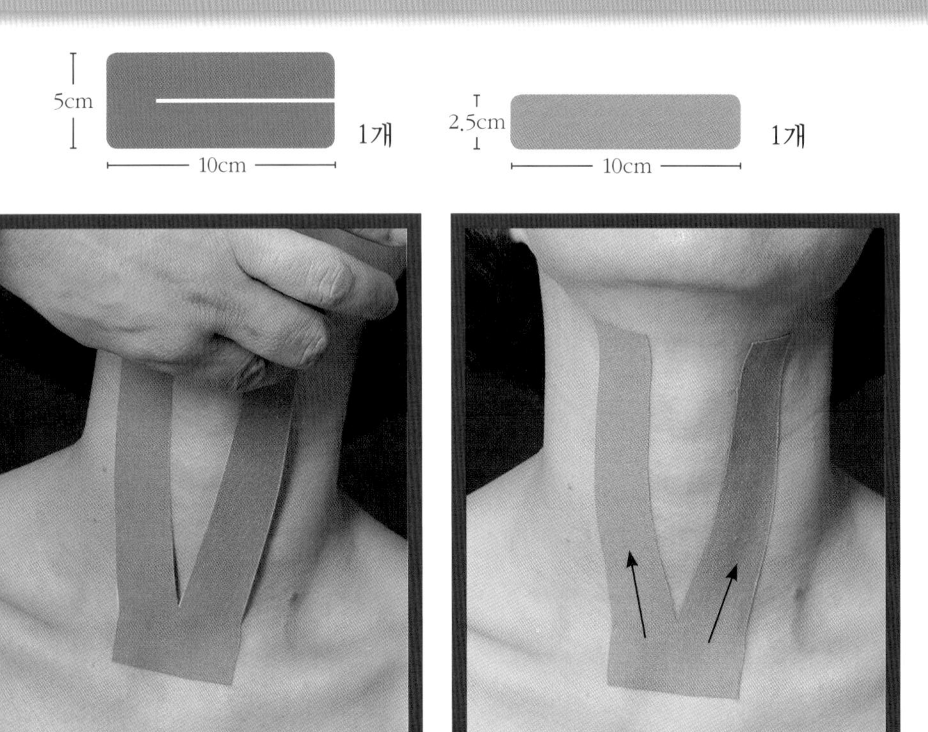

목을 신전시킨 후 Y자형 테이프의 기부를 흉골 가운데에 붙인 다음 두 갈래는 설골을 따라 그림과 같이 붙인다.

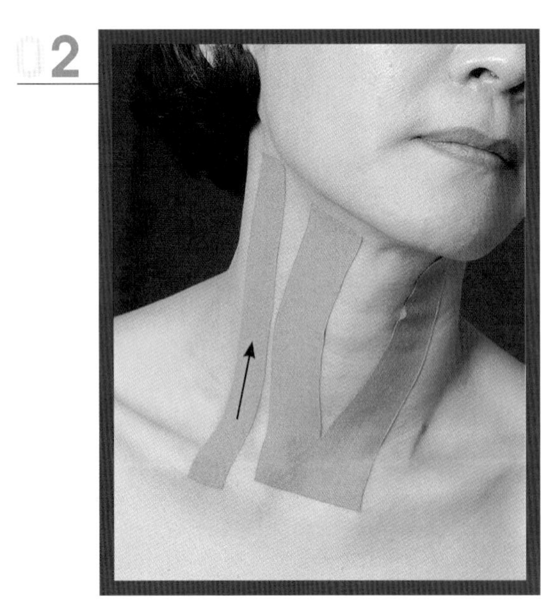

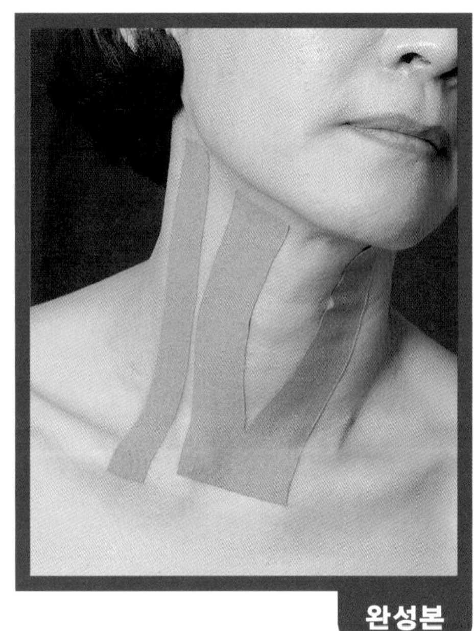

목을 반대쪽으로 측굴시켜 I자형 테이프를 붙여 완성한다.

완성본

Taping

22 횡격막 테이핑(호흡을 편하게 함)

5cm | 20cm | 2개

5cm | 25cm | 1개

1

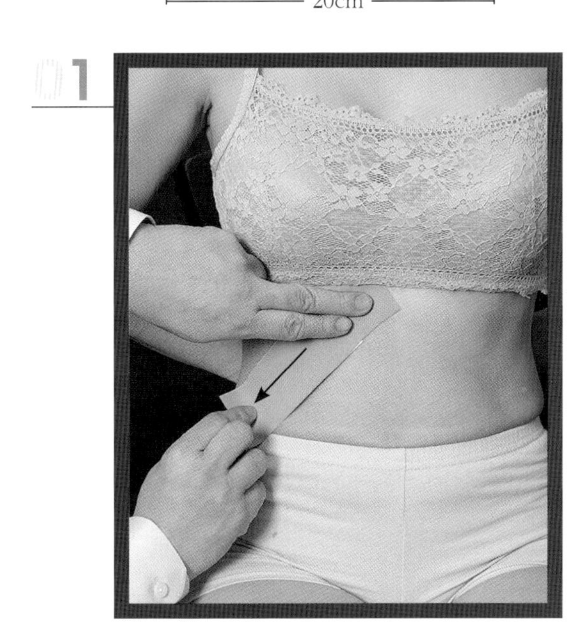

들숨에서 숨을 잠시 멈춘 상태에서 20cm I자형 테이프를 12번 늑골 아래(검상돌기)에서부터 화살표 방향으로 붙인다.

2

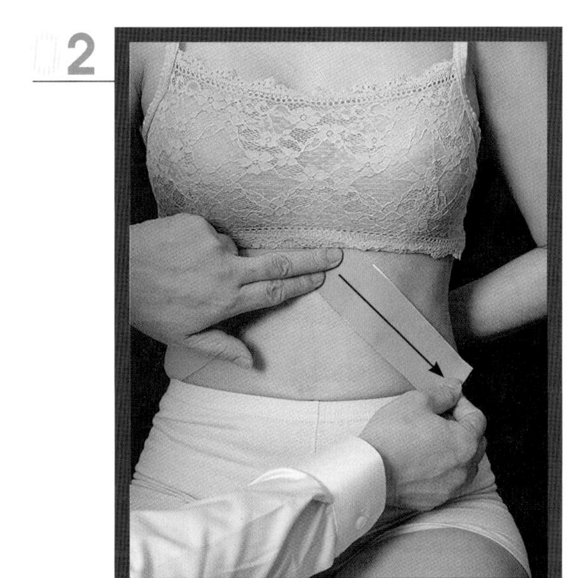

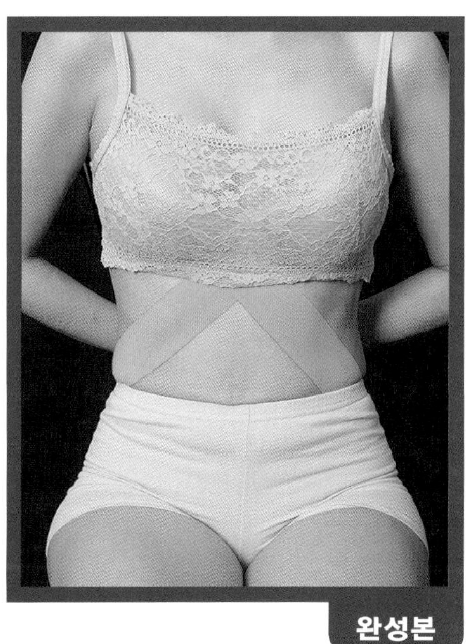

완성본

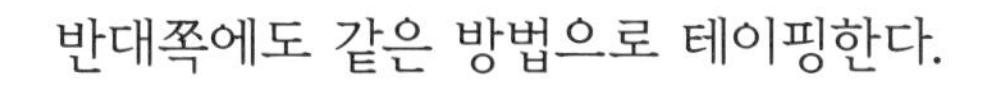

반대쪽에도 같은 방법으로 테이핑한다.

3

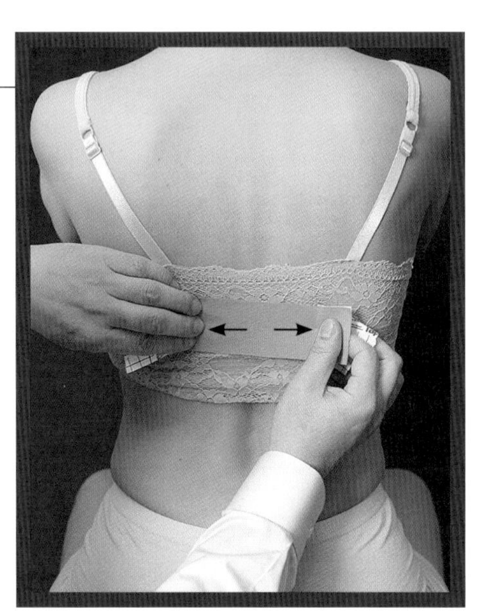

25cm I자형 테이프를 흉추 8번 위에 가로로 붙인다.

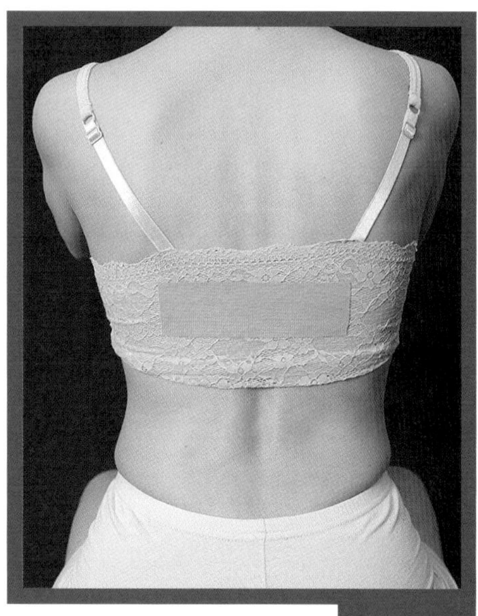

완성본

Taping

23 소흉근 테이핑

소흉근 근반응 검사 ⋯→ p.118 참조

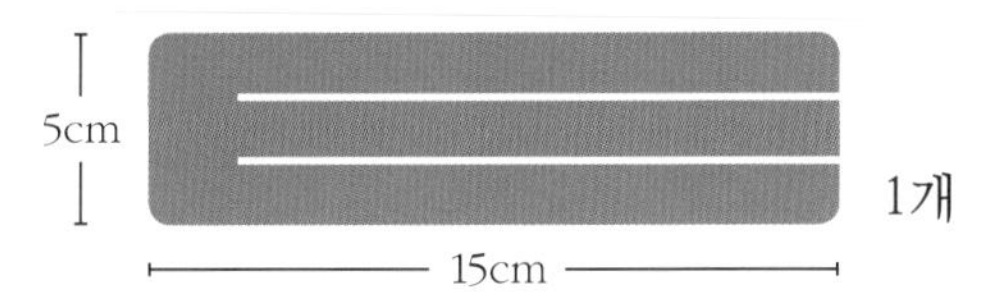

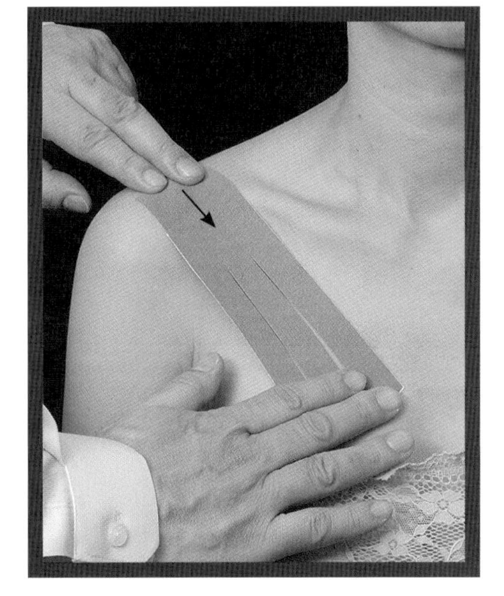

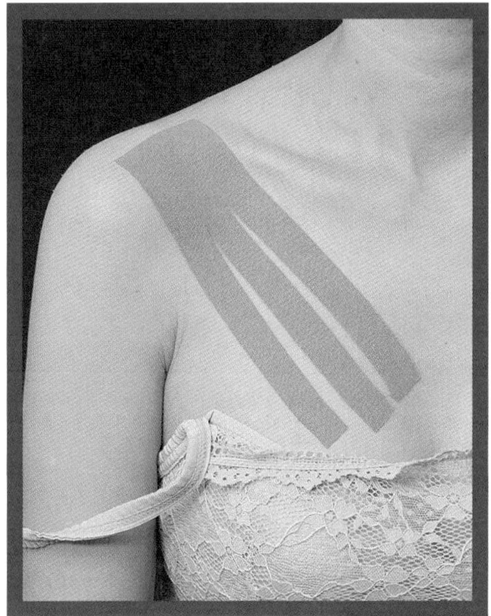

완성본

3갈래 테이프의 기부를 견봉에 붙이고 각 갈래는 늑골 3, 4, 5번 방향으로 늘리지 않고 그림과 같이 붙인다.

소흉근 풀어주기

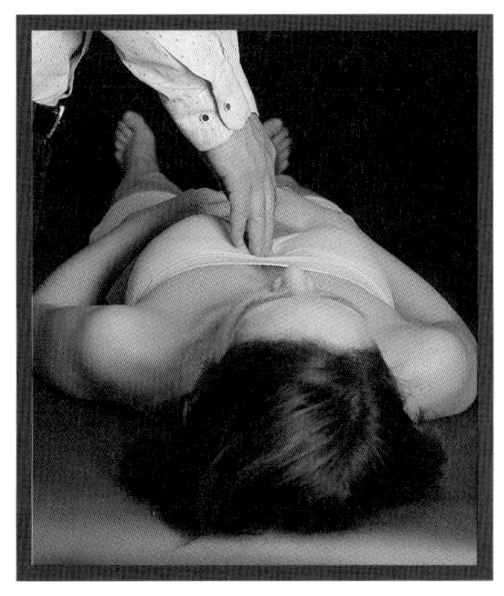

소흉근을 테이핑하기 전에 전중혈을 풀어준다.

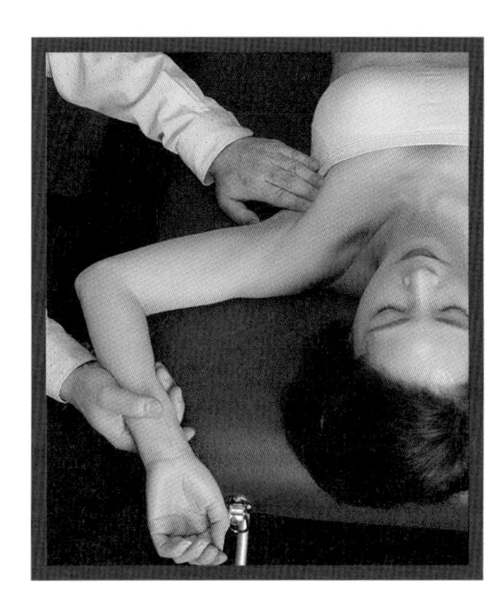

소흉근을 테이핑하기 전에 소흉근을 먼저 풀어준다.

24 대흉근 테이핑

2.5cm
10cm
1개

1

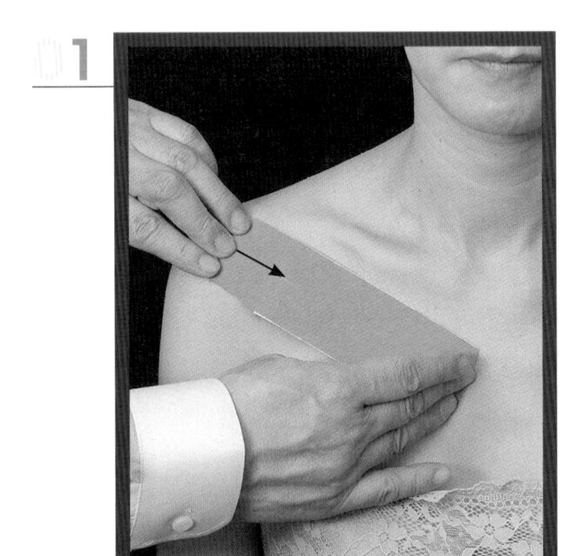

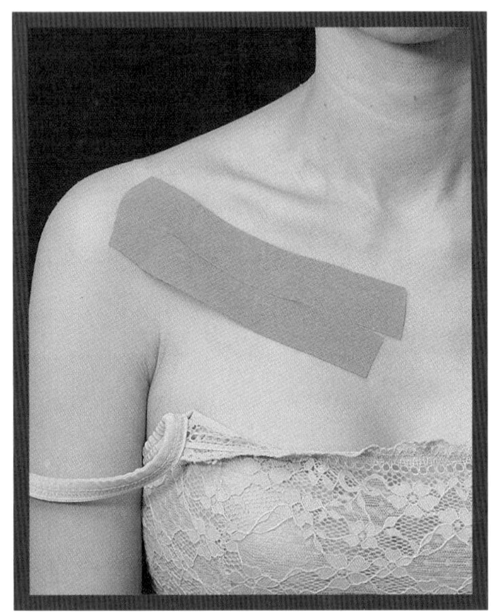

Y자형 테이프의 기부를 상완골 대결절에 붙인 다음 팔을 직각으로 들어 뒤로 젖힌 다음 한 갈래는 쇄골방향으로 붙이고

2

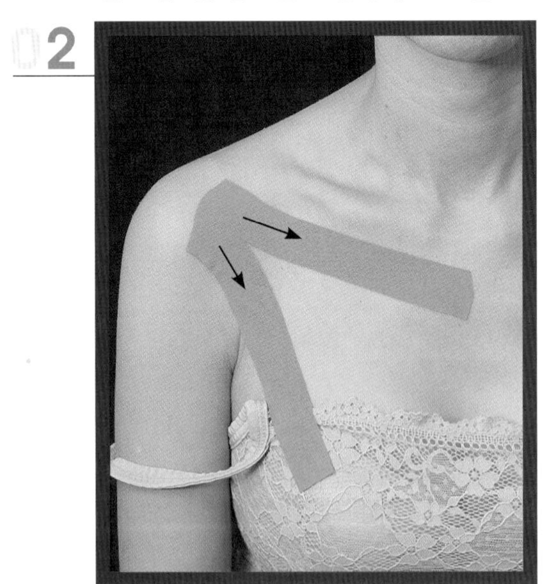

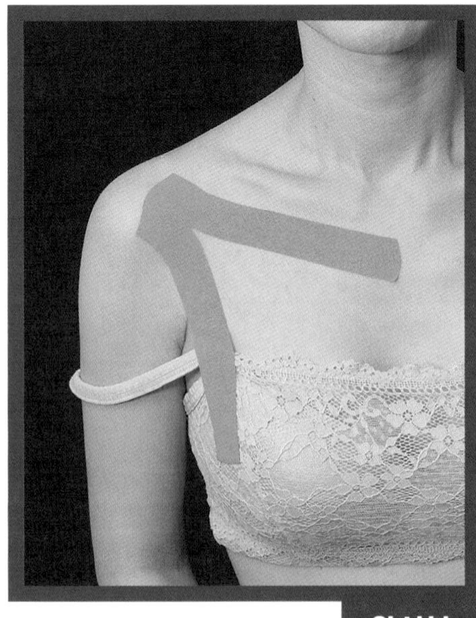

완성본

다른 갈래는 가슴 바깥쪽으로 내려서 붙인다.

Taping

25 흉골 · 소흉근 · 횡격막 테이핑

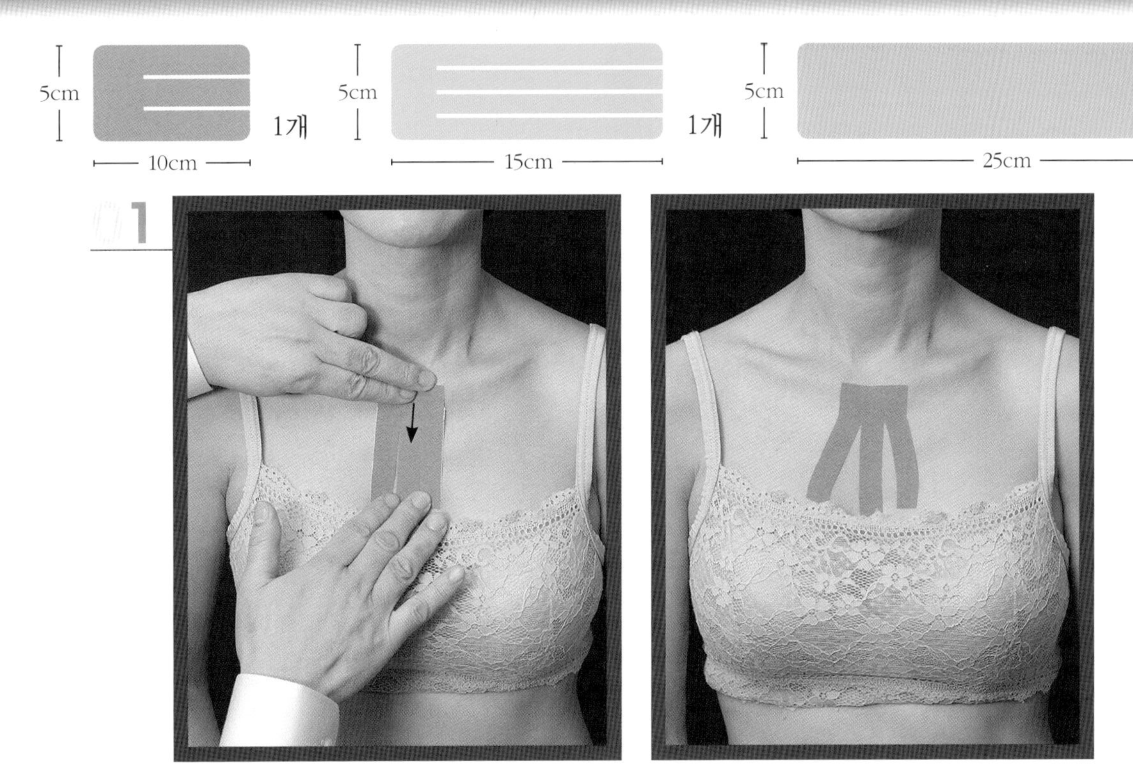

10cm 3갈래 테이프의 기부를 쇄골 중심에 붙이고 각 갈래는 그림과 같이 가슴쪽에 붙인다.

2

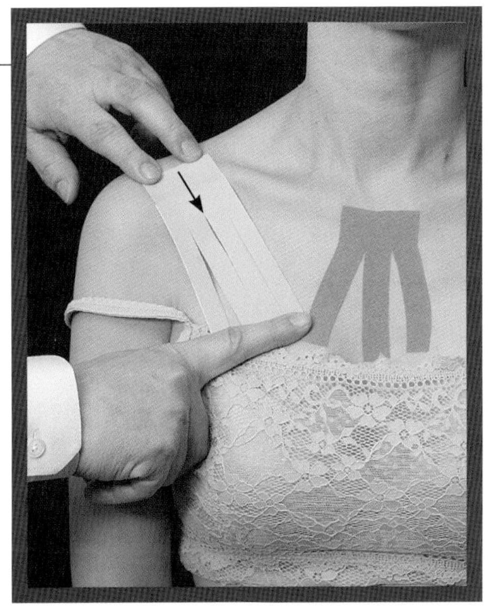

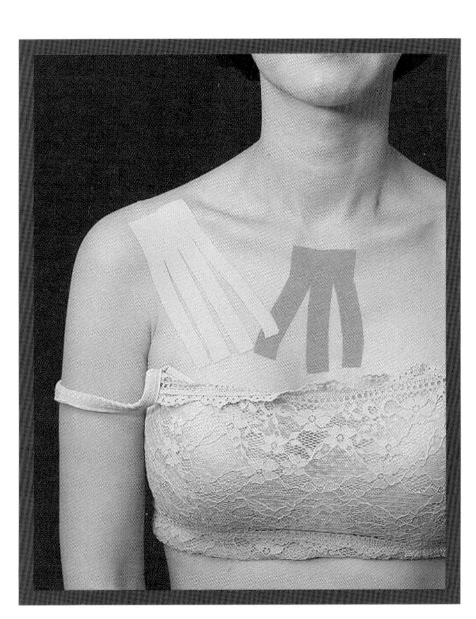

15cm 4갈래 테이프의 기부를 견정 아래쪽에 붙인 다음 각 갈래는 가슴쪽(사선 방향)으로 내려서 그림과 같이 늑골 3, 4, 5번을 향하여 붙인다.

03

숨을 들이마신 상태(들숨)에서 I자형 테이프를 횡격막을 따라 가로아치형태로 붙인다.

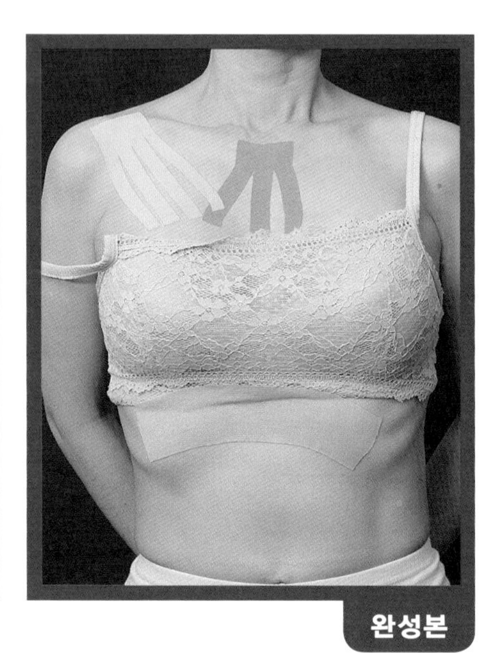

완성본

26 흉곽출구증후군

5cm

20cm

2개

사각근, 쇄골하근, 소흉근을 풀어준 다음 테이핑을 한다.

1

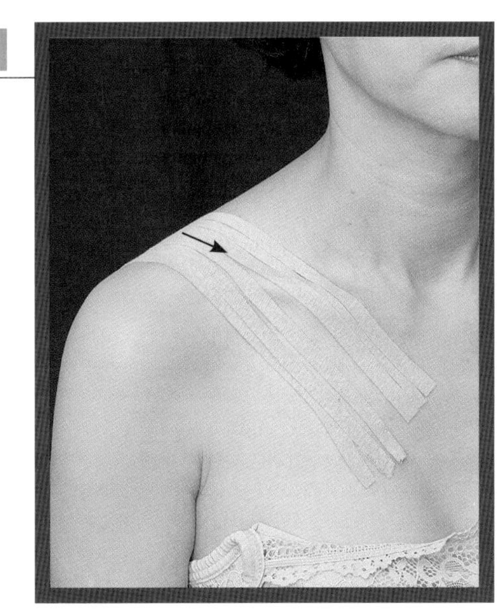

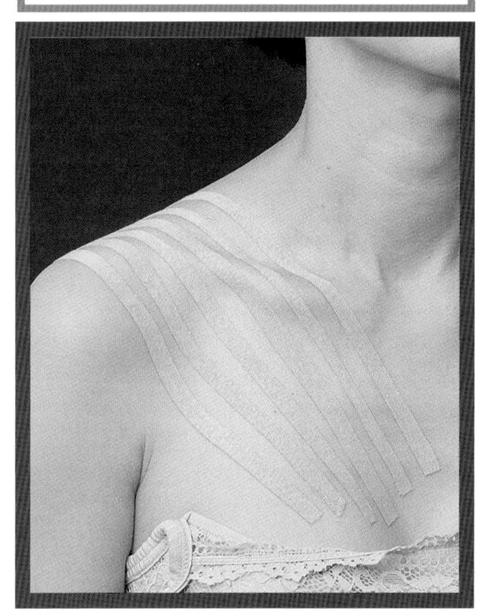

6갈래 테이프의 기부를 어깨의 등쪽 중심에 붙이고 각 갈래는 일정한 간격으로 벌려 가슴부위까지 그림과 같이 붙인다.

2

완성본

6갈래 테이프의 기부를 어깨의 등쪽 윗부분에 붙이고 각 갈래는 일정한 간격으로 벌려 그림과 같이 붙인다.

27 요방형근 테이핑

요방형근 근반응 검사 ···› p.121 참조

5cm
20cm
1개

1

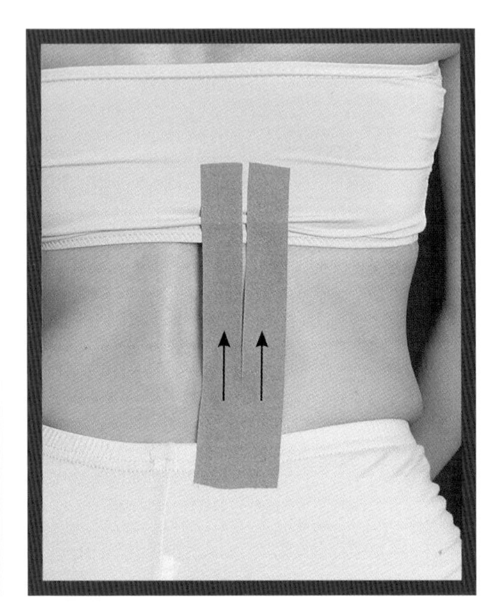

윗몸을 앞으로 굽힌 후 Y자형 테이프의 기부를 척추옆 장골릉부위에 붙인다.

2

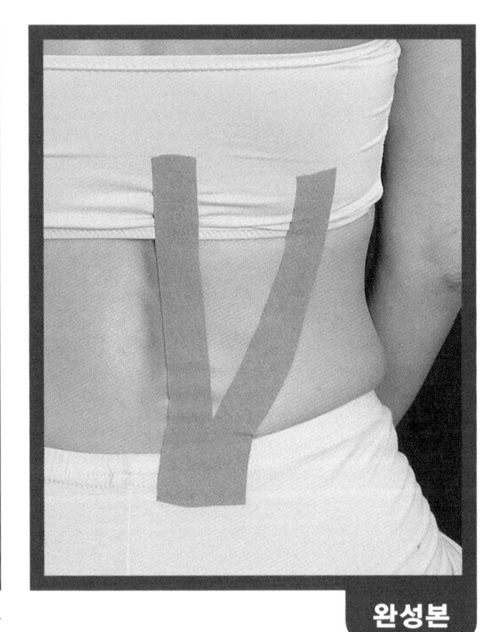

완성본

몸을 반대쪽으로 굽혀 테이프의 한 갈래를 붙이고, 다른 갈래는 몸을 굽혀 척추 옆라인에 붙인다.

Taping

28 요통 완화 1

5cm

1개

30cm

01

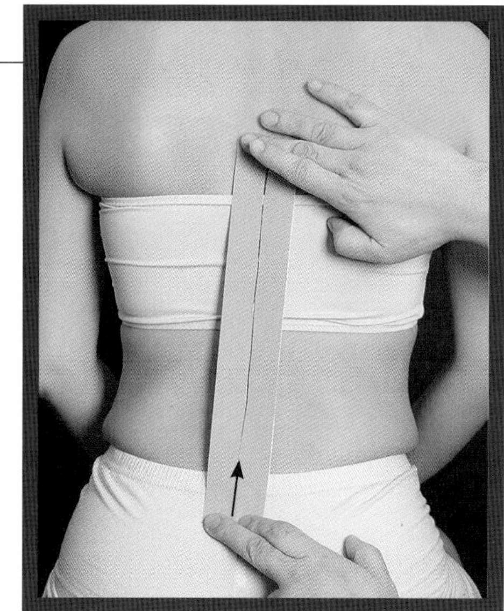

윗몸을 앞으로 굽힌 후 Y자형 테이프의 기부를 천골부위에 붙인다.

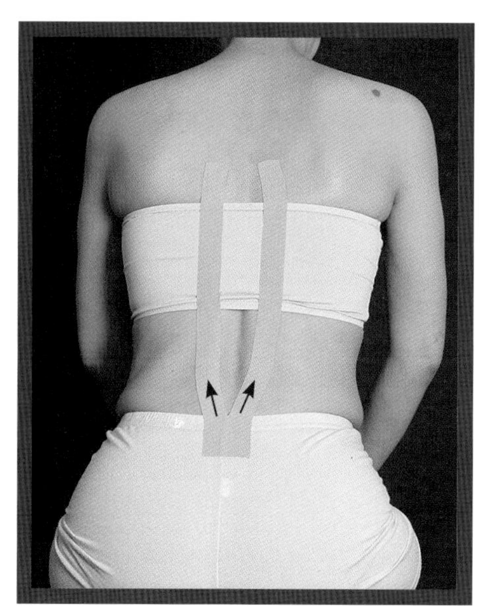

몸을 굽혀 Y자형 테이프의 각 갈래를 위쪽으로 벌려서 붙인다.

02

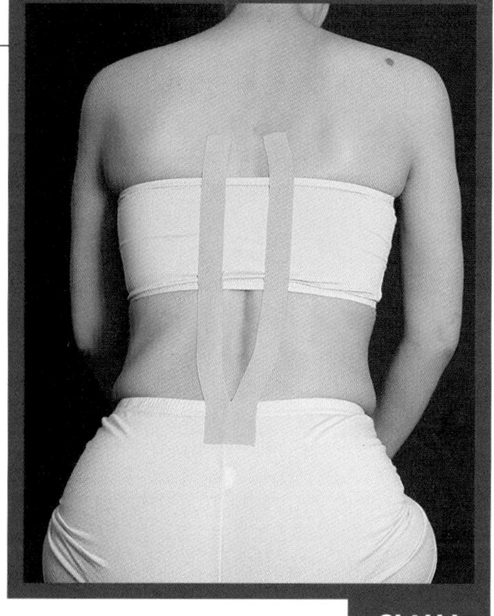

완성본

Taping

29 요통 완화 2

5cm 20cm 2개

5cm 30cm 1개

01

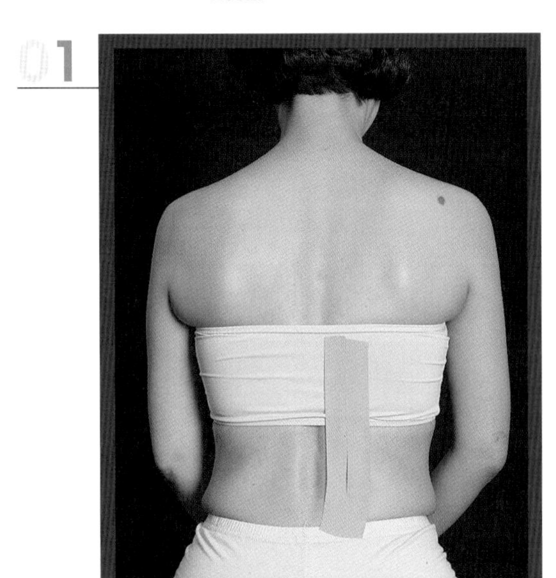

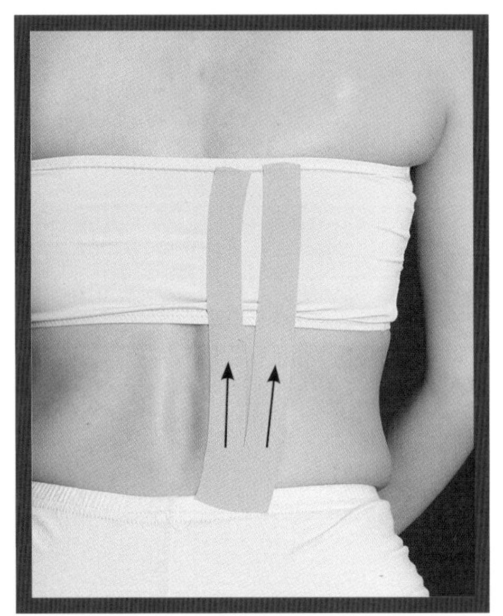

윗몸을 약간 앞으로 굽힌 후 Y자형 테이프를 척추뼈를 기준으로 한쪽 면에 그림과 같이 붙인다.

02

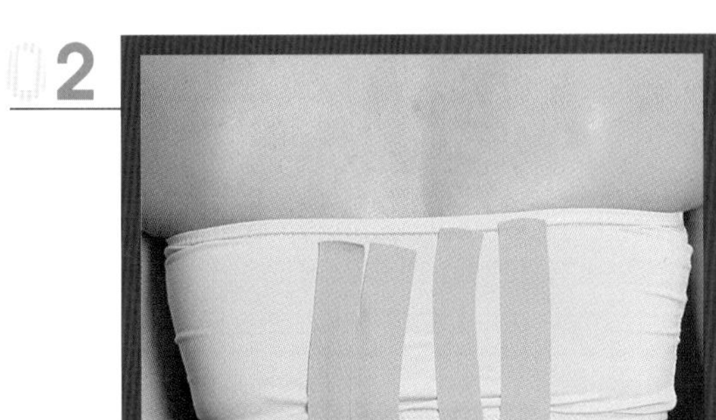

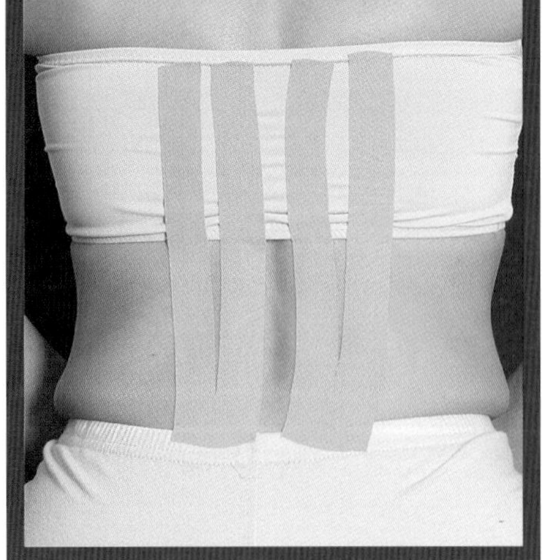

반대쪽도 같은 방법으로 붙인다.

03

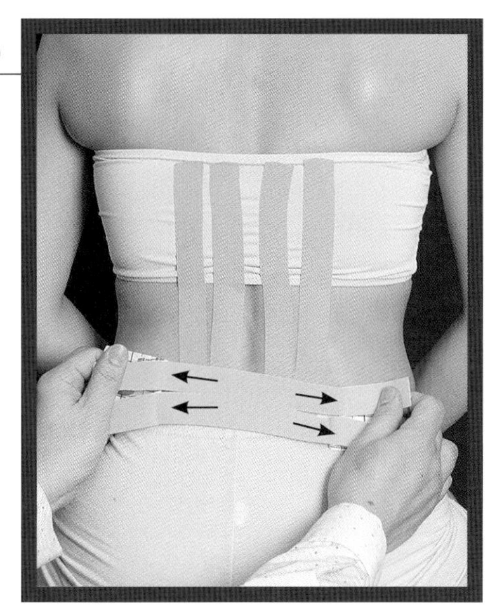

X자형 테이프를 1, 2번에 붙인 Y자 테이프의 기부를 덮어서 그림과 같이 붙인다.

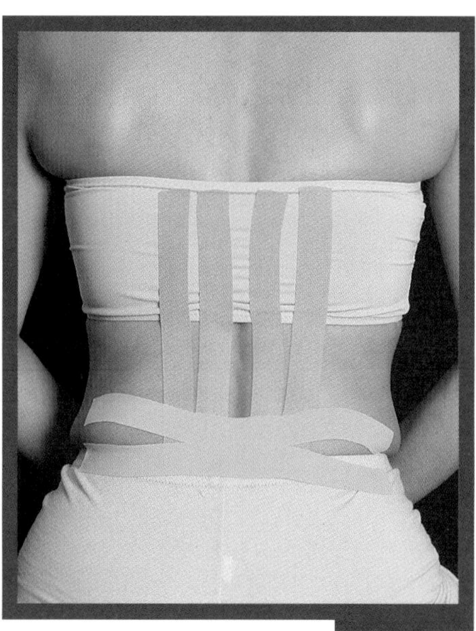

완성본

Taping

30 요통 완화 3

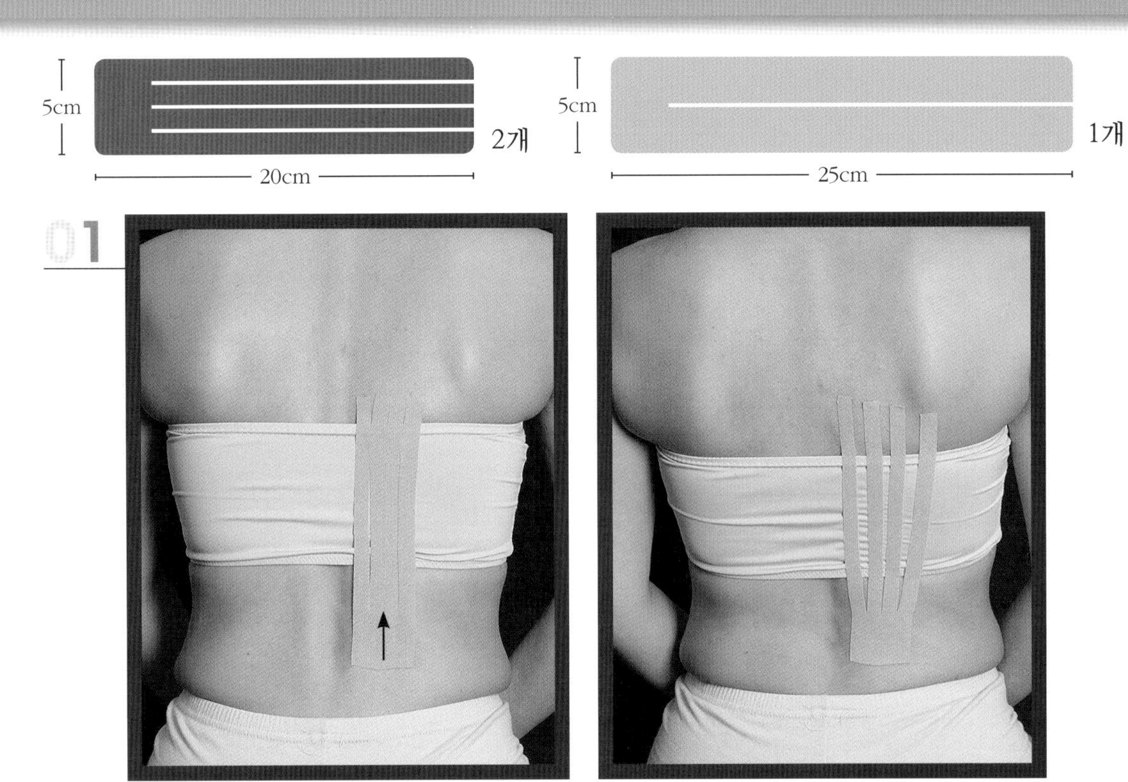

윗몸을 굽히고 4갈래 테이프의 기부를 척주 한쪽 옆면 허리부위에 붙인 다음 4갈래는 각각 균등하게 벌려서 붙인다.

02

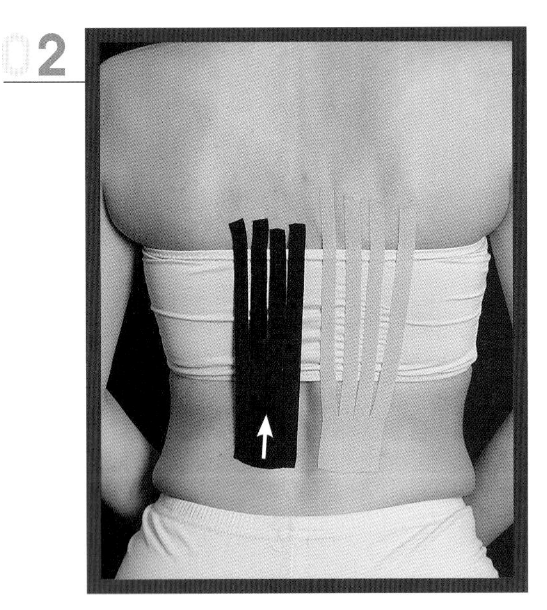

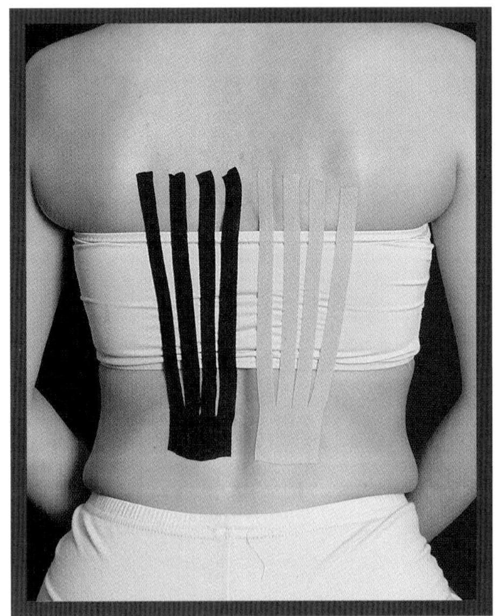

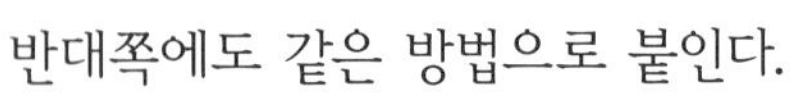

반대쪽에도 같은 방법으로 붙인다.

03

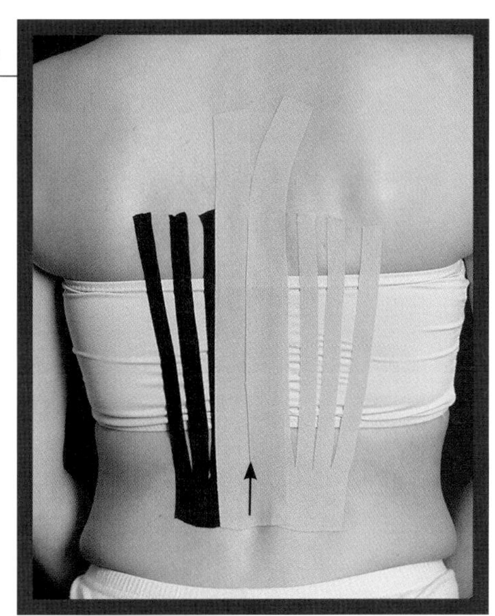

Y자형 테이프의 기부를 허리부위에 붙인 다음 두 갈래는 벌려서 척추라인 옆으로 붙인다.

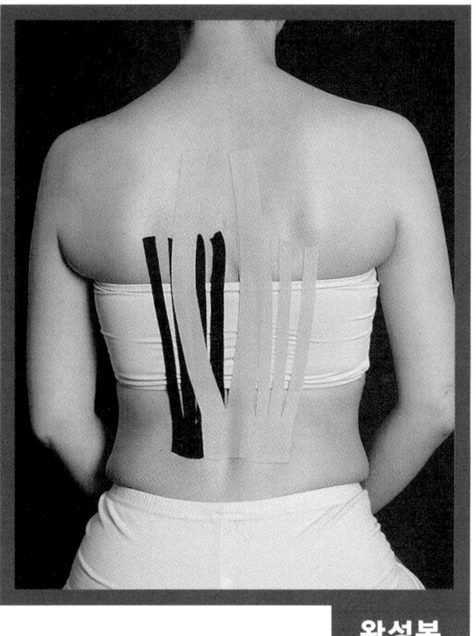

완성본

Taping

31 요통 완화 4

5cm 25cm 2개

5cm 20cm 1개

01

Y자형 테이프의 기부를 한쪽 장골릉부위에 붙인 다음 두 갈래는 벌려서 위쪽으로 붙인다.

02

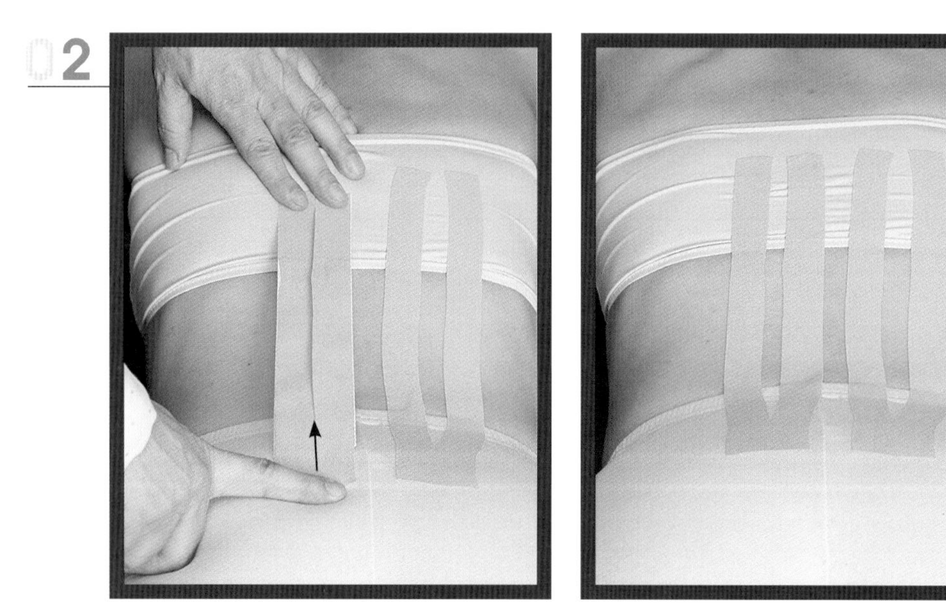

반대쪽에도 1번과 같은 방법으로 붙인다.

03

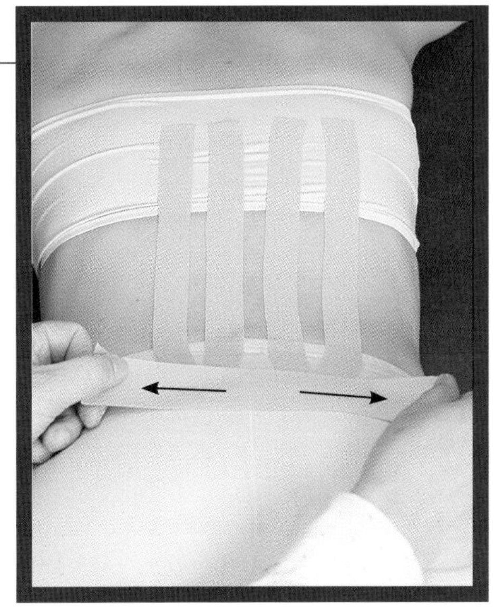

I자형 테이프를 허리부위에 가로로 붙인다.

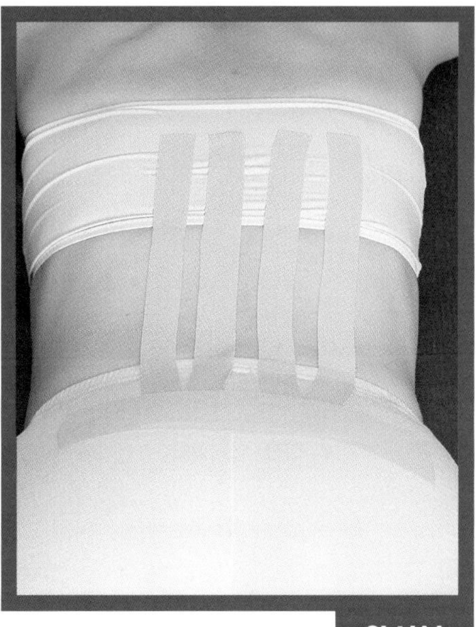

완성본

Taping

32 요통 완화 5

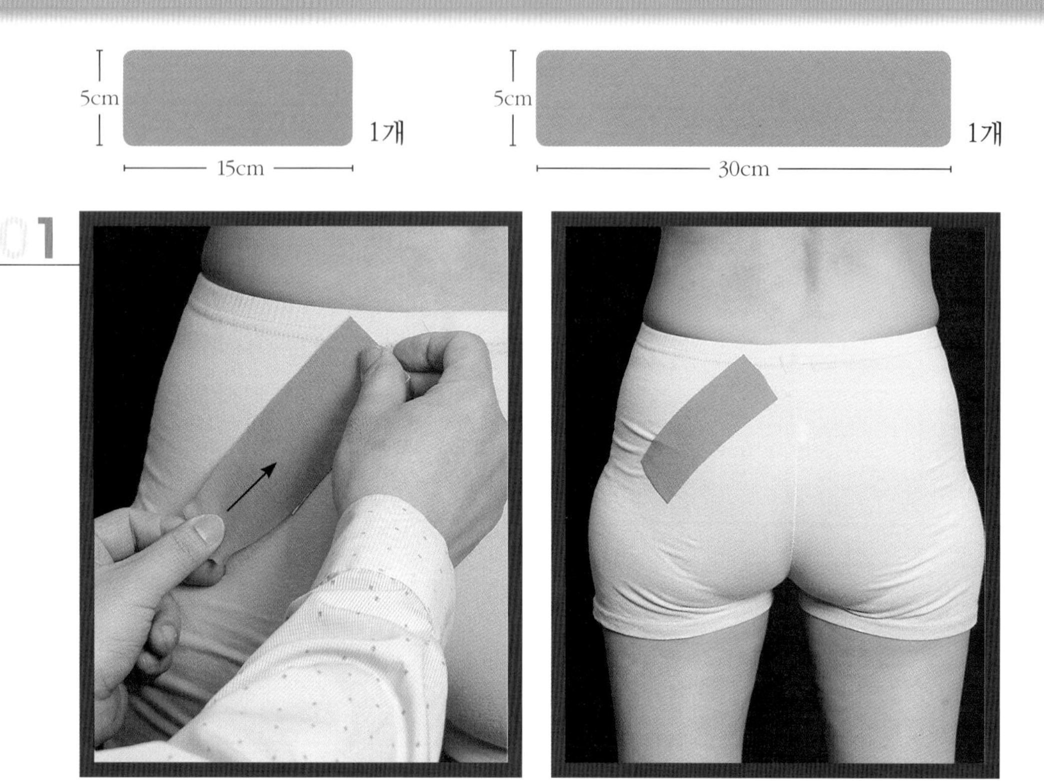

01

15cm I자형 테이프를 힙의 중간에서 허리쪽으로 비스듬히 붙인다.

02

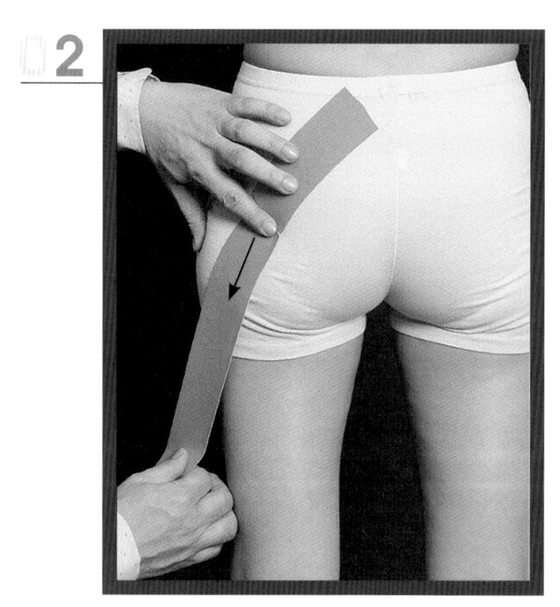

1번 테이핑과 간격을 약간 벌려서 30cm I자형 테이프를 허벅지 옆쪽 중심쪽으로 붙인다.

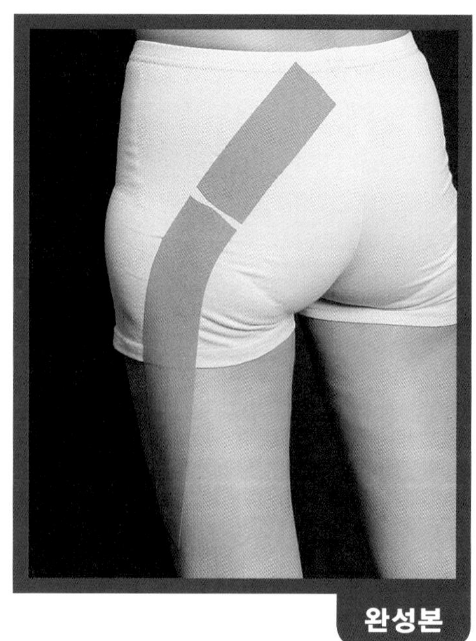

완성본

Taping

33 허리부종

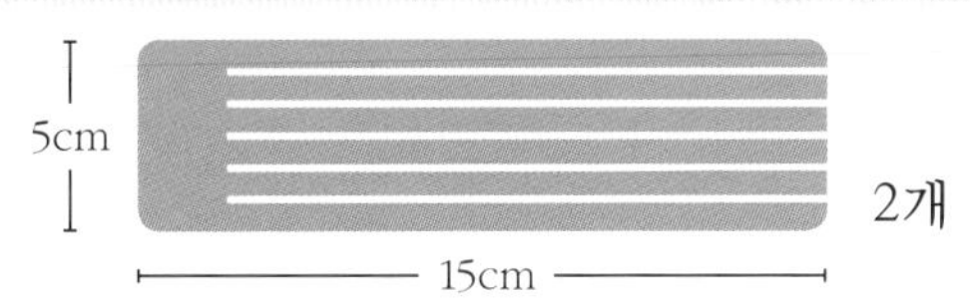

1

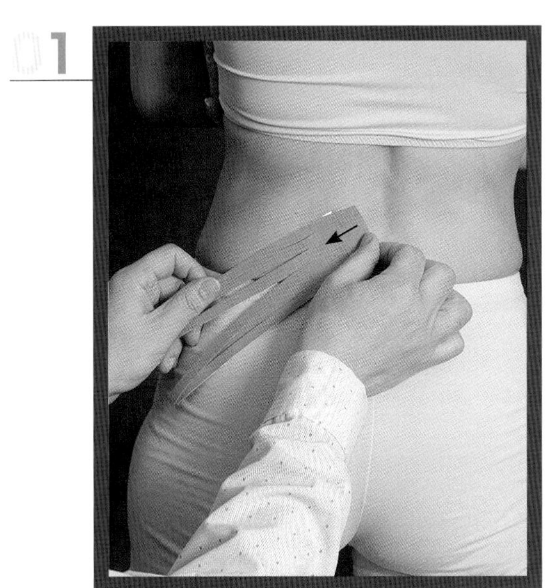

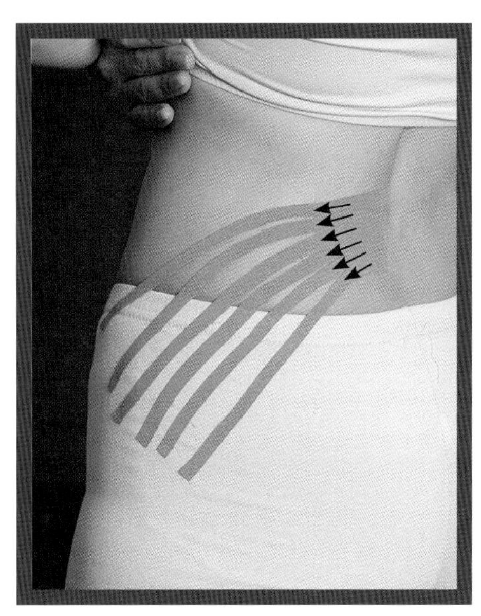

6갈래 테이프의 기부를 허리(요추 3번부위)에 붙인 다음 6갈래는 그림과 같이 각각 고관절쪽으로 균등하게 벌려서 붙인다.

2

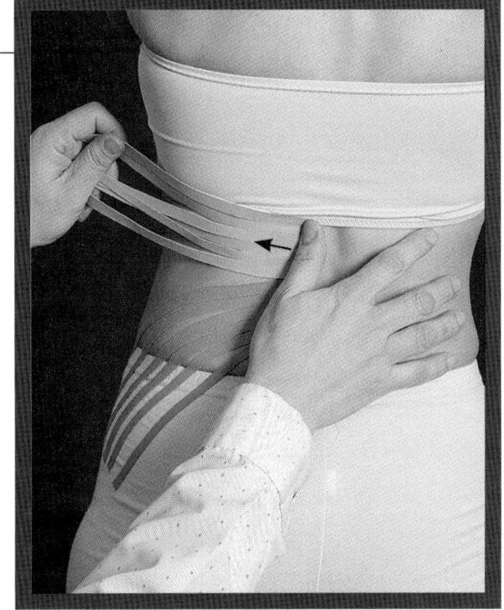

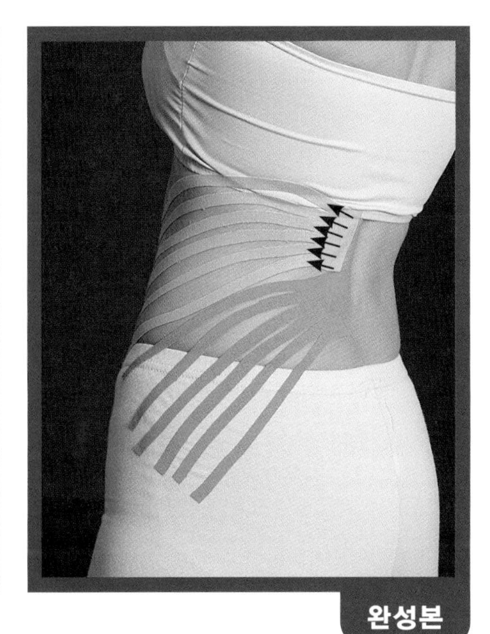

1번 테이핑의 기부 위쪽에 6갈래 테이프의 기부를 붙인 다음 6갈래는 그림과 같이 붙인다.

완성본

Taping

34 허리라인방사통 완화

5cm
30cm
4개

01

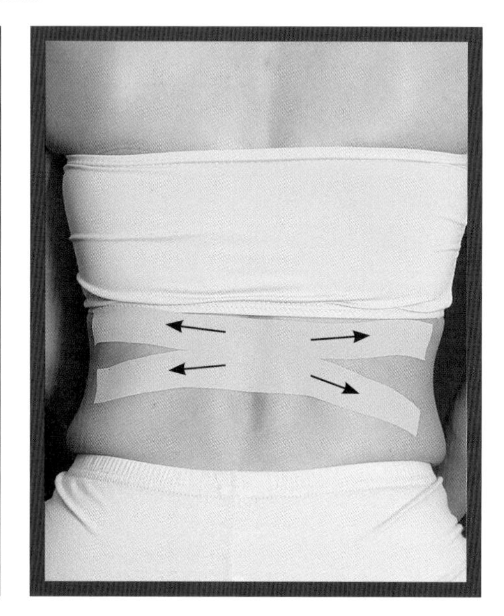

X자형 테이프를 요추 3번을 중심으로 그림과 같이 붙인다.

02

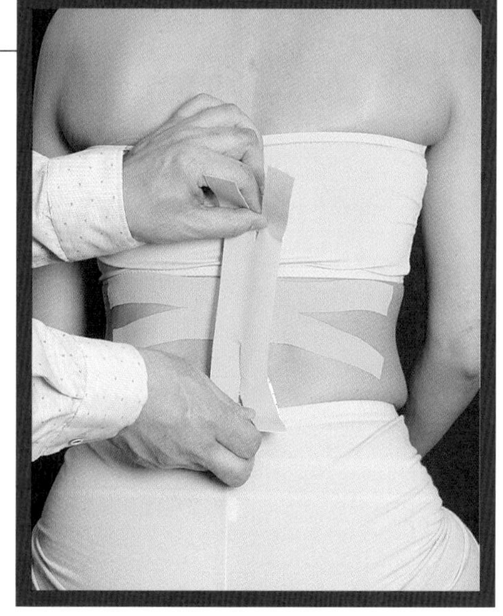

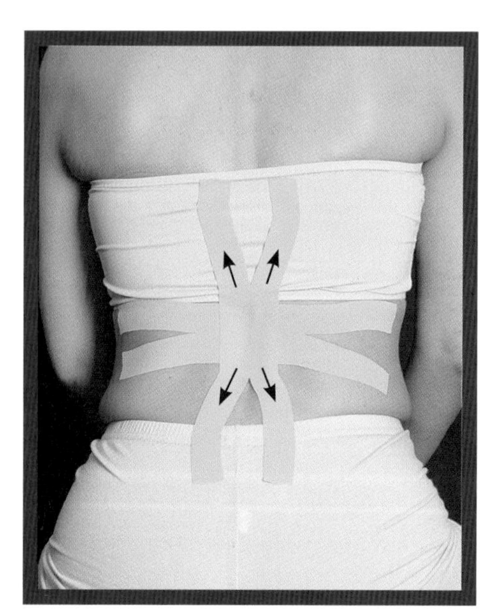

X자형 테이프를 같은 방법으로 세로로 붙인다.

3

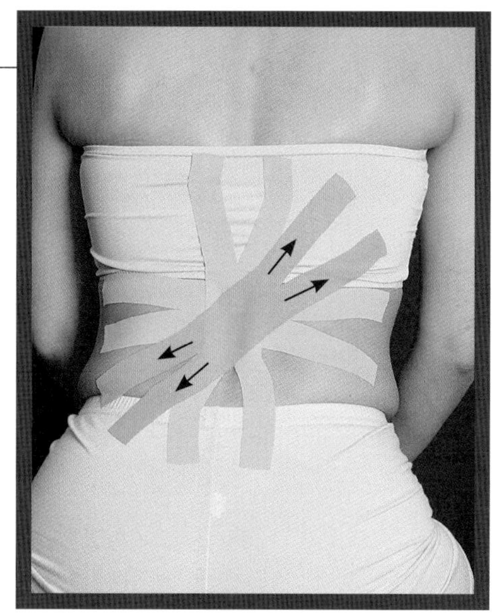

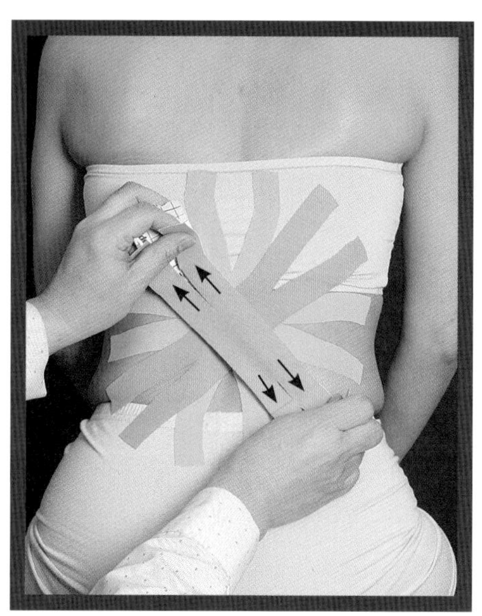

X자형 테이프를 대각선 방향으로 붙이고, 반대쪽도 같은 방법으로 붙여서 방사형을 완성한다.

4

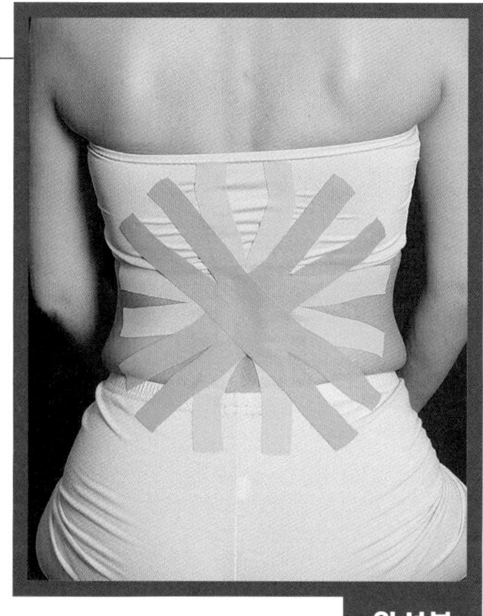

완성본

Taping

35 척추분리증

5cm
20cm
4개

5cm
25cm
1개

01

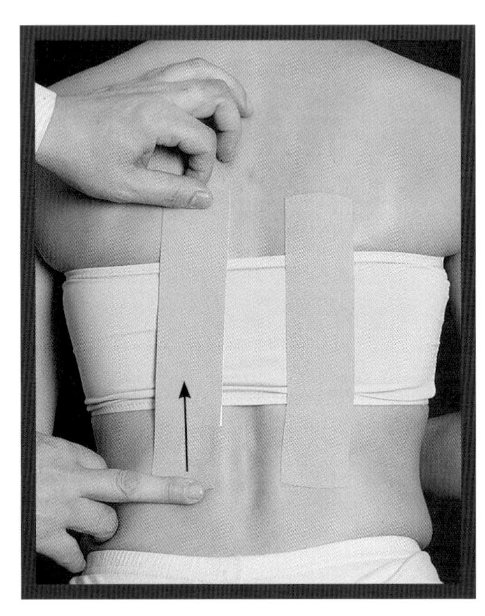

I자형 테이프를 허리부터 견갑골밑까지 양쪽에 붙인다.

02

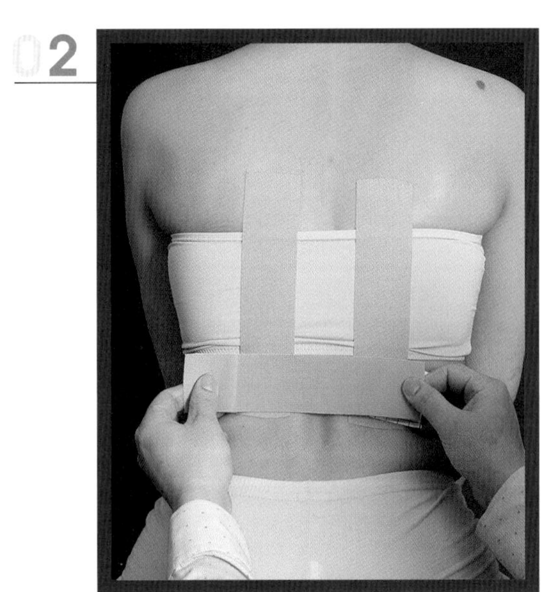

허리 위쪽에 I자형 테이프를 가로로 붙인다.

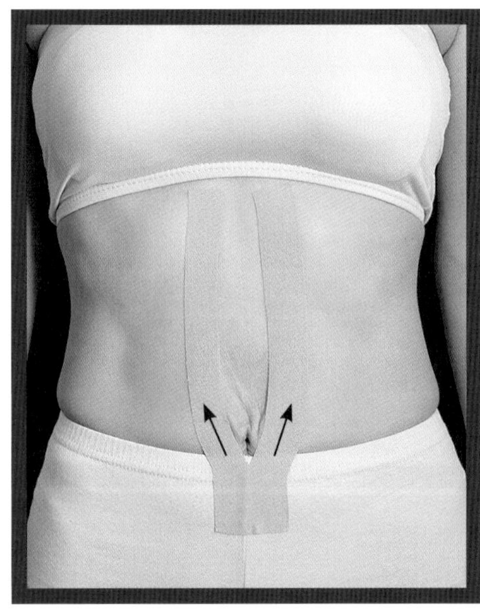

Y자형 테이프의 기부를 배꼽밑에 붙이고 각 갈래는 배꼽을 덮지 않도록 벌려서 붙인다.

3

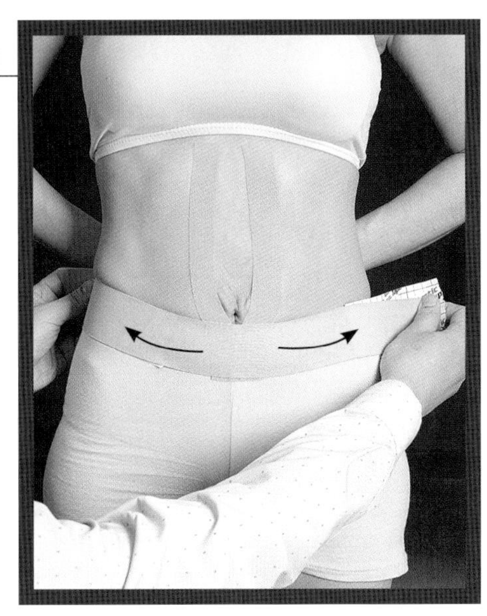

I자형 테이프를 배꼽밑에서 비스듬히 등까지 올려서 붙인다.

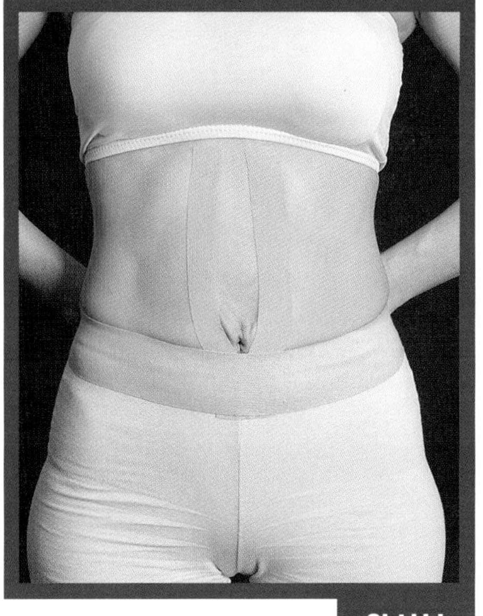

완성본

Taping

36 추간판탈출증

5cm 10cm 3개

5cm 20cm 3개

01

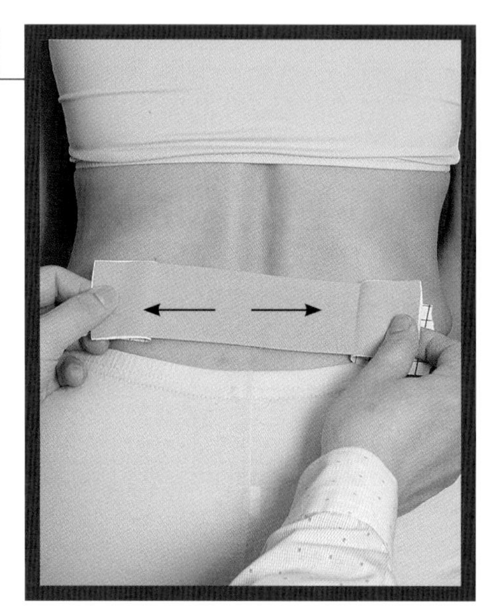

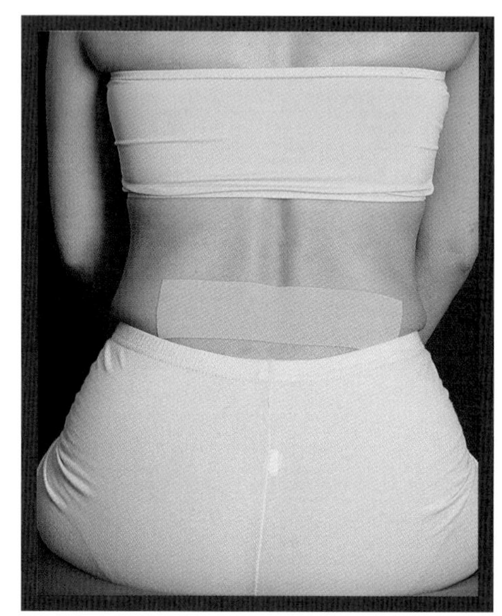

장골릉 위쪽에 20cm I자형 테이프를 붙인다.

02

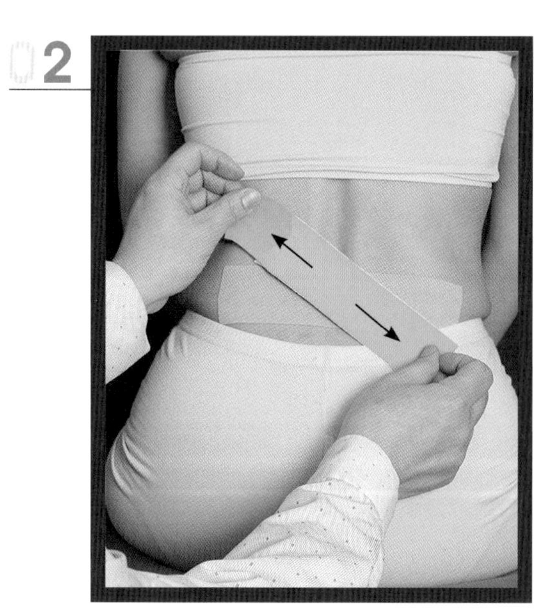

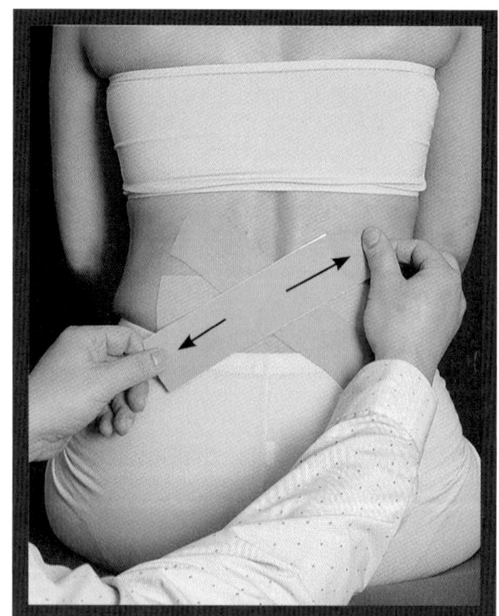

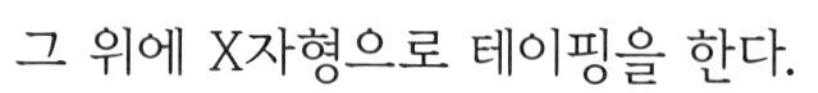
그 위에 X자형으로 테이핑을 한다.

3

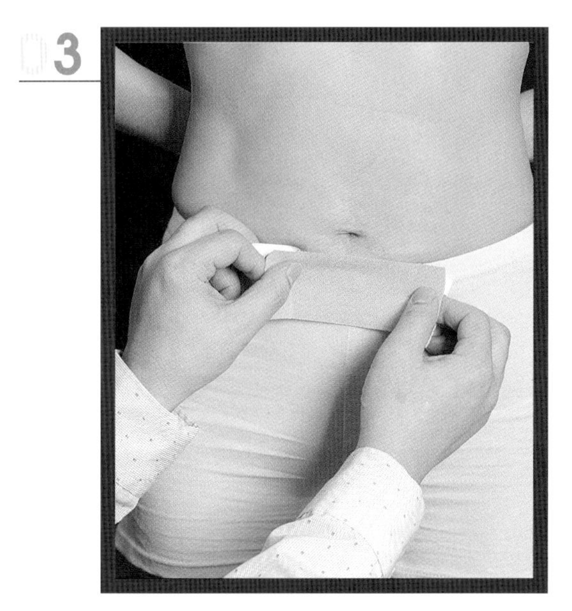

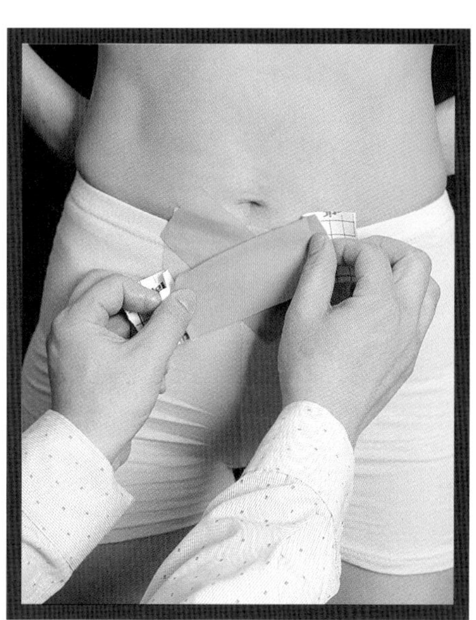

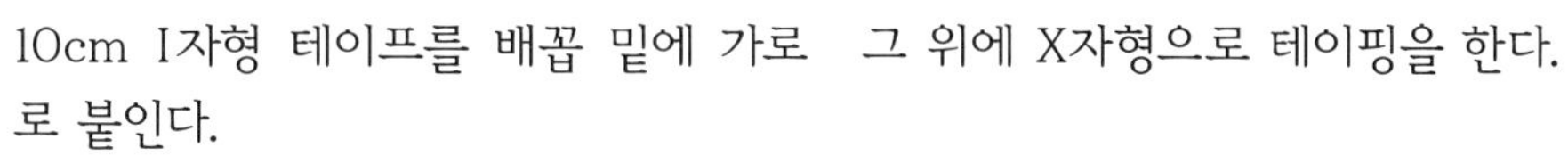

10cm I자형 테이프를 배꼽 밑에 가로로 붙인다.

그 위에 X자형으로 테이핑을 한다.

4

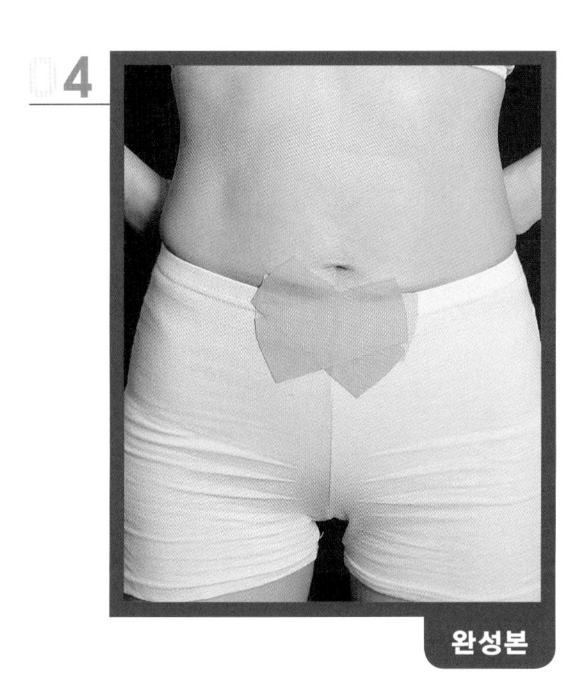

완성본

Taping

37 좌골신경통 완화

5cm

95cm

1개

아프거나 저린 증상이 있다면 테이프가 그쪽 방향으로 지나가도록 붙인다.

01

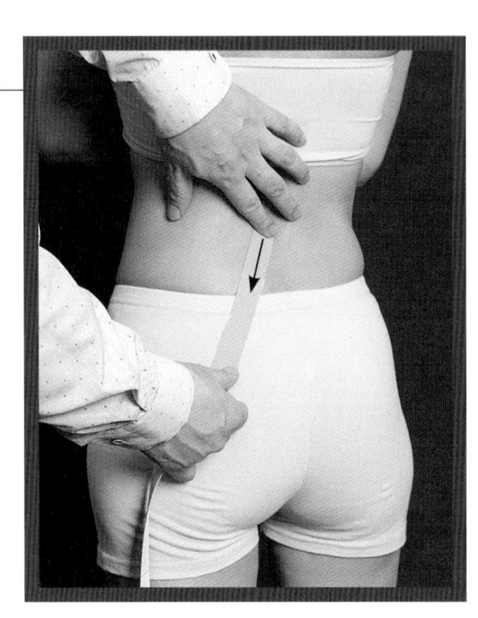

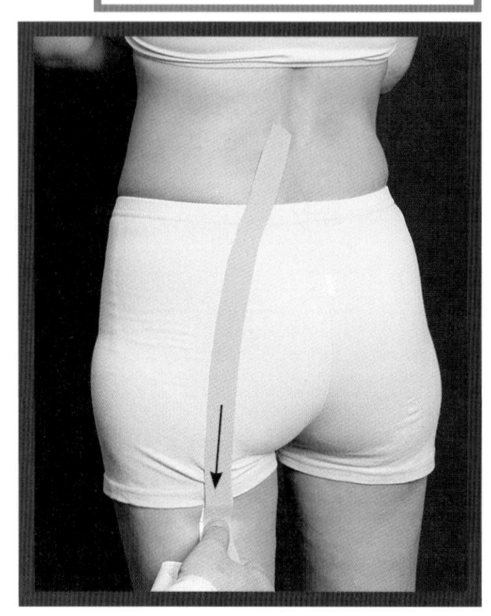

95cm I자형 테이프를 요추 4~5번부위에서 시작하여 이상근을 지나 경골 가쪽을 따라 가쪽 복사뼈를 지나 옆쪽에 붙인다.

02

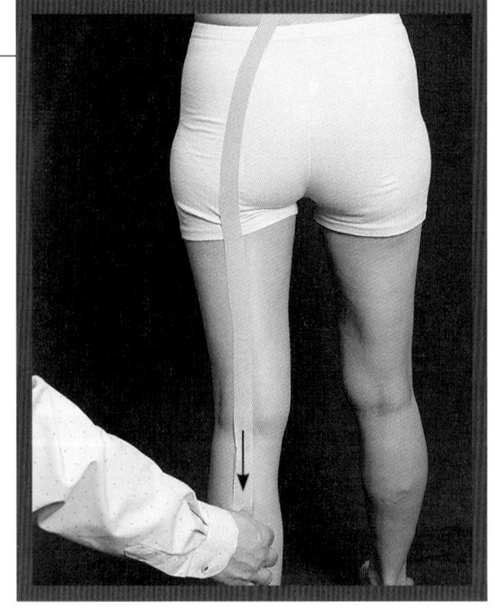

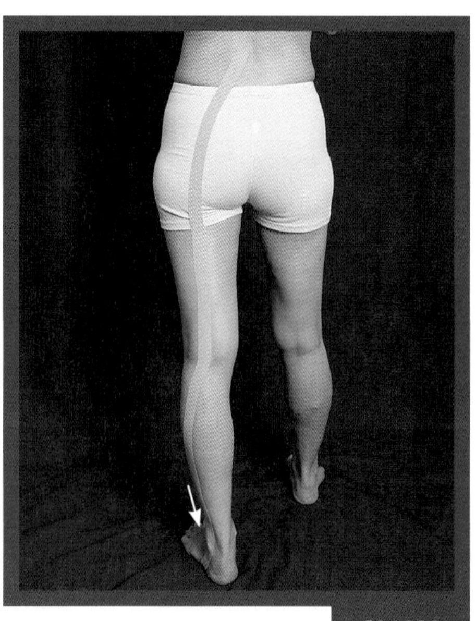

완성본

Taping

38 천골통증 완화 1

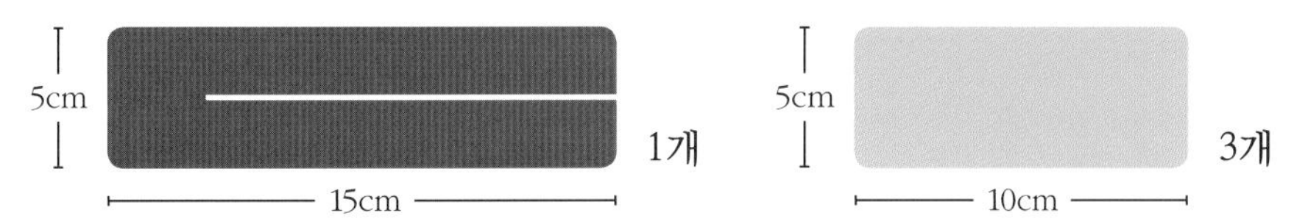

01

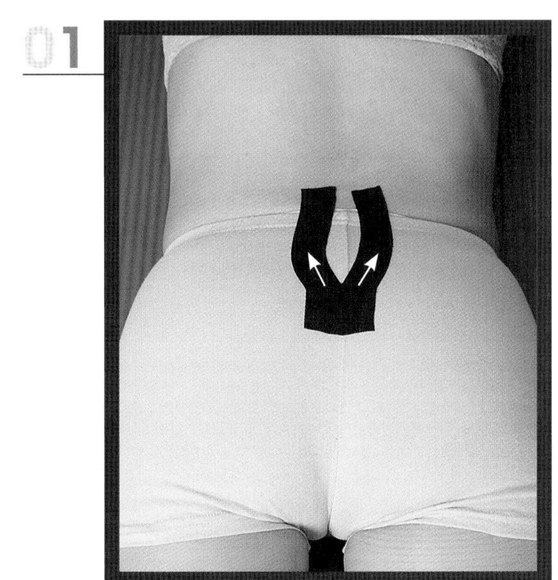

Y자형 테이프를 천골부위에 붙인다.

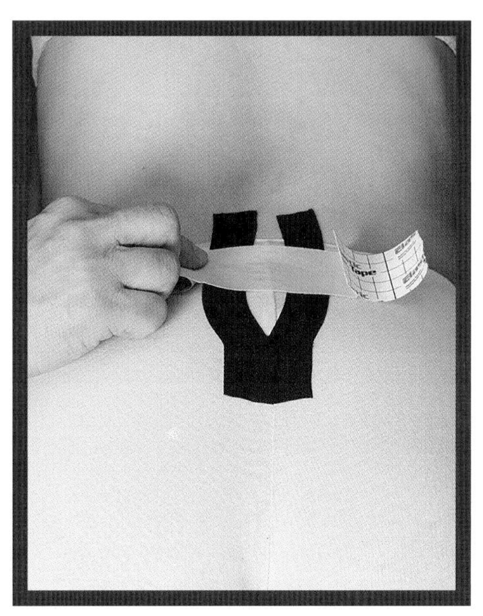

I자형 테이프를 그 위에 가로로 붙인다.

03

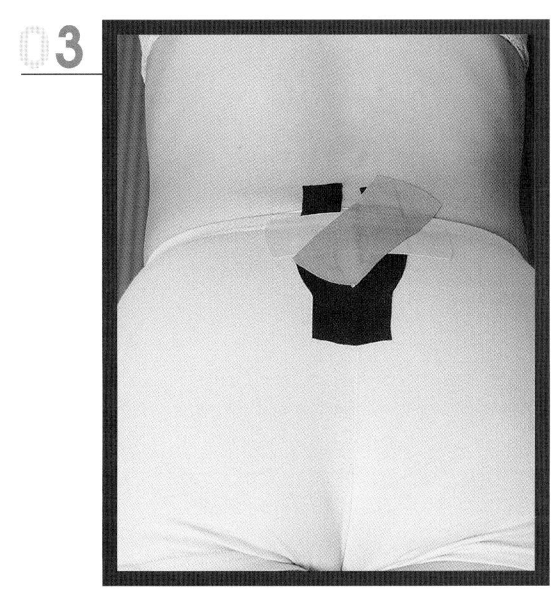

그 위에 I자형 테이프를 X자 형태로 붙인다.

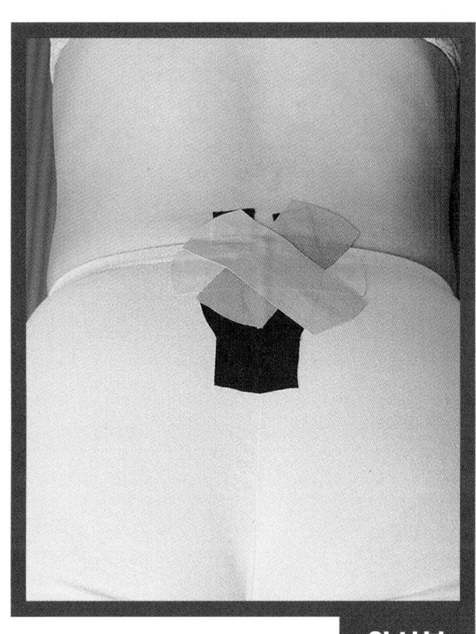

완성본

Taping

39 천골통증 완화 2

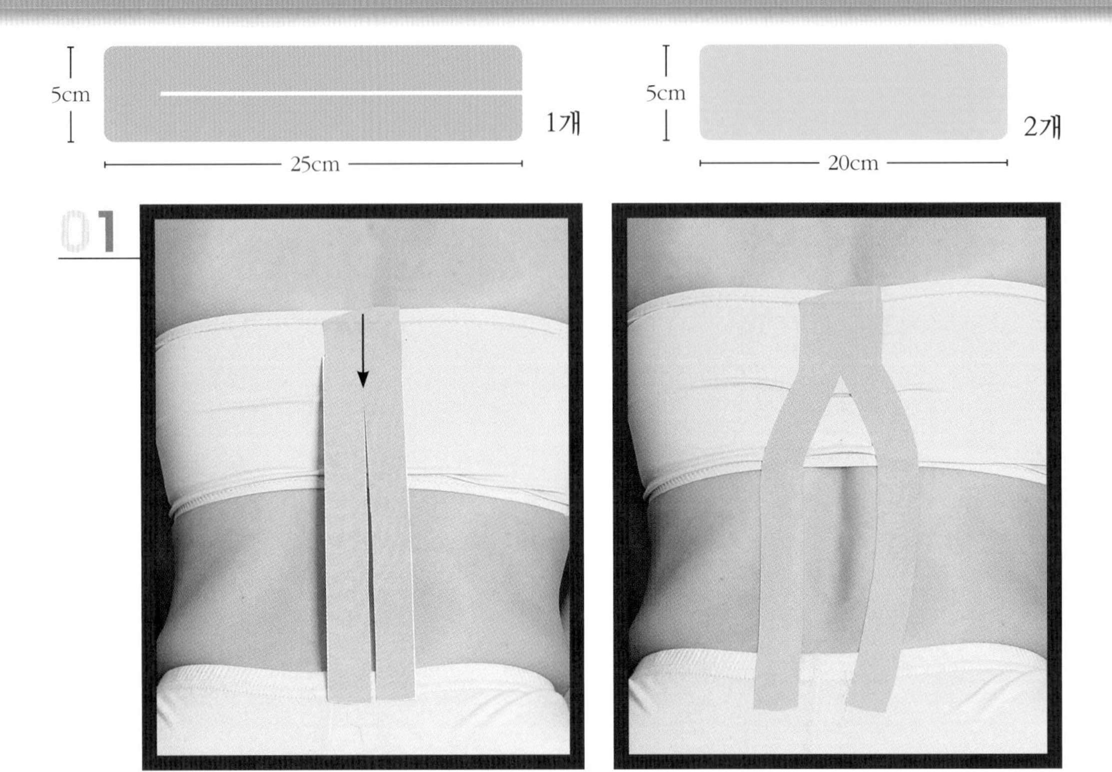

Y자형 테이프의 기부를 흉추 6번에 붙인 다음 두 갈래는 천골까지 그림처럼 벌려서 붙인다.

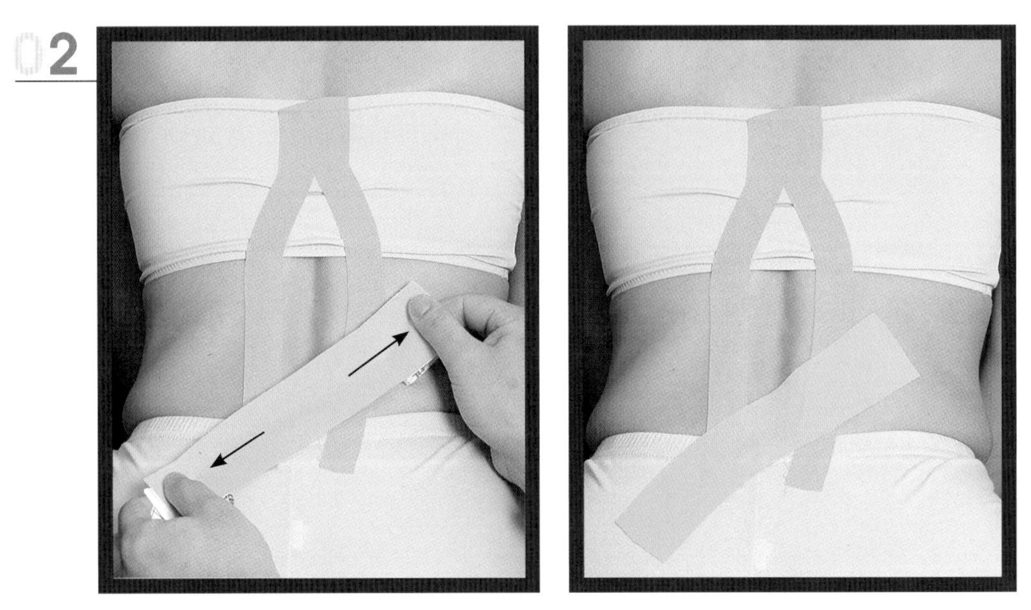

I자형 테이프를 그림과 같이 천골을 덮어서 붙인다.

03

그 위에 I자형 테이프를 X자형이 되도록 붙인다.

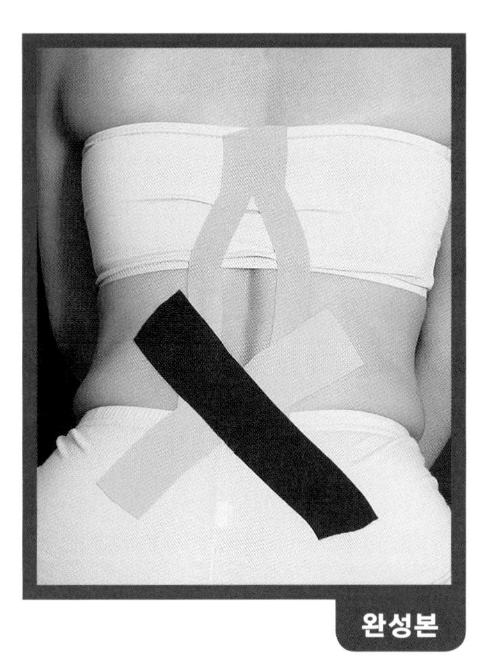

완성본

Taping

40 장요근 테이핑

장요근 근반응 검사 ⋯→ p.120 참조

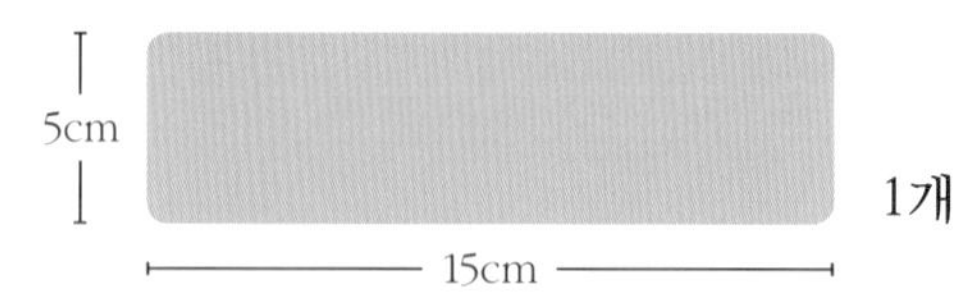

01

I자형 테이프를 늑골 12번 아래에서부터 치골까지 붙인다.

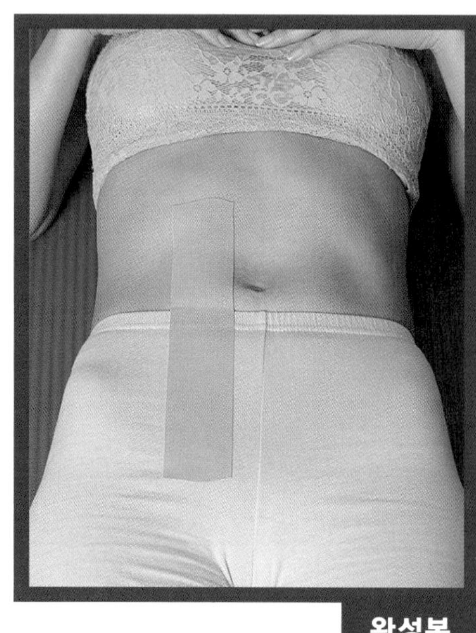

완성본

Taping

41 복횡근 테이핑

5cm

1개

40cm

01

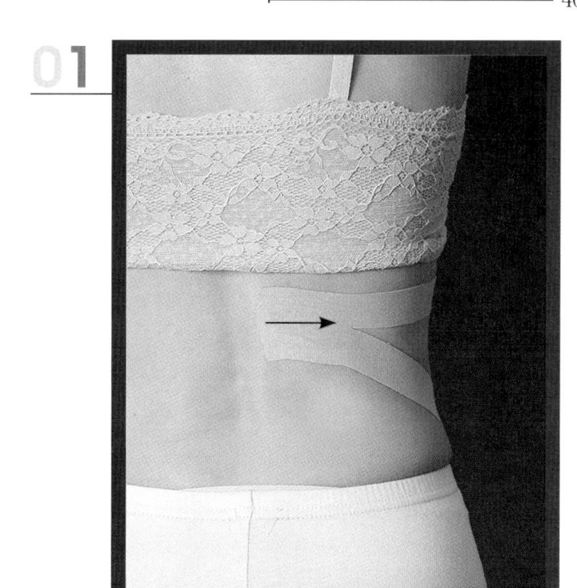

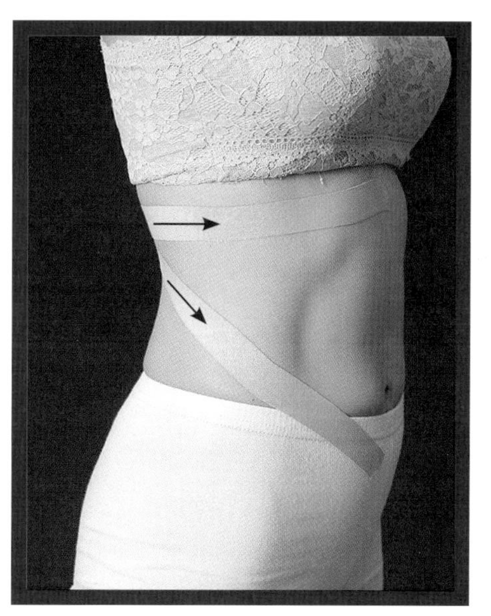

Y자형 테이프의 기부를 등쪽 늑골 12번부위에 붙인 다음 한 갈래는 횡격막쪽으로 붙이고, 다른 갈래는 치골쪽으로 내려서 붙인다.

02

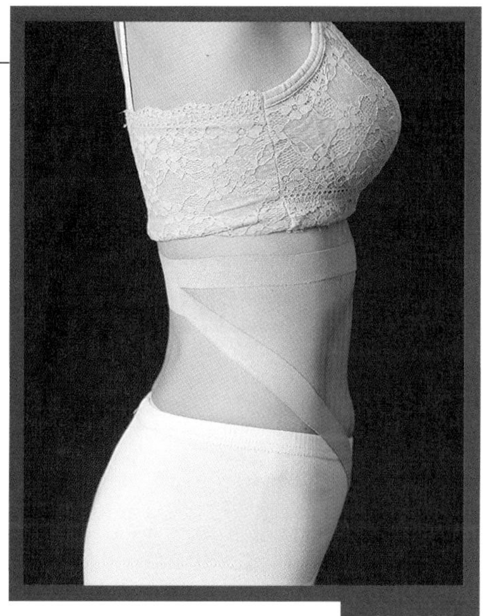

완성본

옆으로 누워 다리를 편하게 편 자세를 취하게 한 다음 테이핑한다. 복횡근은 코어의 기본근육으로 몸통을 움직일 때 가장 먼저 수축하는 근육이어서 테이핑을 해주면 허리띠처럼 복근을 잡아주는 역할을 한다. 위쪽은 횡격막을 감싸서 명치까지, 아래쪽은 장골릉을 따라서 치골까지 테이핑한다.

Taping

42 외복사근 테이핑

5cm

1개

35cm

01

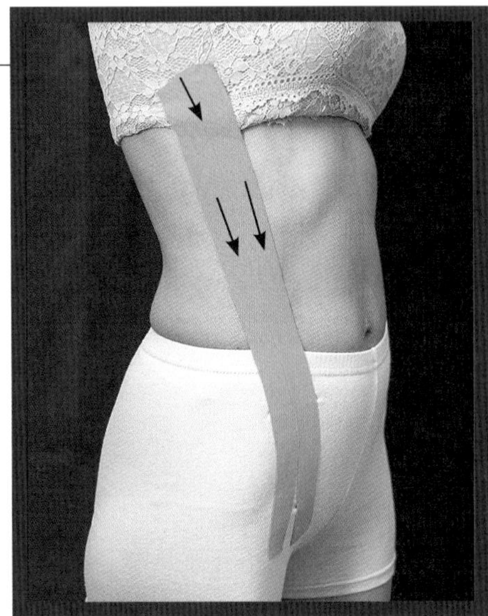

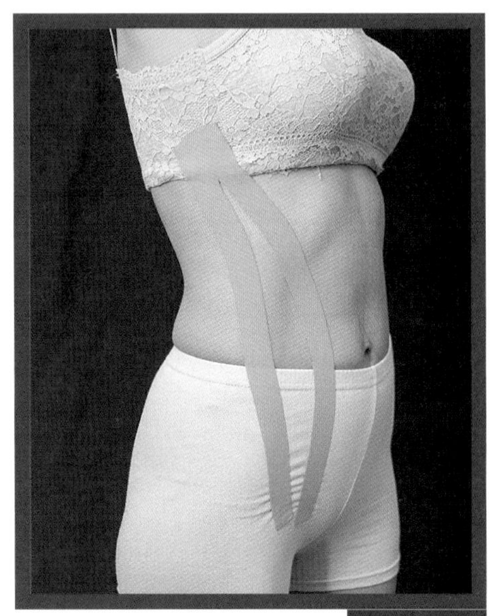

완성본

Y자형 테이프의 기부를 늑골 6번부위에 붙인 다음 각 갈래를 서혜부까지 붙인다.

Taping

43 복직근 테이핑

복직근 근반응 검사 ···› p.119 참조

2.5cm 30cm 2개

01

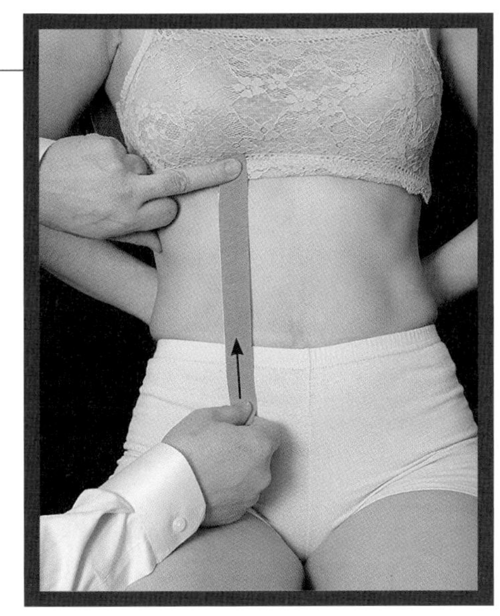

I자형 테이프의 한쪽 끝을 치골부위에 붙인 다음 일직선으로 테이프를 늘리지 않고 늑골 5번까지 피부에 얹어놓듯이 붙인다.

02

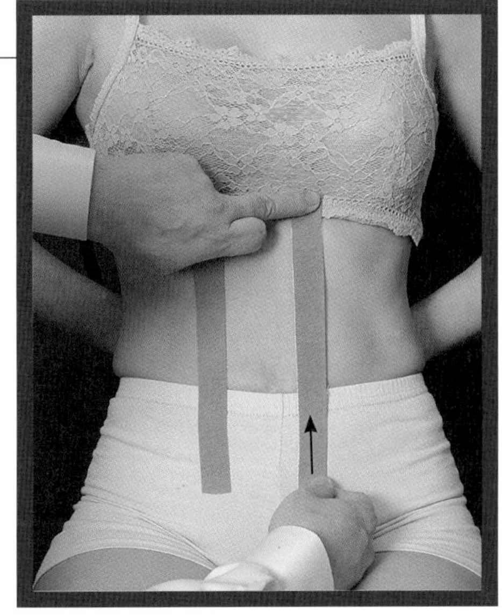

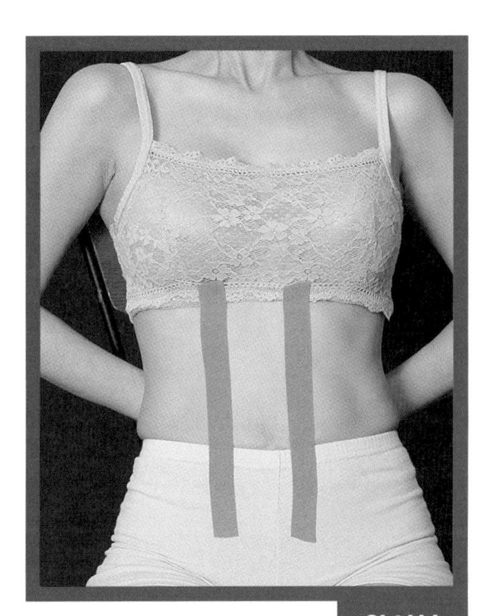

완성본

반대쪽에도 같은 방법으로 테이핑한다.

제2장

어깨와 팔

TIP

사람마다 신체부위의 너비와 길이가 다르기 때문에 테이프를 붙일 때 미리 붙일 부위의 길이를 재서 테이프를 길이에 맞게 잘라서 사용해야 한다. 본문에 표시한 테이프의 길이는 일반적인 예시이다.

키네시오 테이프를 자르는 형태

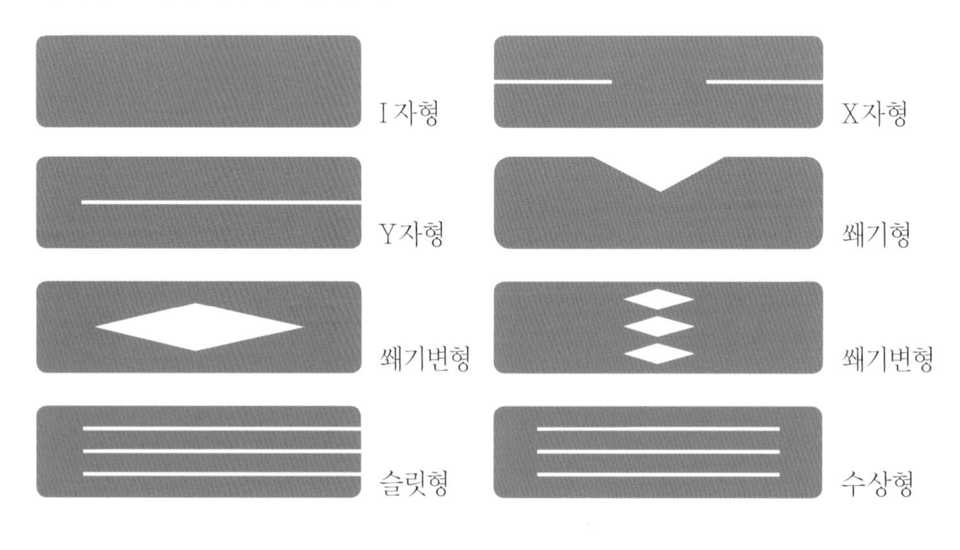

Taping

01 삼각근 근반응 검사

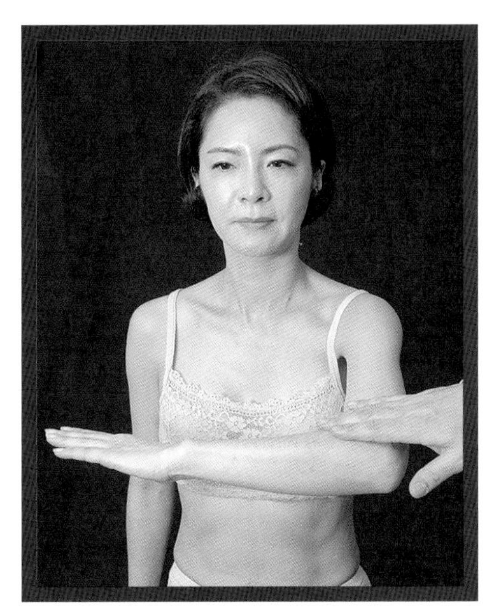

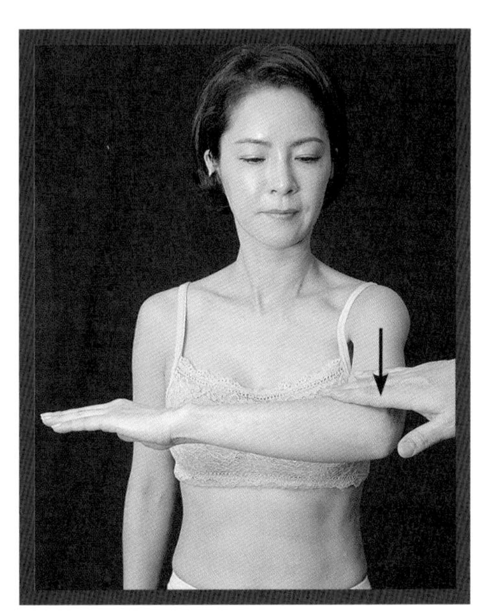

피검사자는 팔꿈치를 90도 굽혀 그림과 같은 자세를 한다. 검사자가 피검사자의 팔꿈치를 직하방으로 누르면 피검사자는 이에 저항하여 버틴다. 양팔 모두 검사한 후 약한 쪽의 삼각근에 테이핑을 해준다.

Taping

02 전삼각근 근반응 검사

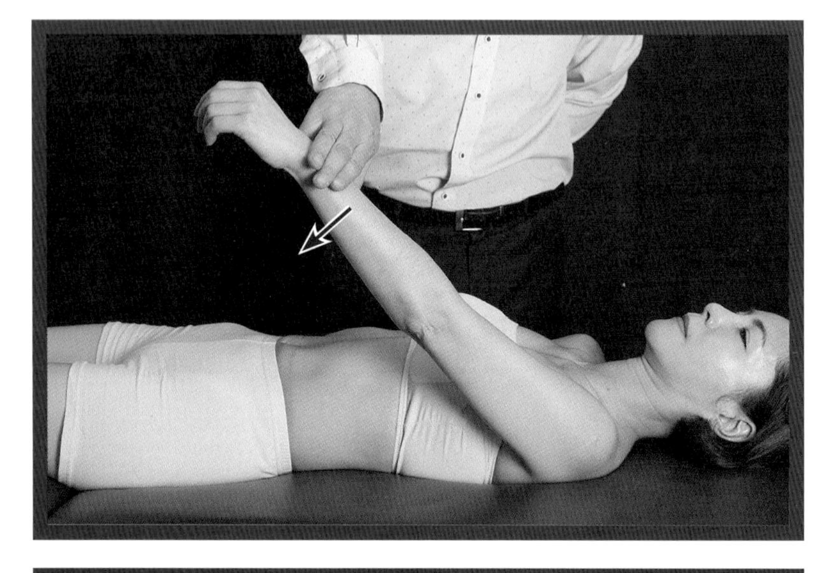

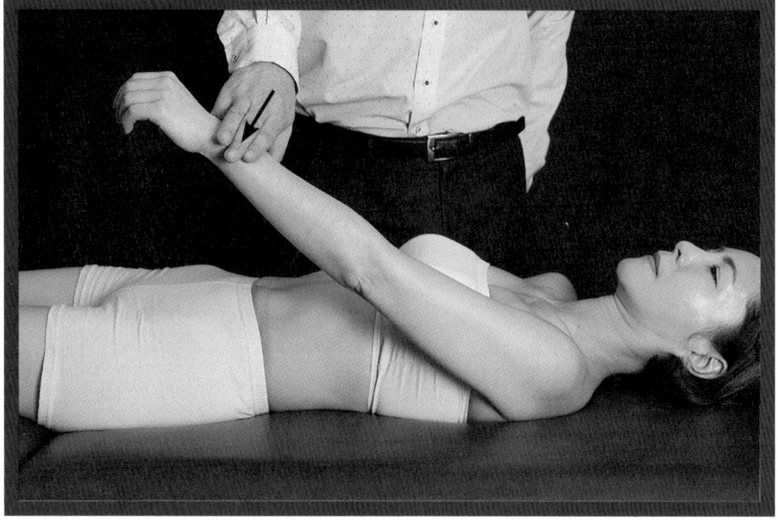

피검사자는 누워서 팔을 45도 들어올린다. 검사자는 손목부분을 화살표 방향으로 밀면 피검사자는 이에 저항하여 버틴다. 약한 쪽의 전삼각근에 테이핑을 한다.

Taping

03 중삼각근 근반응 검사

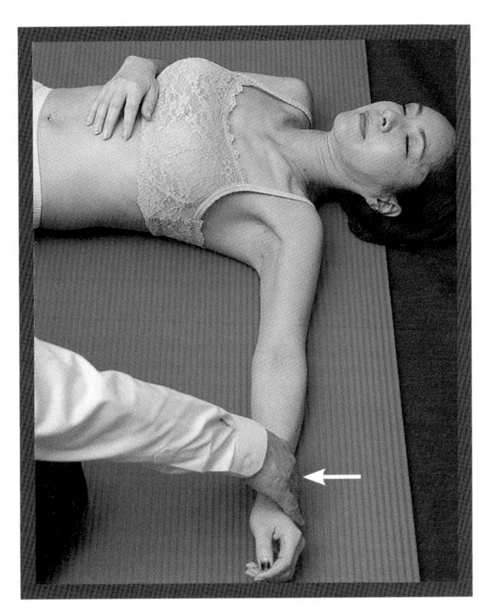

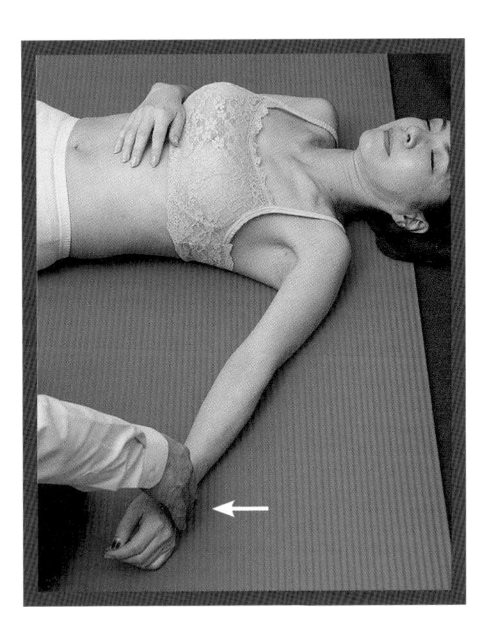

피검사자는 바로 누워 그림과 같은 자세를 한다. 검사자가 손목을 잡고 내전 방향으로 밀면 피검사자는 이에 저항하여 버틴다. 양팔을 모두 검사한 후 약한 쪽의 중삼각근에 테이핑을 해준다.

Taping

04 견갑거근 근반응 검사

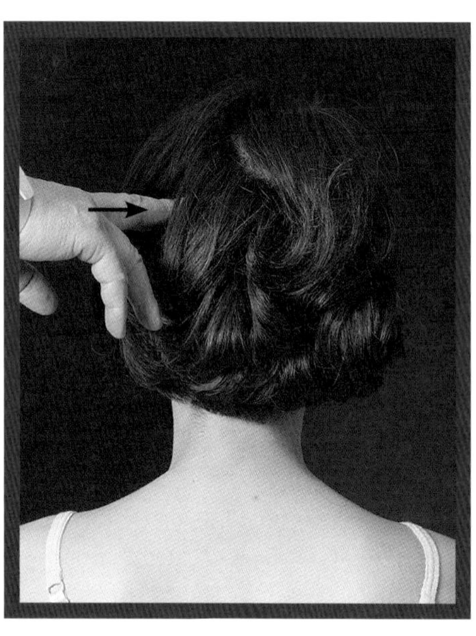

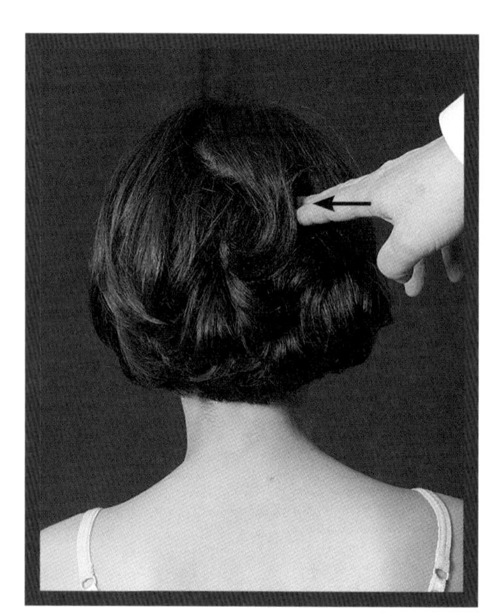

피검사자를 똑바로 앉게 한 다음 검사자는 피검사자의 뒤쪽 45도 방향으로 서서 손가락 2개로 머리 위쪽 옆면을 밀면 피검사자는 그 힘에 저항하여 버틴다. 좌우 모두 검사하여 약한 쪽의 견갑거근에 테이핑을 한다.

Taping

05 견갑하근 근반응 검사 1

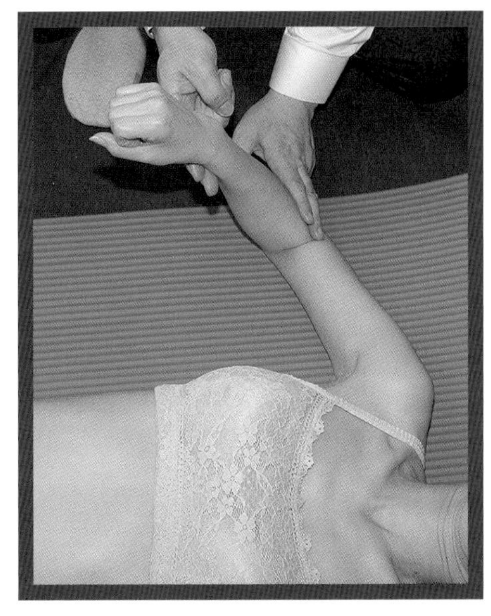

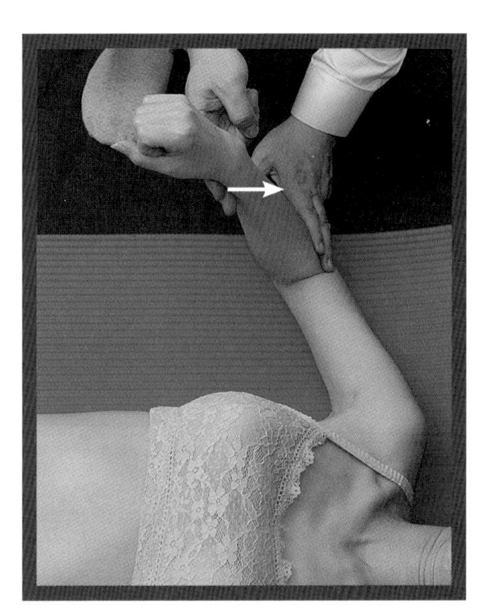

피검사자는 누워서 그림과 같이 어깨를 90도 외전한 자세에서 팔꿈치를 90도 굽혀 견관절을 통증이 없는 각도까지만 내회전시킨다. 검사자는 한 손으로 피검사자의 팔꿈치를 고정시키고 다른 손으로 팔목을 화살표 방향으로 밀면 피검사자는 그 힘에 저항하여 버틴다. 약한 쪽의 견갑하근에 테이핑을 한다.

Taping

06 견갑하근 근반응 검사 2

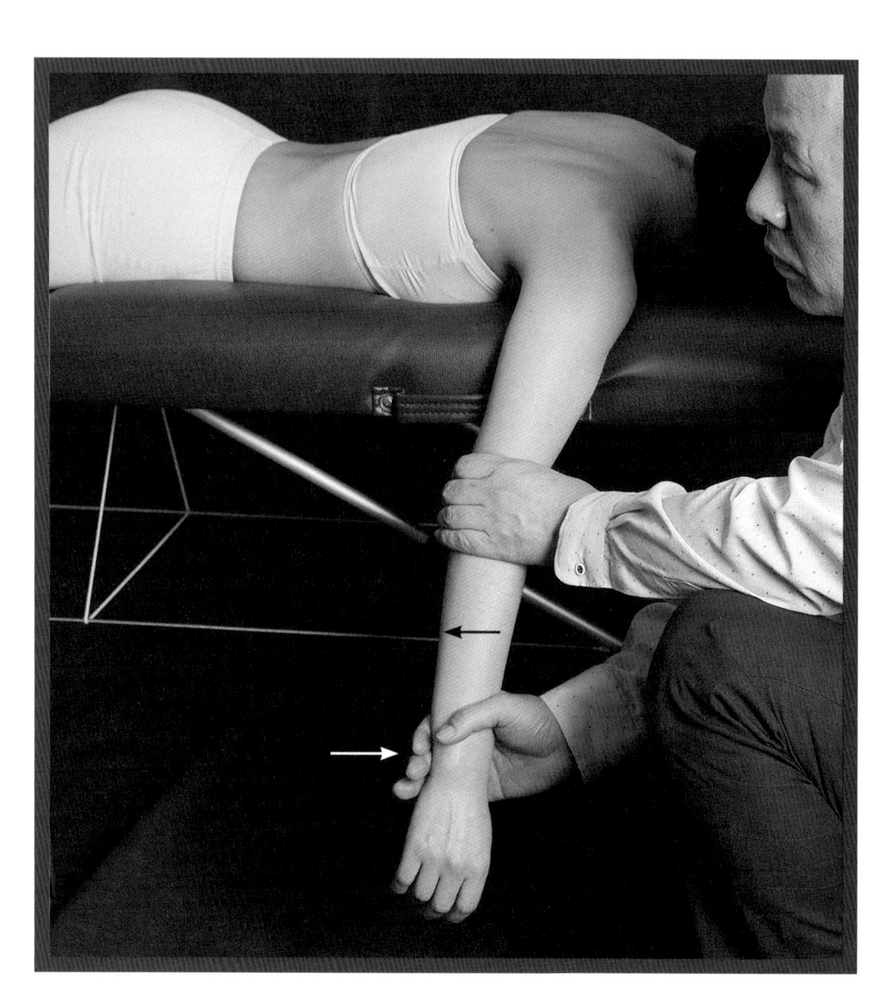

피검사자는 그림과 같은 자세를 취한 다음 견관절을 90도 내회전시킨다(갈 수 있는 각도까지만). 검사자가 한 손으로 피검사자의 주관절을 고정하고 다른 손으로 손목을 잡고 견관절에 외회전시키는 힘을 가하면 피검사자는 이에 저항하여 버틴다. 약한 쪽의 견갑하근에 테이핑을 한다.

Taping

07 극상근 근반응 검사

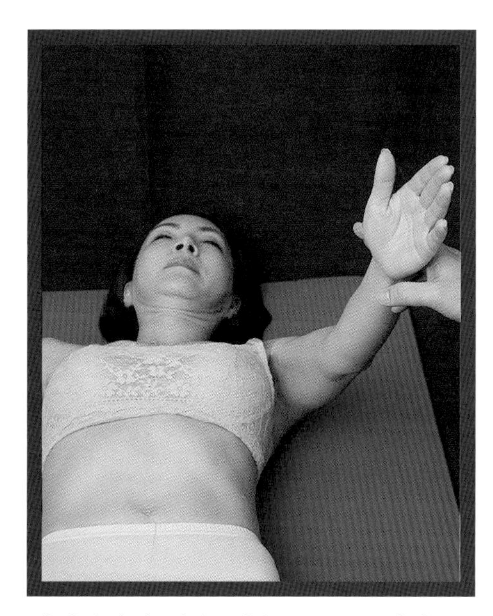

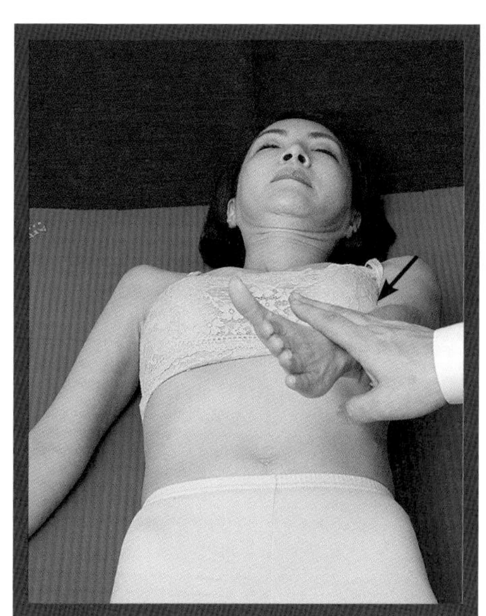

피검사자의 팔을 옆으로 15도 벌리고, 앞으로 15도 굽혀 약간 내회전시킨다. 검사자가 피검사자의 손목을 반대쪽 서혜부쪽으로 밀면 피검사자는 이에 저항하여 버틴다. 약한 쪽의 극상근에 테이핑을 한다.

Taping

08 극하근 근반응 검사 1

01

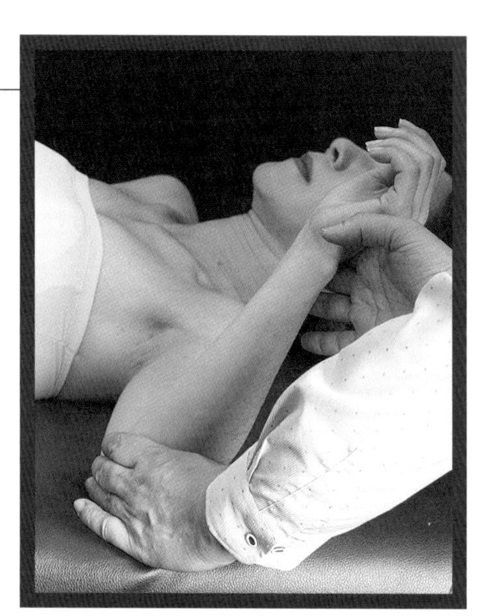

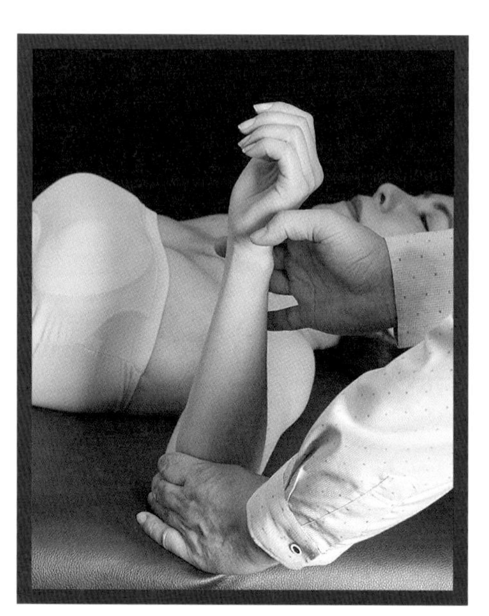

02

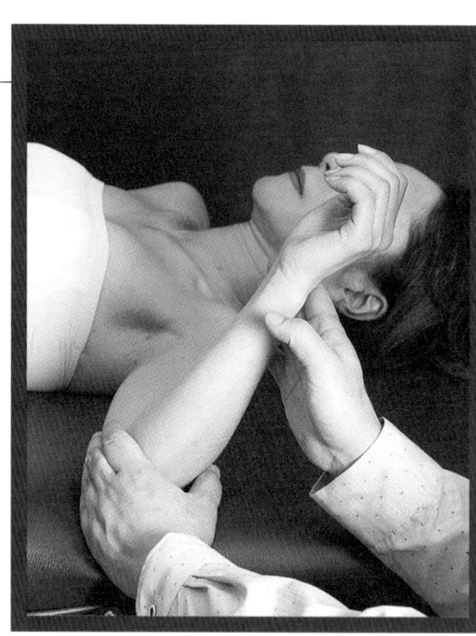

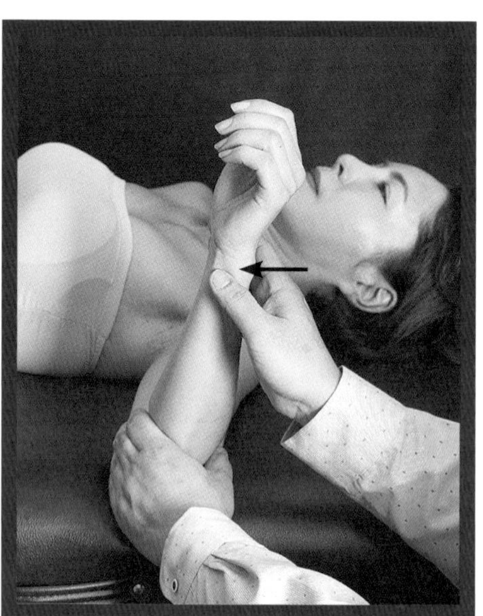

피검사자는 누워서 팔을 90도 외전시킨 후 팔꿈치를 90도 굽혀 위로 45도 올린다. 검사자가 한 손으로 팔꿈치를 고정시키고 다른 손으로 손목을 잡고 팔을 화살표 방향으로 밀면 피검사자는 이에 저항하여 버틴다. 양팔 모두 검사하여 약한 쪽의 극하근에 테이핑을 한다.

Taping

09 극하근 근반응 검사 2

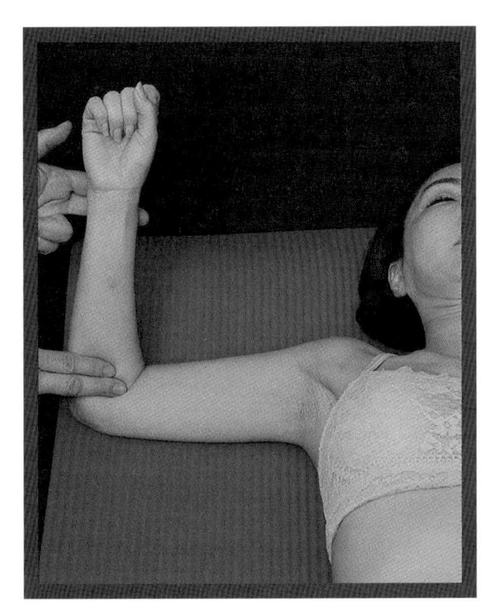

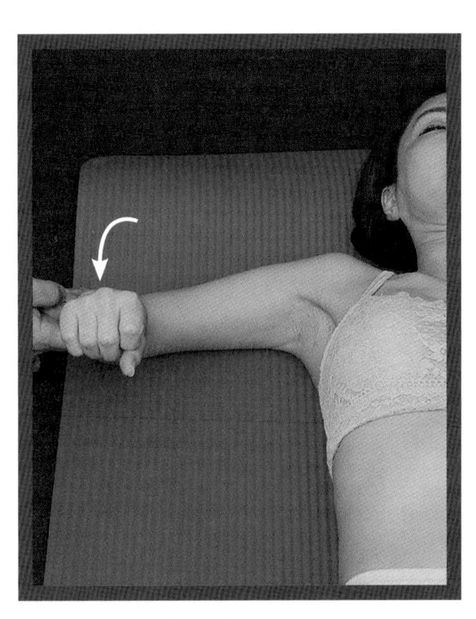

피검사자는 누워서 사진과 같은 자세를 한다. 검사자는 한 손으로 피검사자의 팔꿈치 안쪽을 고정시키고 다른 손으로 손목을 화살표 방향으로 밀면 피검사자는 그 힘에 저항하여 버틴다. 약한 쪽의 극하근에 테이핑을 한다.

Taping

10 전거근 근반응 검사

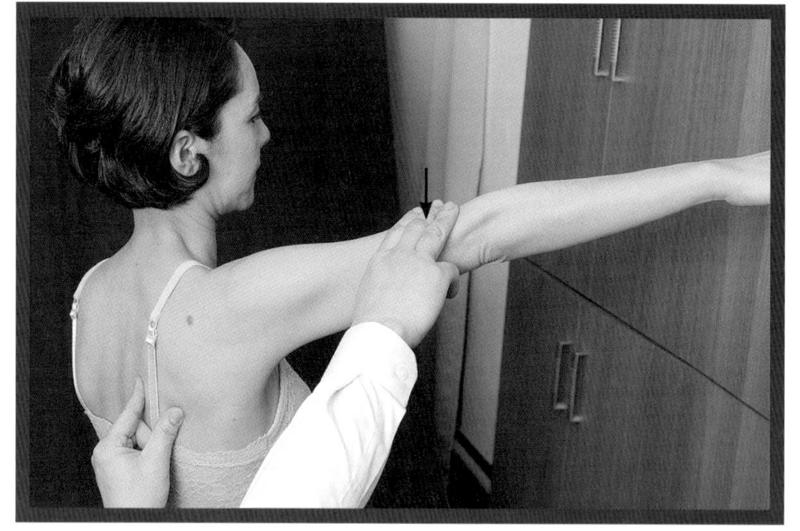

피검사자가 서서 팔을 120도 굴곡시키면 검사자는 한 손을 견갑골 내측연과 하각을 잡고 다른 손은 하방 신전방향으로 눌러 견갑골의 움직임을 확인한다. 피검사자는 이에 저항하여 버틴다. 약한 쪽의 전거근에 테이핑을 한다.

Taping

11 중부승모근 근반응 검사

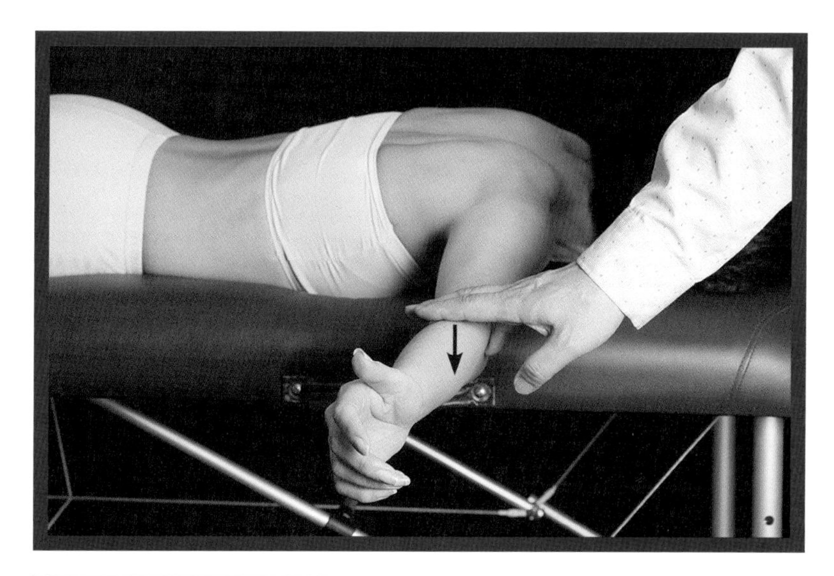

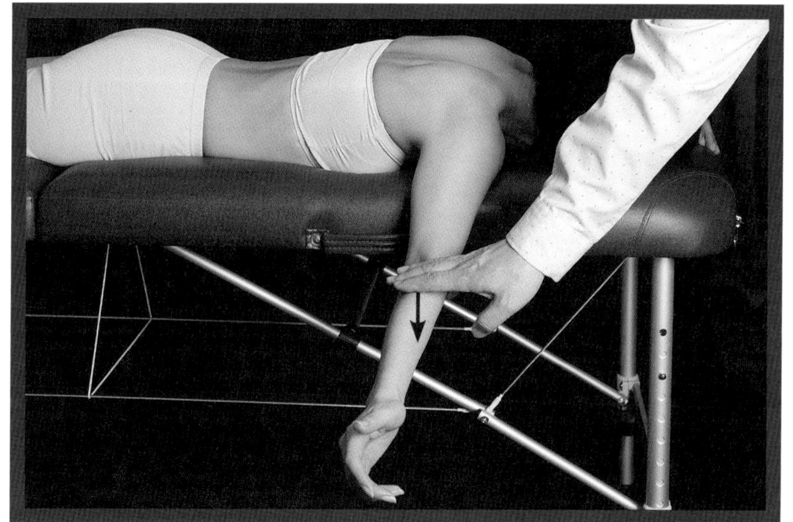

피검사자는 엎드려 어깨를 배드밖으로 빼고 엄지가 위로 향하도록 손을 외회전시킨다. 검사자는 전완을 직하방으로 누르면 피검사자는 이에 저항하여 버틴다. 양쪽 팔을 모두 검사하여 약한 쪽의 중부승모근에 테이핑을 한다.

Taping

12 능형근 근반응 검사

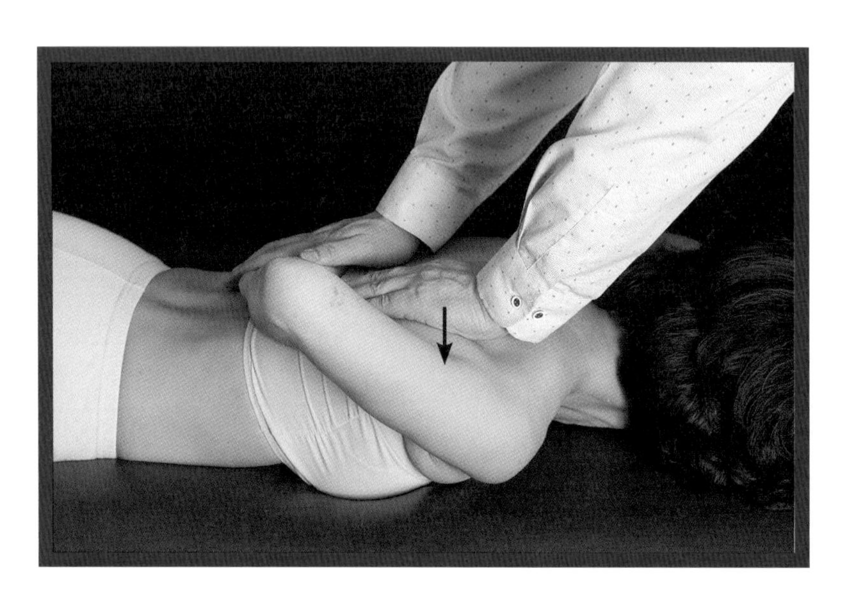

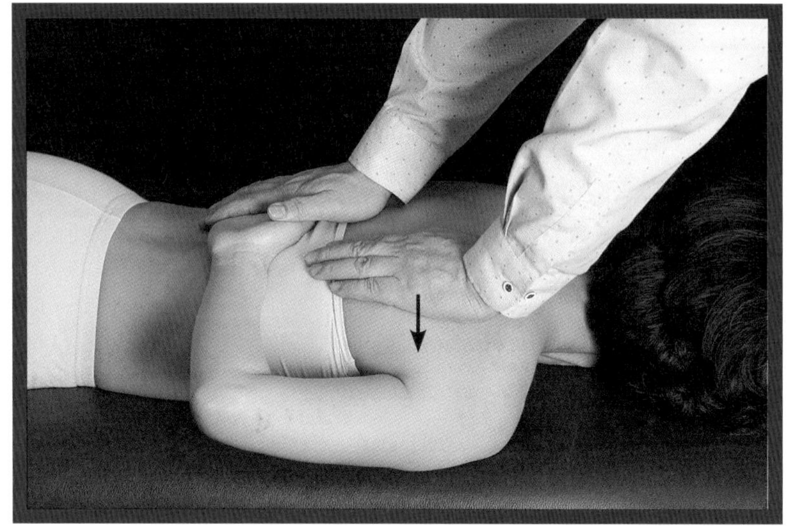

피검사자는 엎드려 한 손을 그림처럼 등에 올리고 견갑골을 뒤로 당긴다. 검사자는 한 손으로 피검사자의 손을 고정하고 다른 손으로 능형근을 화살표 방향으로 누르면 피검사자는 이에 저항하여 버틴다. 약한 쪽의 능형근에 테이핑을 한다.

Taping

13 오훼완근 근반응 검사

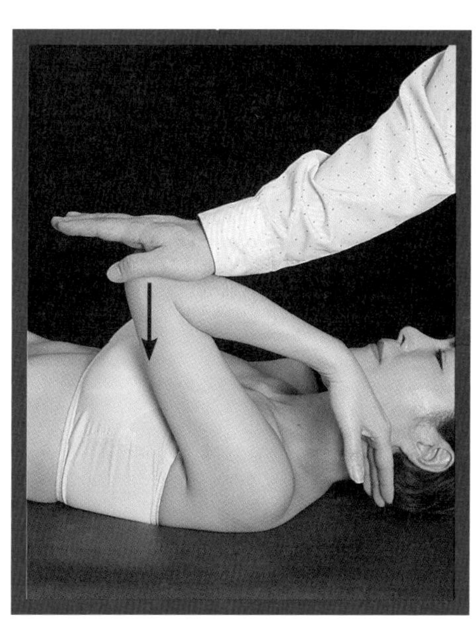

피검사자는 누워서 그림과 같이 팔을 굽힌다. 검사자는 주관절을 화살표 방향으로 누르면 피검사자는 이에 저항하여 버틴다. 약한 쪽의 오훼완근에 테이핑을 해준다.

Taping

14 상완이두근 근반응 검사 1

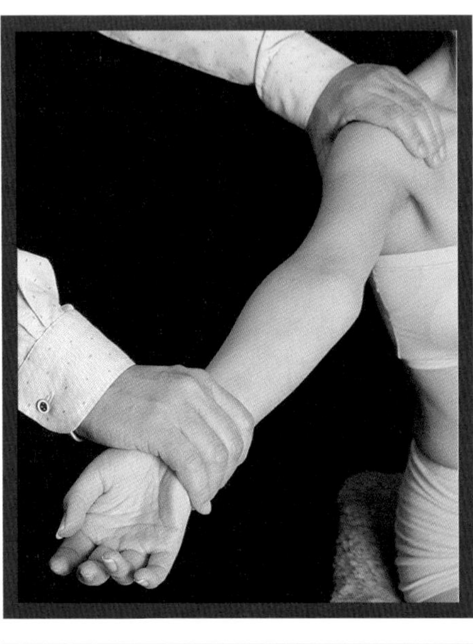

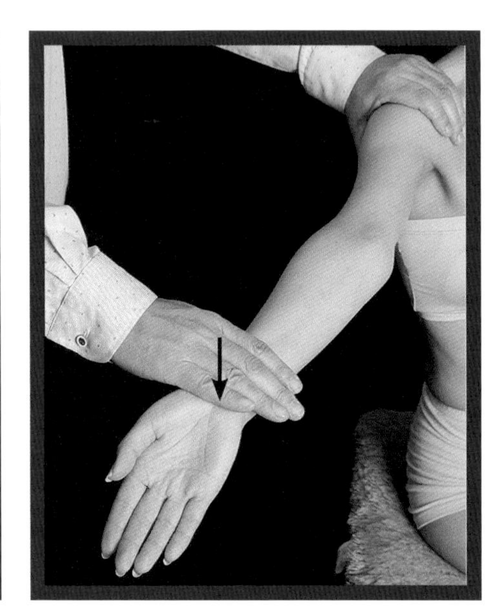

피검사자는 앉아서 주관절을 신전시키고 견관절을 90도 굽혀 전완부는 회외시킨다. 검사자는 한 손을 어깨에 대고 다른 손은 전완부를 화살표 방향으로 누르면 피검사자는 이에 저항하여 버틴다. 힘이 약한 쪽이나 통증이 있는 쪽의 상완이두근에 테이핑을 한다.

Taping

15 상완이두근 근반응 검사 2

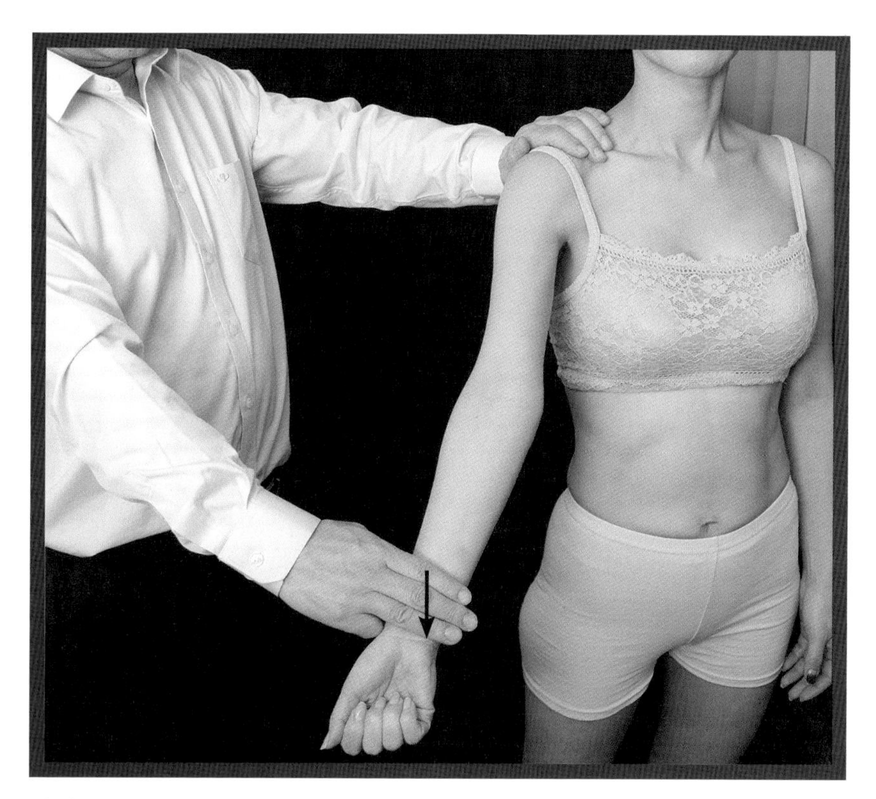

피검사자는 서서 검사하려는 견관절을 90도 굽히고 주관절은 신전시키고 전완부를 회외시킨다. 검사자가 화살표 방향으로 누를 때 팔꿈치를 굽히려는 힘이 없어 저항을 못하고 그림처럼 떨어지면 그 힘이 약한 쪽에 상완이두근에 테이핑을 한다.

Taping

16 상완삼두근 근반응 검사 1

1

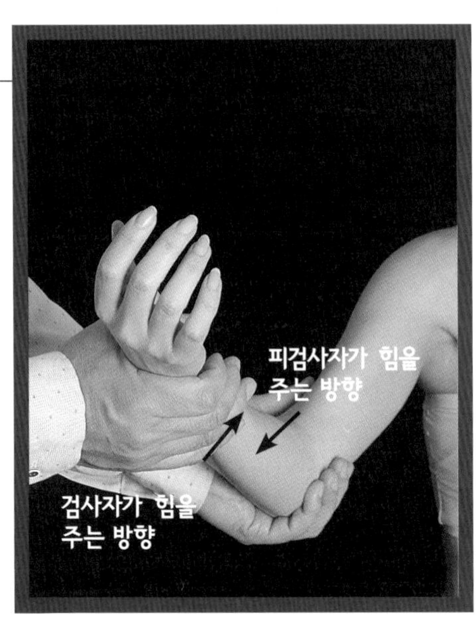

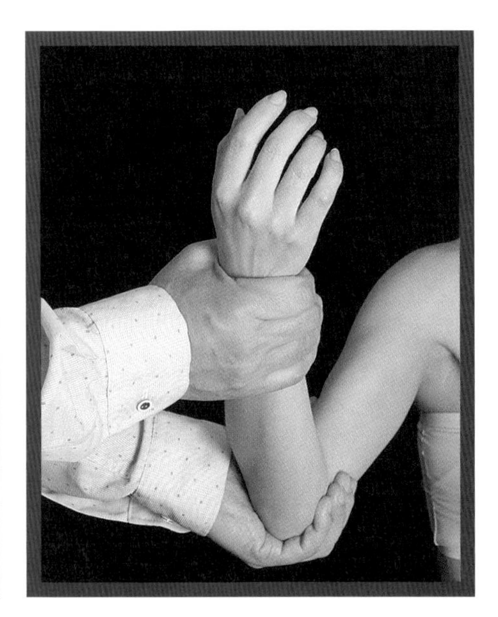

2

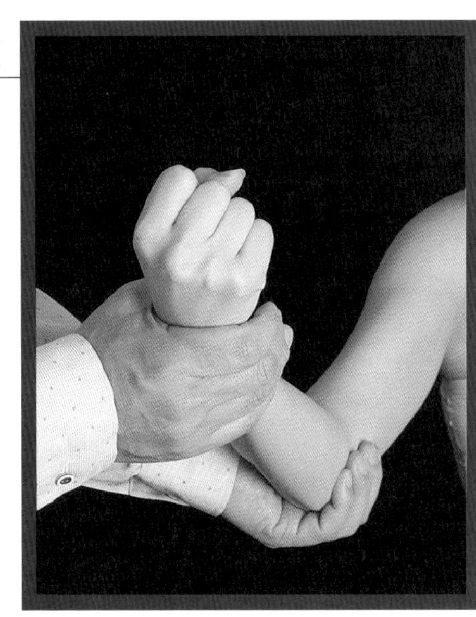

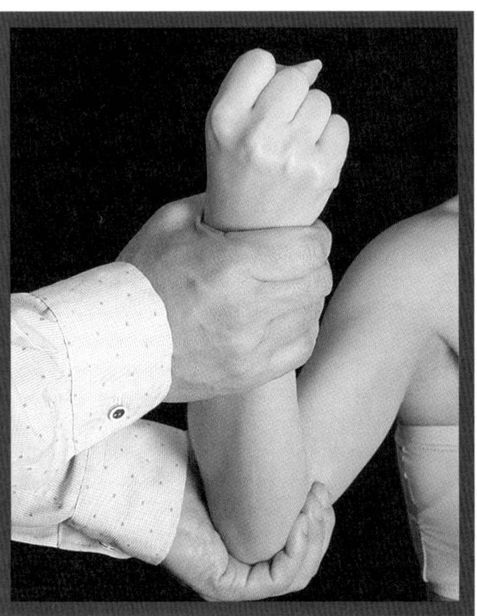

피검사자는 앉아서 팔꿈치를 45도 굽힌다. 검사자가 한 손으로 피검사자의 팔꿈치를 잡아 고정시키고 다른 손은 손목을 잡고 팔을 굽히는 방향으로 힘을 주면 피검사자는 이에 저항하여 펴는 쪽으로 힘을 준다. 통증이 있거나 힘이 약한 쪽의 상완삼두근에 테이핑을 한다.

Taping

17 상완삼두근 근반응 검사 2

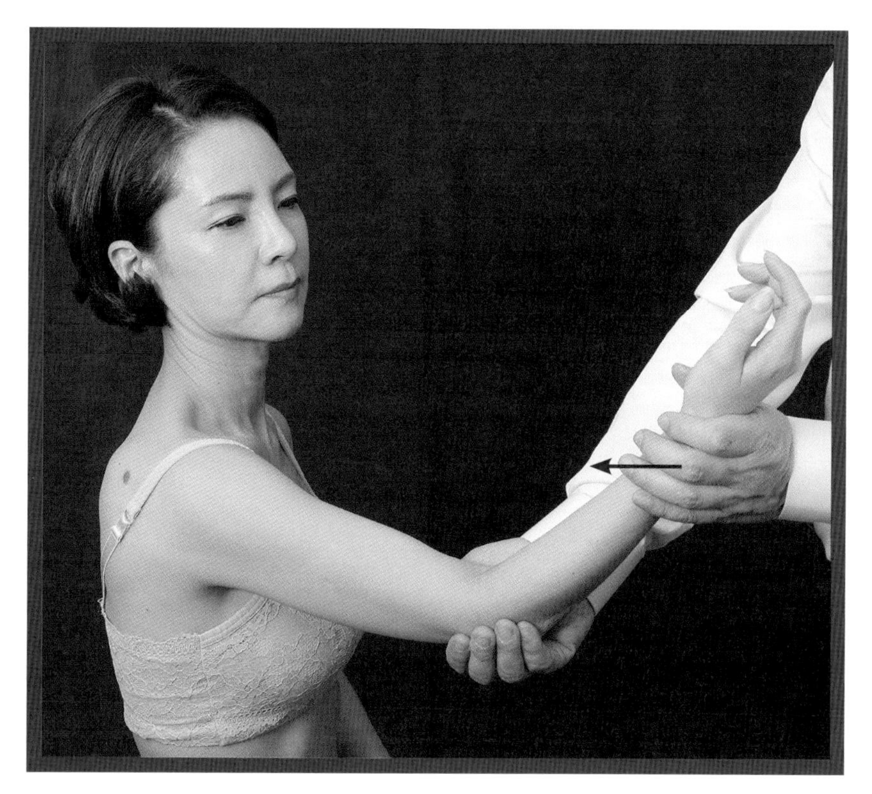

피검사자는 앉아서 팔꿈치를 굽힌다. 검사자는 한 손으로 피검사자의 팔꿈치를 고정시키고 다른 손은 손목을 잡고 팔을 굽히는 방향(화살표 방향)으로 힘을 주면 피검사자는 이에 저항하여 펴는 쪽으로 힘을 준다. 앉은 자세에서 하기 힘들면 누워서 해도 된다.

Taping

18 삼각근 테이핑

삼각근 근반응 검사 ···› p.175 참조

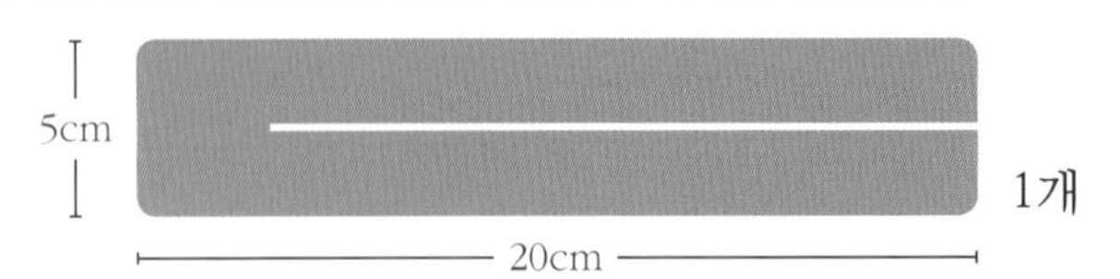

1

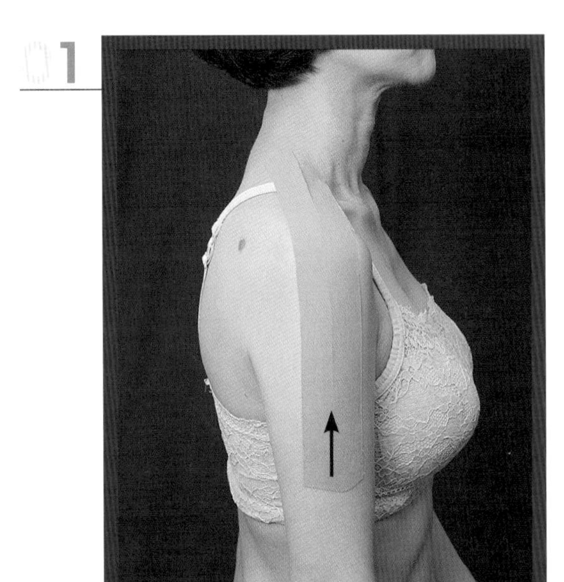

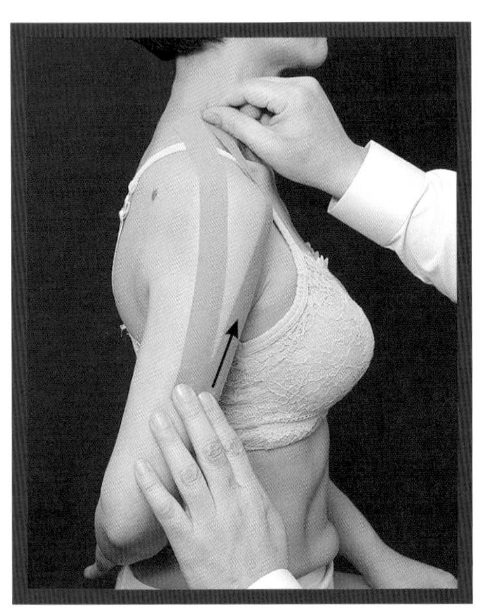

Y자형 테이프의 기부를 상완 중심에 붙인 다음 팔을 뒤로 돌린 상태에서 한 갈래를 붙이고

2

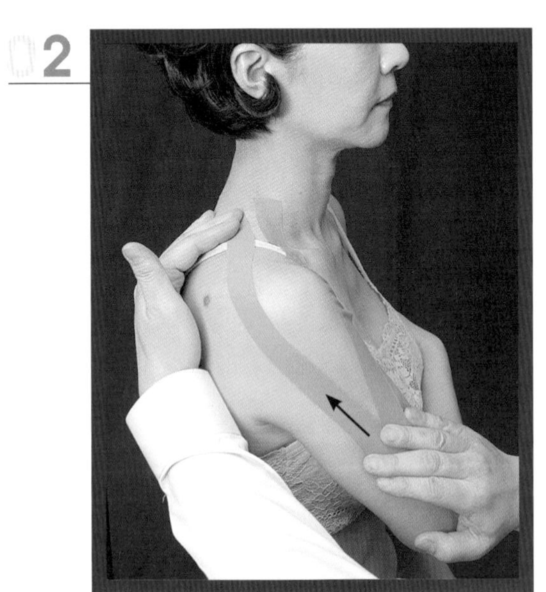

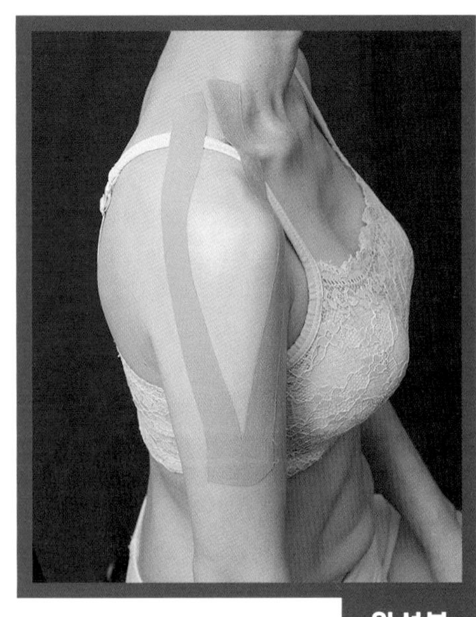

팔을 앞으로 한 상태에서 다른 갈래를 붙인다.

완성본

Taping

19 견갑거근과 상부승모근 테이핑

5cm 15cm 1개

5cm 20cm 1개

1

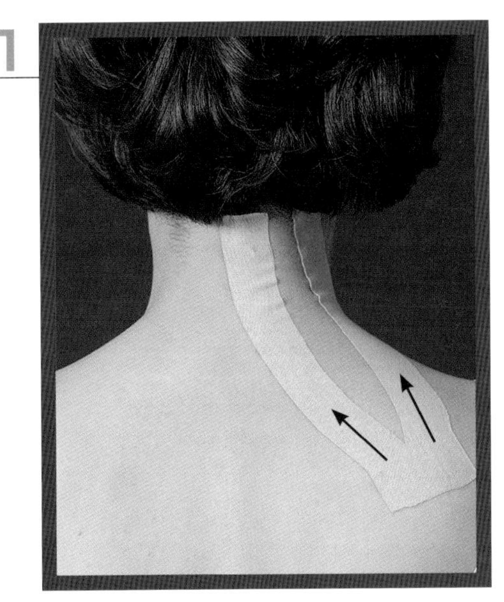

견갑골 상단에 15cm Y자형 테이프의 기부를 붙인 다음 각 갈래를 목선을 따라 그림과 같이 붙인다.

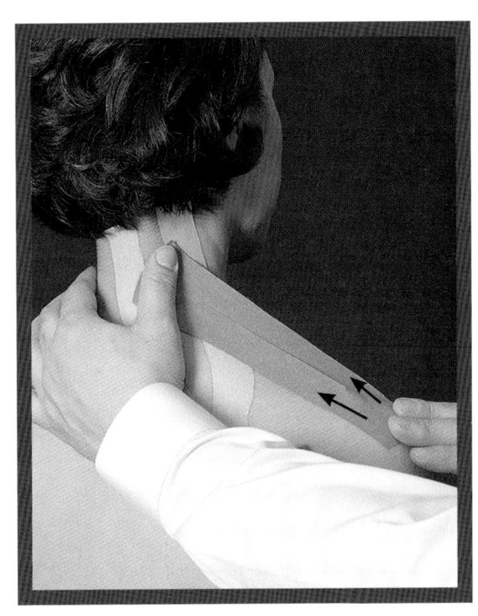

20cm Y자형 테이프의 기부를 견정에 붙인 다음 각 갈래는 목까지 벌려서 붙인다.

2

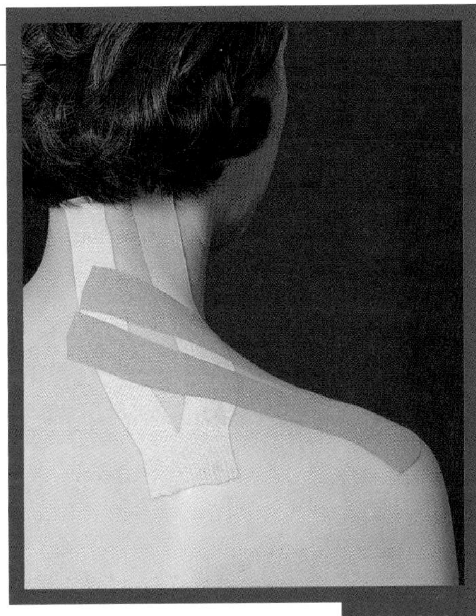

완성본

Taping

20 하부승모근 테이핑

5cm
30cm
1개

1

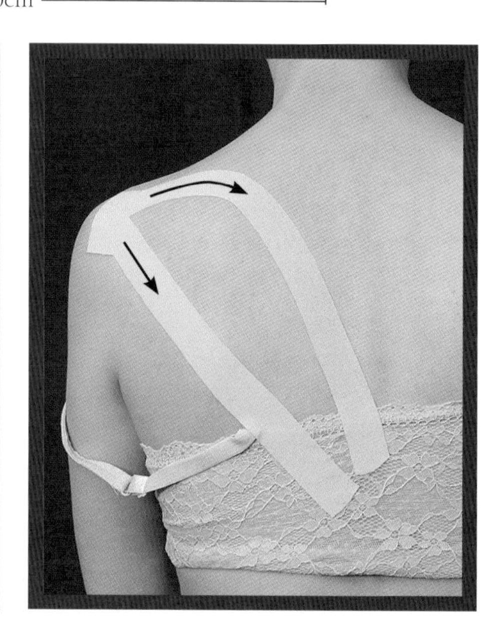

Y자형 테이프의 기부를 견봉에 붙인 다음 같은 쪽 손을 머리 위로 올린 상태에서 한 갈래를 붙이고, 몸을 반대쪽으로 더 굽힌 상태에서 다른 갈래를 그림과 같이 붙인다.

2

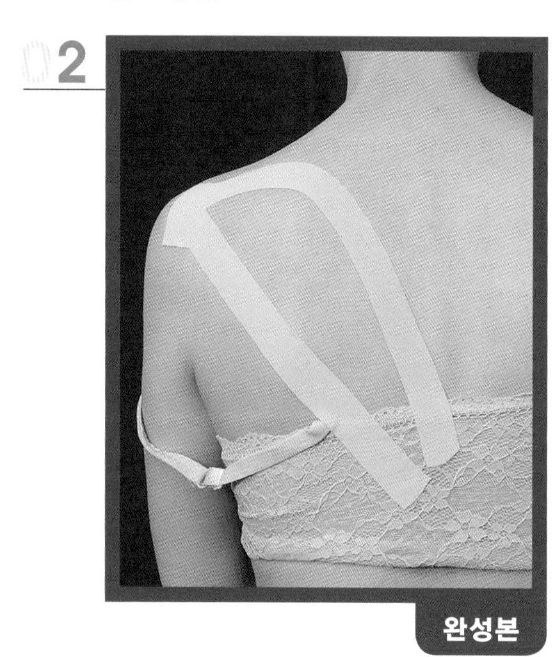

완성본

Taping

21 오훼완근 테이핑 1

오훼완근 근반응 검사 ··· p.187 참조

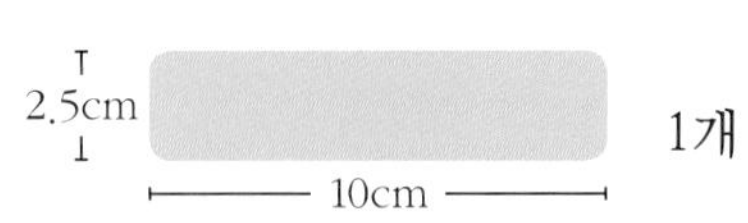

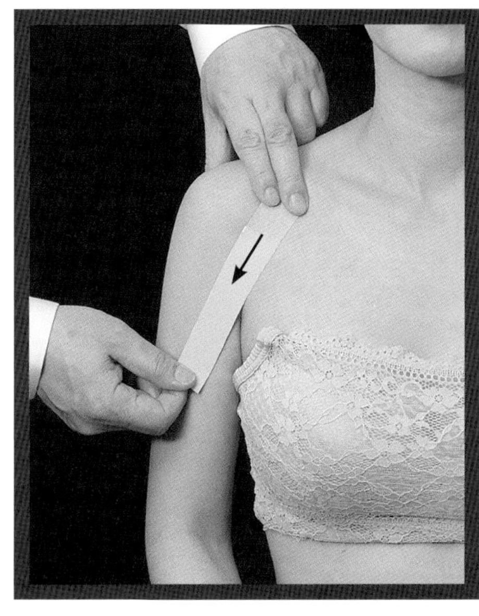

I자형 테이프를 쇄골 아래에서부터 상완 중간부분까지 붙인다.

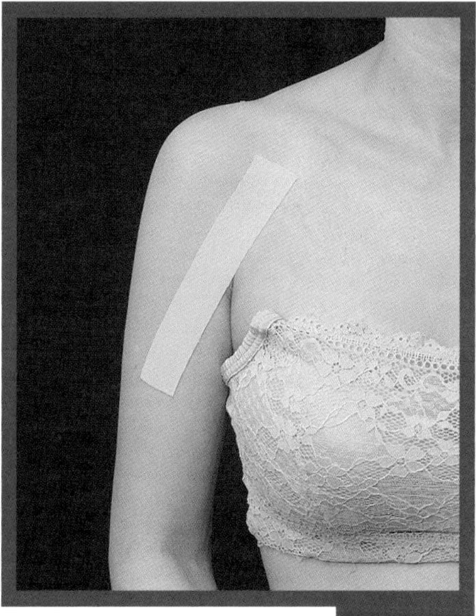

완성본

Taping

22 오훼완근 테이핑 2

오훼완근 근반응 검사 ⋯→ p.187 참조

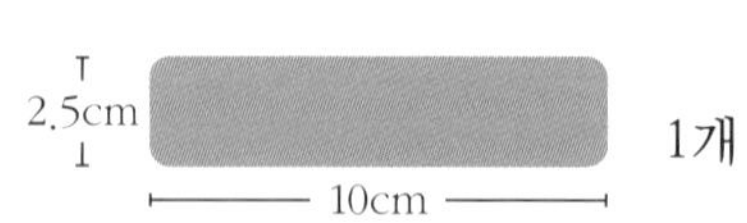

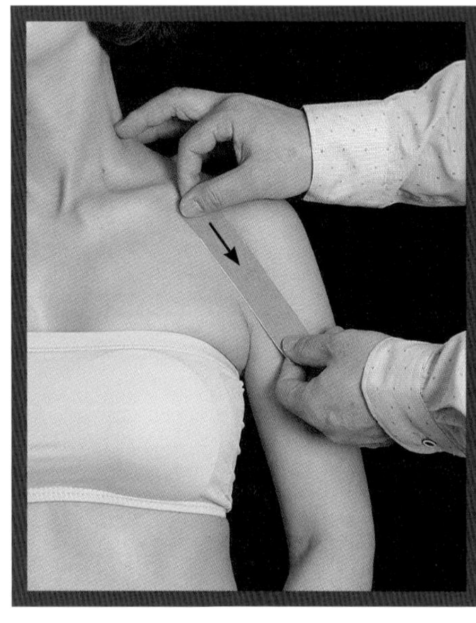

I자형 테이프를 쇄골(빗장뼈) 가쪽에서 상완쪽으로 비스듬히 붙인다.

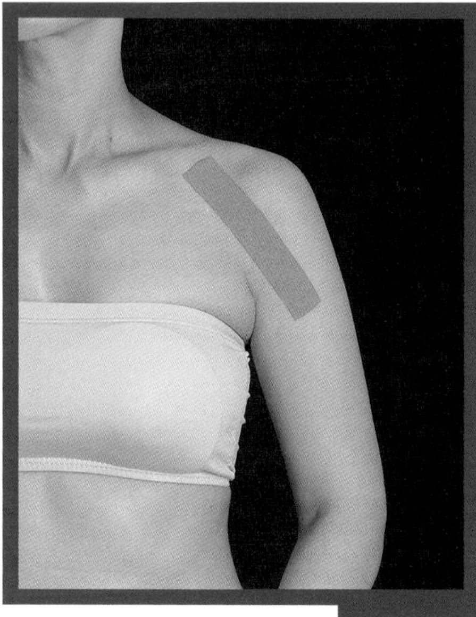

완성본

Taping

23 극상근 테이핑

극상근 근반응 검사 ···› p.181 참조

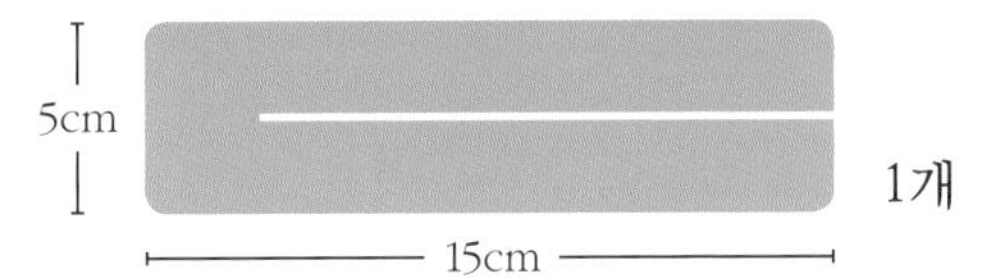

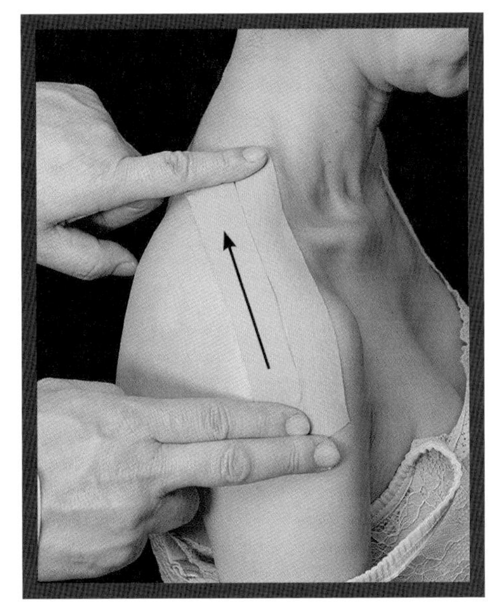

Y자형 테이프의 기부를 상완골 대결절 상부에 붙이고 두 갈래는 벌려 견갑근을 지나 목 뒤쪽에 붙인다.

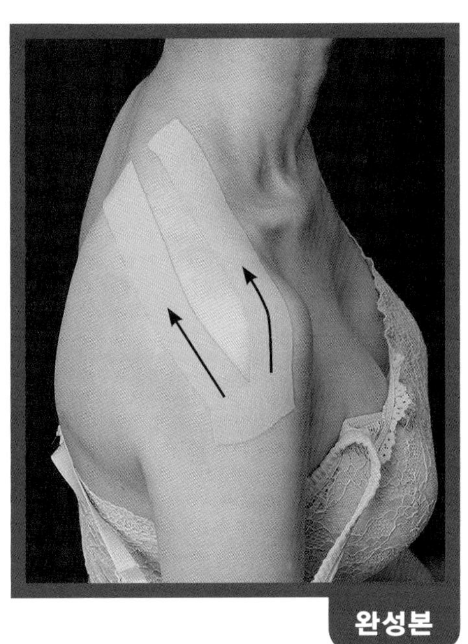

완성본

Taping

24 극하근 테이핑

극하근 근반응 검사 ···› p.182~183 참조

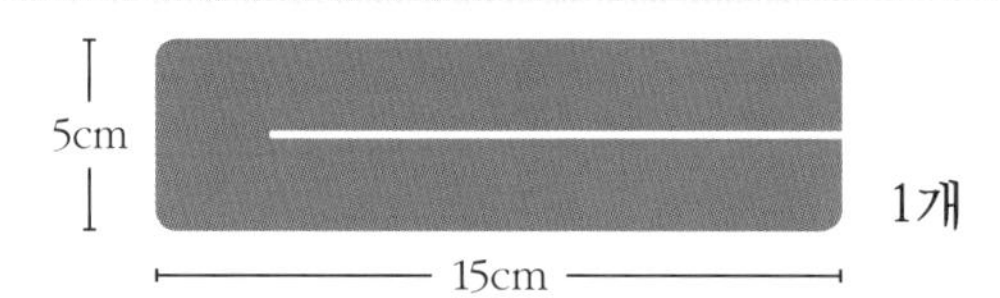

01

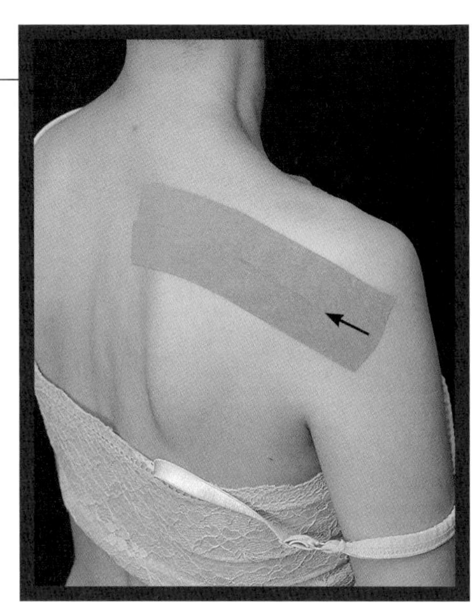

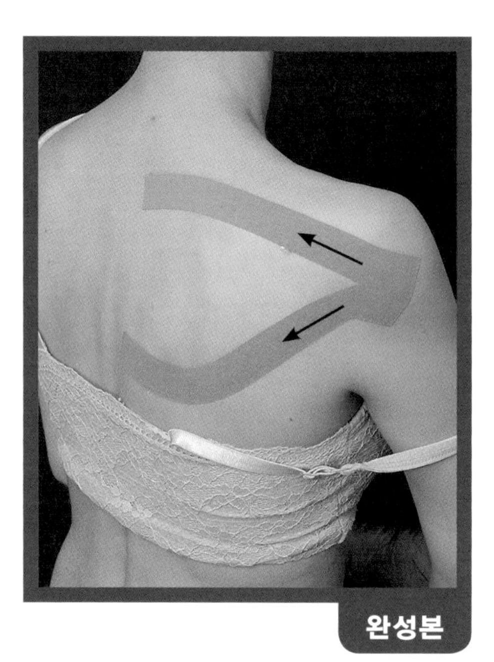

완성본

Y자형 테이프의 기부를 상완골 대결절에 붙이고 팔을 앞쪽으로 돌린 다음 두 갈래는 견갑극과 견갑골 하각쪽에 각각 붙인다.

Taping

25 전거근 테이핑

전거근 근반응 검사 ···› p.184 참조

5cm

30cm

1개

01

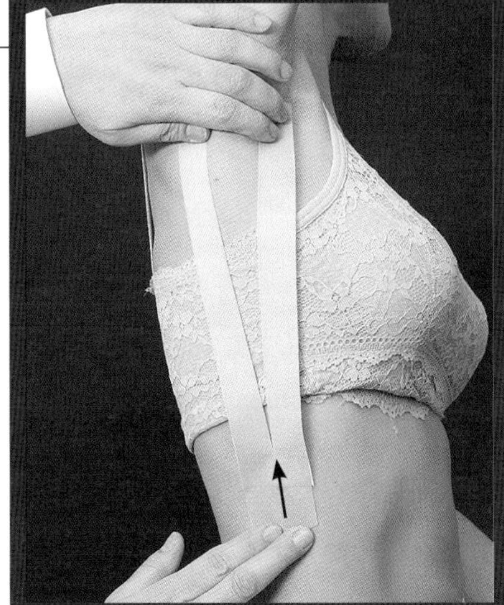

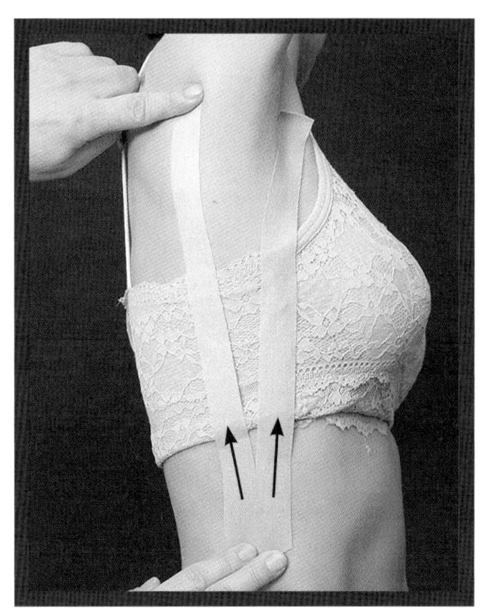

Y자형 테이프의 기부를 늑골 12번 아래쪽에 붙이고 한 갈래는 몸통을 반대로 굽혀 등쪽으로 붙이고, 다른 갈래는 몸을 앞으로 틀어서 그림과 같이 붙인다.

02

완성본

Taping

26 능형근 테이핑 1

능형근 근반응 검사 ⋯→ p.186 참조

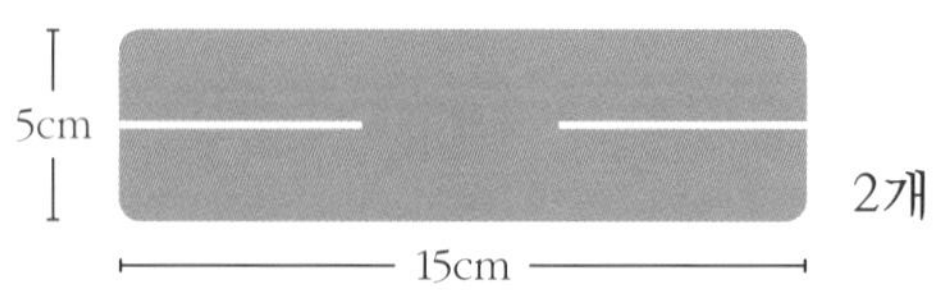

1

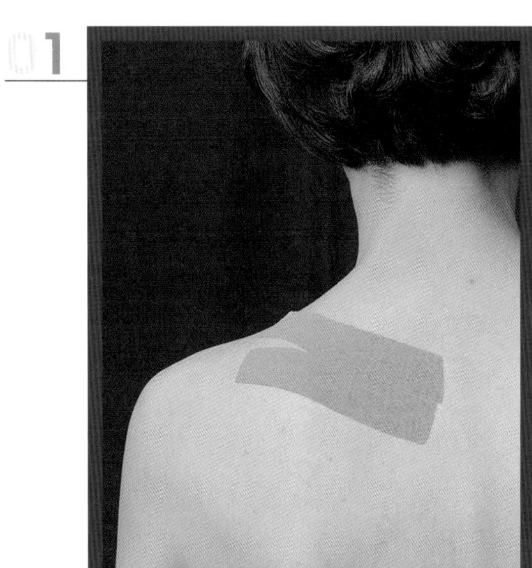

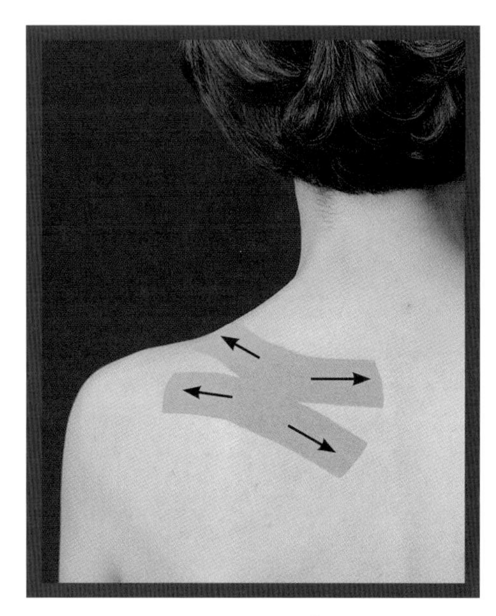

어깨를 뒤로 당겨 견갑골이 보인 상태에서 X자형 테이프의 중심을 견갑골 안쪽 능형근부위에 붙인 다음 양쪽 끝을 X자 형태로 벌려준다.

2

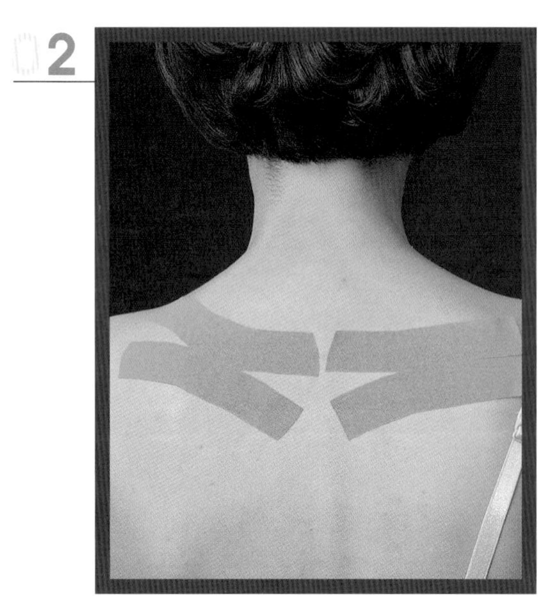

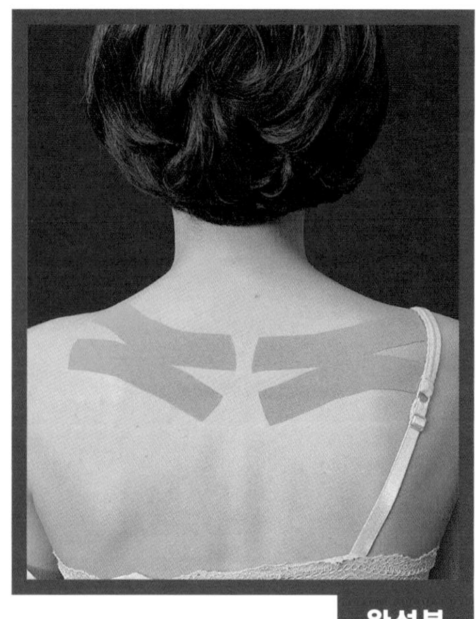

반대쪽에도 같은 방법으로 테이핑한다.

완성본

Taping

27 능형근 테이핑 2

능형근 근반응 검사 ···→ p.186 참조

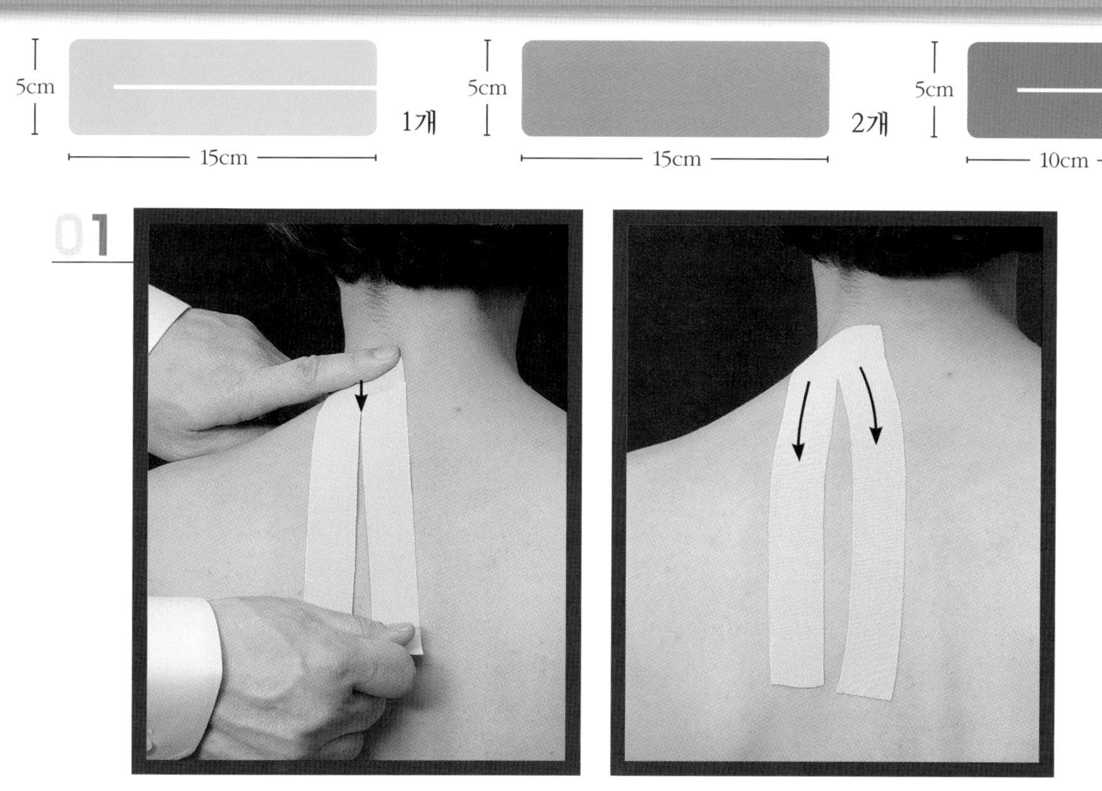

01

Y자형 테이프의 기부를 소능형근부위에 붙인 다음 두 갈래는 벌려서 대형근부위에 붙인다.

02

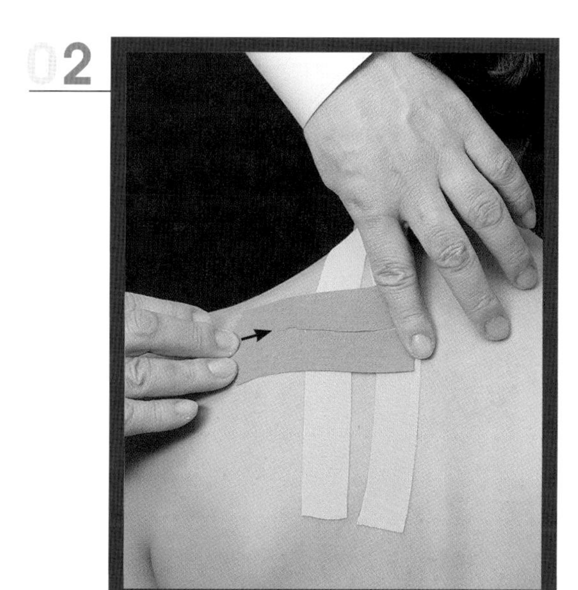

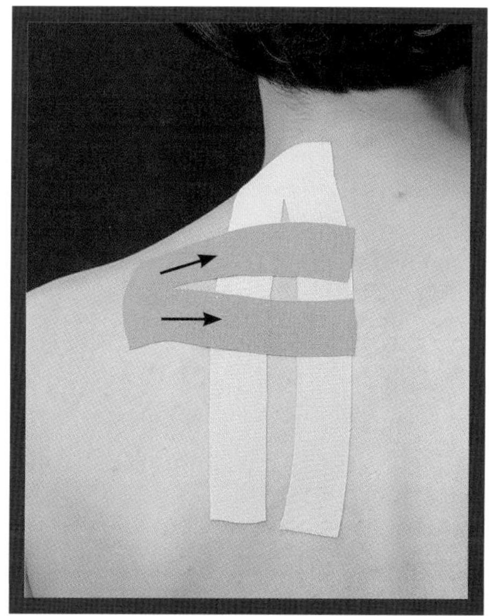

그 위를 덮어서 Y자형 테이프를 그림과 같이 옆으로 붙인다.

03

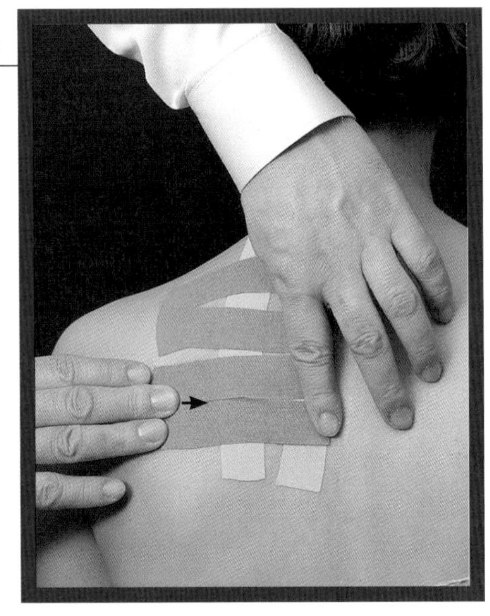

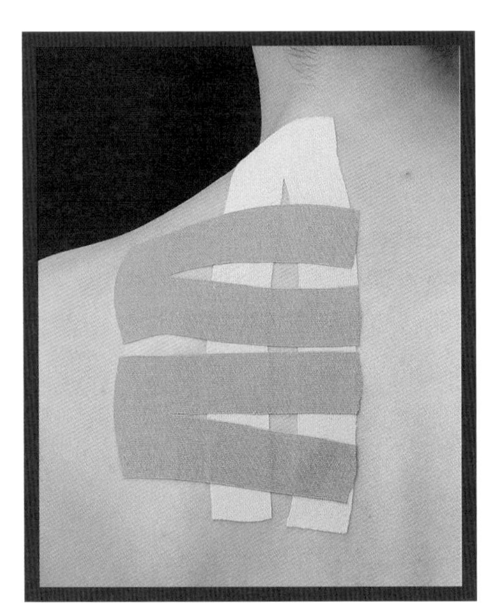

2번에 붙인 Y자형 테이프 아래쪽에 Y자형 테이프를 붙인다.

04

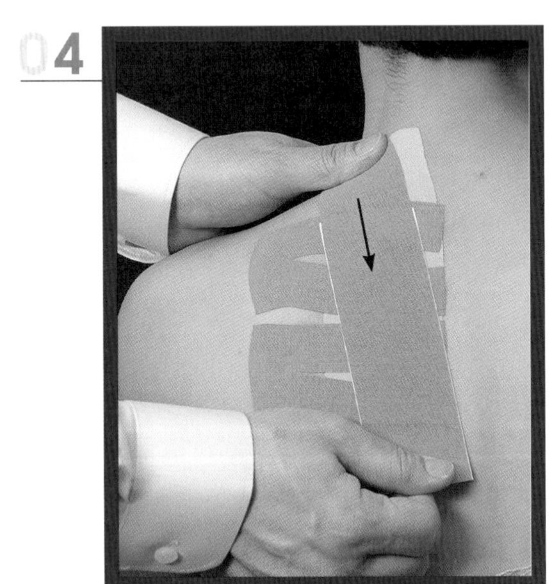

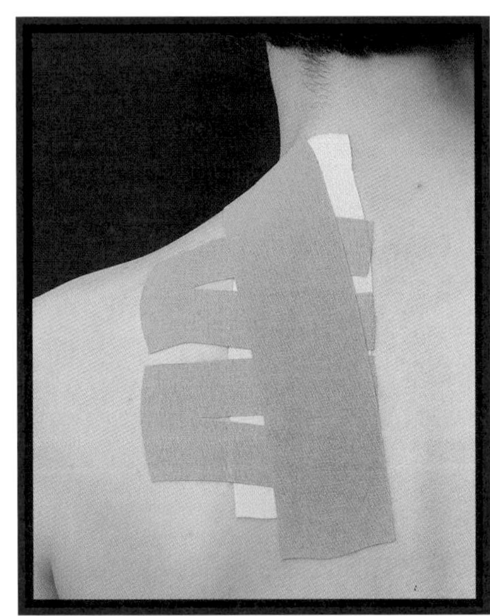

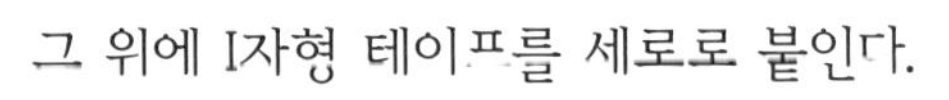

그 위에 I자형 테이프를 세로로 붙인다.

05

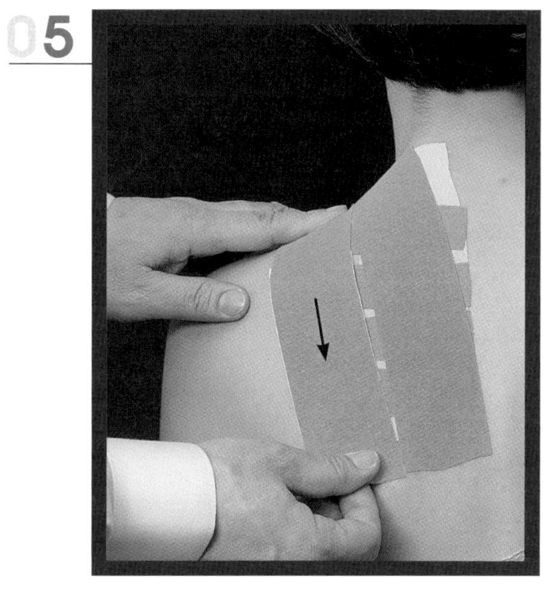

4번 테이핑 옆에 I자형 테이프를 나란히 붙인다.

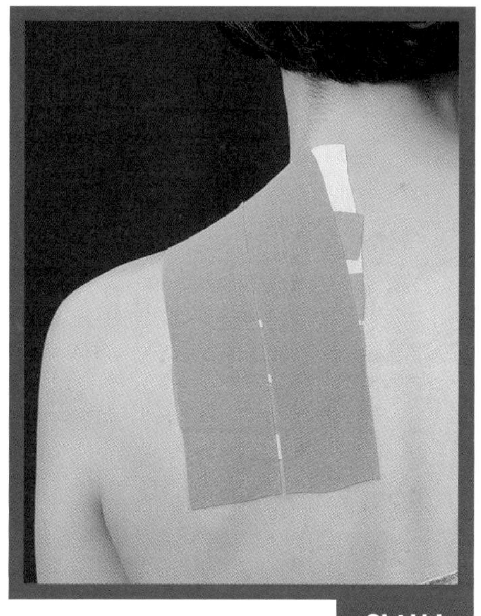

완성본

Taping

28 대원근 테이핑

2.5cm 10cm 1개

01

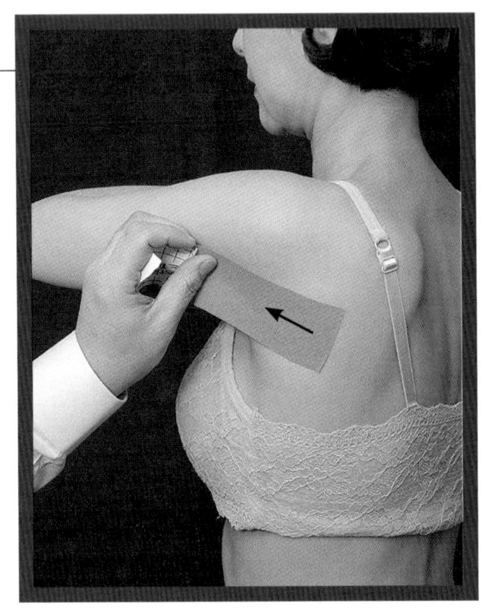

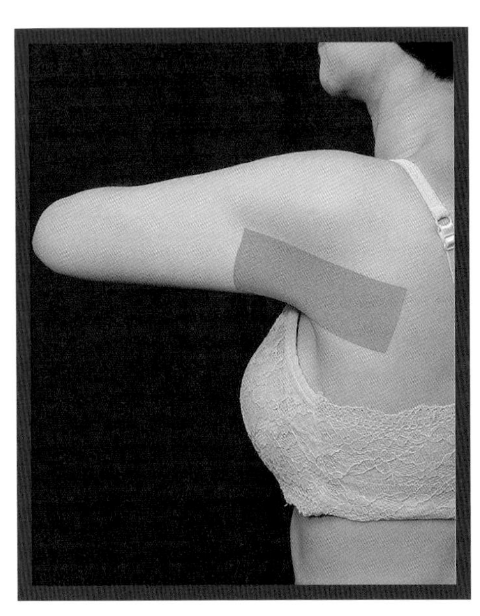

팔을 앞쪽으로 올린 상태에서 I자형 테이프를 견갑골하각 가쪽에서부터 소결절 쪽에 붙인다. 이때 테이프는 늘리지 않고 붙여야 한다.

02

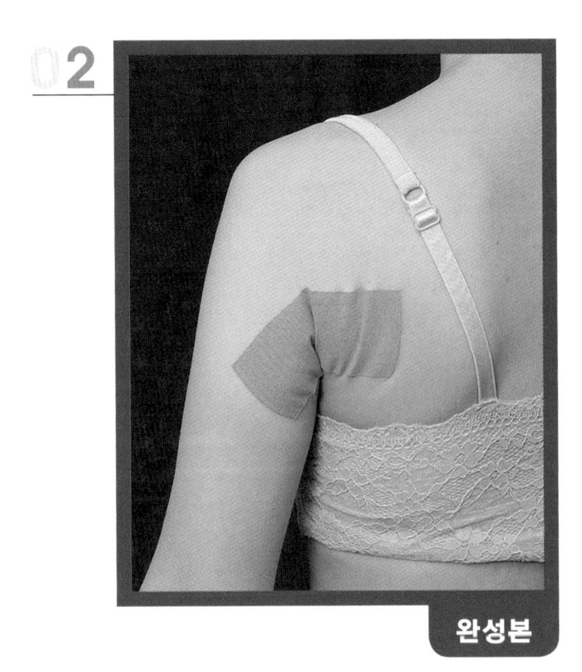

완성본

Taping
29 광배근 테이핑

5cm

45cm

1개

01

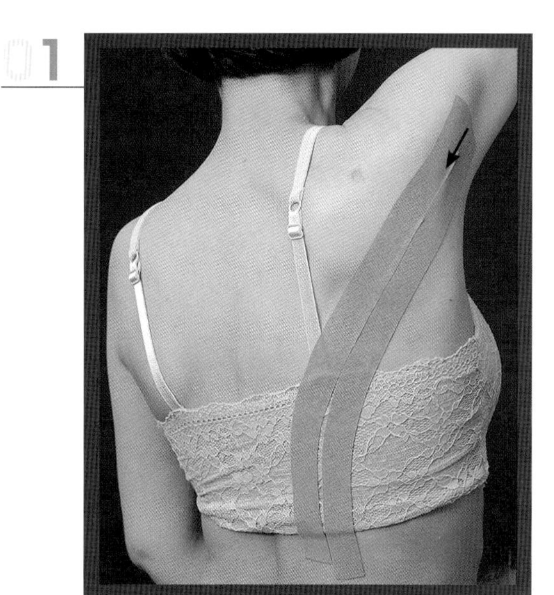

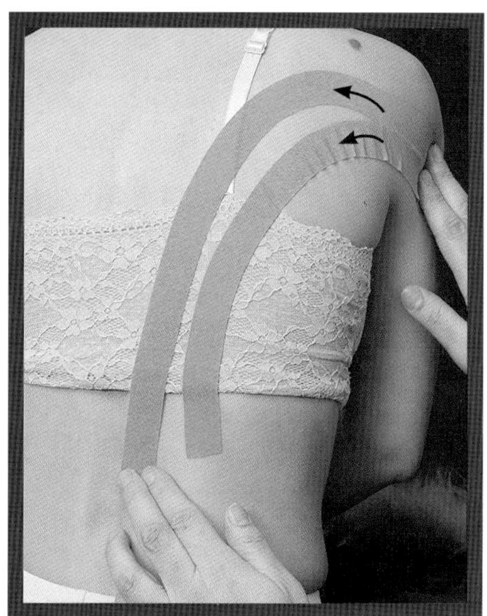

Y자형 테이프의 기부를 팔을 든 상태에서 상완골에 붙인 다음 두 갈래는 몸을 반대쪽으로 측굴시킨 상태에서 그림과 같이 장골릉쪽에 붙인다.

02

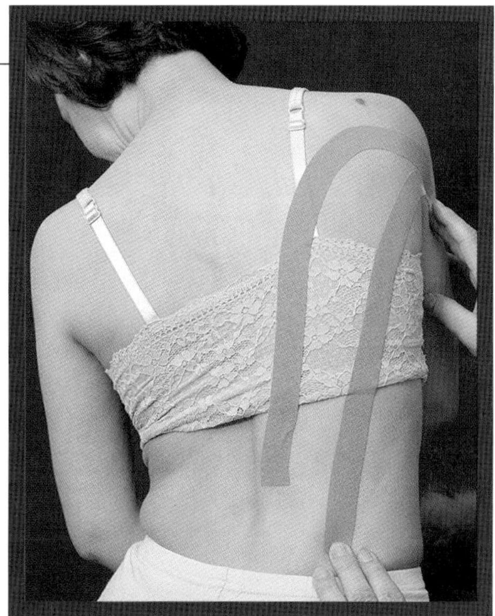

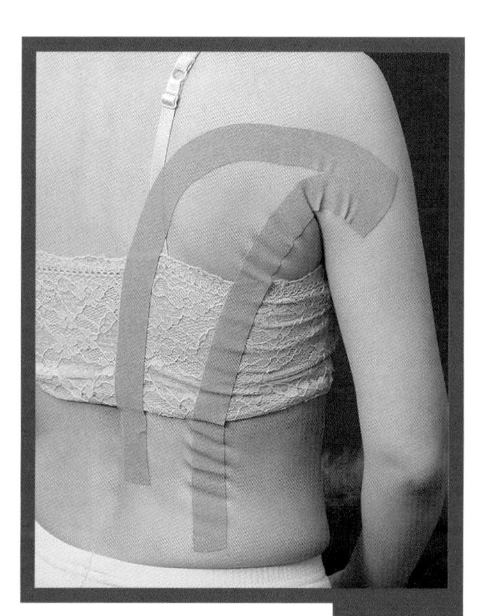

완성본

Taping

30 어깨통증 완화 1

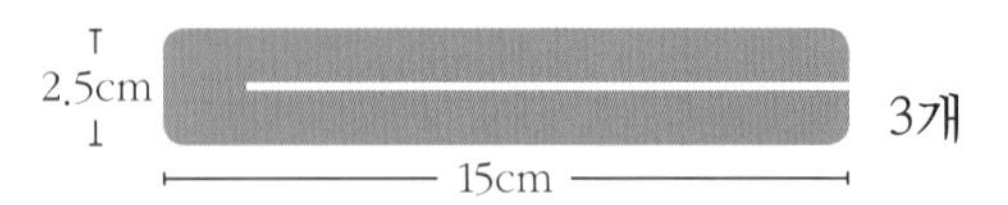

01

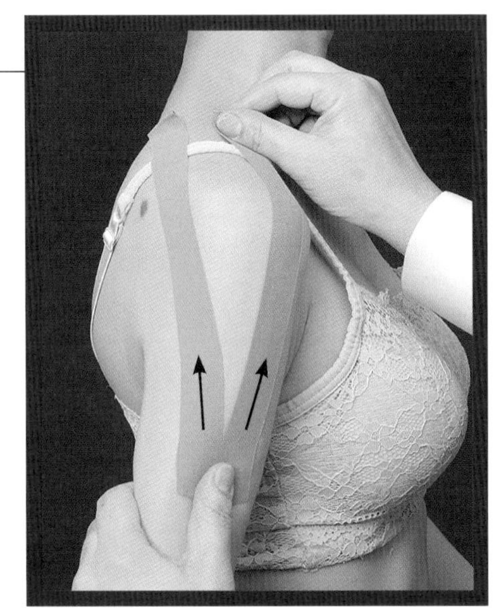

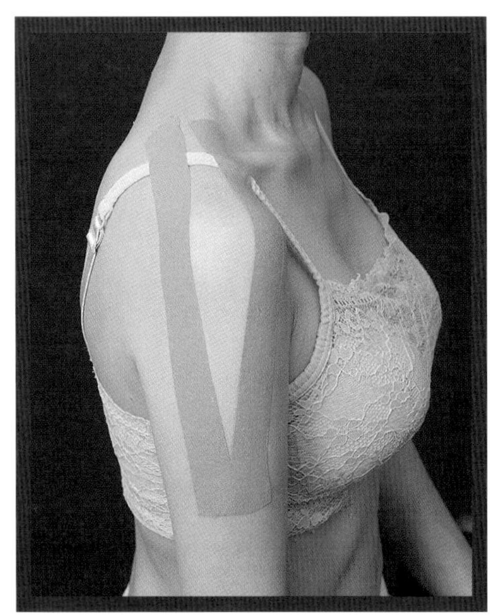

Y자형 테이프의 기부를 상완 중간에 붙이고 각 갈래는 양쪽으로 벌려 그림과 같이 붙인다.

02

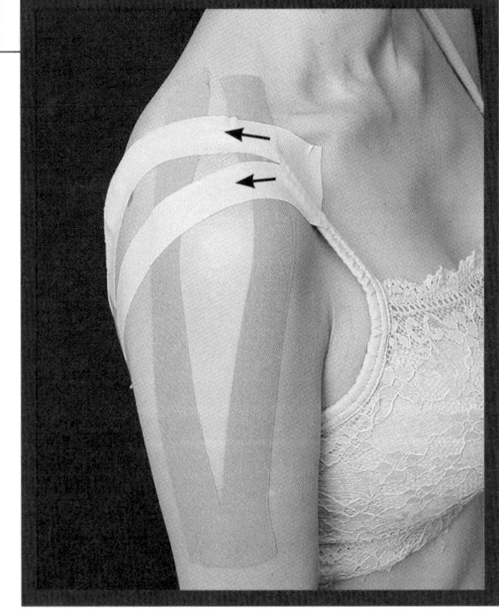

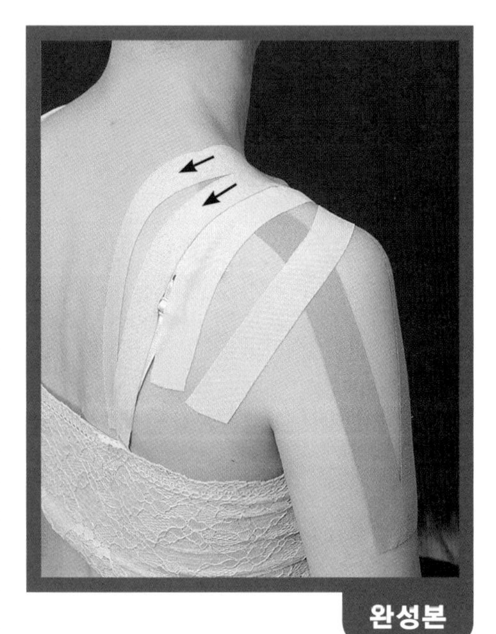

완성본

Y자형 테이프를 견봉 아래에서부터 등 뒤로 붙인 다음 또 다른 Y자형 테이프를 하나 더 나란히 붙인다.

Taping

31 어깨통증 완화 2

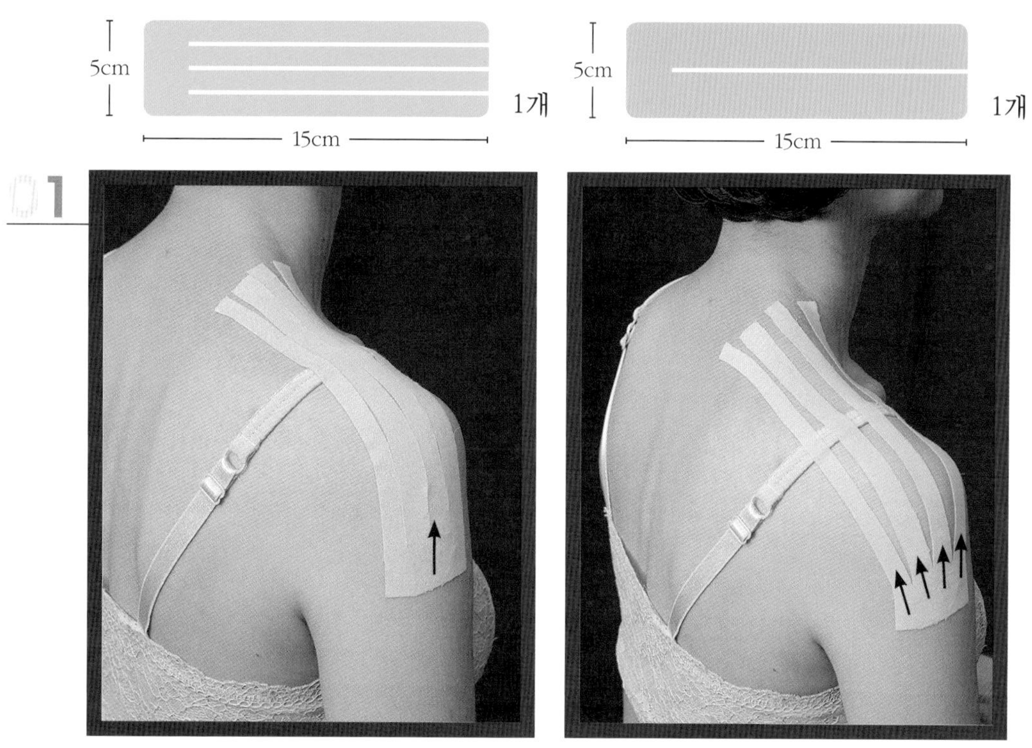

1

4갈래 테이프의 기부를 기부를 상완골에 붙인 다음 각 갈래는 일정한 간격으로 벌려서 목쪽에 붙인다.

2

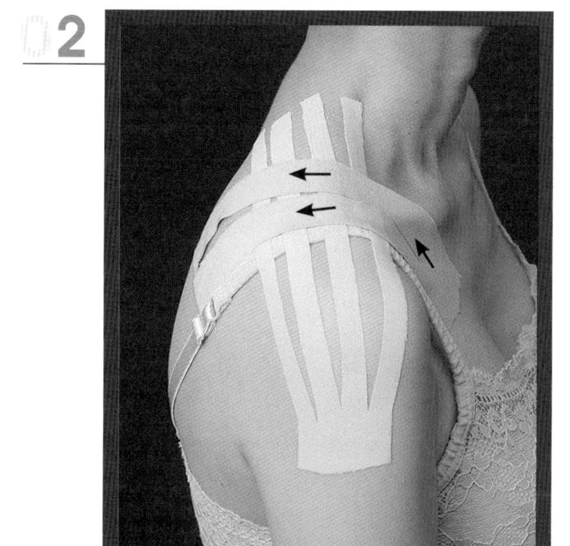

Y자형 테이프를 쇄골 아래쪽에서부터 어깨 뒤쪽까지 그림과 같이 붙인다.

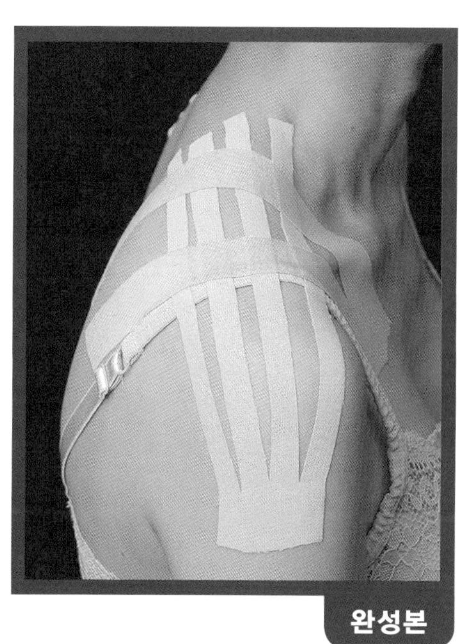

완성본

Taping

32 어깨통증 완화 3

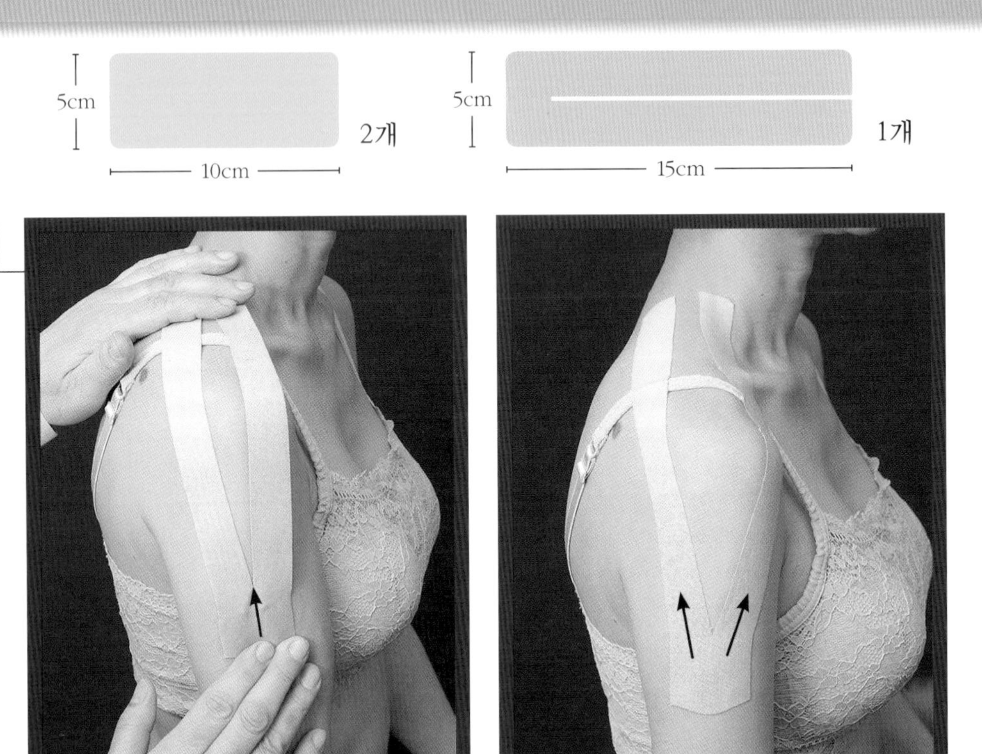

1

Y자형 테이프의 기부를 윗팔 중심에 붙인 다음 팔을 뒤로 돌린 상태에서 한쪽 갈래를 붙이고, 팔을 앞으로 한 상태에서 다른 갈래를 붙인다.

2

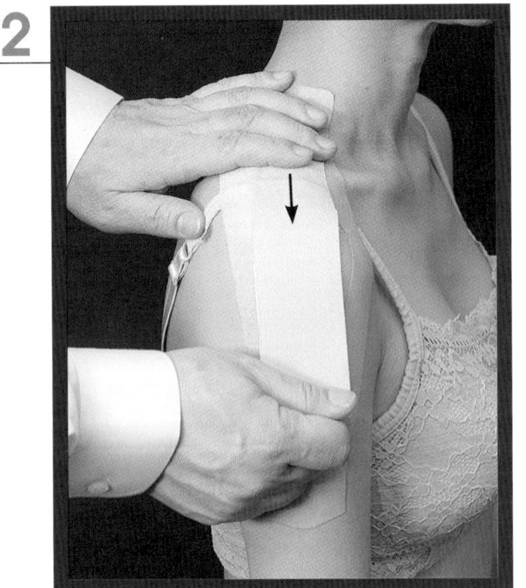

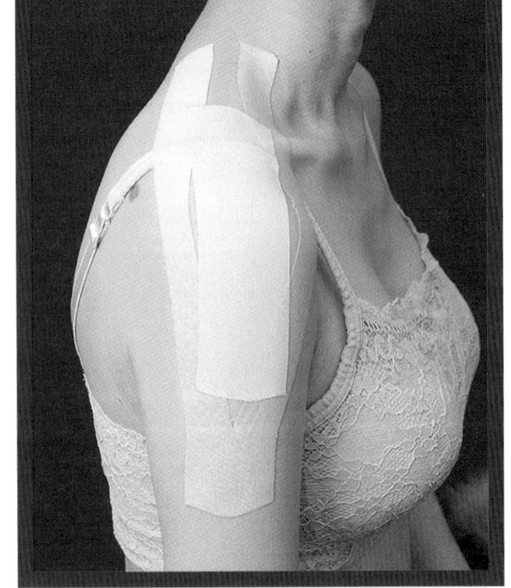

1번 테이핑 사이에 I지형 데이프를 붙인다.

3

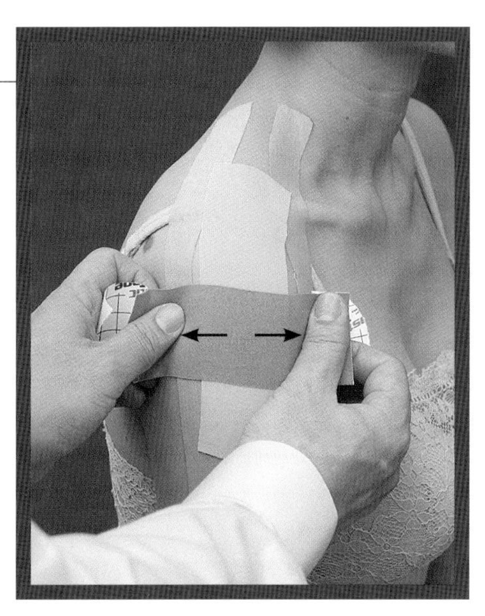

I자형 테이프를 상완골두부위에 가로로 붙인다.

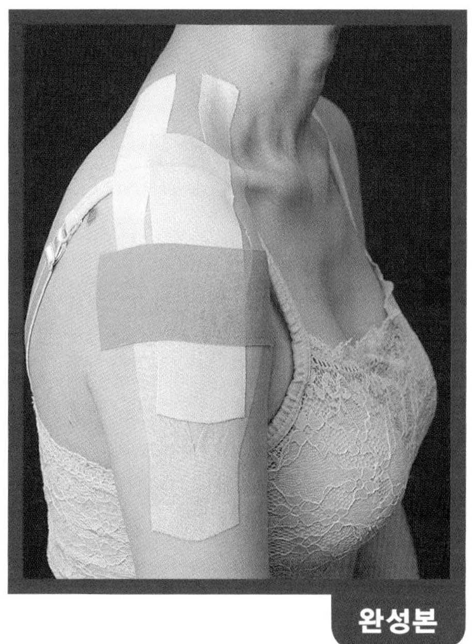

완성본

Taping

33 어깨통증 완화 4

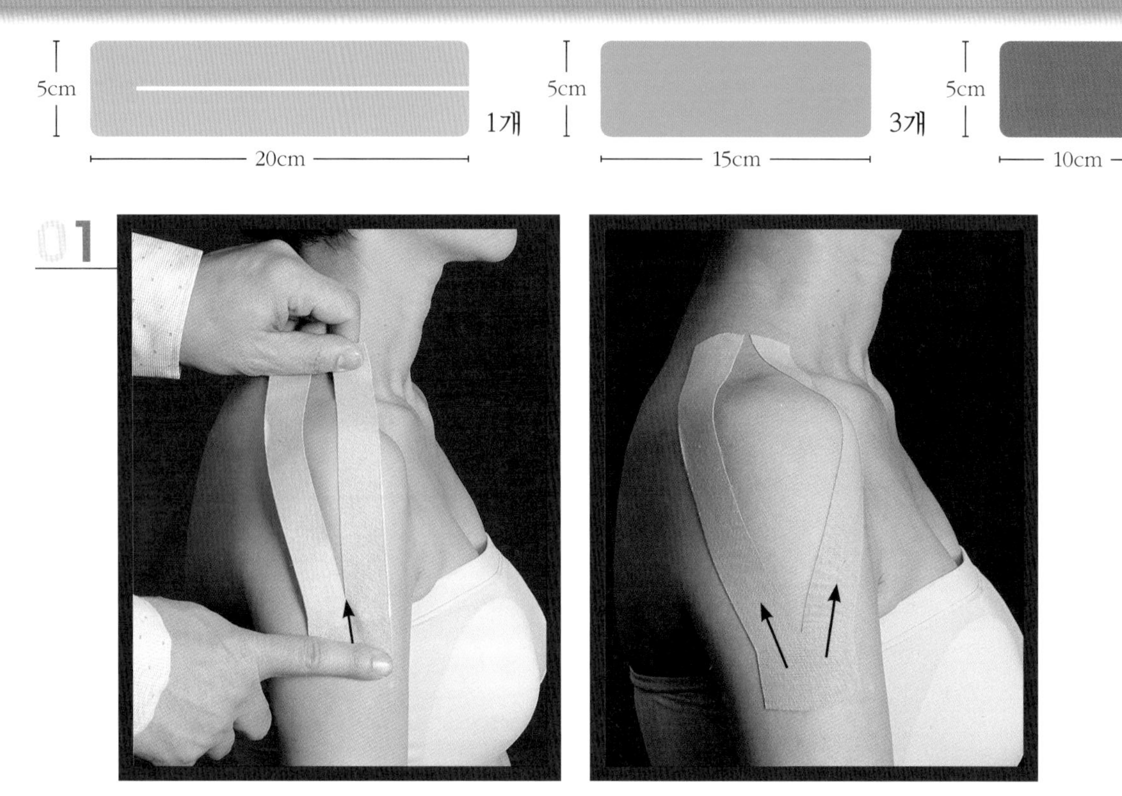

Y자형 테이프의 기부를 윗팔 중심에 붙인 다음 한 갈래는 팔을 뒤로 돌린 상태에서 붙이고, 다른 갈래는 팔을 앞으로 한 상태에서 그림과 같이 붙인다.

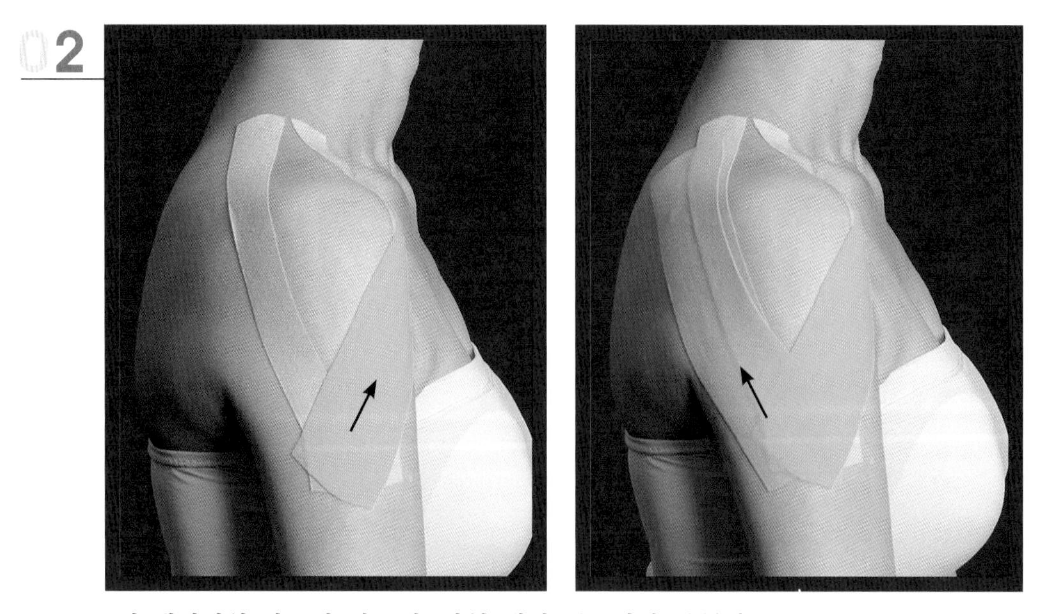

1번 데이핑의 앞쪽과 뒤쪽에 I자형 테이프를 각각 붙인다.

04

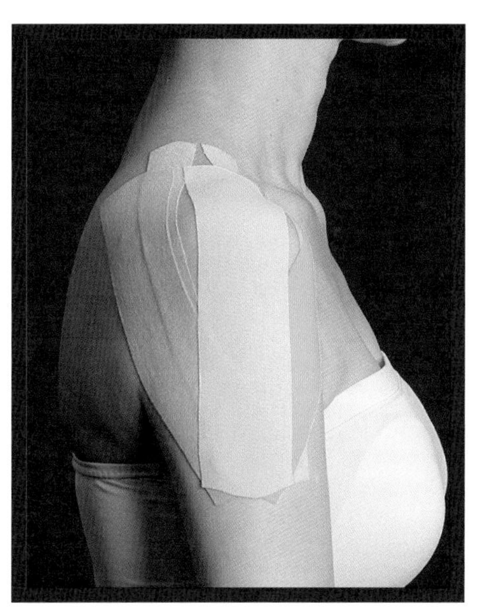

I자형 테이프를 1번 Y자형 테이핑 가운데에 붙인다.

05

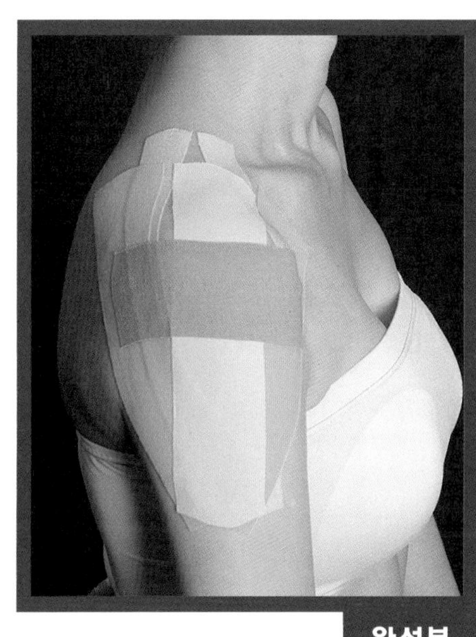

상완골부위에 I자형 테이프를 가로로 붙인다.

완성본

Taping

34 상완이두근 테이핑 1

상완이두근 근반응 검사 ···› p.188~189 참조

5cm

1개

25cm

1

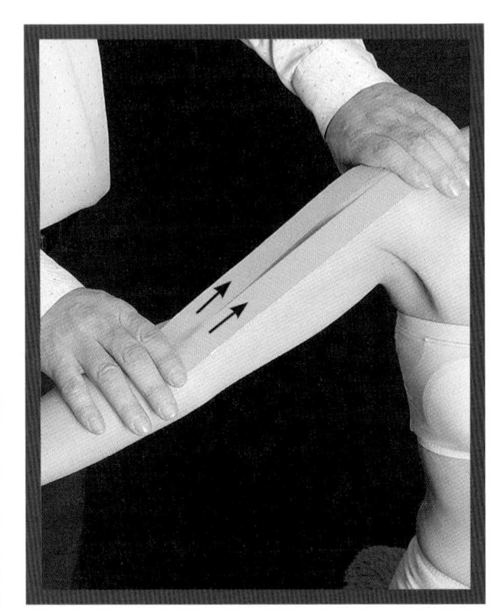

Y자형 테이프의 기부를 팔오금부위에 붙인 다음 각 갈래는 상완이두근을 따라서 어깨(견봉)까지 벌려서 붙인다.

2

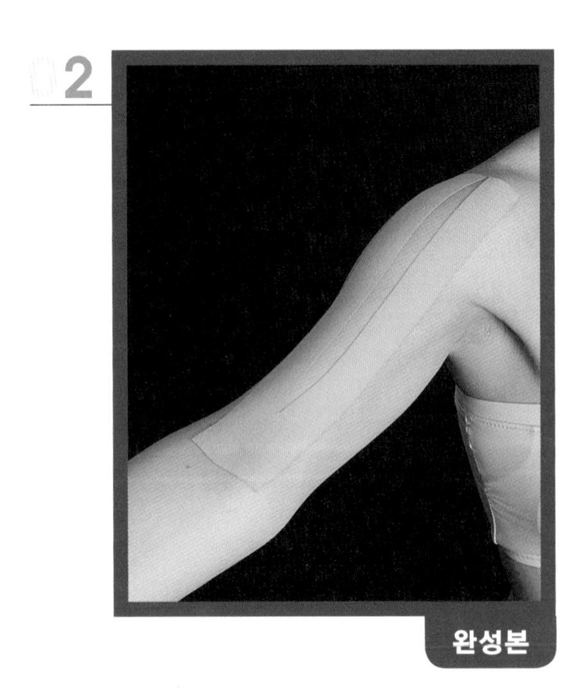

완성본

Taping

35 상완이두근 테이핑 2

상완이두근 근반응 검사 ···› p.188~189 참조

5cm

1개

25cm

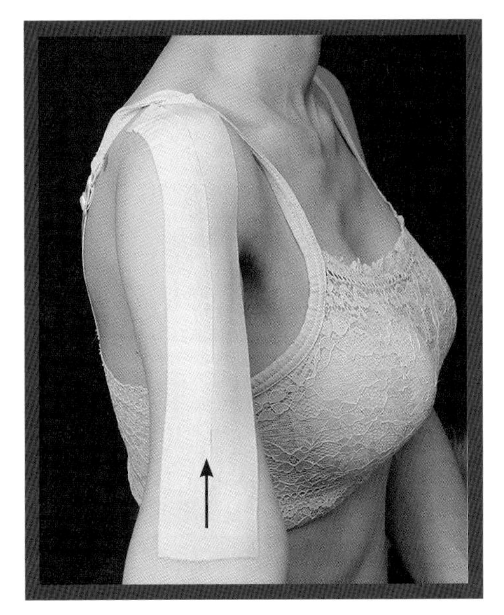

Y자형 테이프의 기부를 팔오금에 붙이고 두 갈래는 벌려 어깨 위에 붙인다.

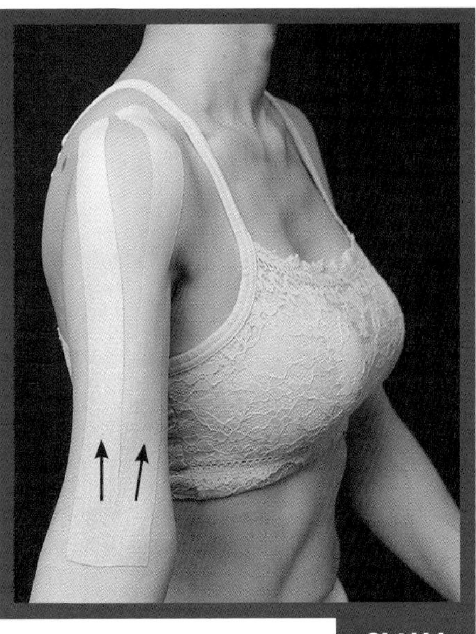

완성본

Taping

36 상완삼두근 테이핑 1

상완삼두근 근반응 검사 ···› p.190~191 참조

5cm
25cm
1개

01

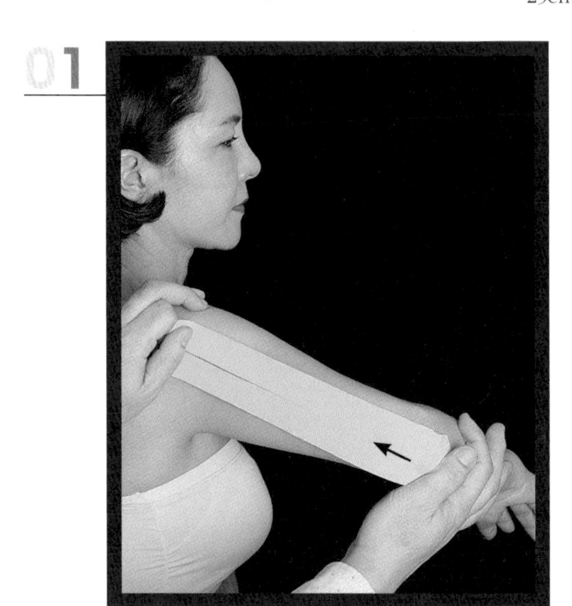

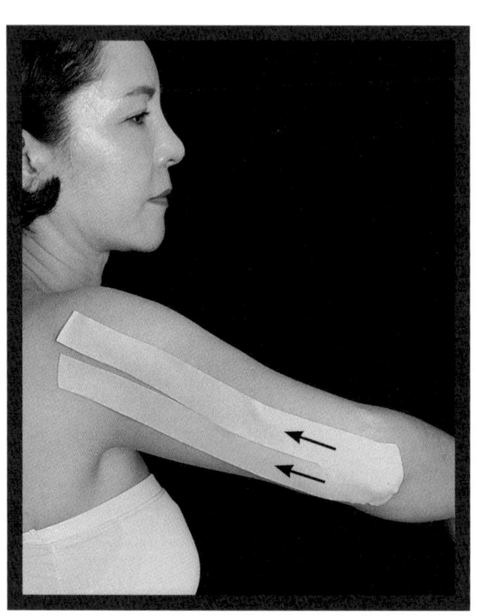

Y자형 테이프의 기부를 팔꿈치 가쪽 아래에 붙인 다음 각 갈래는 상완삼두근을 따라 어깨 뒤쪽까지 약간 벌려서 붙인다.

02

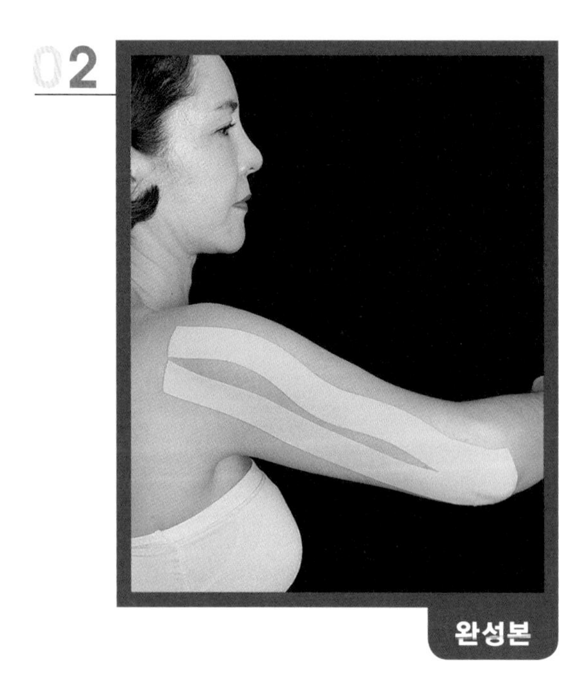

완성본

Taping

37 상완삼두근 테이핑 2

상완삼두근 근반응 검사 ···› p.190~191 참조

5cm

25cm

1개

01

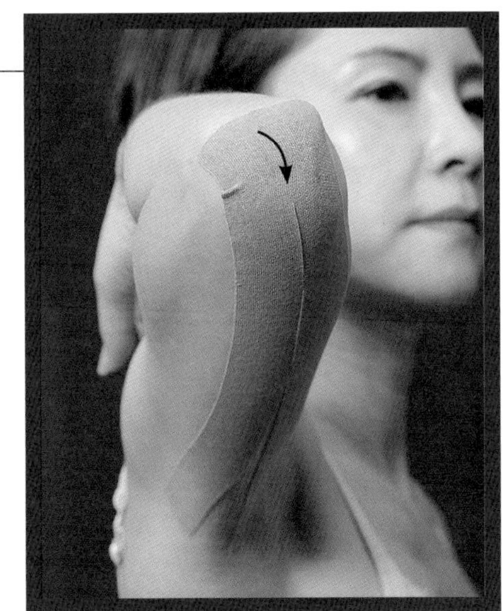

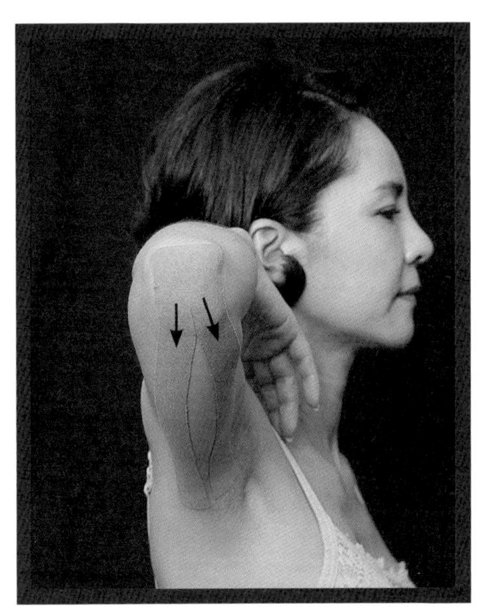

팔을 붙여서 통증이 없는 정도까지 들어올린다. Y자형 테이프의 기부를 팔꿈치에 붙이고 두 갈래는 상완삼두근의 안쪽과 가쪽 근육선을 따라 붙인다. 이때 겨드랑이에서 테이프의 양끝이 겹치지 않도록 한다.

02

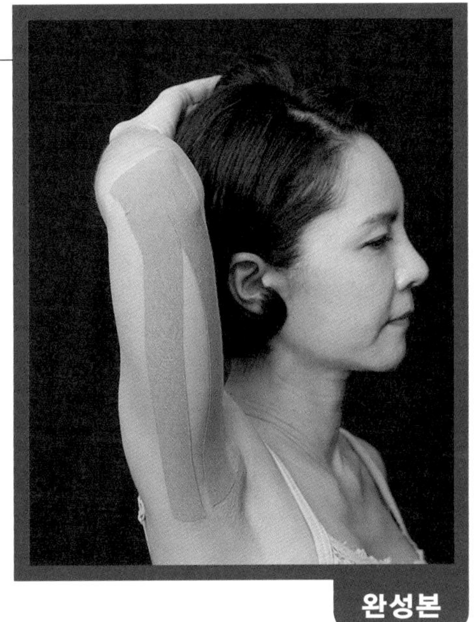

완성본

상완삼두근 강화 테이핑은 삼각근 강화 테이핑과 병행하여 실시하면 효과적이다.

Taping

38 팔안쪽통증 완화 1

5cm

45cm

1개

1

I자형 테이프를 팔 안쪽 길이에 맞게 자른 다음 손목부위에서 시작하여 견정까지 테이프를 늘리지 않고 붙인다.

2

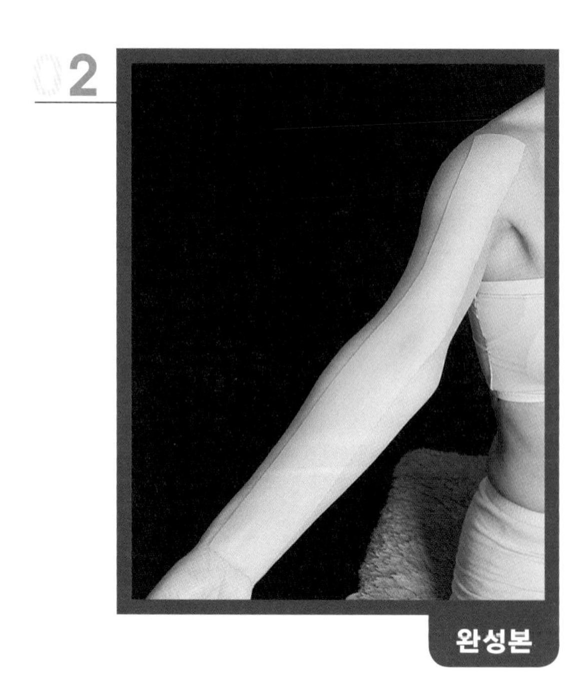

완성본

Taping

39 팔안쪽통증 완화 2

5cm
1개
40cm

01

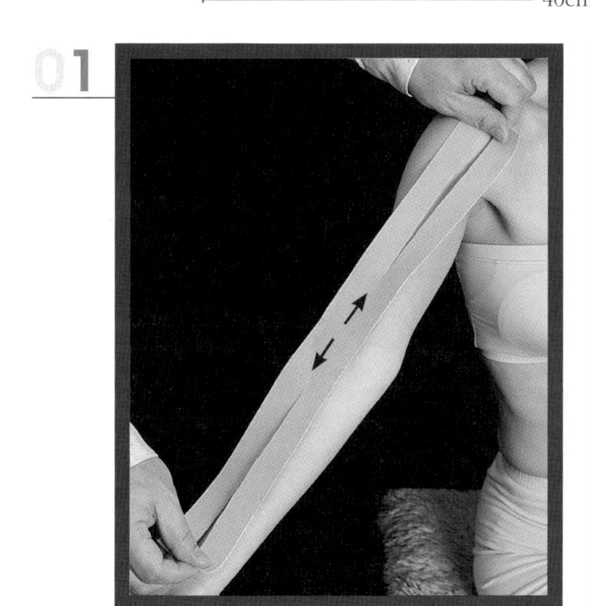

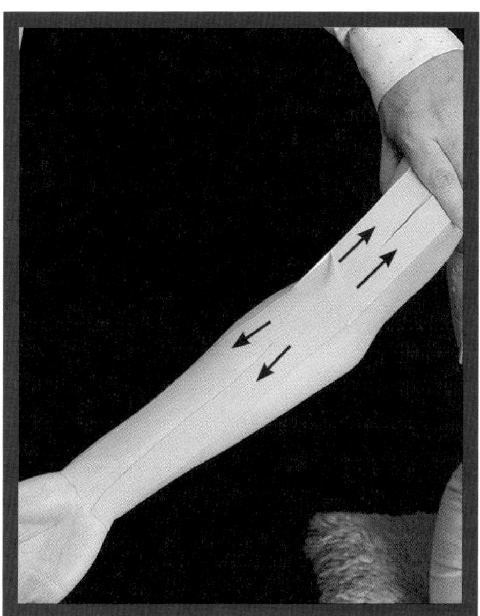

X자형 테이프의 중앙을 팔오금부위에 붙인 다음 양쪽 끝을 아래·위쪽으로 벌려서 X자 형태로 붙인다.

02

완성본

Taping

40 팔꿈치가쪽과 손목통증 완화

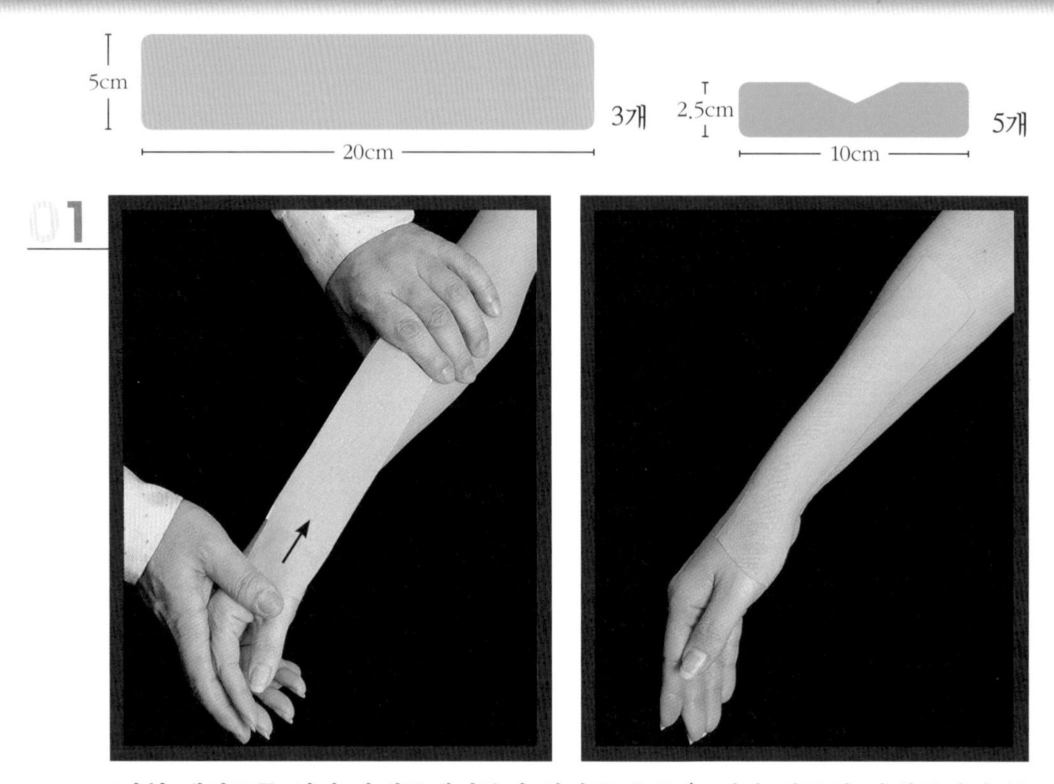

01

I자형 테이프를 엄지 아래쪽에서부터 엄지쪽 손목을 지나 팔꿈치 아래쪽까지 붙인다.

02

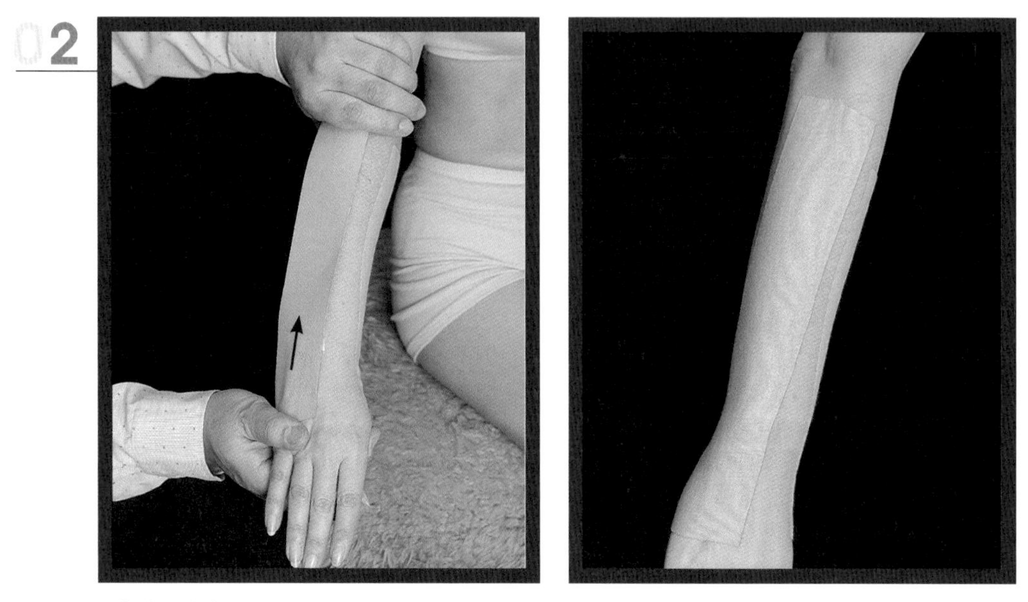

I자형 테이프를 소지 아래쪽에서부터 소지쪽 손목을 지나 팔꿈치 아레쪽까지 붙인다.

03

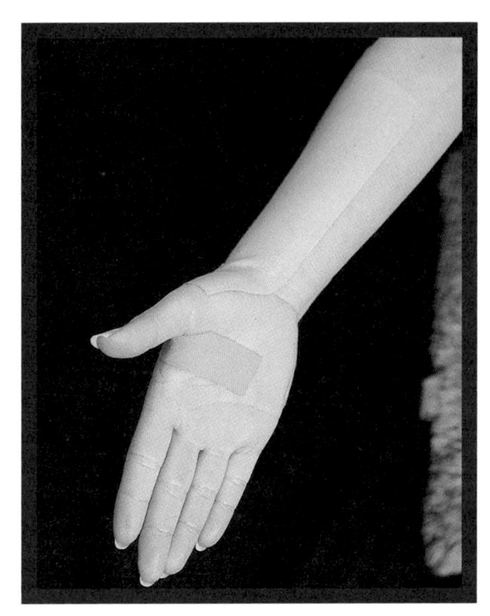

쐐기형 테이프의 파인 부분을 엄지와 검지 사이를 통과시켜 붙인 다음 양쪽을 손바닥과 손등쪽에 각각 붙인다.

04

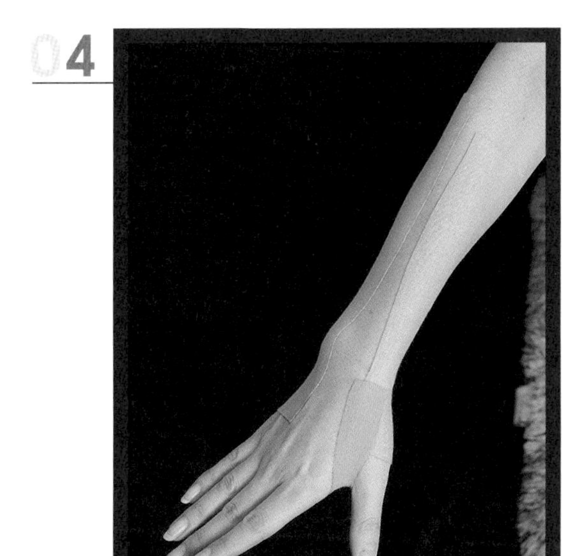

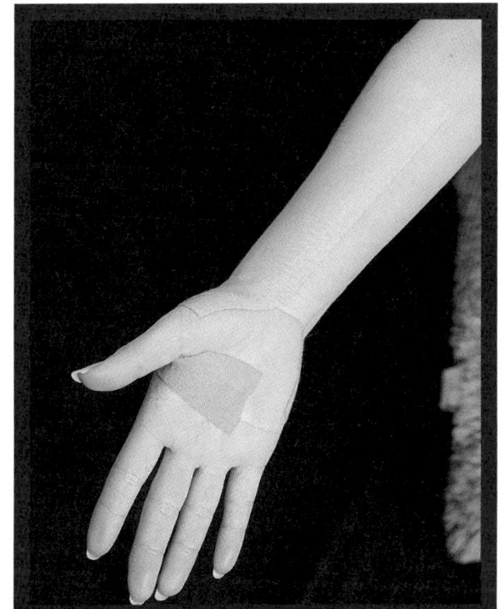

3번 테이핑 옆에 쐐기형 테이프를 더 붙인다.

5

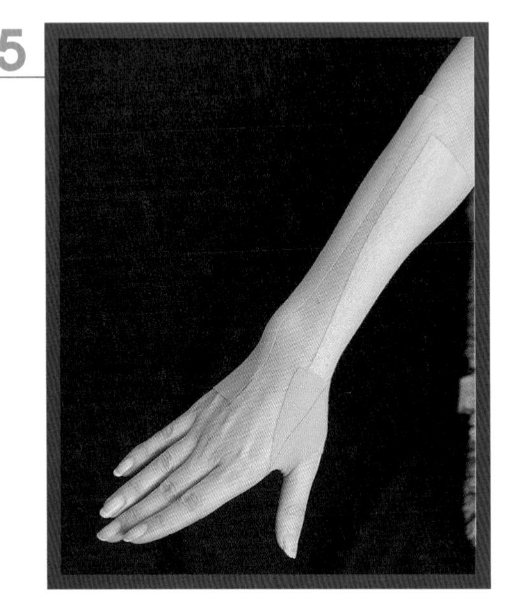
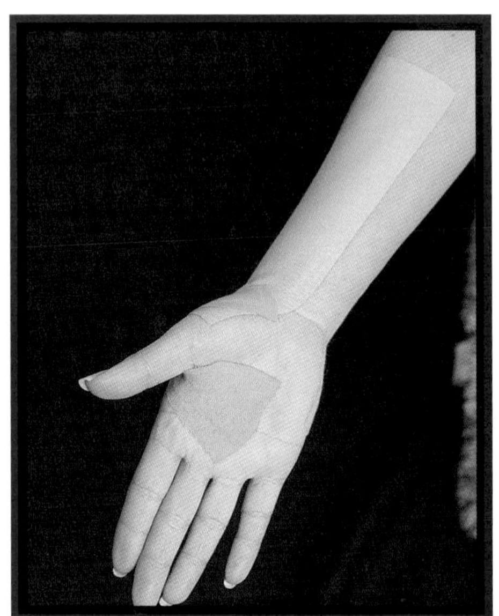

4번 테이핑 옆에 쐐기형 테이프를 더 붙인다.

6

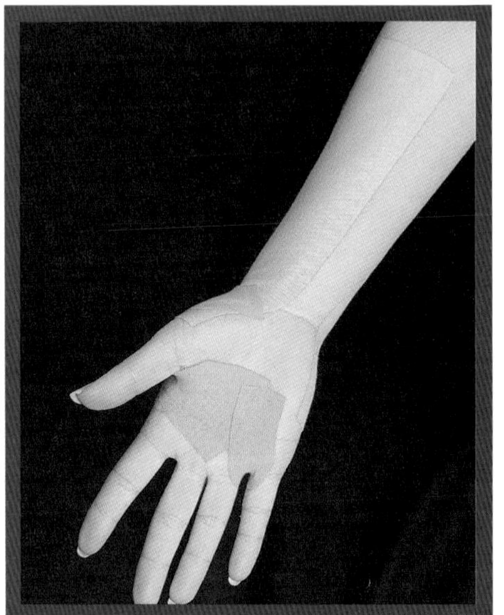

약지와 소지 사이에 쐐기형 테이프를 그림과 같이 붙인다.

7

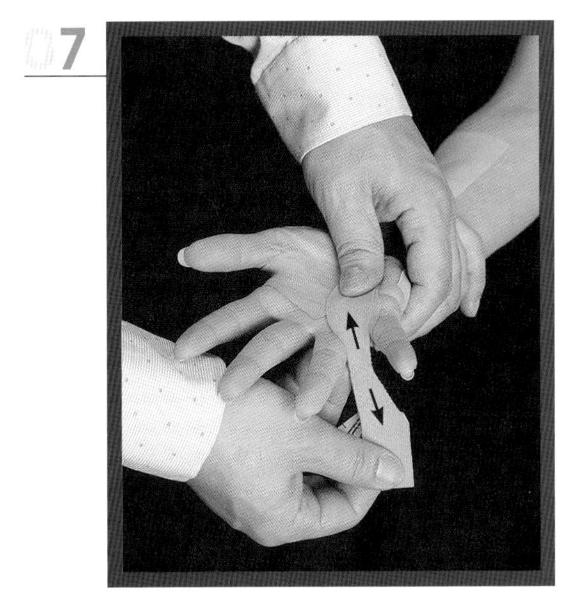

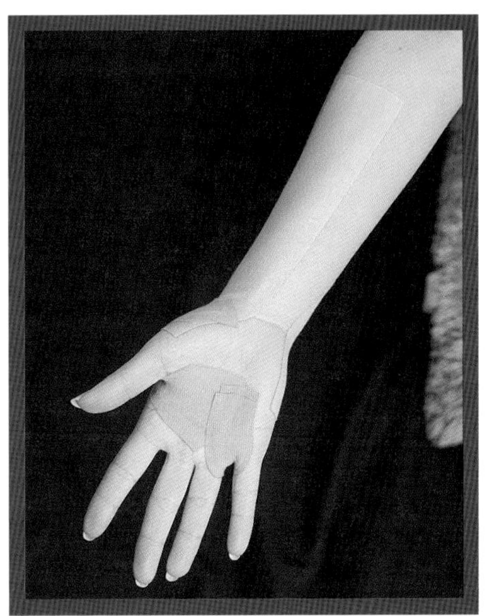

6번 테이핑 옆에 쐐기형 테이프를 더 붙인다.

8

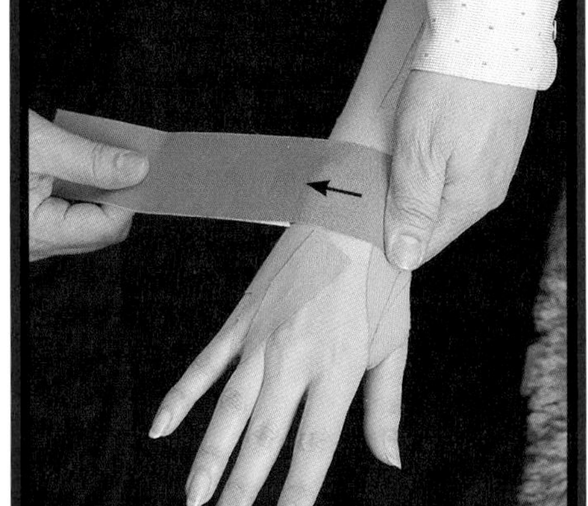

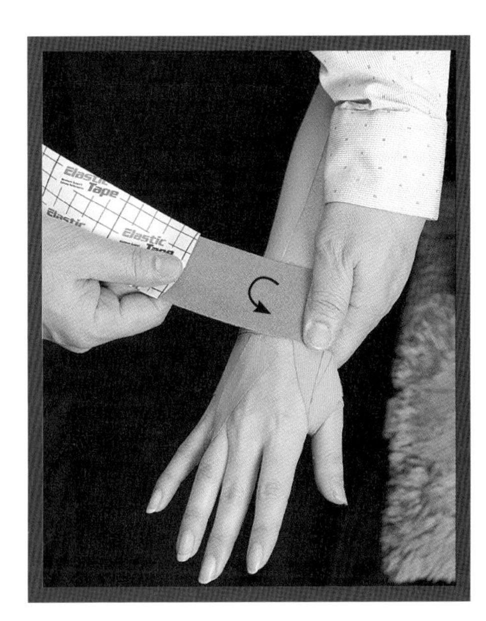

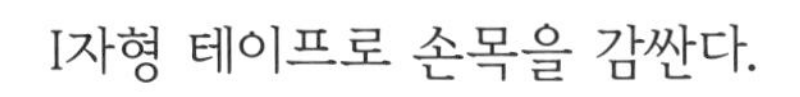

I자형 테이프로 손목을 감싼다.

09

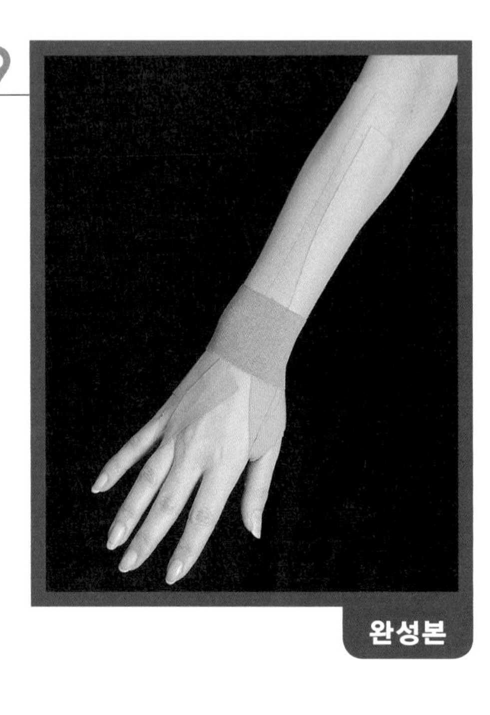
완성본

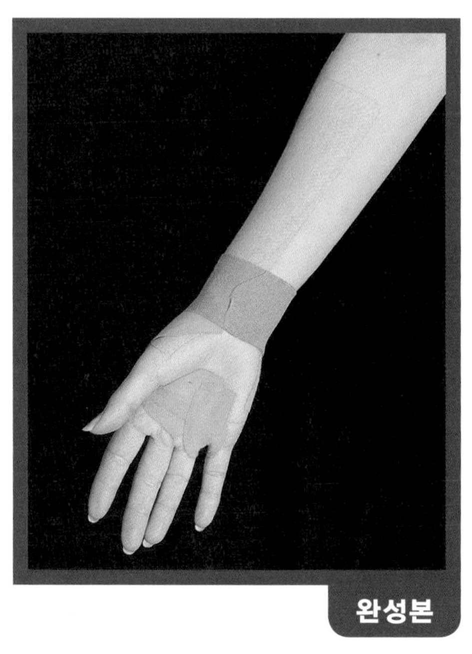
완성본

Taping

41 테니스엘보 1

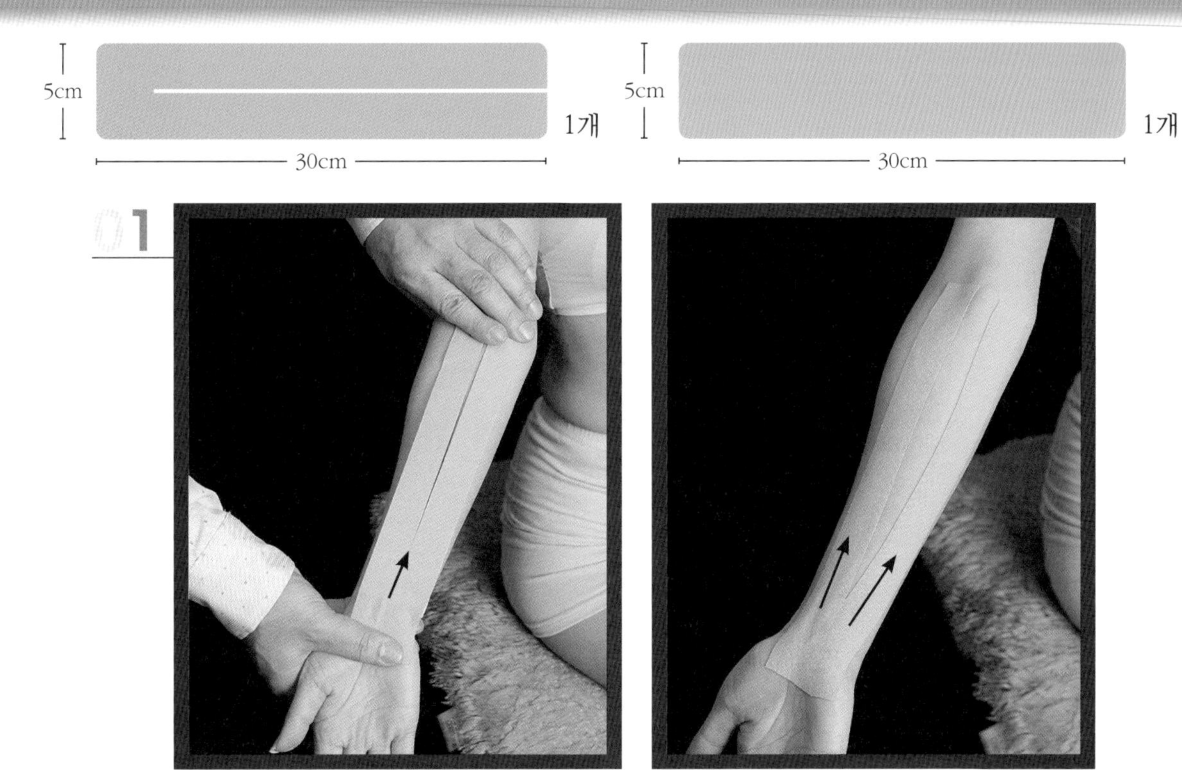

Y자형 테이프의 기부를 손바닥쪽 손목에 붙인 다음 각 갈래는 벌려서 오금부위에 붙인다.

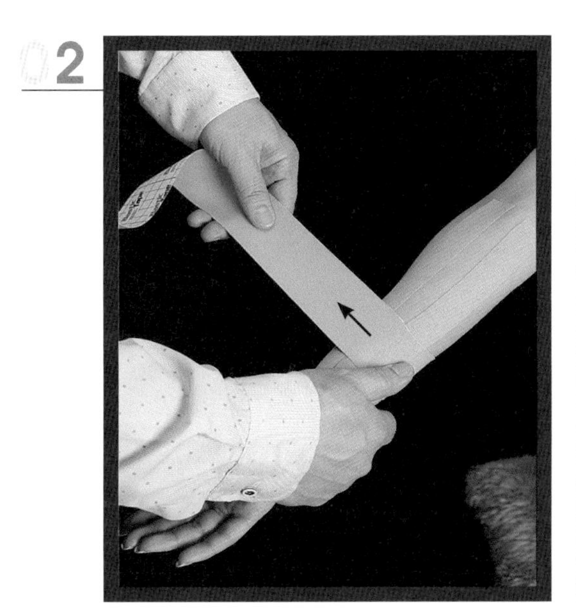

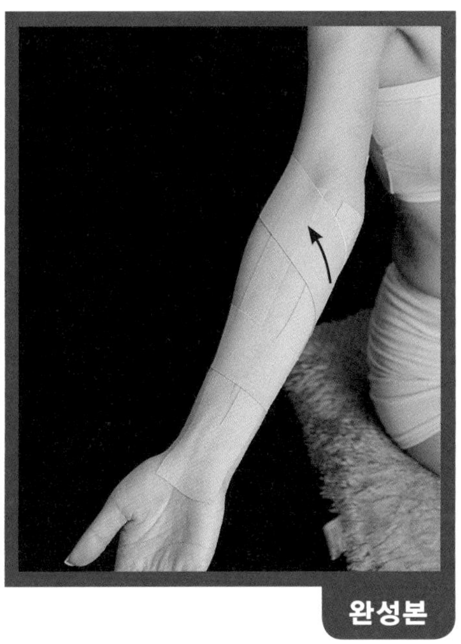

완성본

I자형 테이프를 손목 중간부분에서부터 팔꿈치쪽으로 감아서 아픈 부위를 덮어준다.

Taping

42 테니스엘보 2

5cm 30cm 1개

2.5cm 5cm 2개

1

Y자형 테이프의 기부를 손바닥쪽 손목에 붙인 다음 각 갈래는 벌려서 팔오금 가쪽에 붙인다.

2

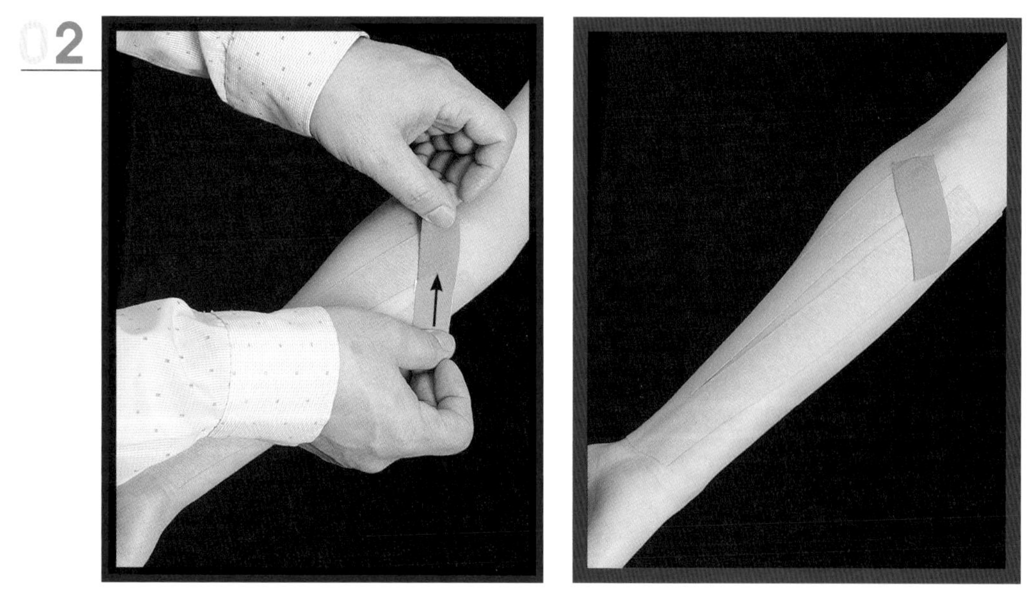

I자형 테이프를 가장 아픈 부위에 붙인다.

03

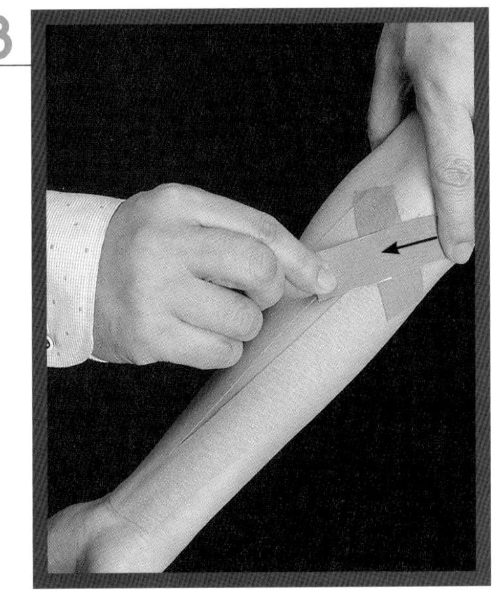

I자형 테이프를 2번 테이핑과 X자형이 되도록 붙인다.

완성본

Taping

43 테니스엘보와 손목통증 완화

5cm 30cm 1개

5cm 10cm 1개

01

I자형 테이프를 손등쪽 손목에서부터 팔꿈치부위까지 붙인다.

02

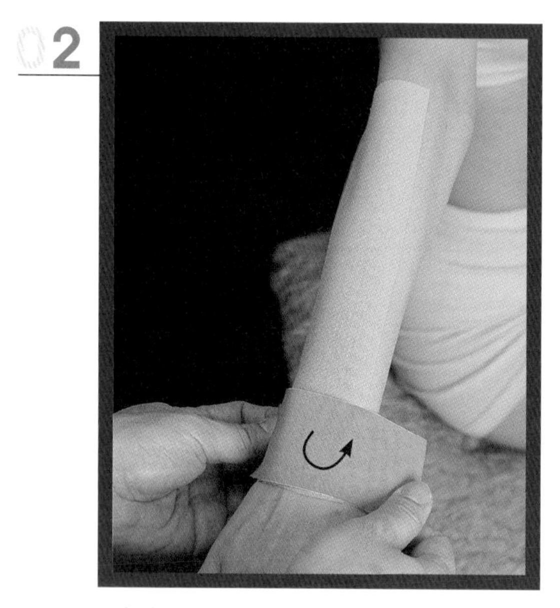

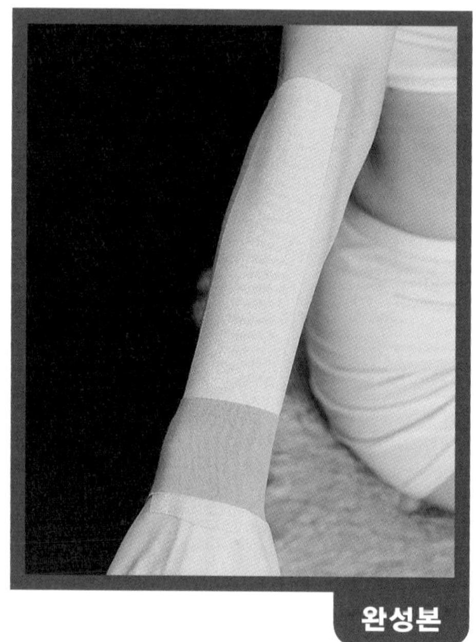

I자형 테이프로 손목부위를 감싼다.

완성본

Taping

44 골프엘보 1

5cm 30cm 1개

2.5cm 10cm 3개

1

Y자형 테이프의 기부를 손등쪽 손목에 붙인 다음 각 갈래는 벌려서 팔꿈치부위에 붙인다.

2

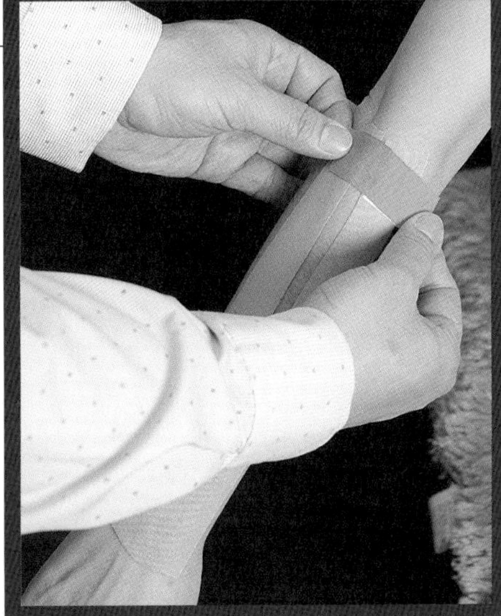

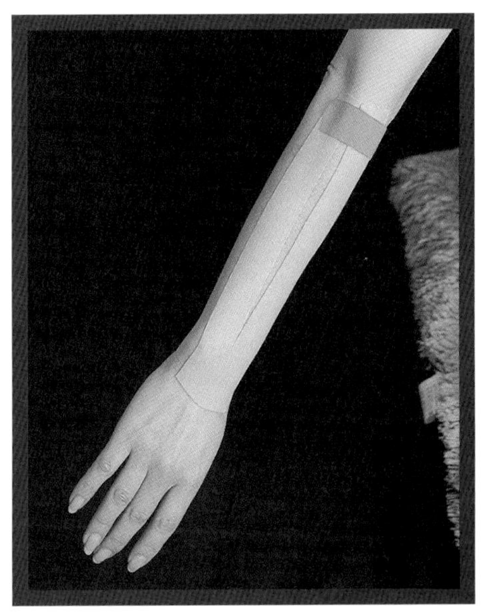

I자형 테이프를 가장 아픈 부위에 가로로 붙인다.

3

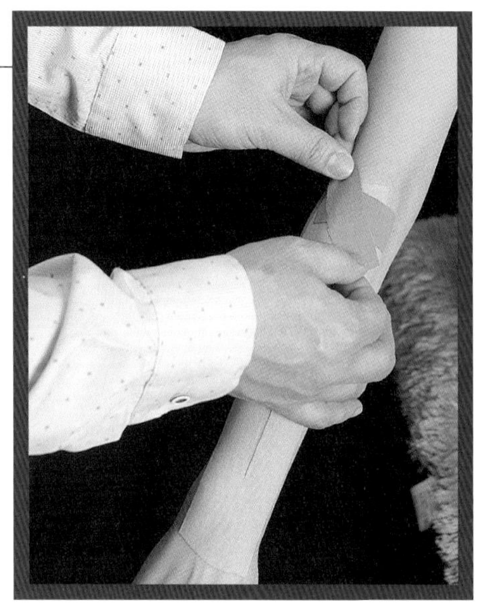

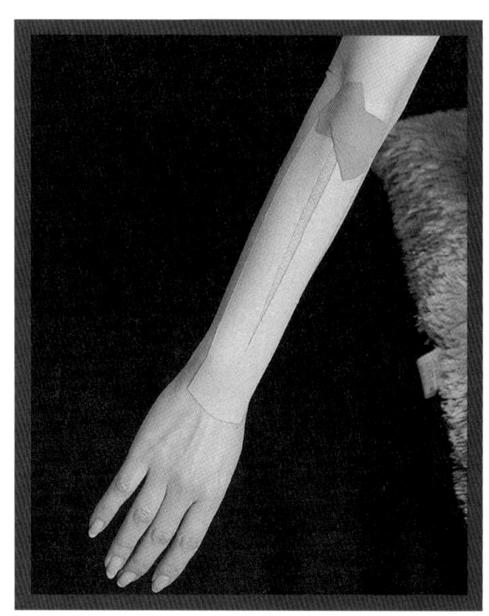

I자형 테이프를 2번 테이핑 위에 대각선으로 붙인다.

4

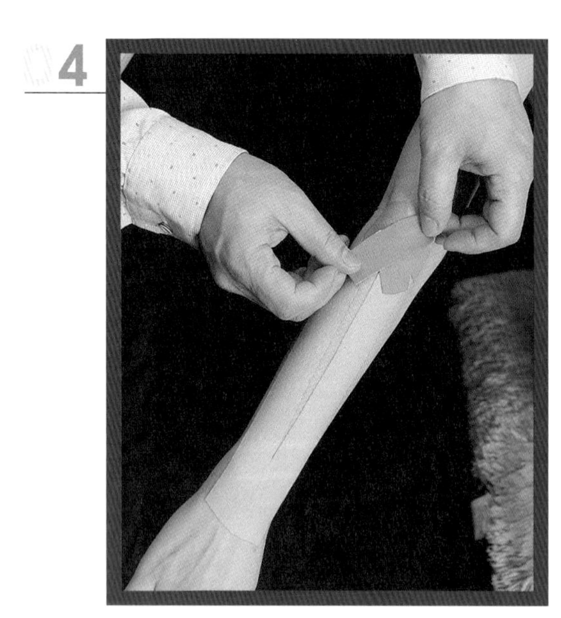

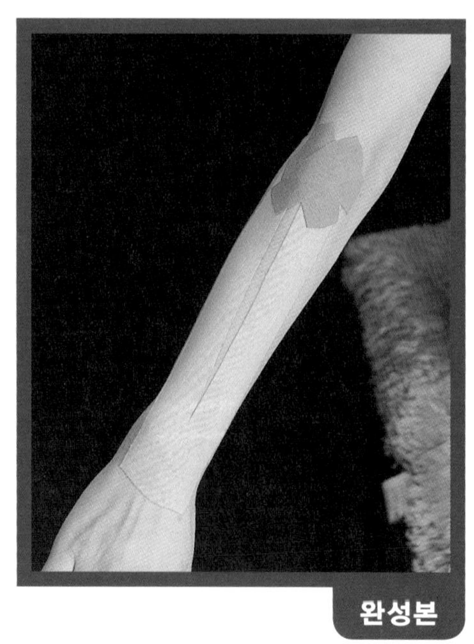

I자형 테이프를 3번 테이핑과 X자형이 되도록 붙인다.

완성본

Taping

45 골프엘보 2

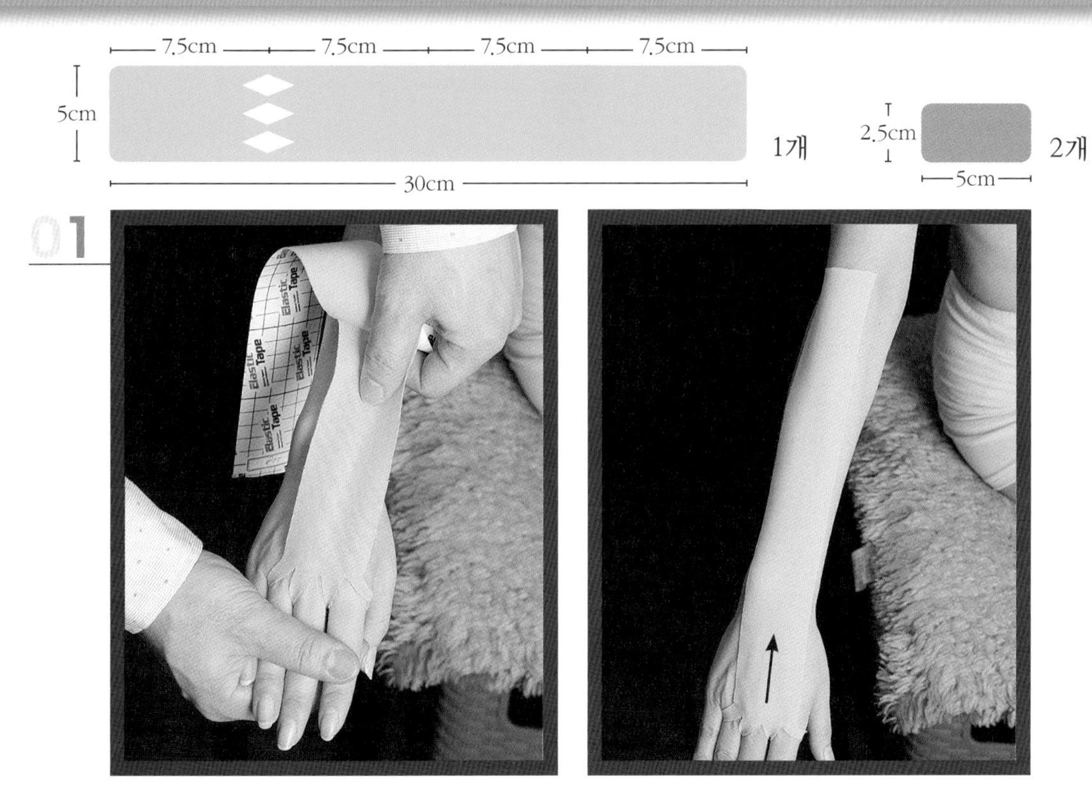

01

그림과 같은 테이프의 ◇부분에 2, 3, 4손가락을 끼운 다음 한쪽은 손바닥에 붙이고, 반대쪽은 손등을 지나 팔꿈치 위쪽에 붙인다.

02

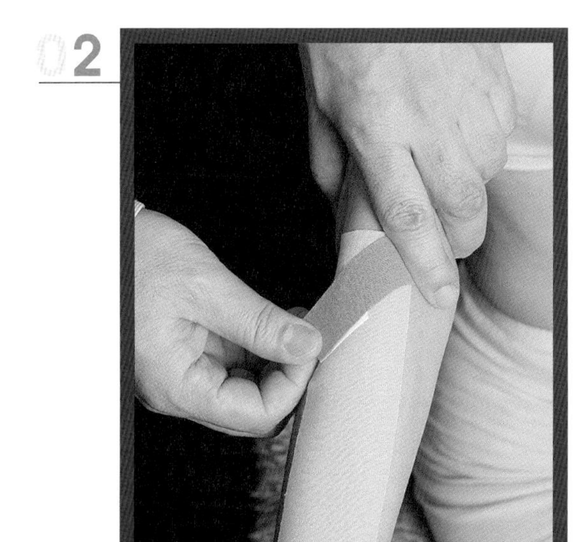

아픈 부위 바로 위에 I자형 테이프를 그림과 같이 붙인다.

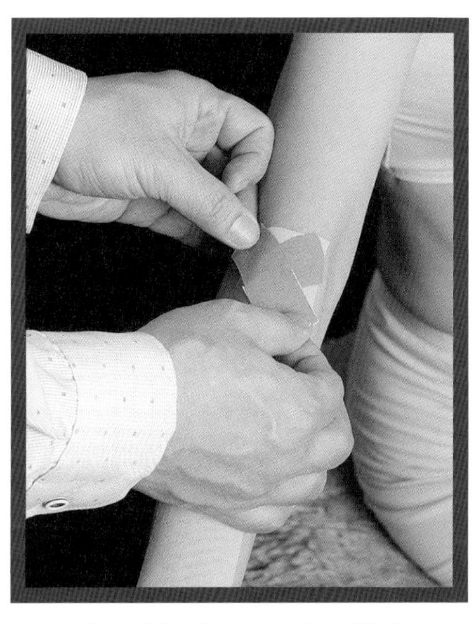

그 위에 I자형 테이프를 X자 형태로 붙인다.

03

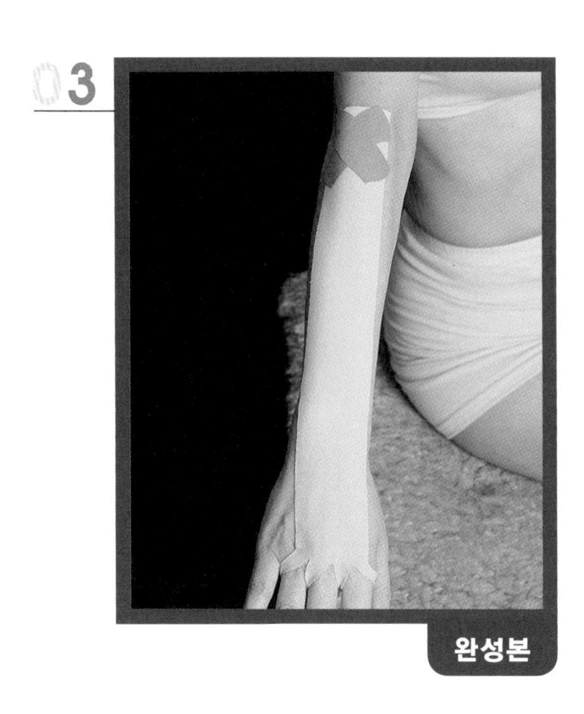

완성본

Taping

46 손목과 팔꿈치통증 완화 1

5cm × 10cm 1개

5cm × 25cm 1개

01

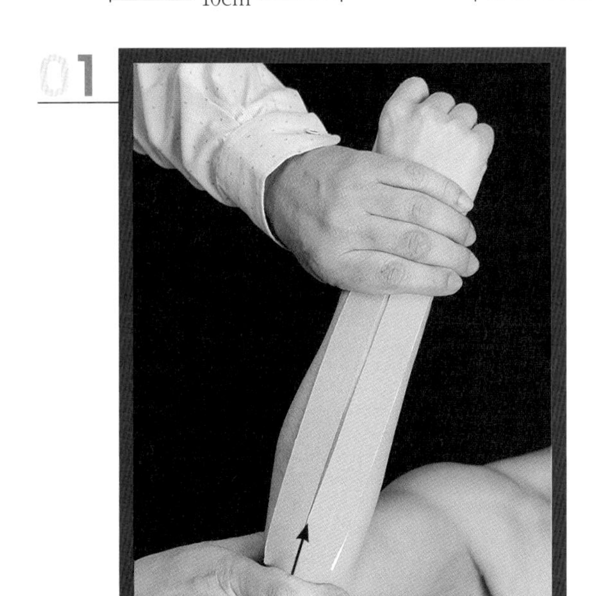

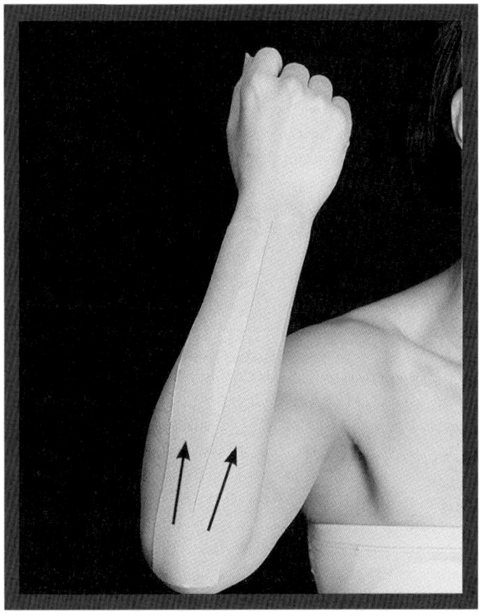

Y자형 테이프의 기부를 팔꿈치부위에 붙이고 각 갈래는 손목쪽으로 붙인다.

02

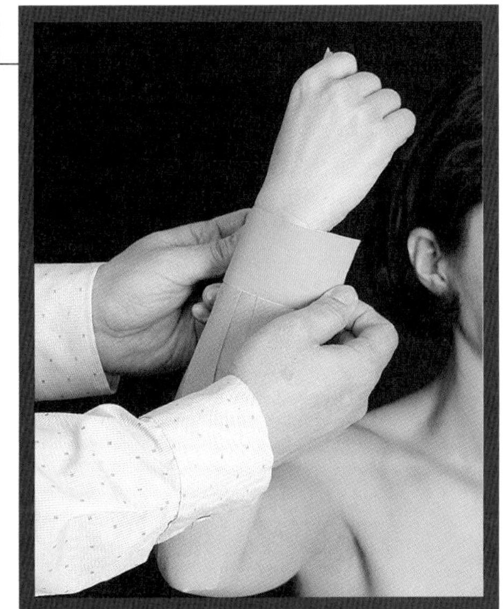

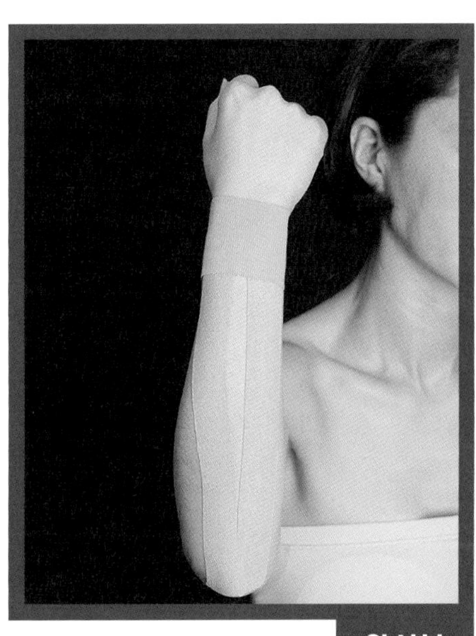

손목에 I자형 테이프를 붙인다.

완성본

Taping

47 손목과 팔꿈치통증 완화 2

5cm 25cm 1개

5cm 10cm 2개

01

I자형 테이프를 손등에서부터 팔꿈치부위까지 붙인다.

02

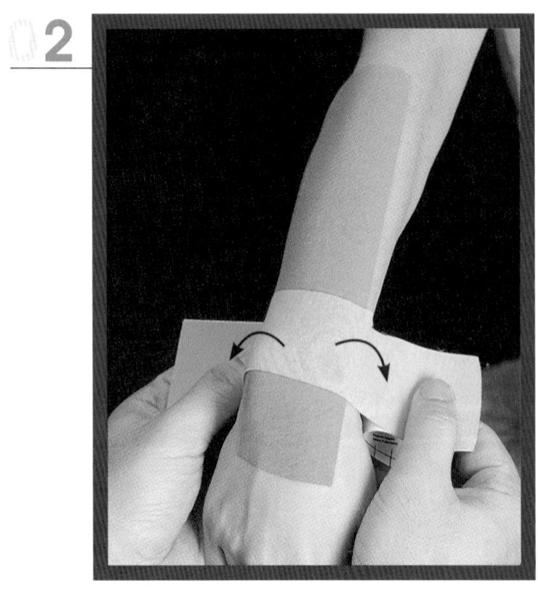

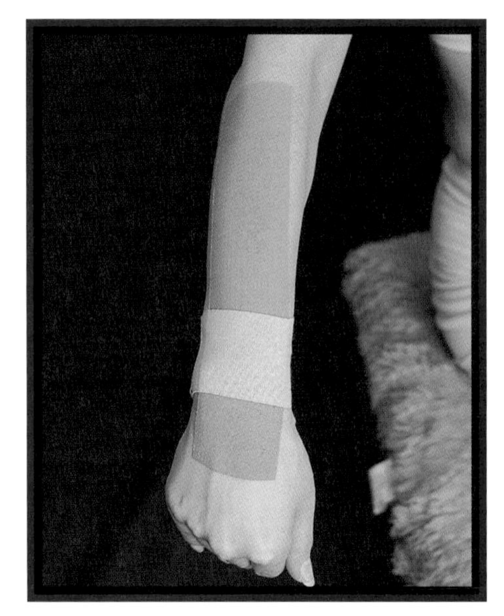

손등쪽 손목에 I자형 테이프를 붙인다.

03

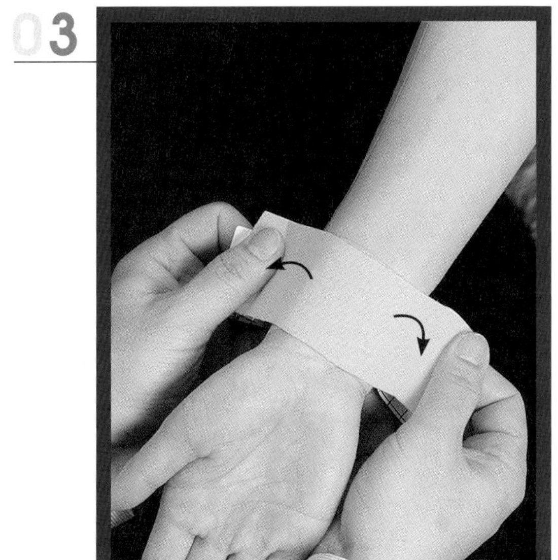

손바닥쪽 손목에 I자형 테이프를 붙인다.

04

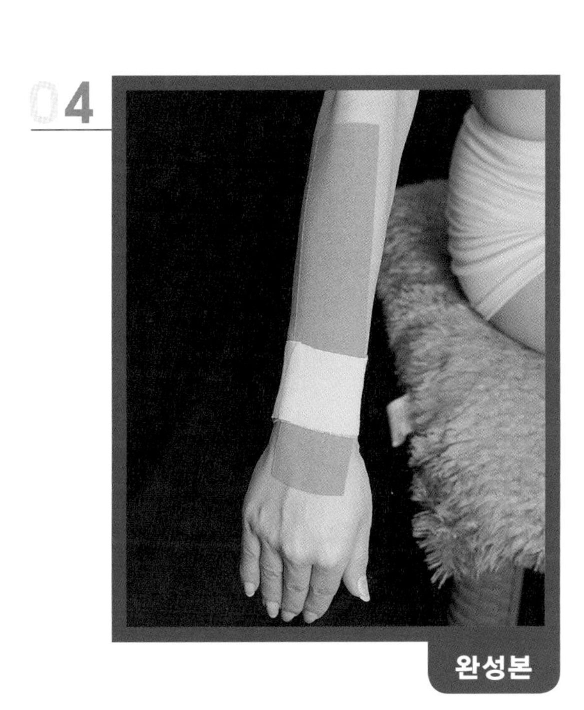

완성본

Taping

48 손목통증 완화 1

5cm 10cm 2개 5cm 25cm 1개

01

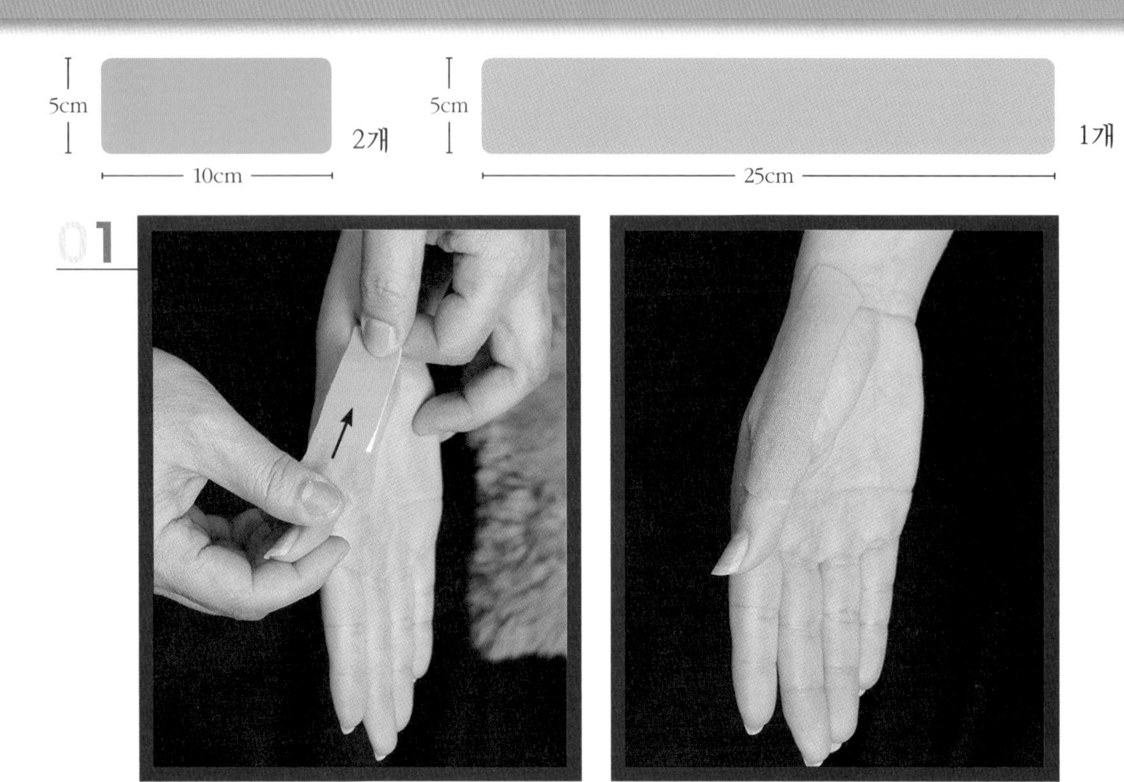

10cm I자형 테이프를 엄지 중간에서부터 손목까지 붙인다.

02

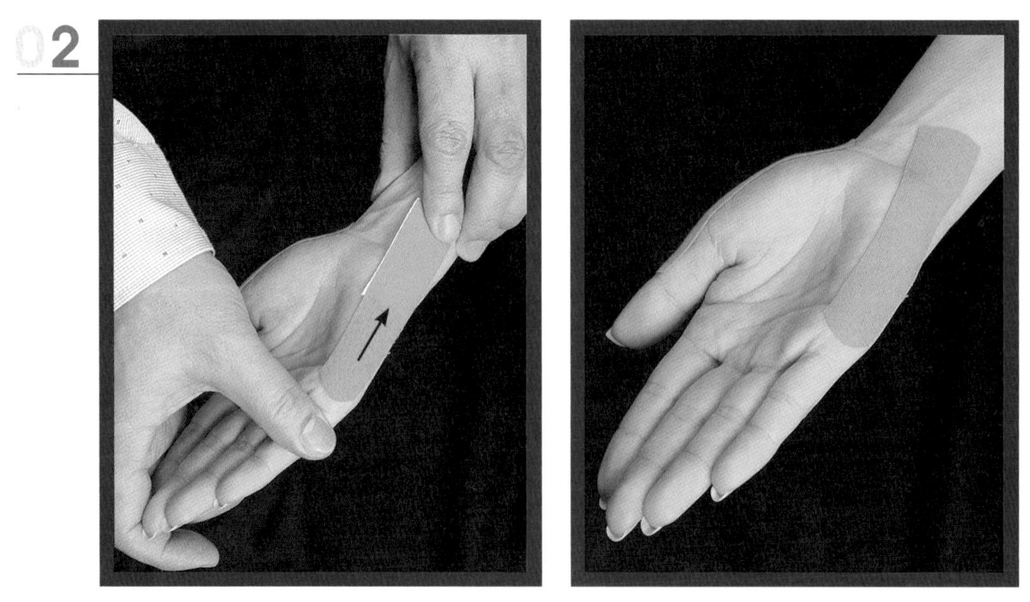

소지쪽에도 10cm I자형 테이프를 그림과 같이 붙인다.

03

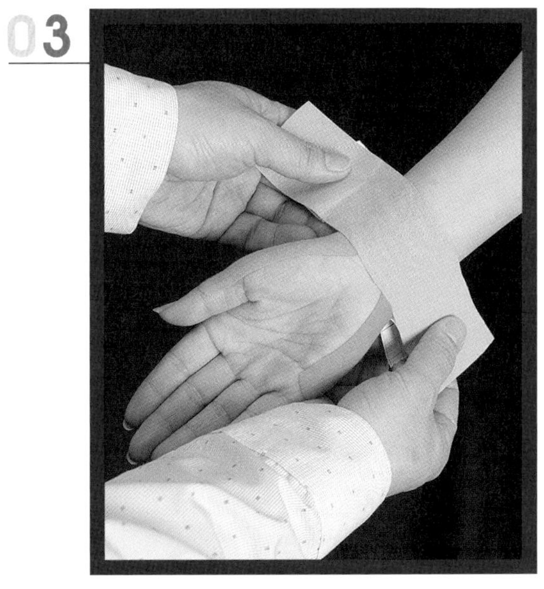

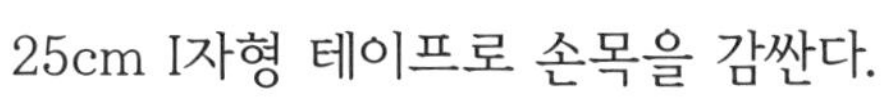
25cm I자형 테이프로 손목을 감싼다.

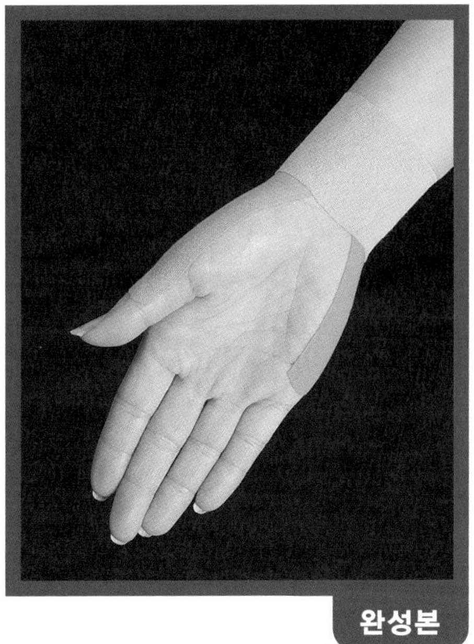
완성본

Taping

49 손목통증 완화 2

5cm

15cm

1개

01

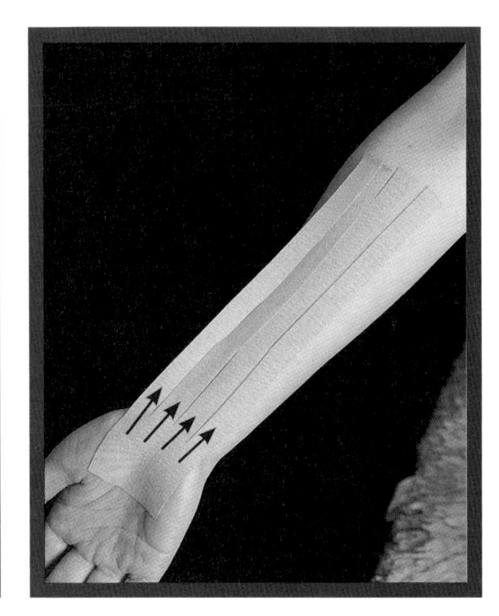

4갈래 테이프의 기부를 손바닥에 붙인 다음 각 갈래는 손목방향으로 균등하게 펴서 붙인다.

02

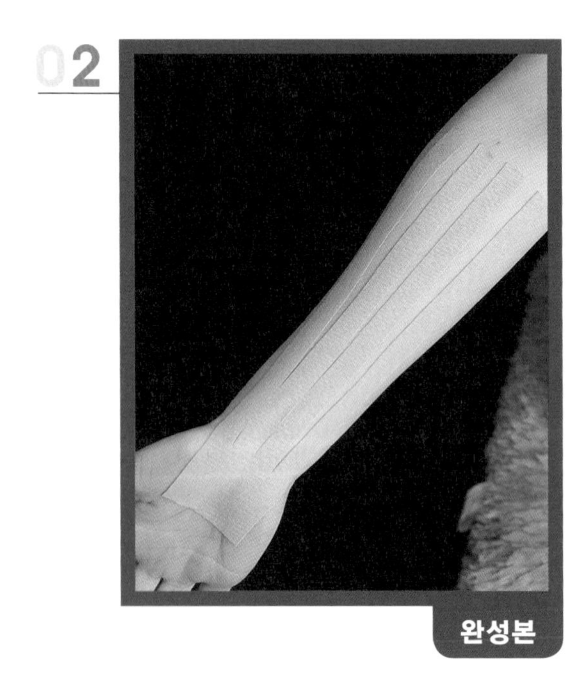

완성본

Taping

50 손바닥과 손목통증 완화

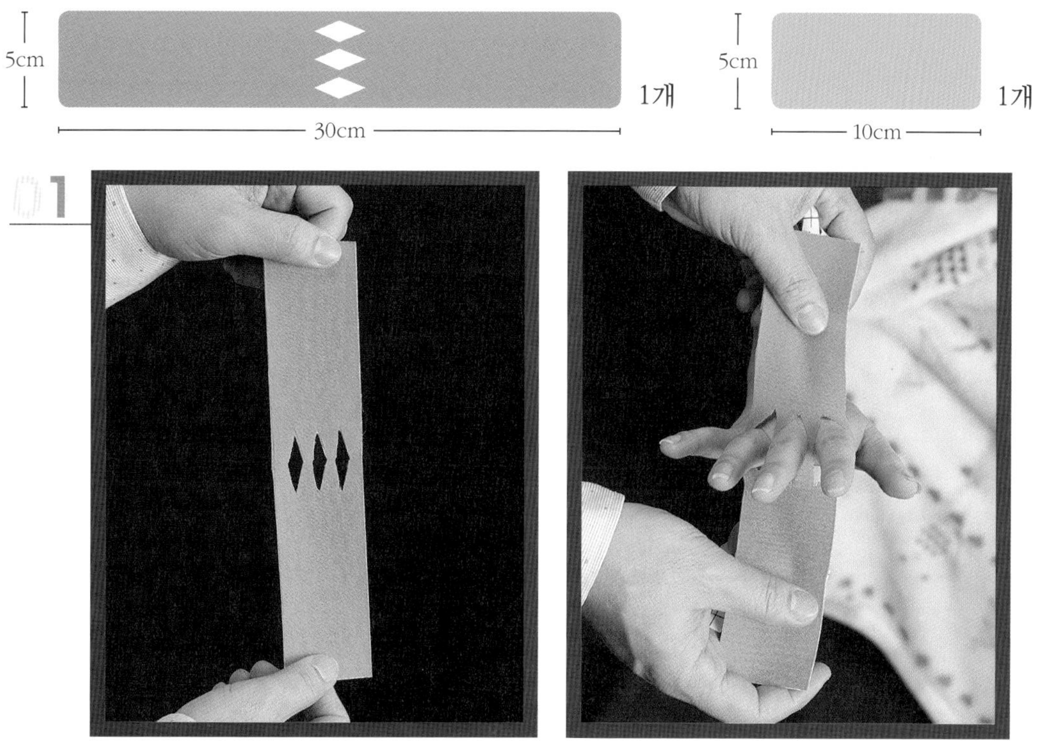

01

그림과 같은 테이프의 ◇부위를 2, 3, 4손가락에 끼운 후

02

양쪽을 손바닥과 손등에 각각 붙인다.

03

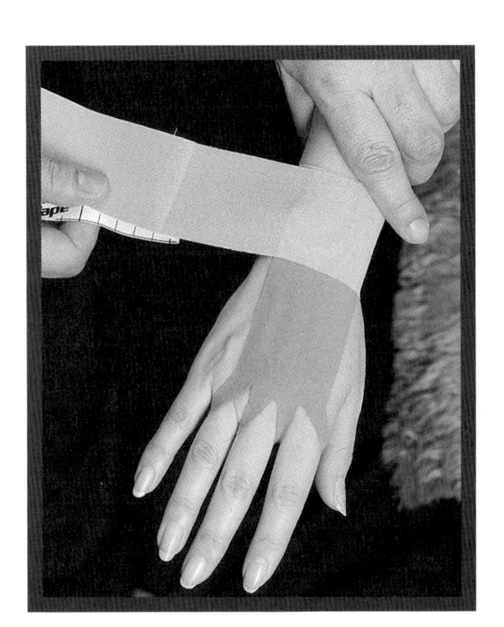

손등쪽 손목에 I자형 테이프를 붙인다.

04

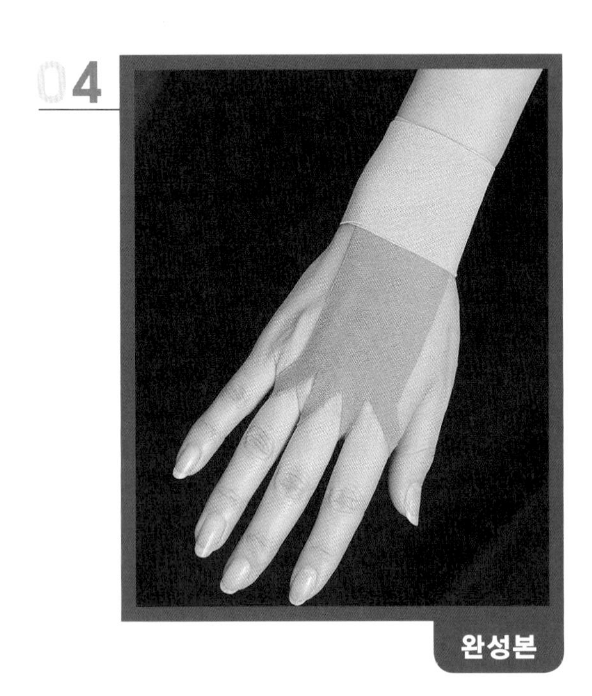

완성본

Taping

51 손목 · 손등부종

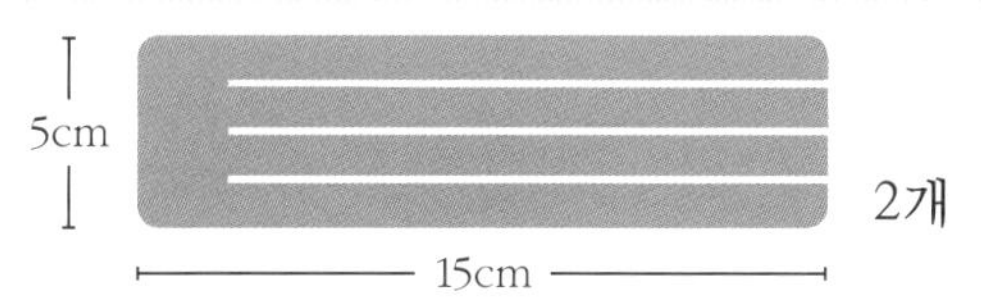

1

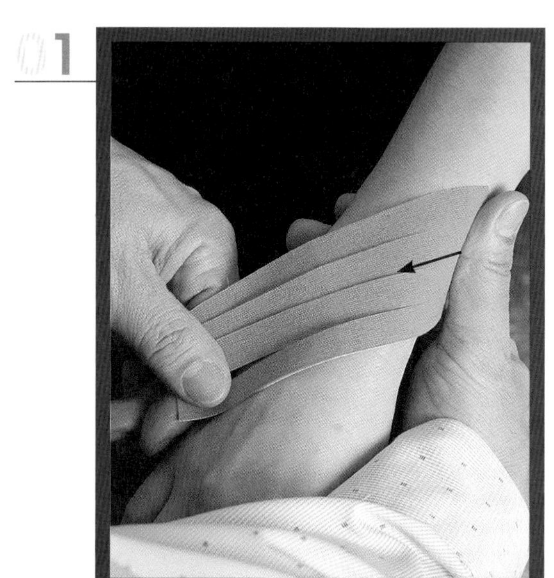

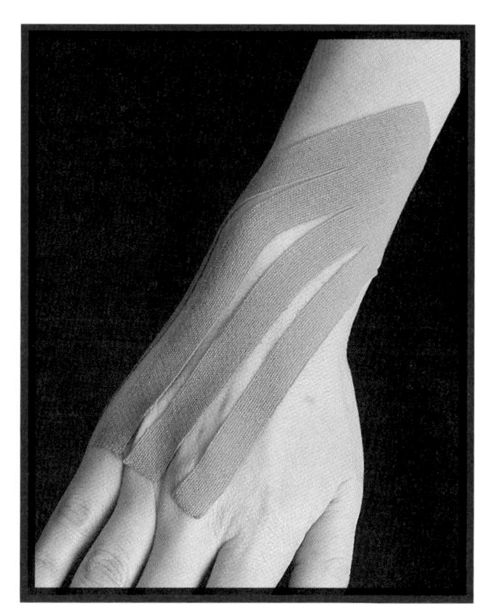

4갈래 테이프의 기부를 손목 위쪽에 붙인 다음 각 갈래는 그림과 같이 고르게 펴서 붙인다.

2

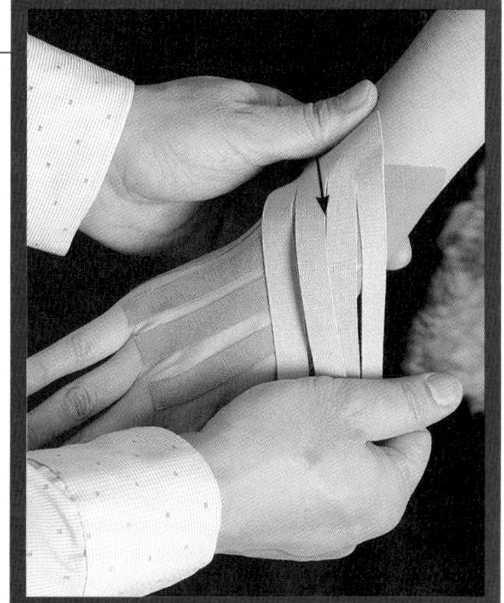

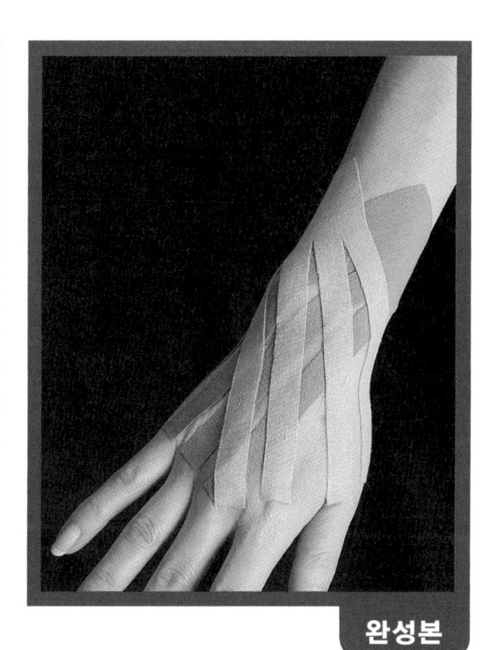

반대쪽에도 같은 방법으로 붙인다.

완성본

Taping

52 엄지통증 완화(신경병증) 1

1.25cm 5cm 2개

1

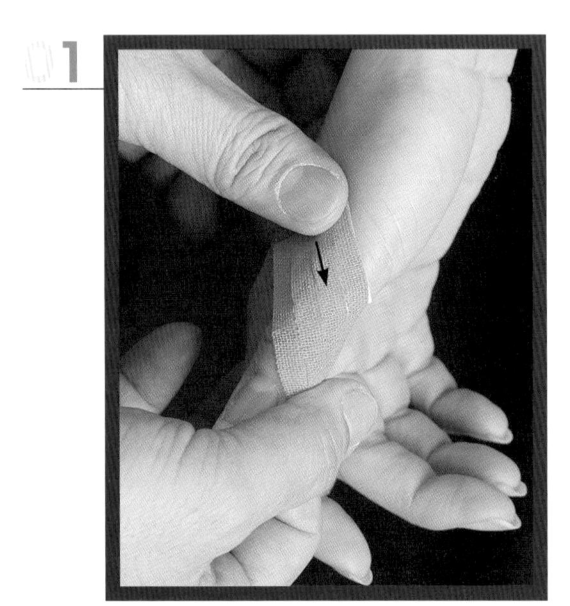

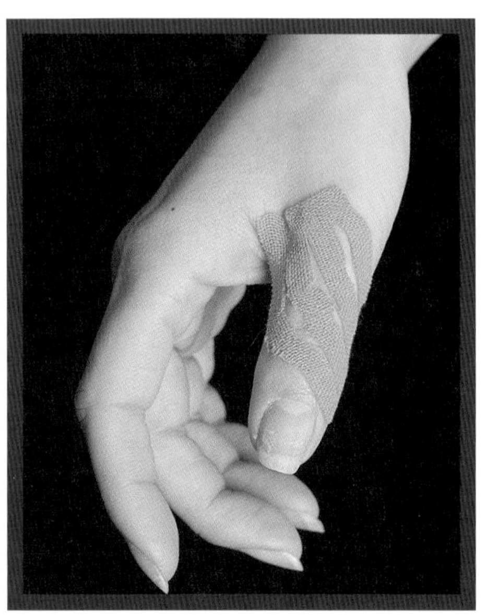

그림과 같은 테이프를 엄지손가락을 덮어서 붙인 후 핀셋으로 가운데를 벌려준다.

2

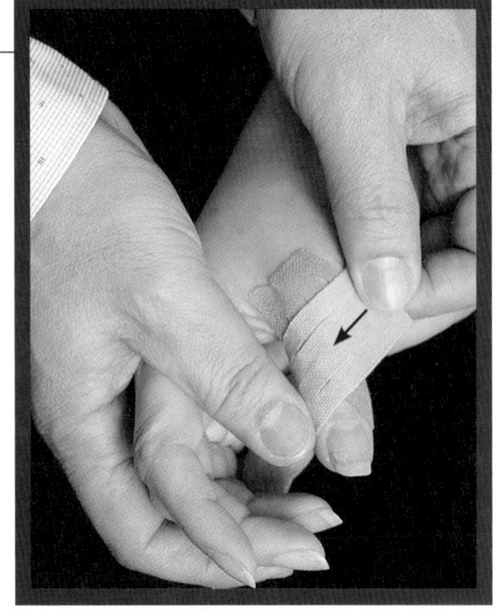

대각선 방향에도 같은 방법으로 붙인다.

완성본

Taping

53 엄지통증 완화 2

2.5cm 15cm 2개

2.5cm 20cm 1개

1

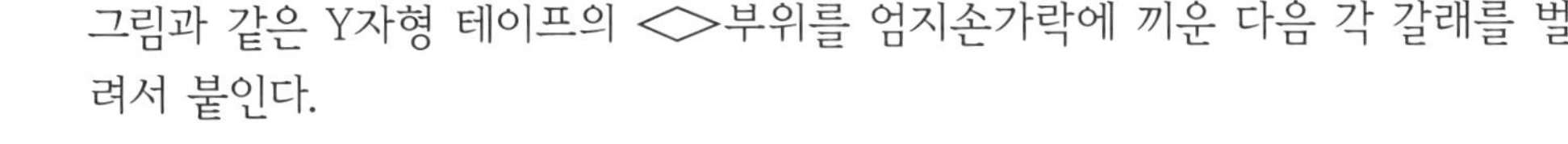

그림과 같은 Y자형 테이프의 ◇부위를 엄지손가락에 끼운 다음 각 갈래를 벌려서 붙인다.

2

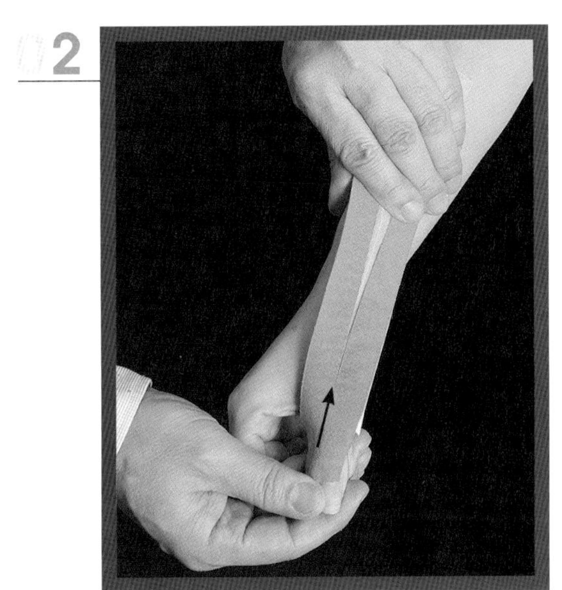

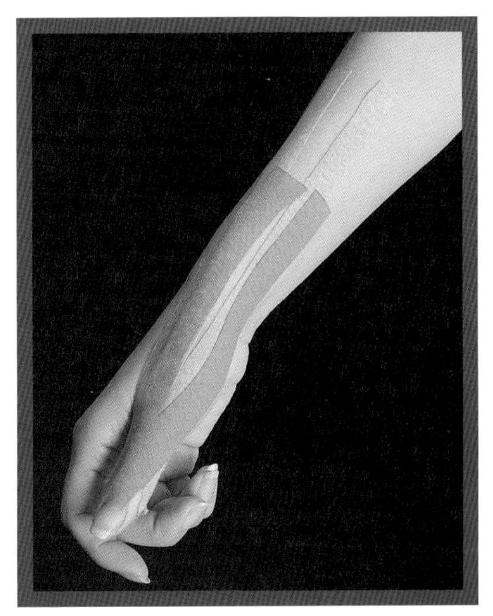

15cm Y자형 테이프의 기부를 엄지손톱을 덮어 붙인 다음 각 갈래를 벌려서 붙인다.

3

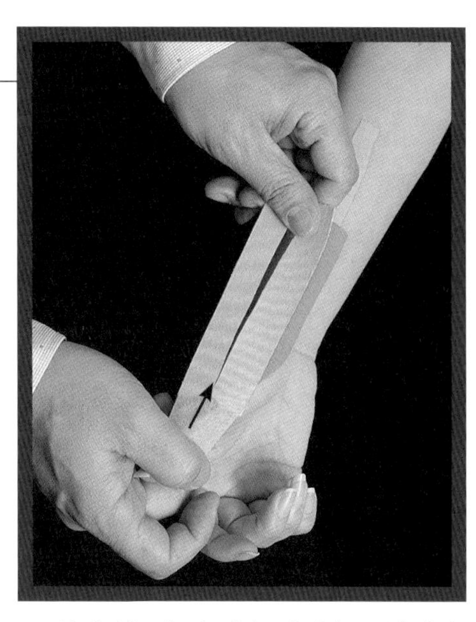

그 위에 한 번 더 같은 방법으로 붙인다.

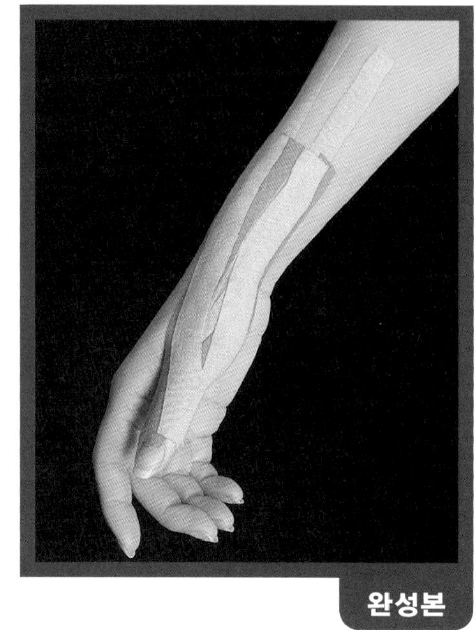

완성본

Taping

54 엄지통증 완화 3

크기	길이	수량
2.5cm	7cm	1개
2.5cm	9cm	1개
2.5cm	25cm	1개

1

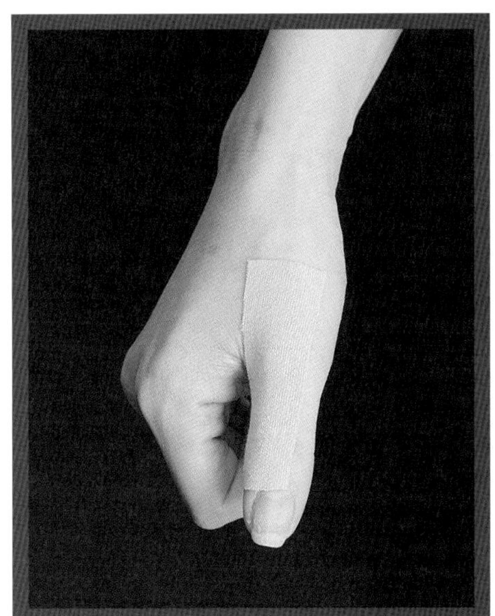

7cm I자형 테이프를 엄지손가락에 붙인다.

2

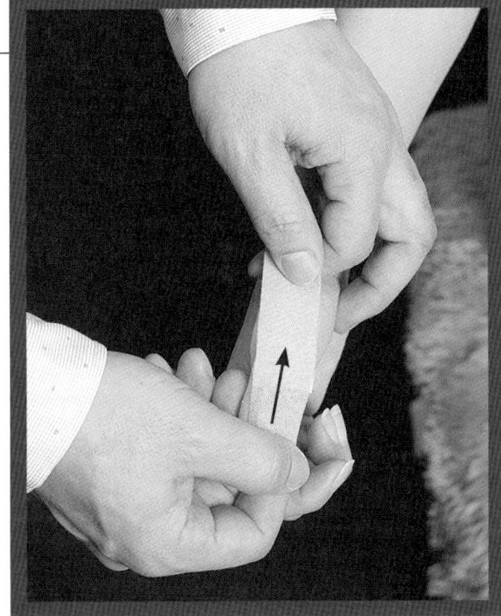

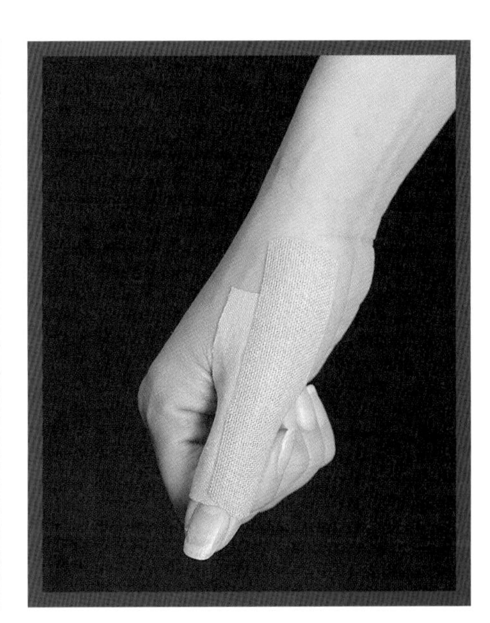

1번 테이핑과 나란하게 9cm I자형 테이프를 붙인다.

3

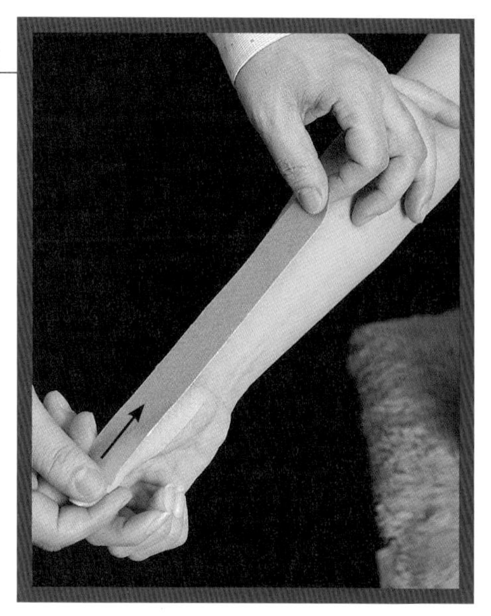

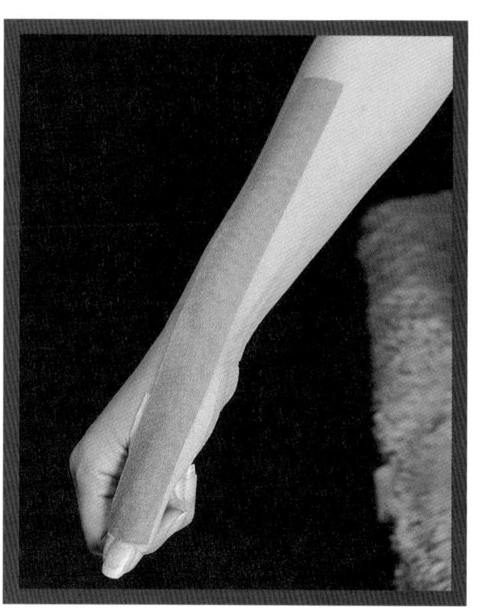

25cm I자형 테이프를 엄지손가락 전체를 덮어서 손목을 지나 아래팔 위쪽에 붙인다.

4

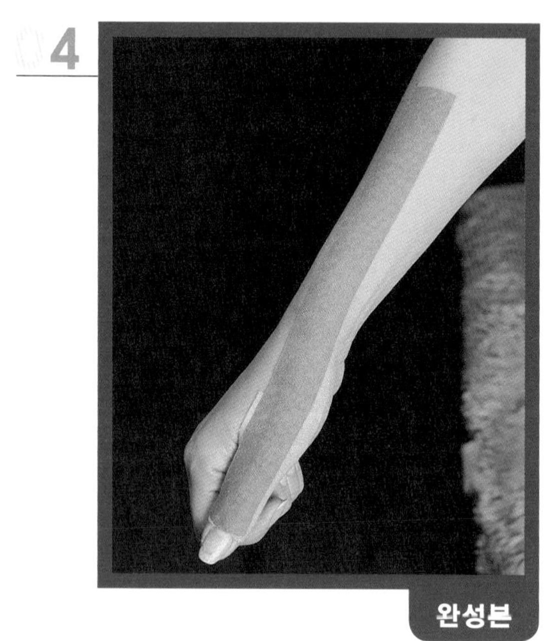

완성본

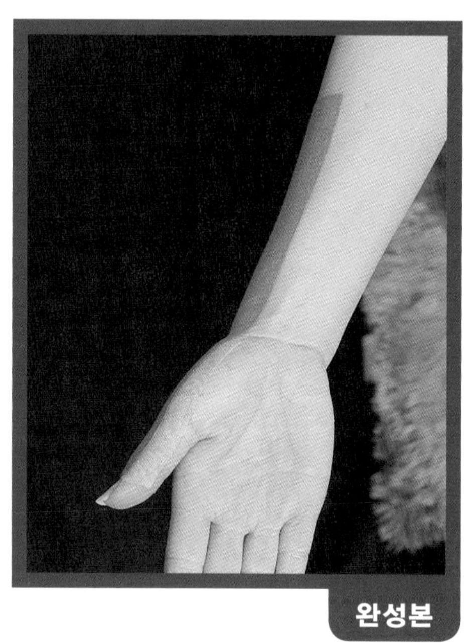

완성본

Taping

55 엄지안쪽통증 완화

2.5cm 15cm 1개

2.5cm 20cm 1개

01

Y자형 테이프의 기부를 엄지손톱 아래쪽에 붙이고 각 갈래는 그림과 같이 붙인다.

02

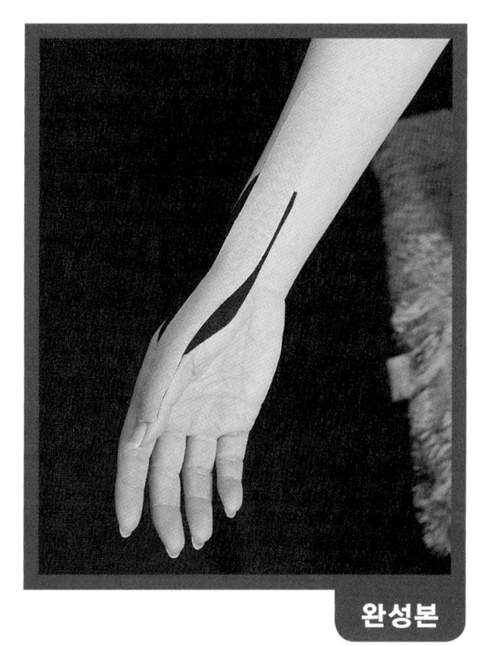

완성본

I자형 테이프를 1번 테이핑을 덮어서 붙인다.

Taping

56 검지염좌 1

2.5cm | 5cm | 2개
2.5cm | 15cm | 1개

01

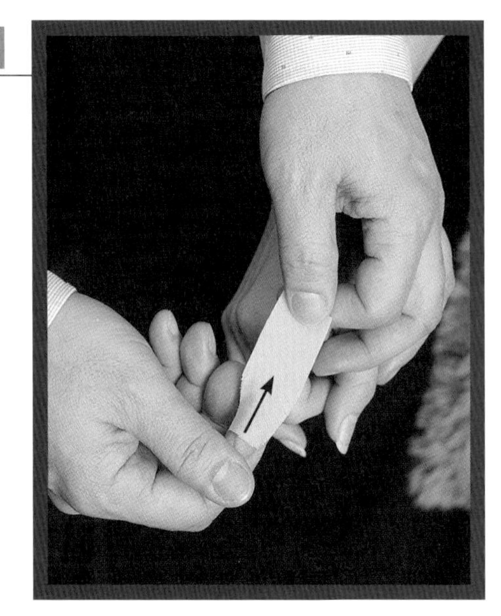

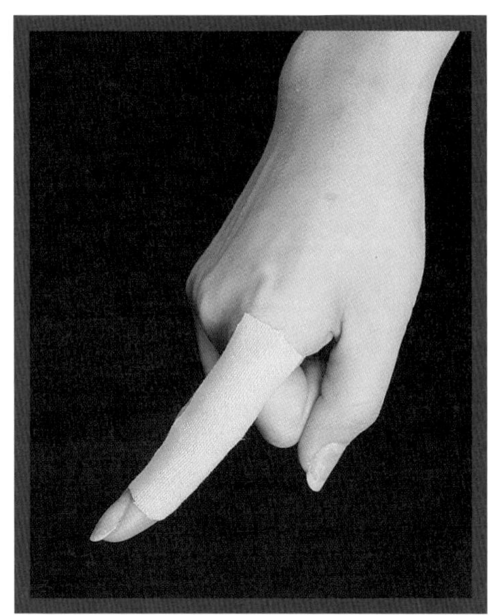

검지에 5cm I자형 테이프를 그림과 같이 붙인다.

02

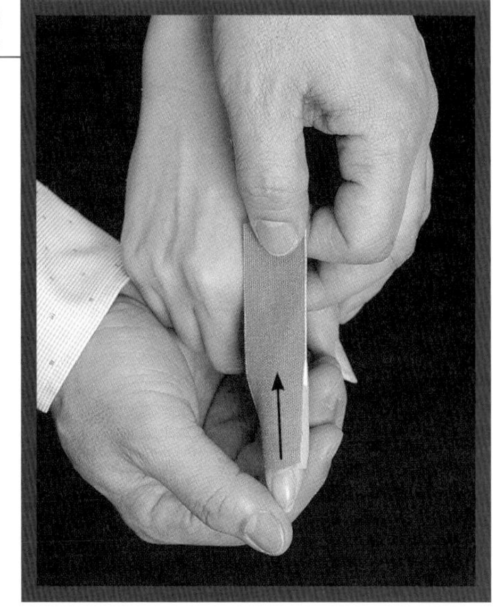

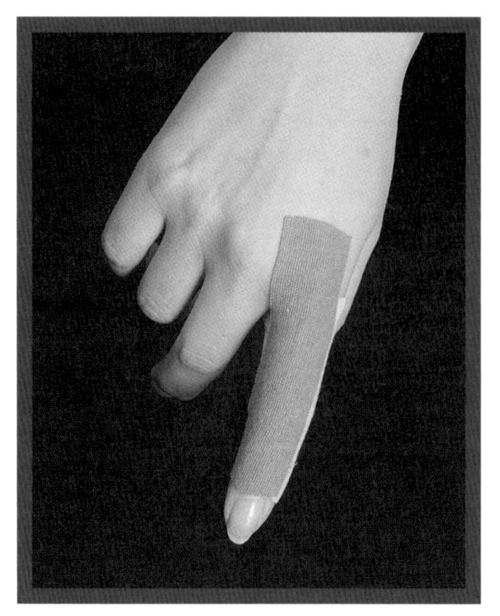

1번 테이핑과 겹치도록 5cm I자형 테이프를 붙인다.

03

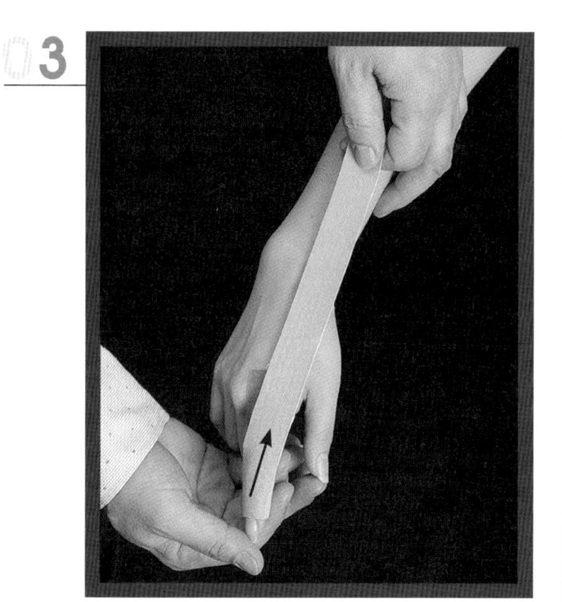

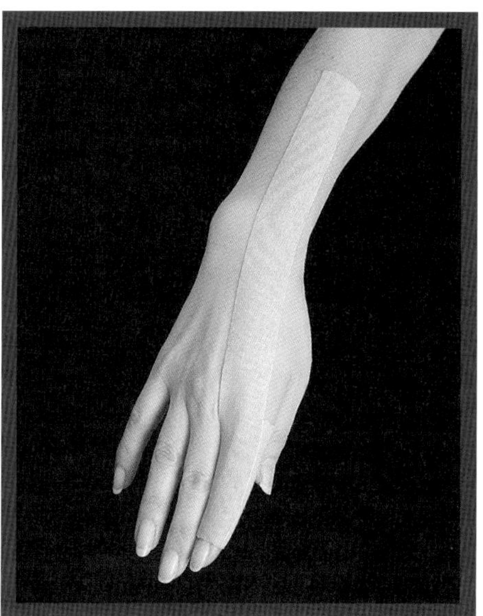

15cm I자형 테이프로 1, 2번 테이핑을 덮어서 그림과 같이 붙인다.

04

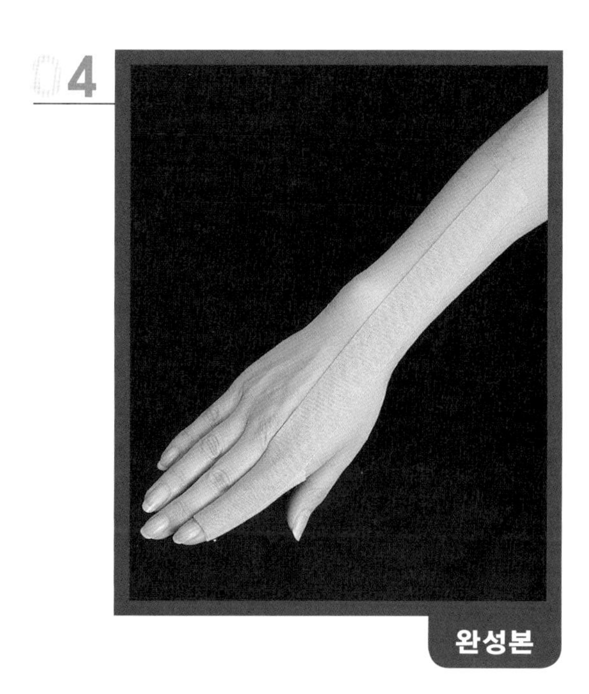

완성본

Taping

57 검지염좌 2

2.5cm × 15cm 2개

5cm × 10cm 1개

1

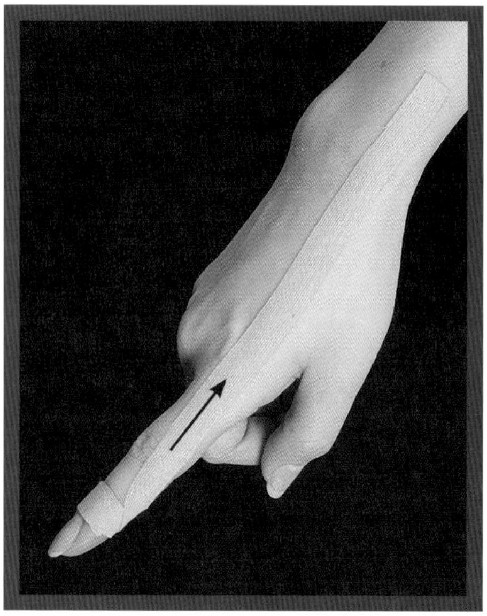

I자형 테이프를 검지에 3회 말아서 붙인 다음 손목쪽으로 붙인다.

2

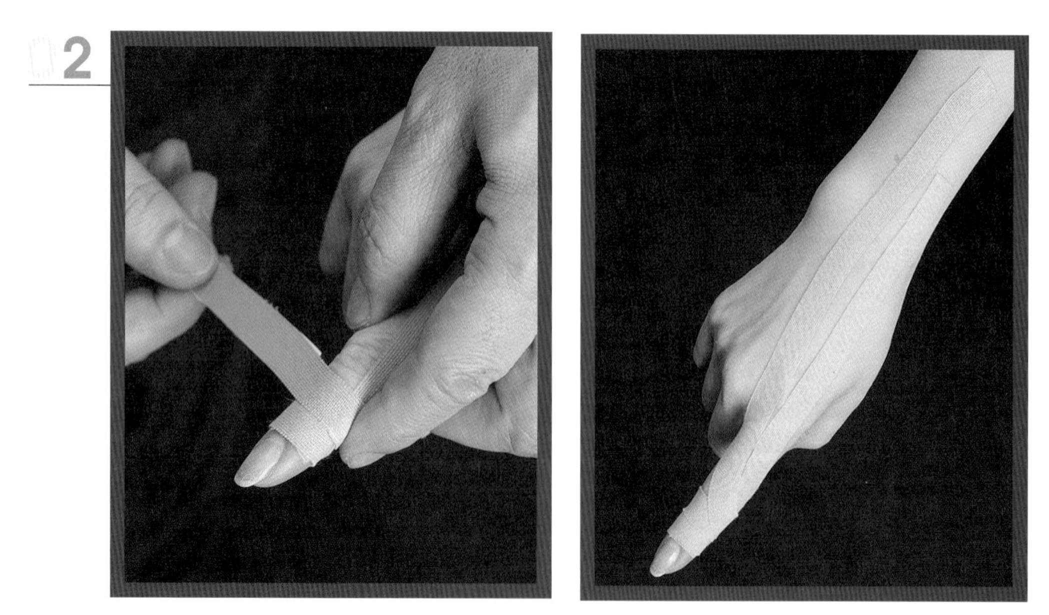

I자형 테이프를 검지에 한 번 더 같은 방법으로 붙인다.

03

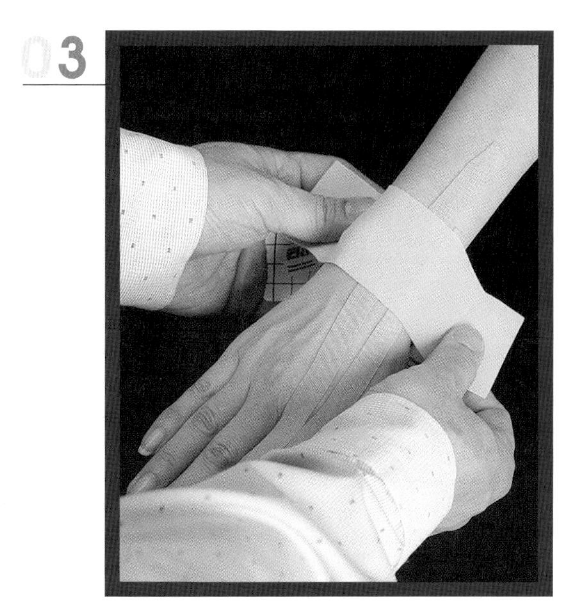

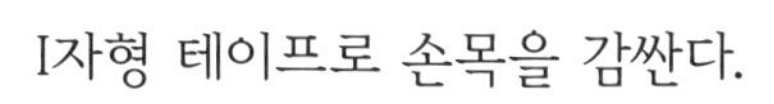

I자형 테이프로 손목을 감싼다.

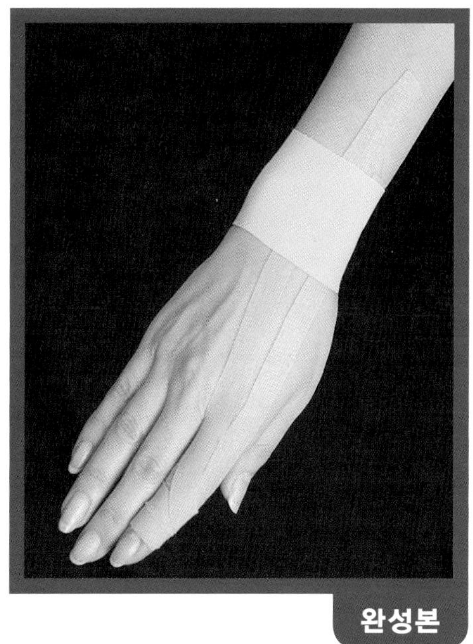

완성본

Taping

58 검지통증 완화(신경병증)

1.25cm 5cm 2개

1

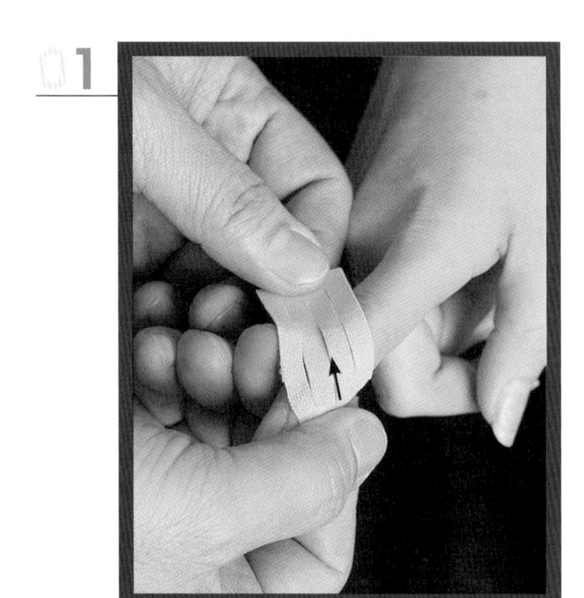

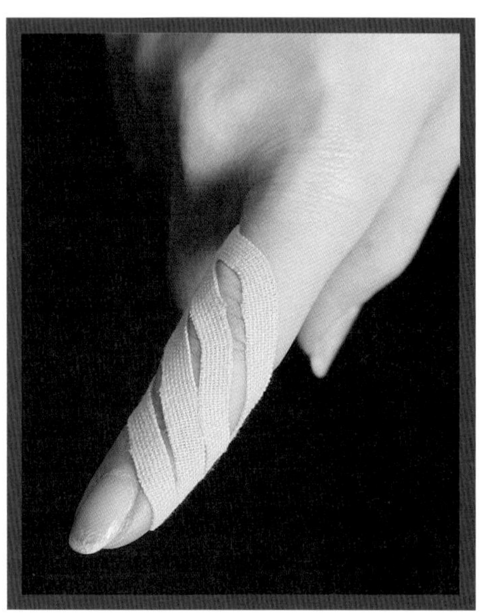

그림과 같은 테이프를 검지를 덮어서 붙인 후 핀셋으로 가운데를 벌려준다.

2

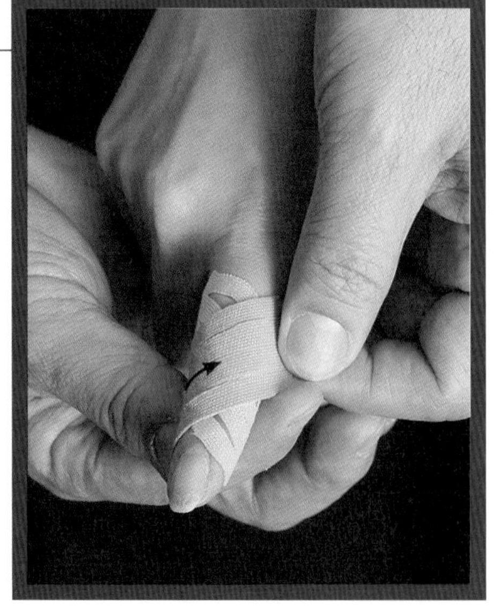

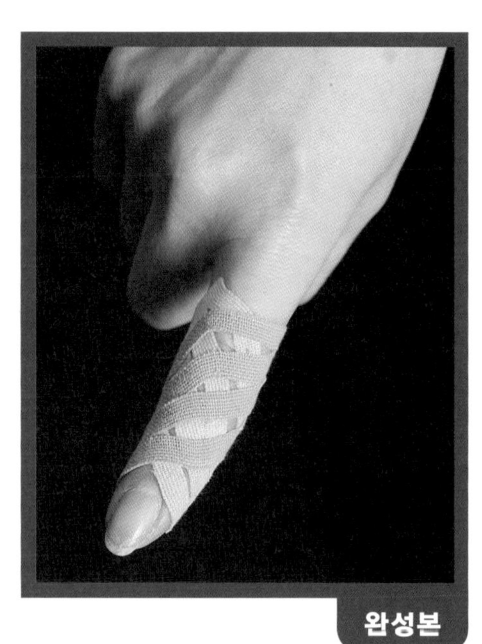

대각선 방향도 같은 방법으로 붙인다.

완성본

Taping

59 악력 향상

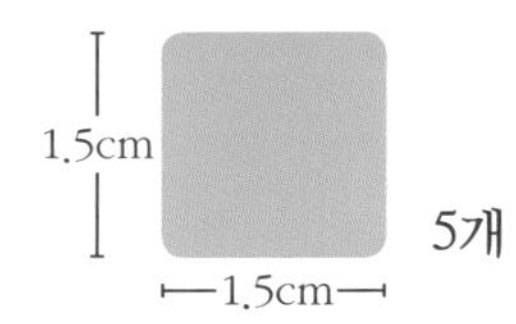

01

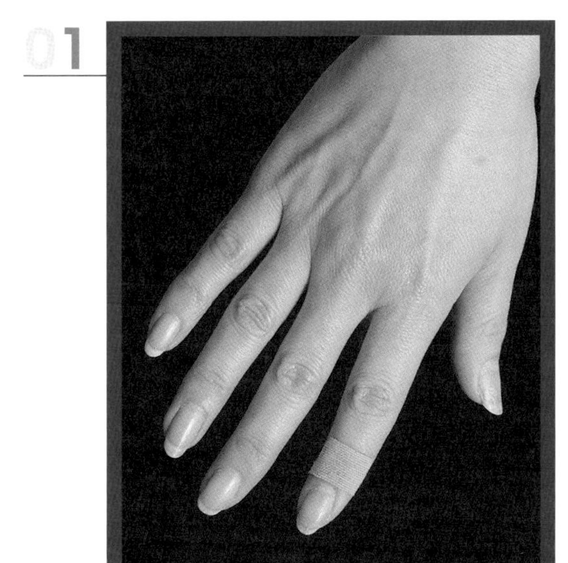

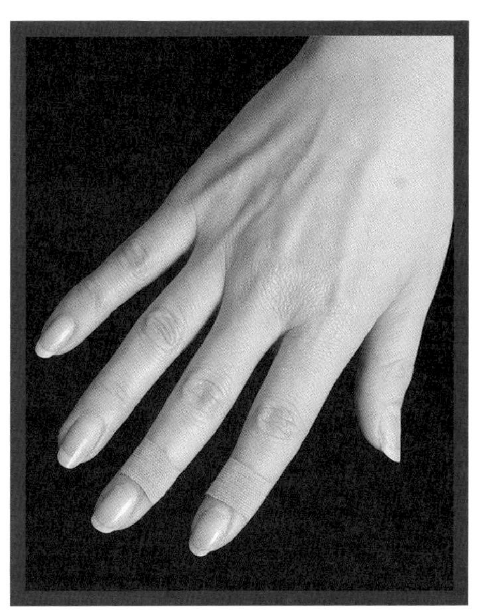

악력이 약하면 그림과 같은 테이프를 각 손가락의 손톱 아래쪽에 붙인다.

02

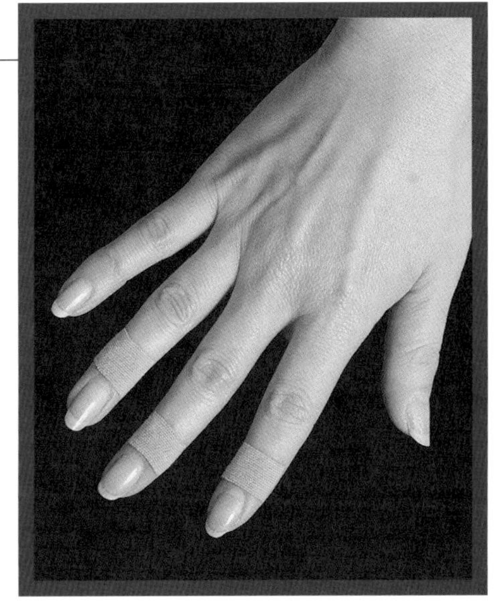

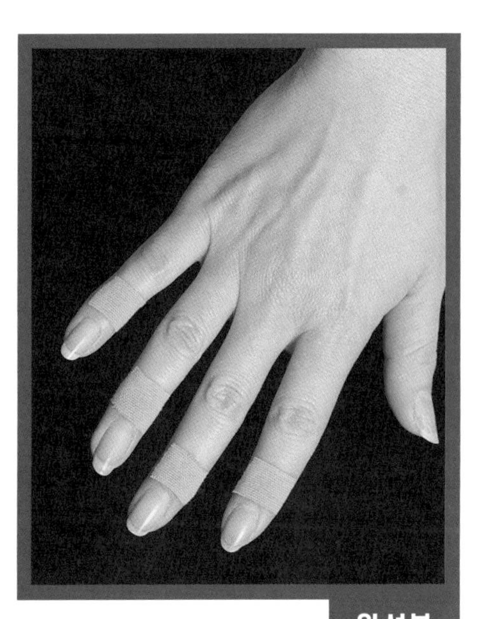

완성본

제3장

골반과 다리

TIP

사람마다 신체부위의 너비와 길이가 다르기 때문에 테이프를 붙일 때 미리 붙일 부위의 길이를 재서 테이프를 길이에 맞게 잘라서 사용해야 한다. 본문에 표시한 테이프의 길이는 일반적인 예시이다.

키네시오 테이프를 자르는 형태

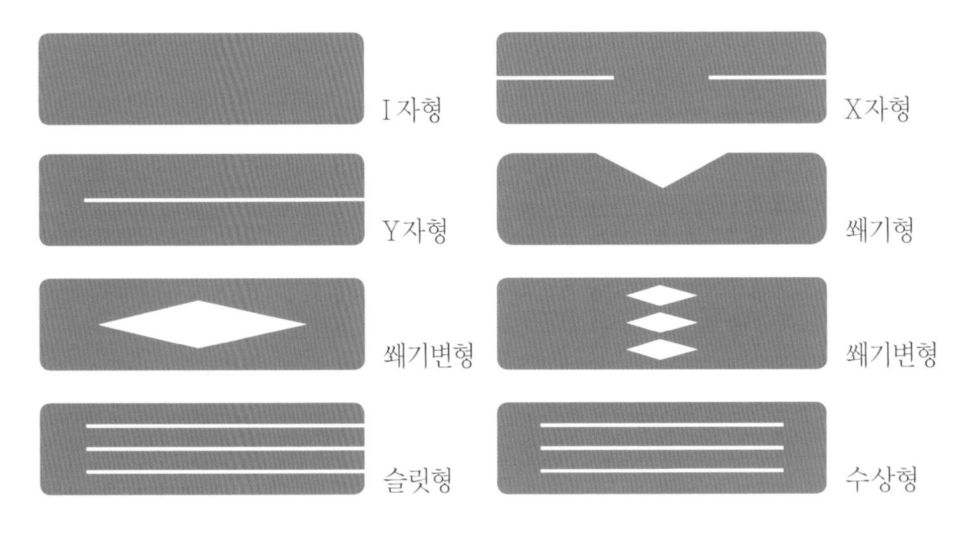

Taping

01 대둔근 근반응 검사

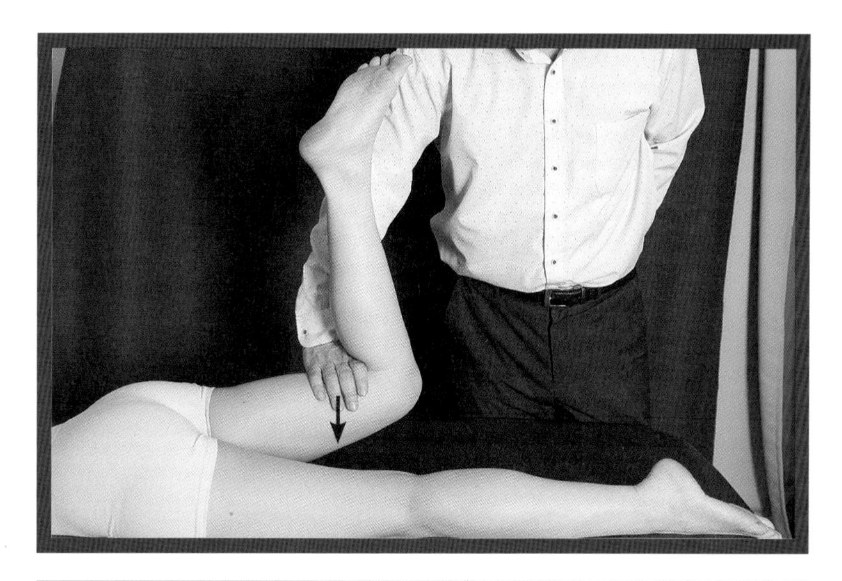

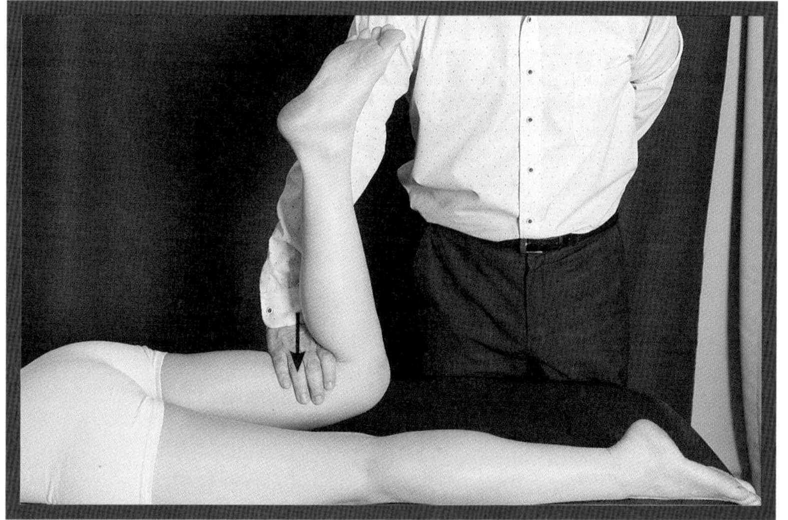

피검사자가 엎드린 자세에서 무릎을 90도 굽혀 대퇴를 들어올리면 검사자는 오금 약간 위쪽을 누르고 피검사자는 이에 저항하여 버틴다. 약한 쪽의 대둔근에 테이핑을 한다.

Taping

02 중둔근 근반응 검사

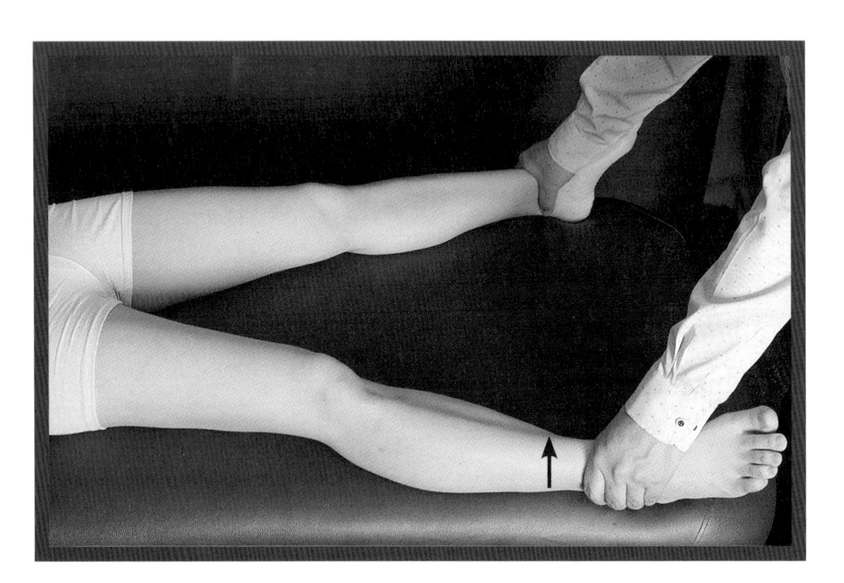

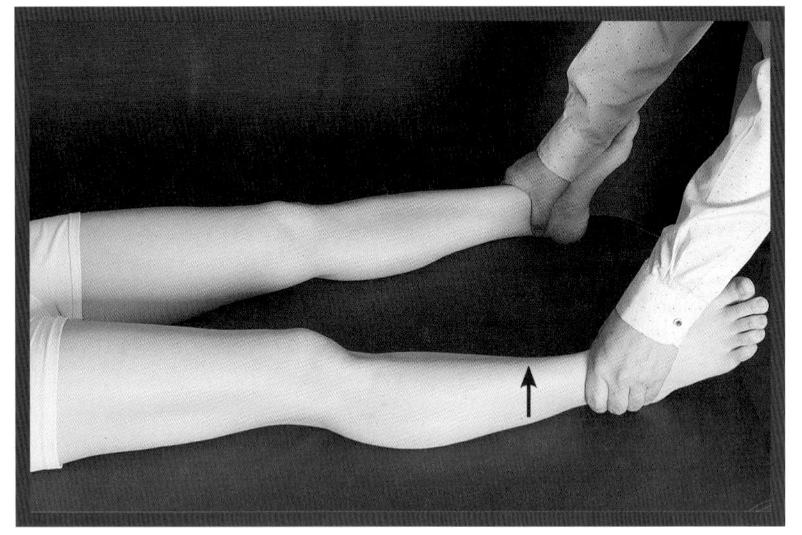

피검사자는 누워서 양쪽 다리를 30도 벌린다. 검사자는 양쪽 발목 윗부분을 잡고 한쪽씩 내전시킨다. 피검사자는 이에 저항하여 버틴다. 이때 약한 쪽의 중둔근에 테이핑을 한다.

Taping

03 대퇴직근 근반응 검사

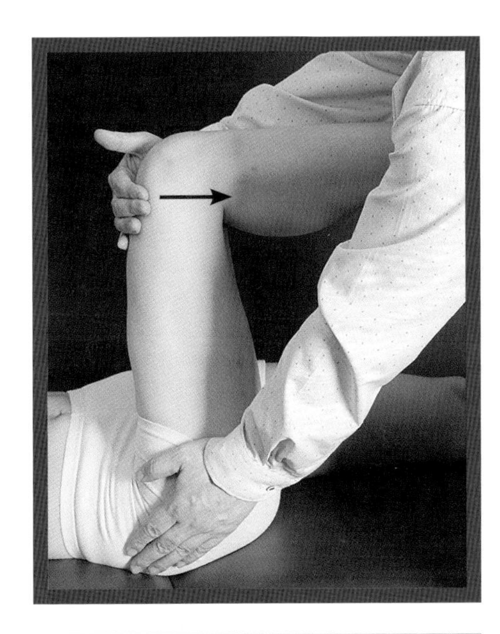

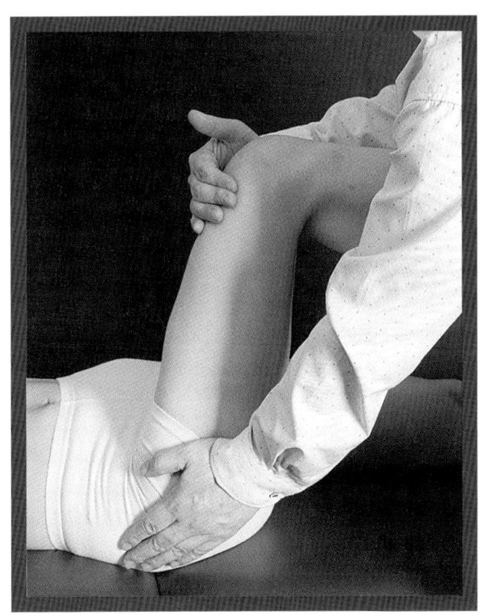

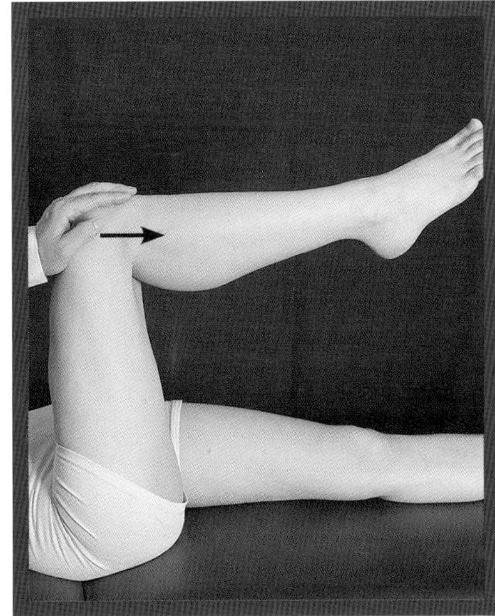

피검사자는 누워서 그림과 같은 자세를 한다. 검사자는 한 손은 엉덩이를 받치고 다른 손은 무릎 위쪽에 대고 발쪽으로 당기면 피검사자는 이에 저항하여 버틴다. 양쪽 모두 검사하여 약한 쪽의 대퇴직근에 테이핑을 한다.

Taping

04 햄스트링 근반응 검사

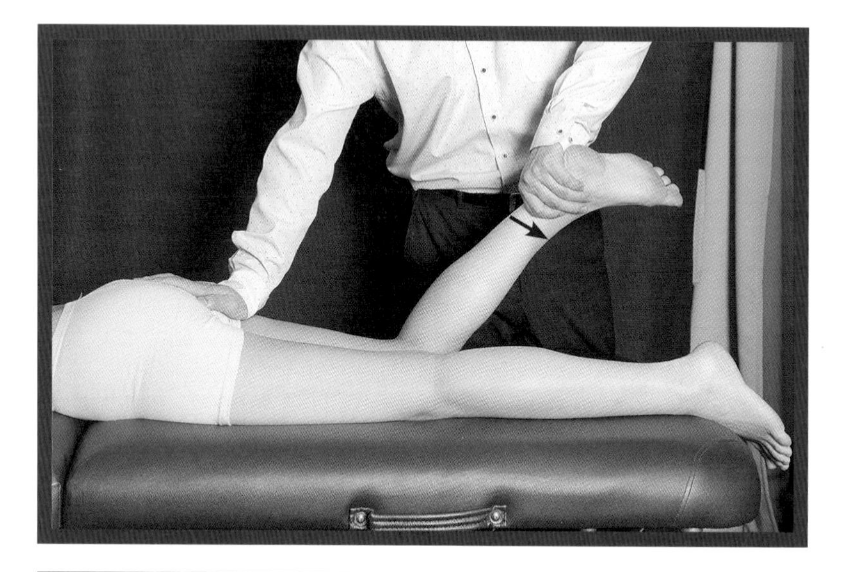

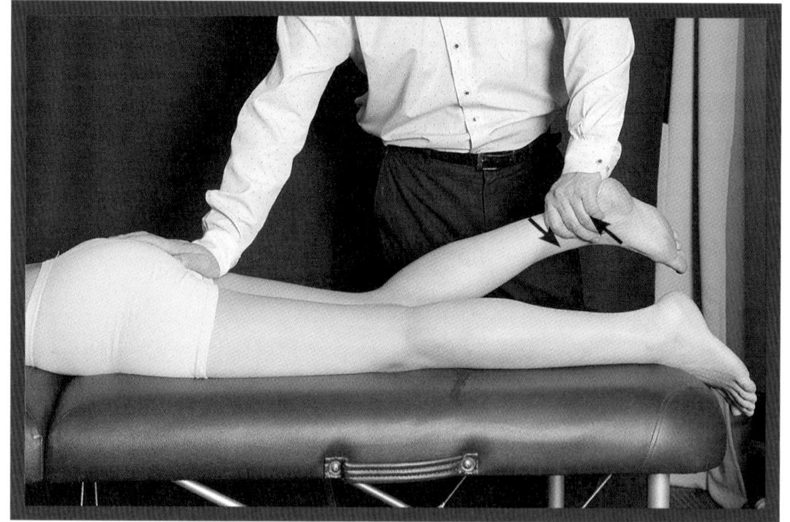

피검사자는 엎드려서 무릎을 45도~60도 굽힌다. 검사자는 한 손은 좌골에 대고 다른 손은 아킬레스건 윗쪽을 잡고 화살표 방향으로 누르면 피검사자는 이에 저항하여 버틴다. 이때 저항하는 힘이 약한 다리의 햄스트링에 테이핑을 한다.

Taping

05 대퇴근막장근 근반응 검사 1

1

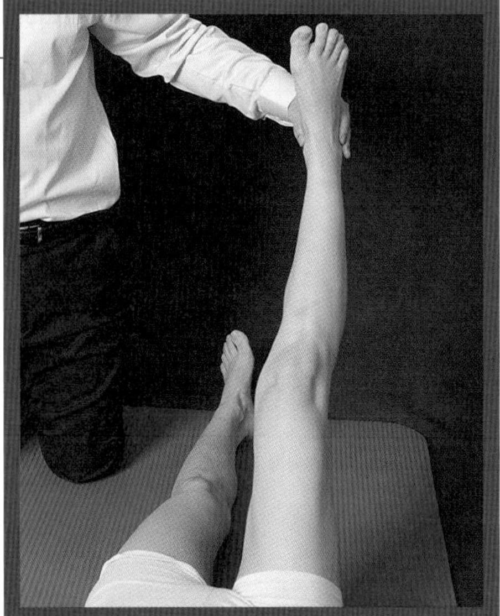

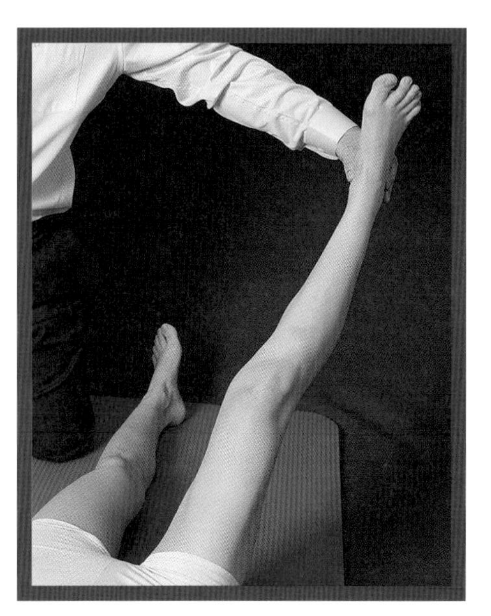

검사자는 피검사자의 무릎을 펴서 고관절을 굴곡시킨 후 발꿈치를 잡고 15도 외회전시킨다.

2

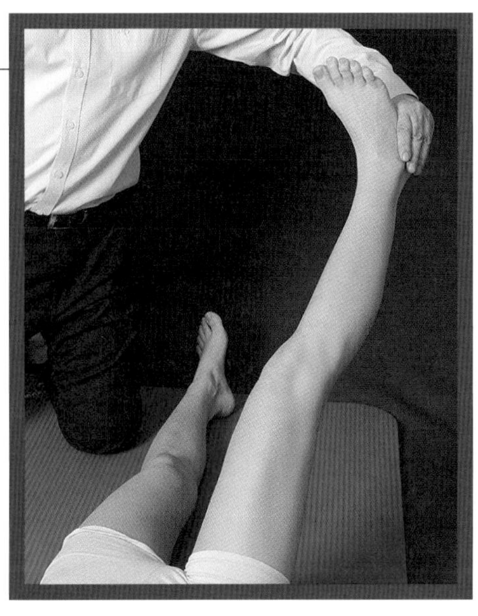

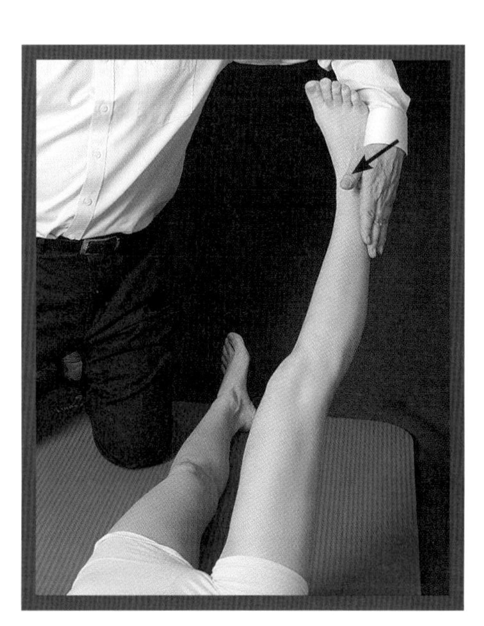

검사자가 발을 15도 내회전시킨 후에 반대쪽 발목을 고정하고 화살표 방향으로 밀면 피검사자는 이에 저항하여 버틴다. 양쪽 다리를 모두 검사한 후에 약한 쪽의 대퇴근막장근에 테이핑을 한다.

Taping

06 대퇴근막장근 근반응 검사 2

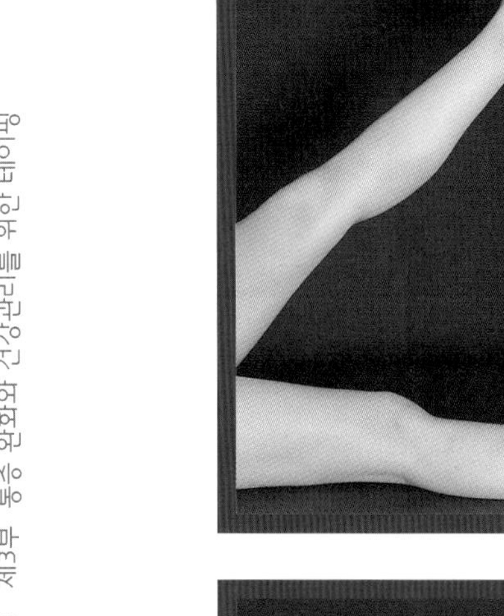

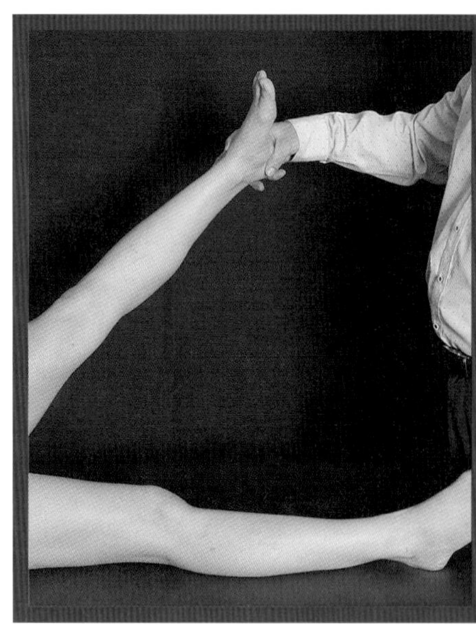
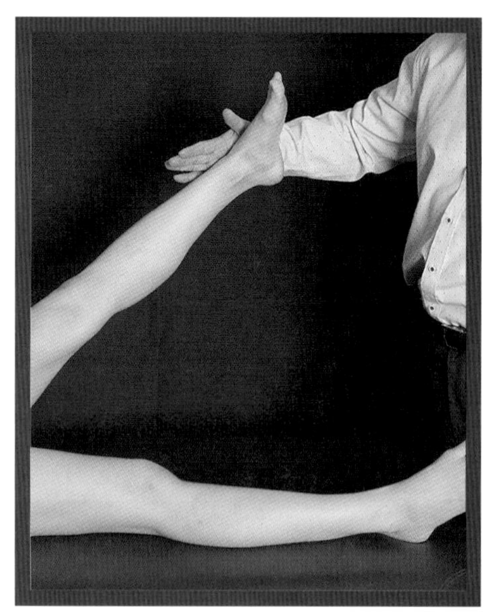

검사자는 한 손으로 누워 있는 피검사자의 발꿈치를 잡고 고관절을 15도 외전, 15도 굴곡 및 내회전시킨 후에 안쪽으로 밀면 피검사자는 이에 저항하여 버틴다. 힘이 약한 쪽의 대퇴근막장근에 테이핑을 한다.

Taping

07 내전근 근반응 검사

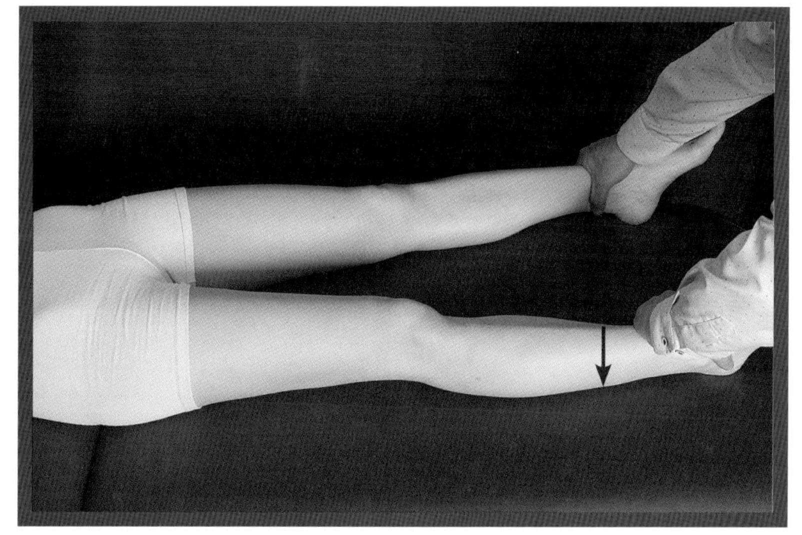

피검사자는 똑바로 누워서 다리를 편다. 검사자는 피검사자의 발목을 모아 가쪽으로 30도 벌린 후 발목을 고정시킨 다음 한쪽 발목씩 잡아 화살표쪽으로 당기면 피검사자는 이에 저항하여 버틴다. 약한 쪽의 내전근에 테이핑을 한다.

Taping

08 이상근 근반응 검사 1

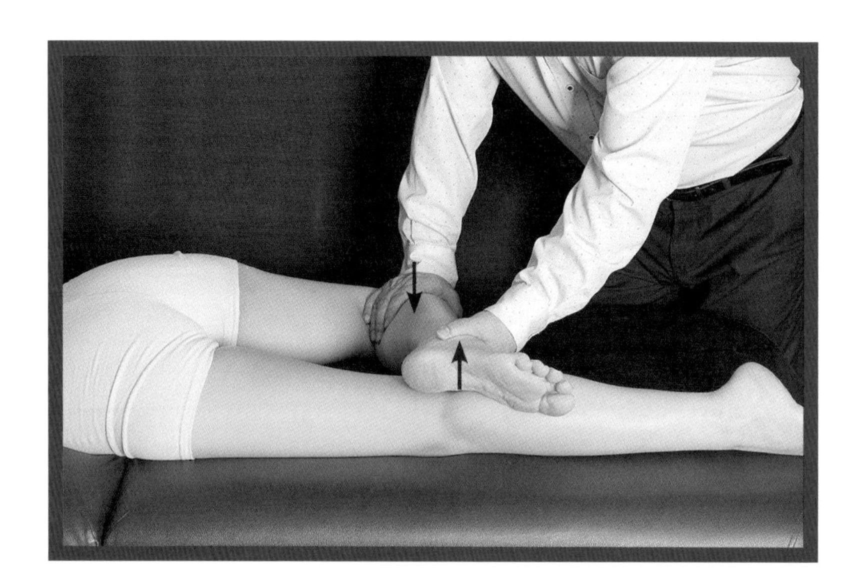

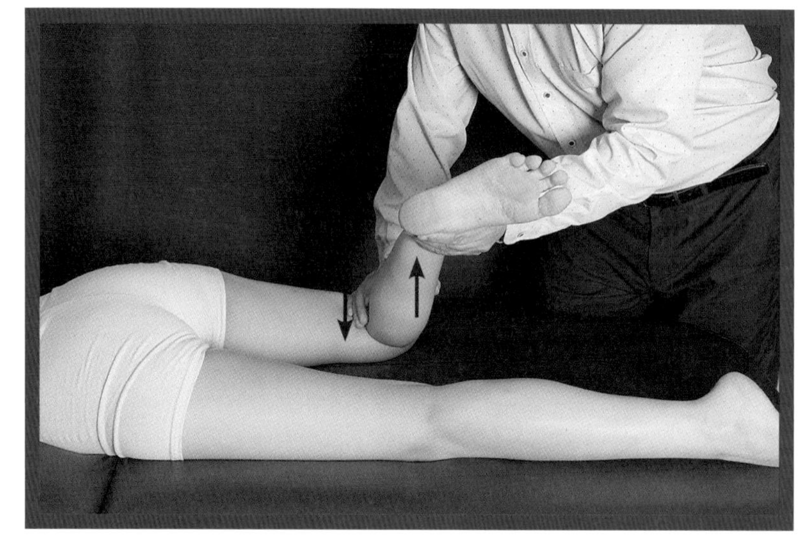

피검사자는 엎드려서 한쪽 다리는 펴고 반대쪽 다리의 무릎을 90도 굽혀 편 다리의 무릎 위에 올린다. 검사자는 한 손으로 무릎 가쪽을 고정하고 다른 손으로 안쪽 복사뼈를 잡고 발을 들어올리면 피검사자는 이에 저항하여 버틴다. 약한 쪽의 이상근에 테이핑을 한다.

Taping

09 이상근 근반응 검사 2

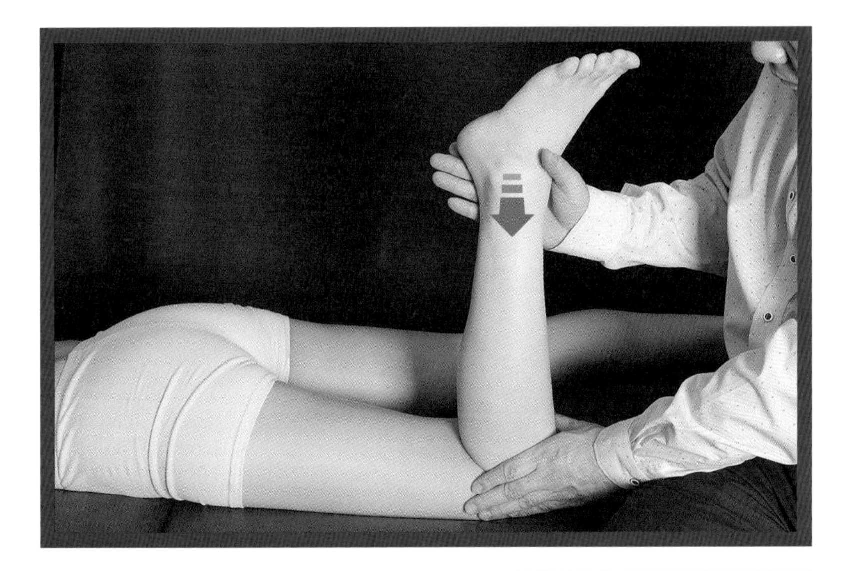

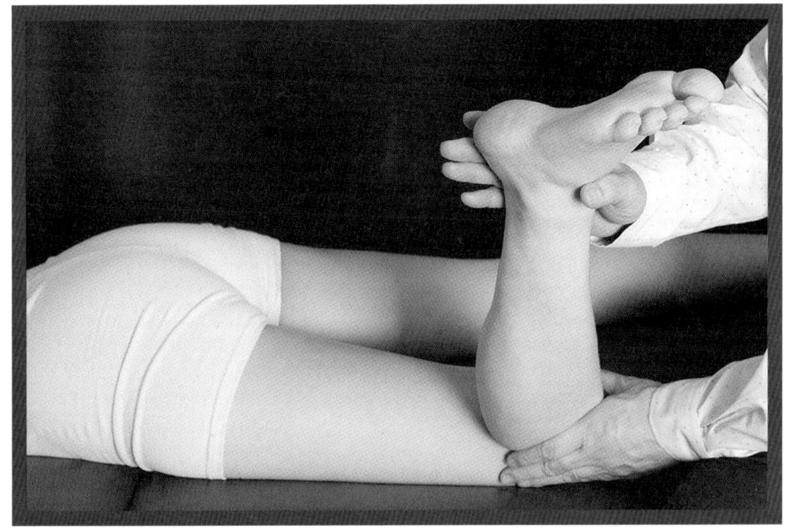

피검사자는 엎드려서 한쪽 다리는 펴고 반대쪽 다리의 무릎을 90도 굽힌다. 검사자는 한 손으로 무릎을 고정하고 다른 손으로 안쪽 복사뼈와 발목을 감아 쥐고 가쪽으로 밀면 피검사자는 이에 저항하여 버틴다. 약한 쪽의 이상근에 테이핑을 한다.

Taping

10 전경골근 근반응 검사

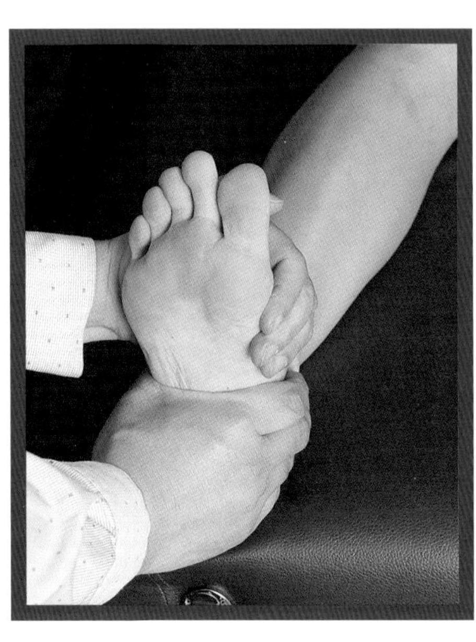

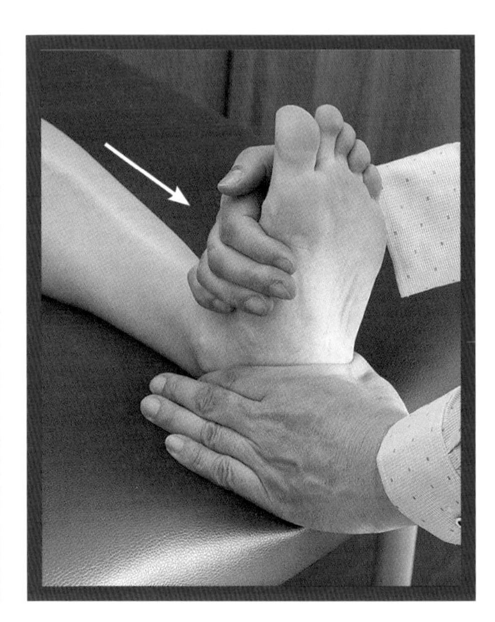

피검사자는 똑바로 누워서 다리를 펴고 발은 발등쪽으로 굽혀(족배굴곡=dorsiflexion), 내번(inversion)시킨다. 검사자가 한 손으로 발꿈치를 잡아 안정화시키고 다른 손으로 엄지쪽 날을 잡고 화살표 방향으로 당기면 피검사자는 이에 저항하여 버틴다. 약한 쪽의 전경골근에 테이핑을 한다.

Taping

11 후경골근 근반응 검사

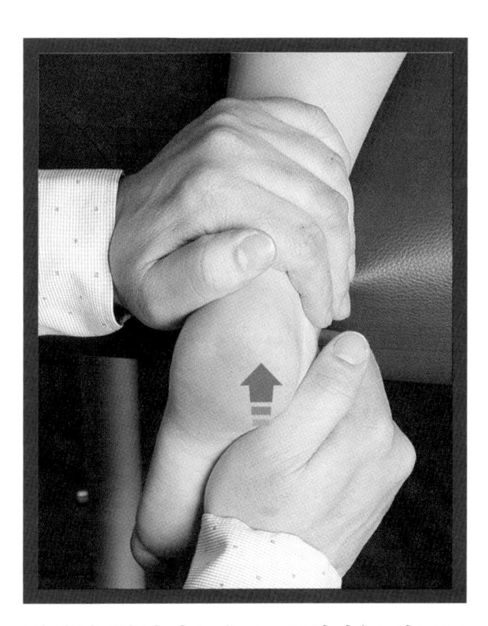

피검사자는 엎드려 발목을 배드 밖으로 내밀어 발바닥쪽으로 굽힌다(족저굴곡=plantar flexion). 검사자가 한 손으로 발목을 잡고 다른 손으로 발바깥쪽을 잡아 위쪽 화살표 방향으로 밀면 피검사자는 그 힘에 저항하여 버틴다. 양쪽 모두 검사하여 약한 쪽의 후경골근에 테이핑을 해준다.

Taping

12 대둔근 테이핑

대둔근 근반응 검사 ⋯→ p.255 참조

5cm

20cm

2개

01

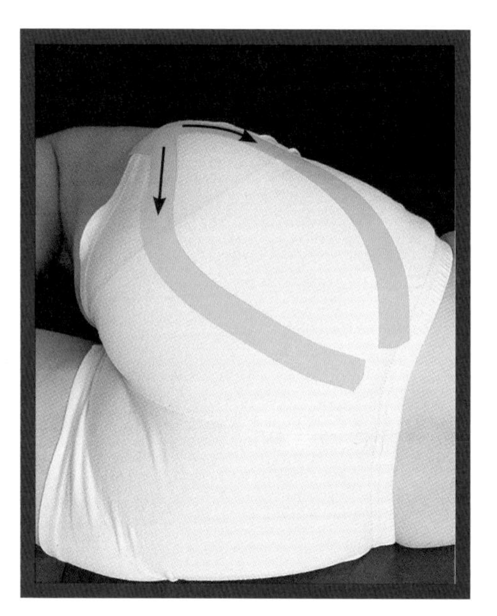

Y자형 테이프의 기부를 대퇴골에 붙인 다음 두 갈래로 힙 전체를 감싸듯이 붙인다.

02

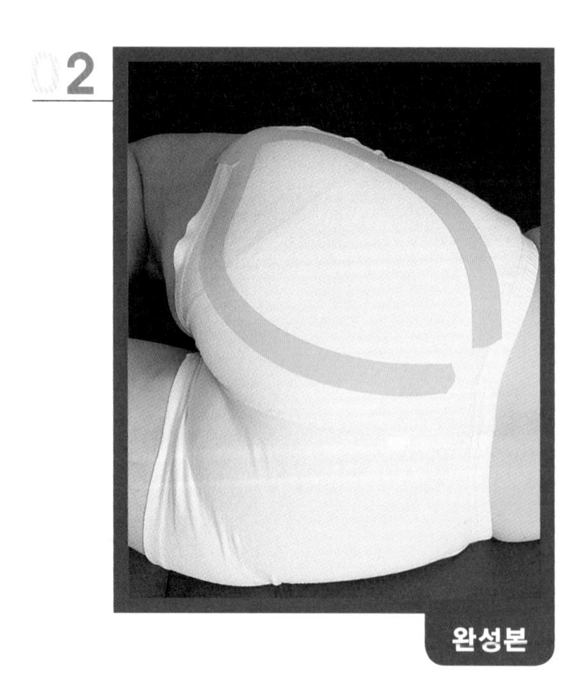

완성본

Taping

13 중둔근 테이핑

중둔근 근반응 검사 ··· p.256 참조

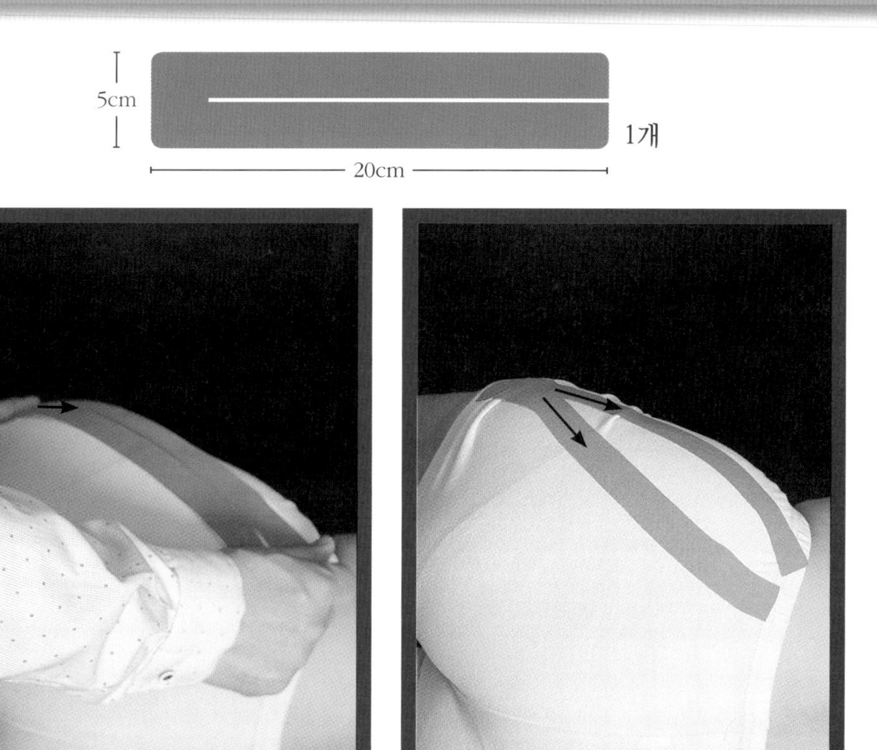

01

Y자형 테이프의 기부를 대퇴골에 붙인 다음 무릎을 굽혀 두 갈래는 장골 외측면을 따라 두 갈래로 벌려서 붙인다.

02

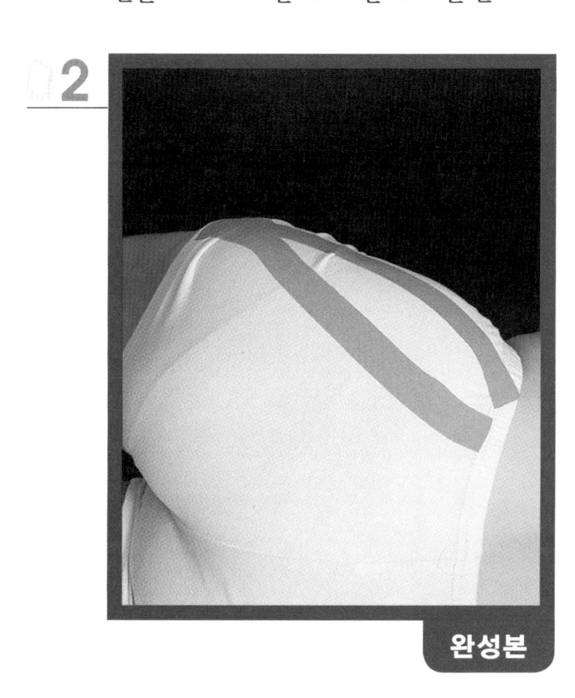

완성본

Taping

14 이상근 테이핑

이상근 근반응 검사 ···→ p.262~263 참조

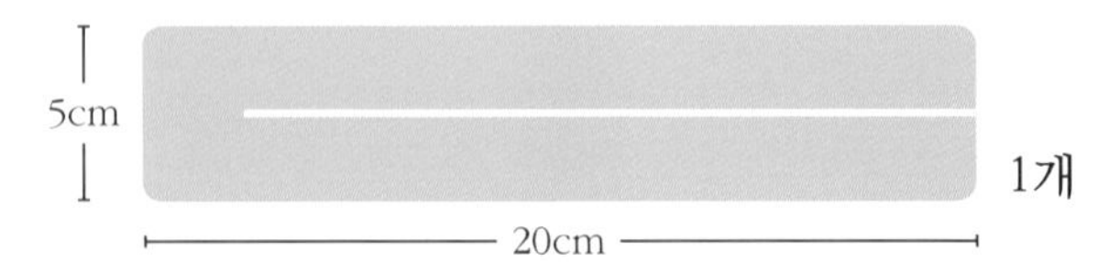

01

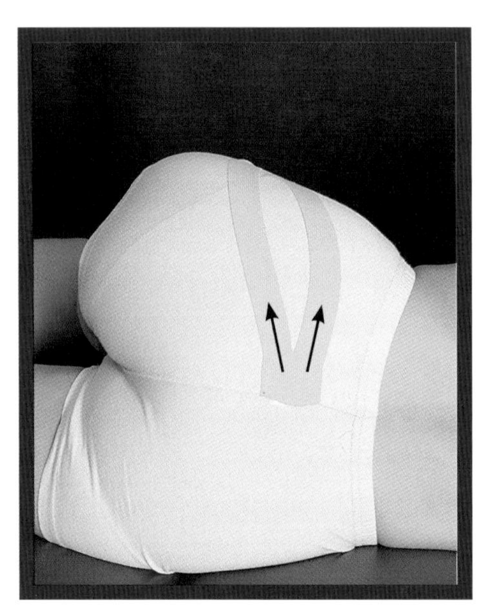

Y자형 테이프의 기부를 천골조면부위에 붙인 다음 두 갈래는 대전자 방향으로 그림과 같이 붙인다. 이때 피검사자는 무릎을 굽힌다.

02

완성본

Taping

15 대퇴근막장근 테이핑 1

대퇴근막장근 근반응 검사 ⋯▸ p.259~260 참조

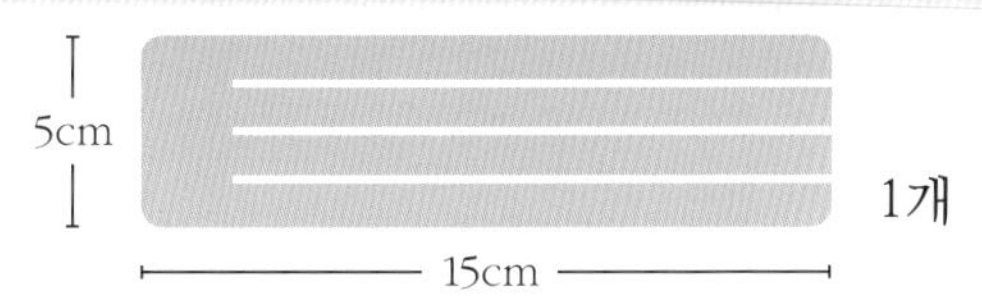

1

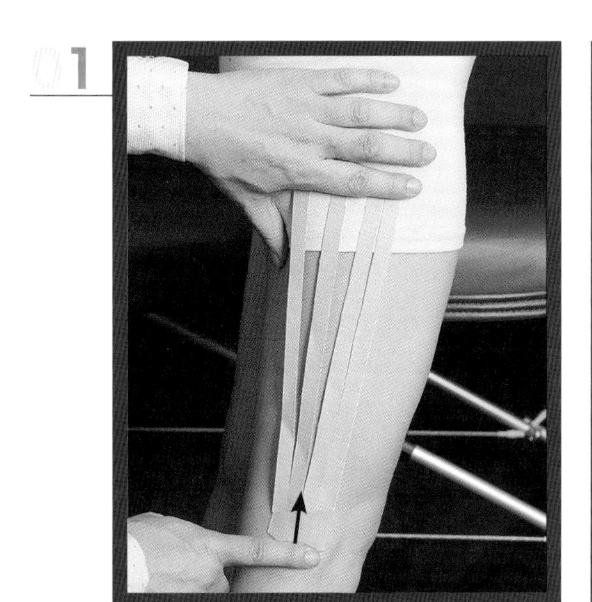

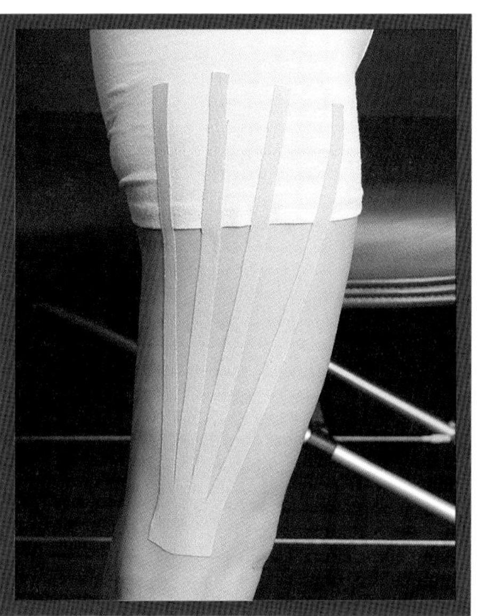

4갈래 테이프의 기부를 무릎 가쪽에 붙인 다음 각 갈래는 그림과 같이 붙인다.

2

완성본

Taping

16 대퇴근막장근 테이핑 2

대퇴근막장근 근반응 검사 ···› p.259~260 참조

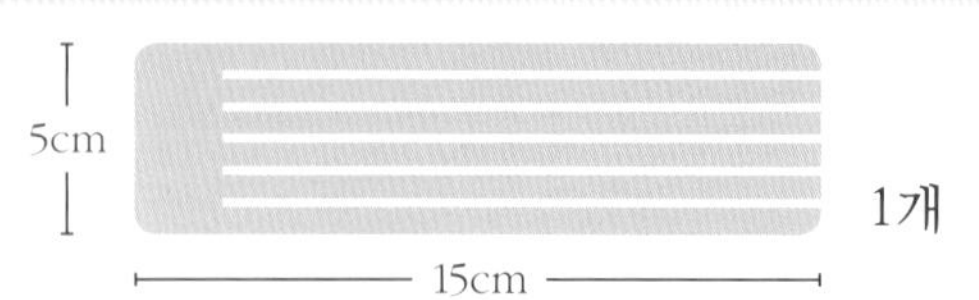

1

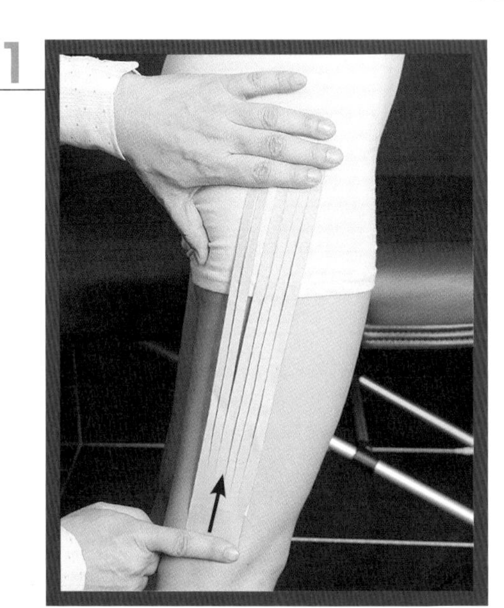

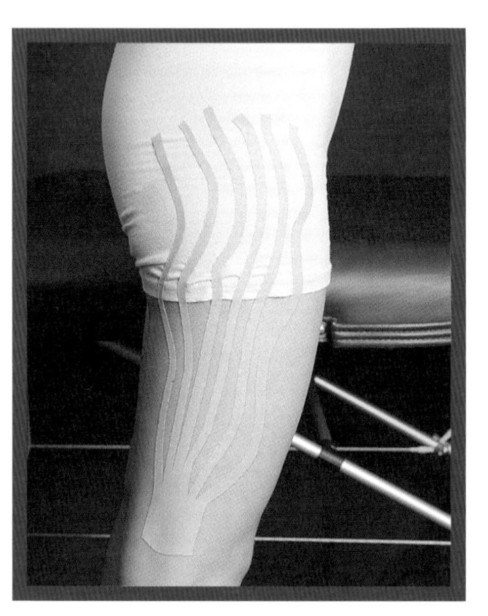

6갈래 테이프의 기부를 무릎 가쪽에 붙인 다음 각 갈래는 그림과 같이 붙인다.

2

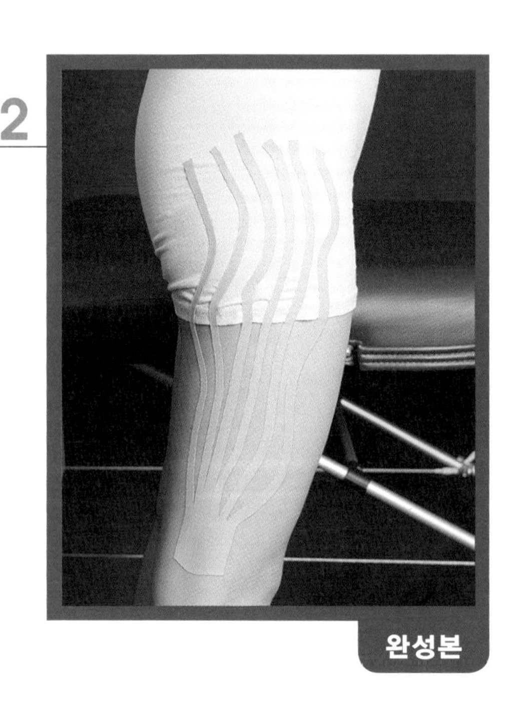

완성본

Taping

17 대퇴직근 테이핑

대퇴직근 근반응 검사 ⋯→ p.257 참조

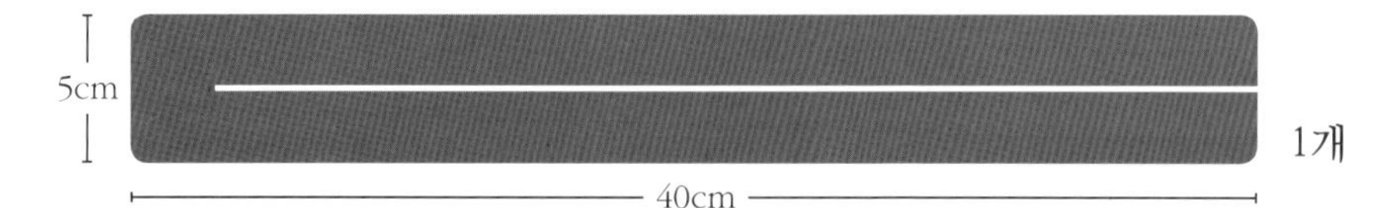

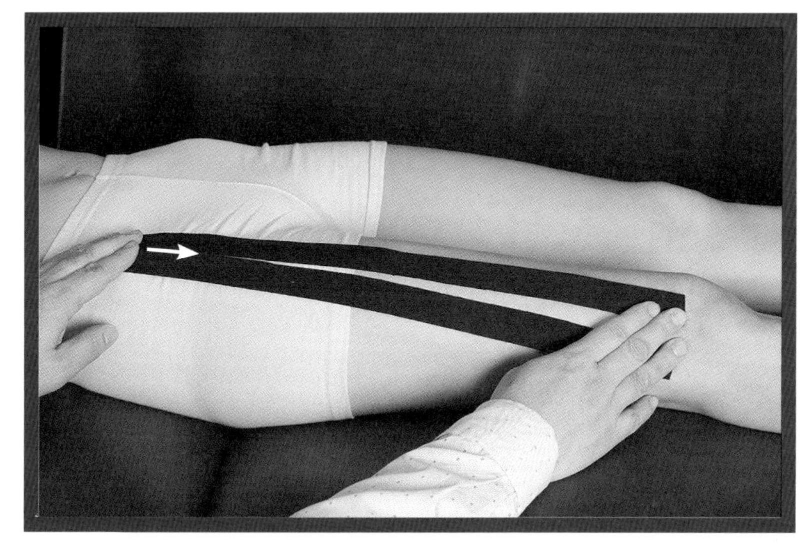

Y자형 테이프의 기부를 하전장골극(AIIS)에 붙인 다음 두 갈래는 무릎까지 붙인다.

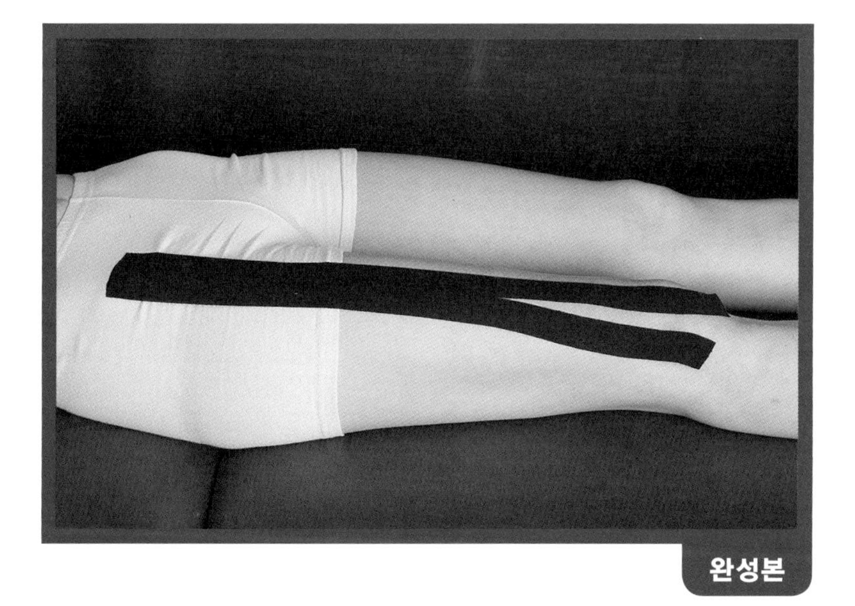

완성본

Taping

18 햄스트링 테이핑 1

햄스트링 근반응 검사 ⋯→ p.258 참조

5cm 40cm 2개

5cm 40cm 2개

1

Y자형 테이프의 기부를 좌골부위에 붙인 다음 두 갈래는 햄스트링 가쪽라인을 따라 그림과 같이 붙인다. 이때 피검사자는 몸을 굽혀 햄스트링을 신전시킨다.

2

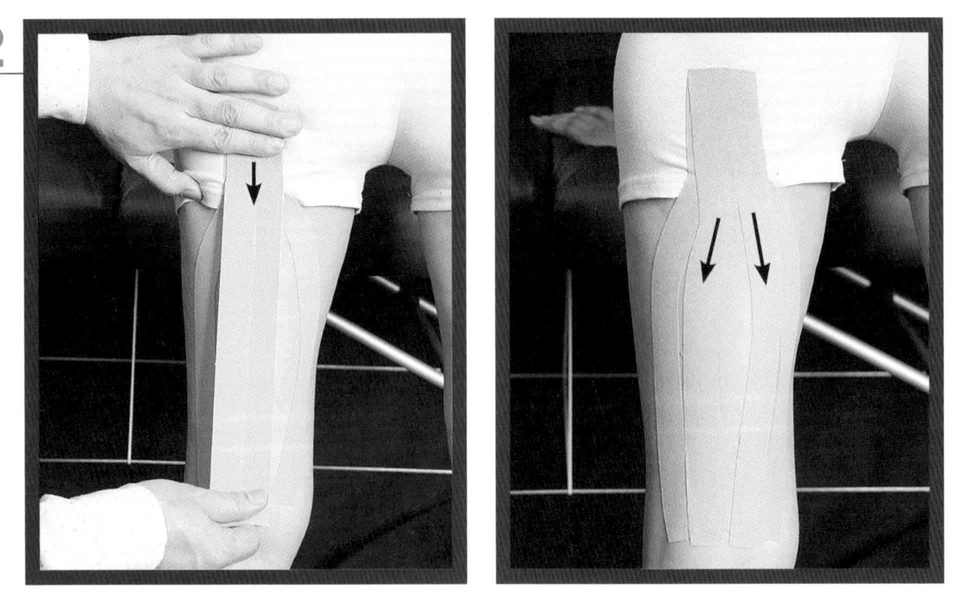

Y자형 테이프의 기부를 1번 Y자형 테이프의 기부 위에 붙이고 두 갈래는 1번 테이핑 사이에 붙인다.

3

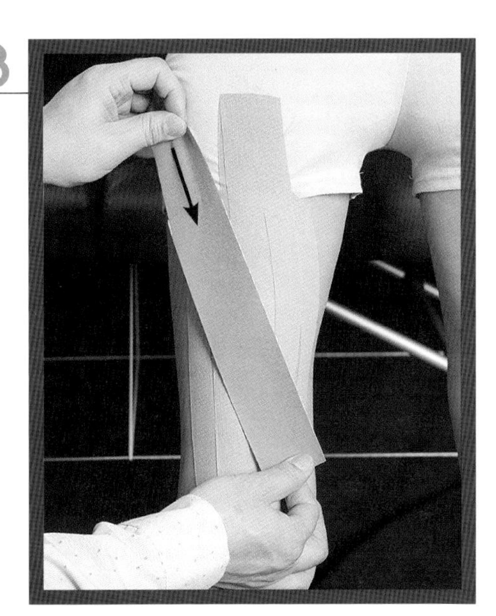

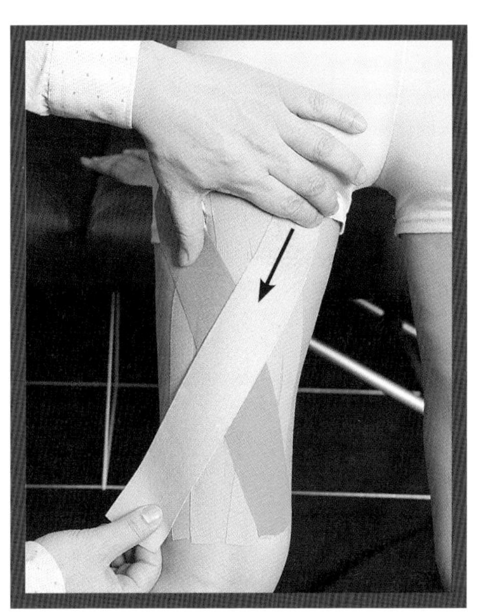

I자형 테이프를 좌우로 붙여 X자 형태를 만든다.

4

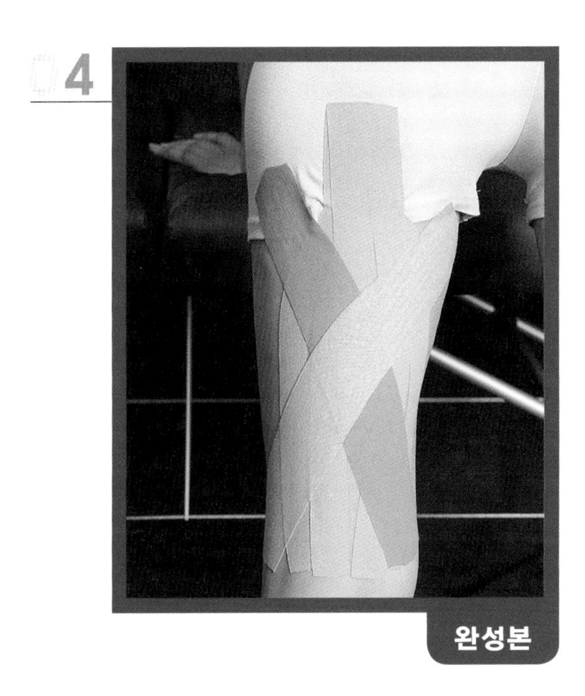

완성본

Taping

19 햄스트링 테이핑 2

햄스트링 근반응 검사 ···→ p.258 참조

5cm

40cm

3개

1

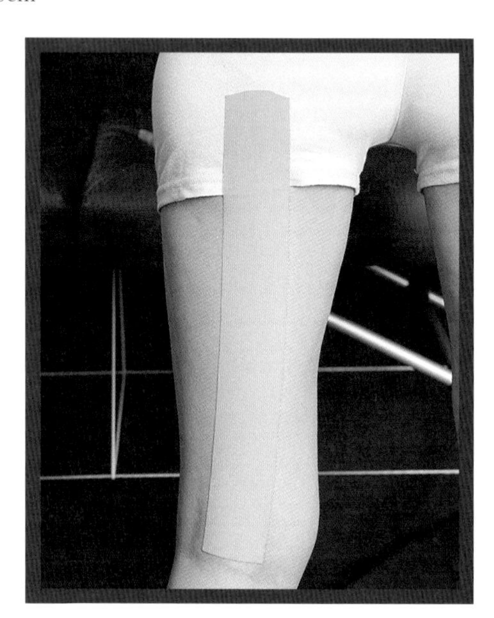

I자형 테이프를 좌골부위에서부터 오금까지 붙인다. 이때 피검사자는 몸을 굽혀 햄스트링을 신전시킨다.

2

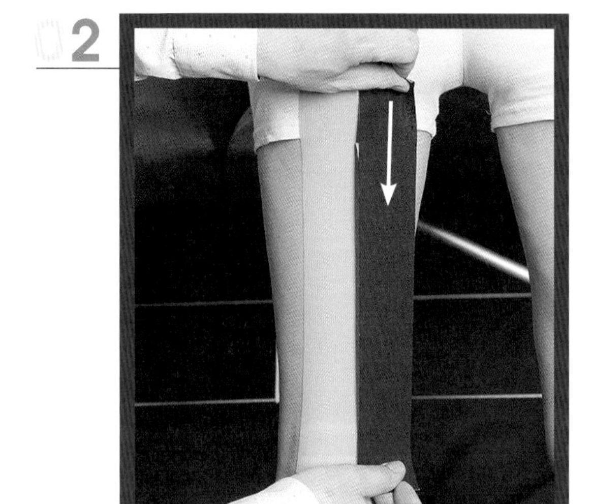

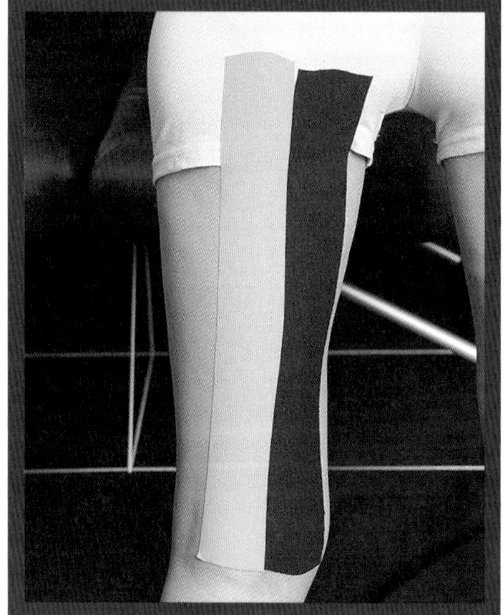

I자형 테이프를 1번 테이핑 안쪽에 붙인다.

3

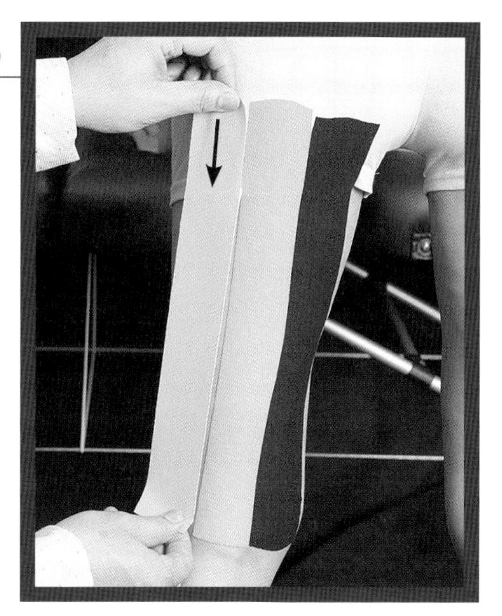

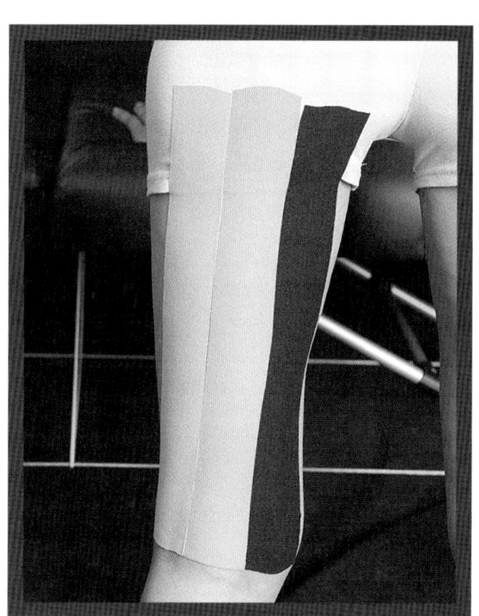

I자형 테이프를 1번 테이핑 가쪽에 붙인다.

4

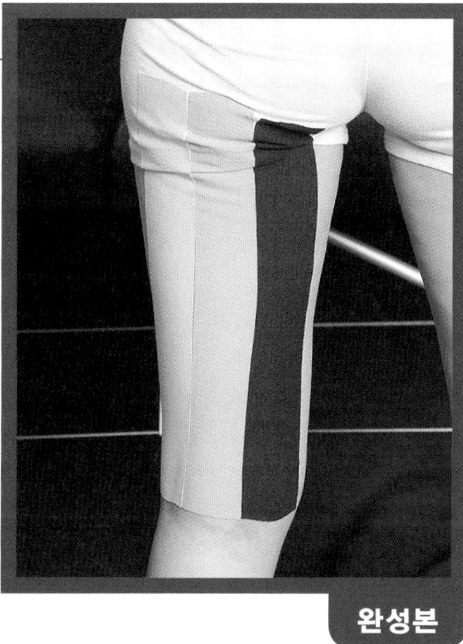

완성본

Taping

20 고관절통증 완화

5cm

3개

15cm

1

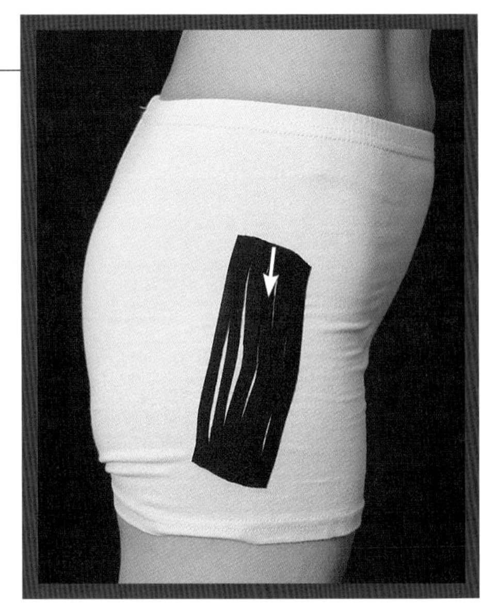

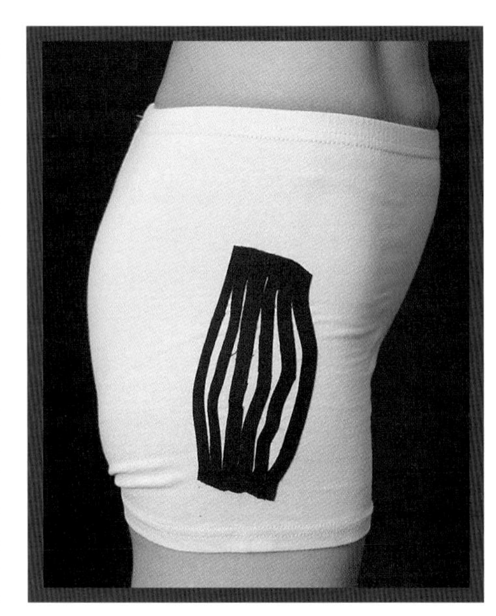

6줄로 자른 테이프를 고관절을 덮어서 엉덩이 측면에 세로로 붙인다.

2

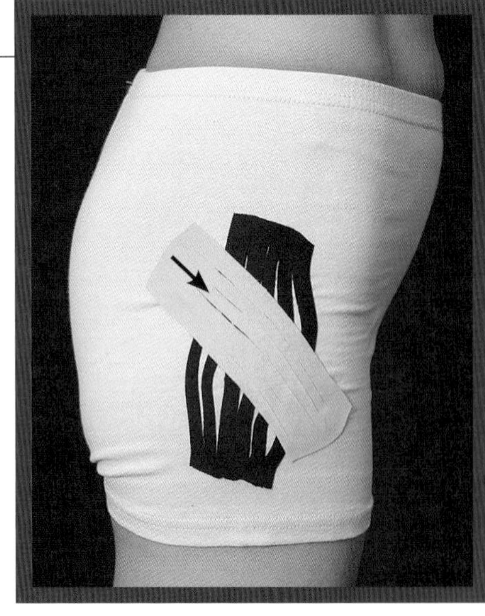

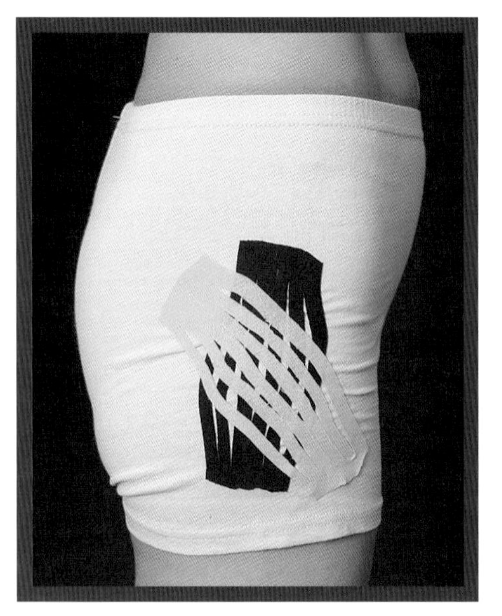

6줄로 자른 테이프를 1번 테이핑 위에 대각선으로 붙인다.

03

6줄로 자른 테이프를 2번 테이핑과 X 자가 되도록 붙인다.

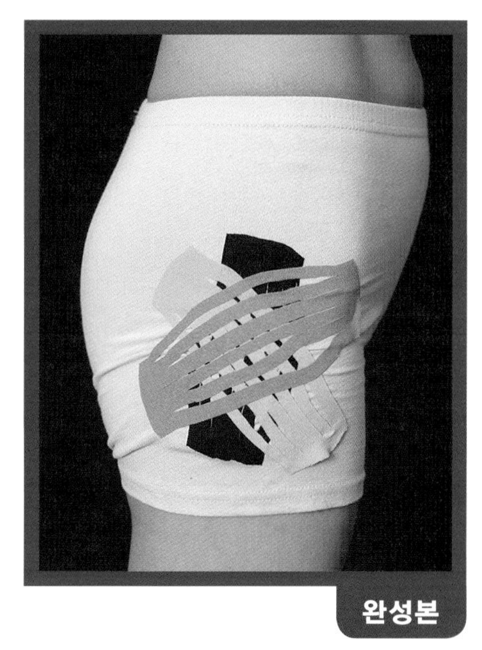

완성본

Taping

21 허벅지통증 완화 1

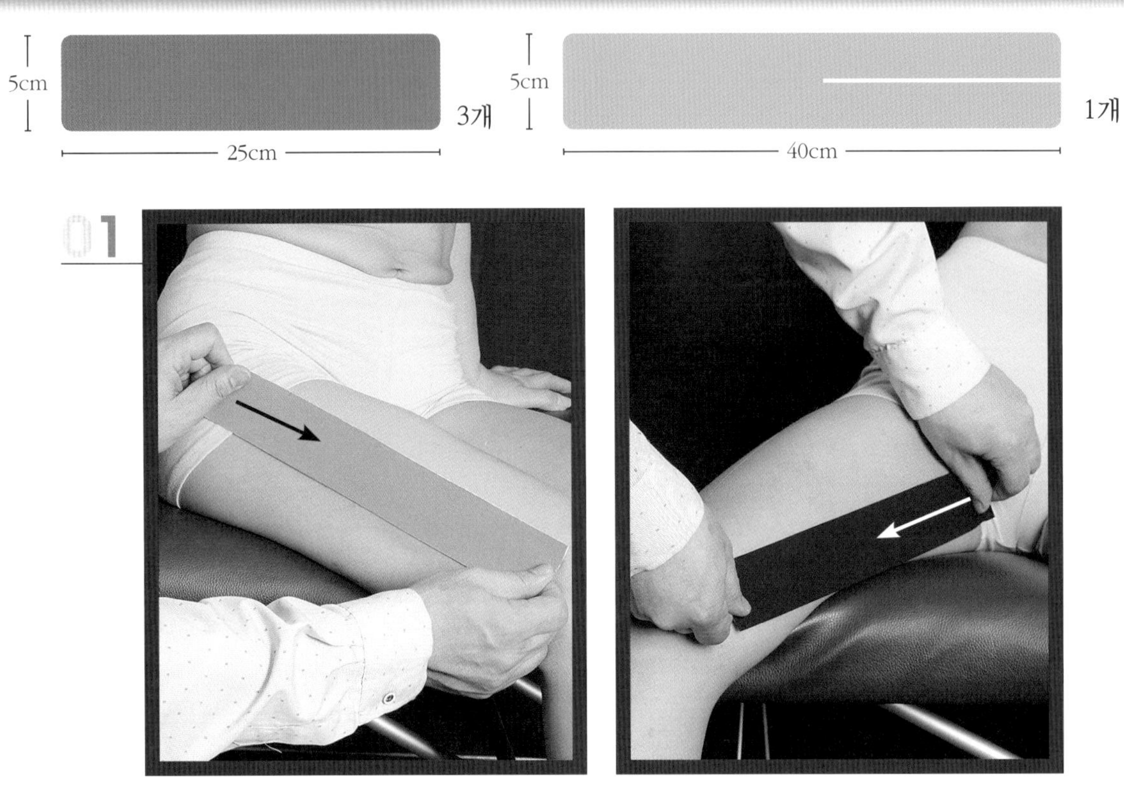

I자형 테이프를 허벅지 가쪽에 붙인다. 허벅지 안쪽에도 같은 방법으로 붙인다.

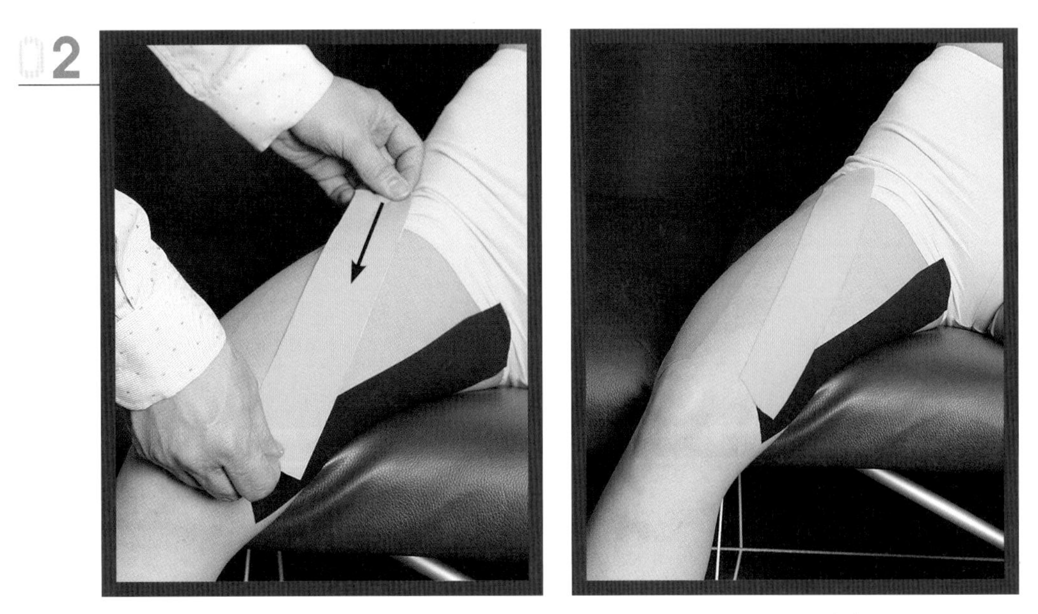

허벅지 가쪽부터 무릎 안쪽까지 I자형 테이프를 대각선으로 붙인다.

03

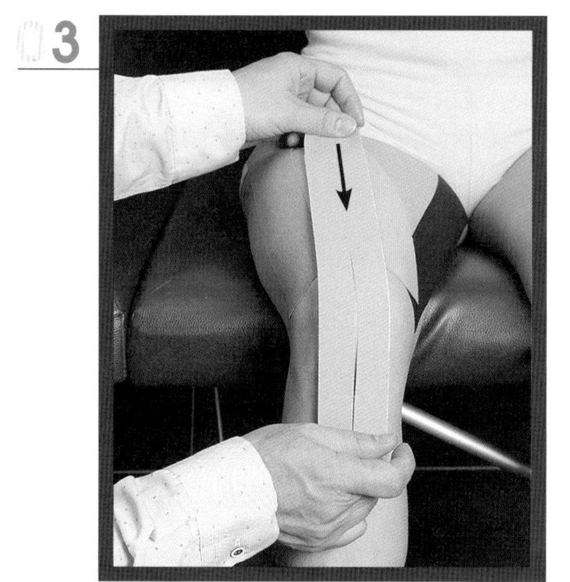

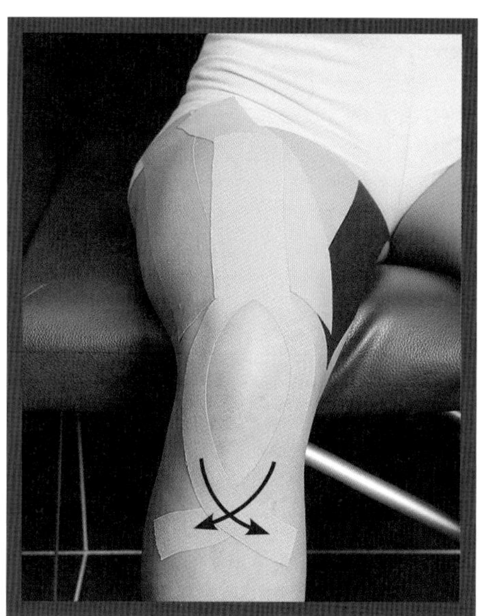

그림과 같은 Y자형 테이프의 기부를 허벅지 맨위쪽에 붙인 다음 두 갈래는 무릎을 양쪽으로 감싸서 붙인다.

04

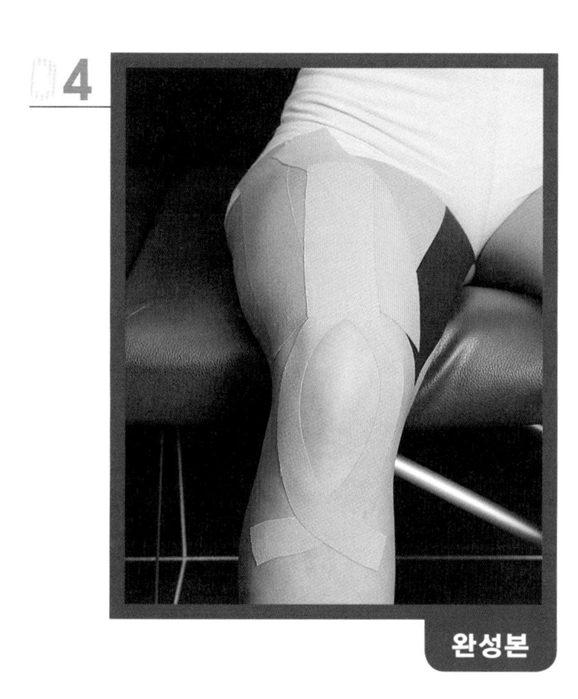

완성본

Taping

22 허벅지통증 완화(림프순환) 2

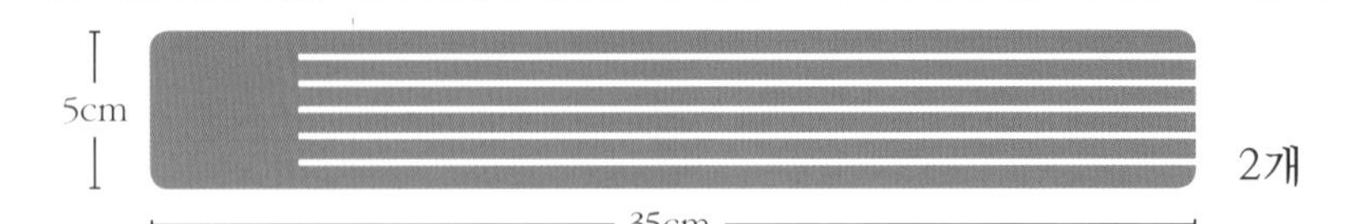

01

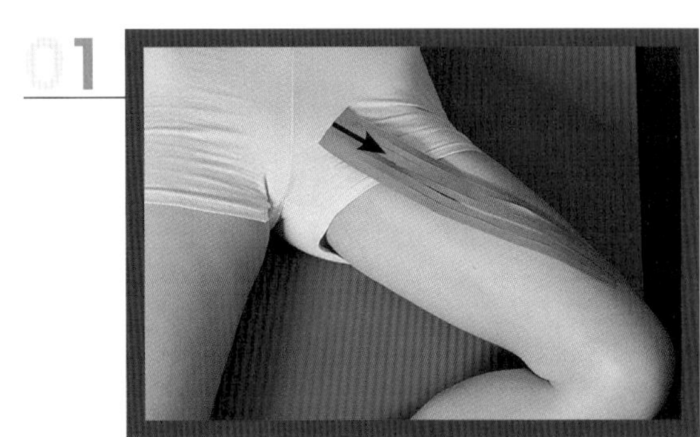

02

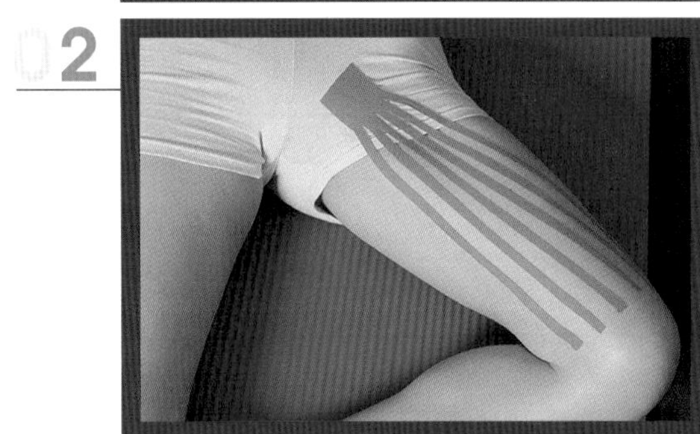

6갈래 테이프의 기부를 허벅지 위쪽(서혜부)에 붙이고 그림처럼 6갈래로 벌려서 균등하게 붙인다. 이때 무릎은 굽힌다.

03

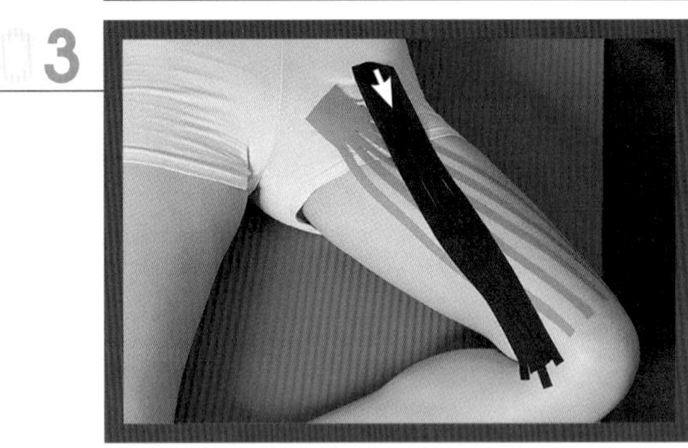

6갈래 테이프의 기부를 1번 테이핑의 기부 옆에 붙이고 그림처럼 6갈래로 벌려서 균등하게 붙인다.

04

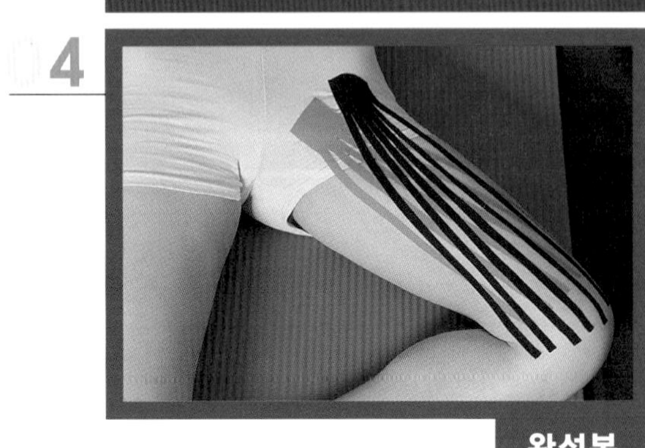

완성본

Taping

23 대퇴가쪽통증 완화

5cm

2개

30cm

01

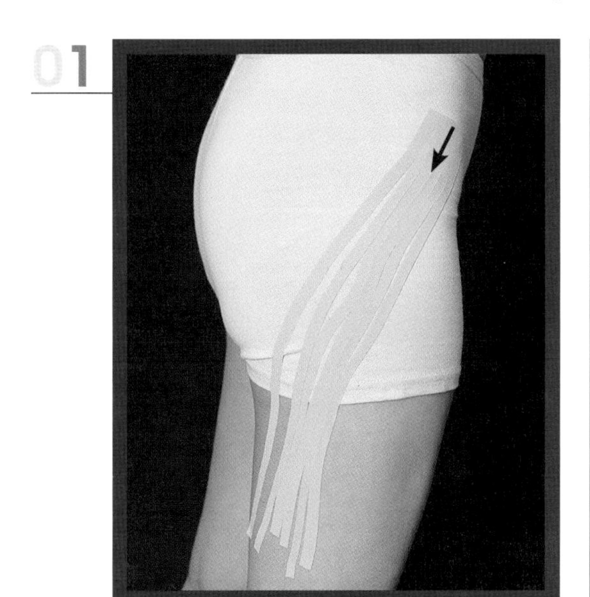

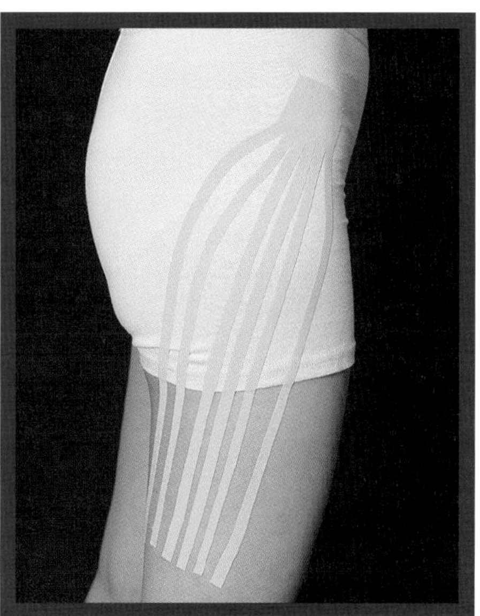

6갈래 테이프의 기부를 대전자 아래쪽에 붙인 다음 한 갈래씩 떼서 그림과 같이 붙인다.

02

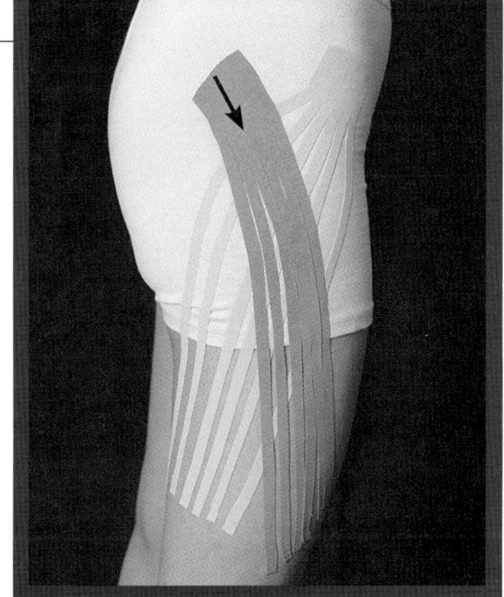

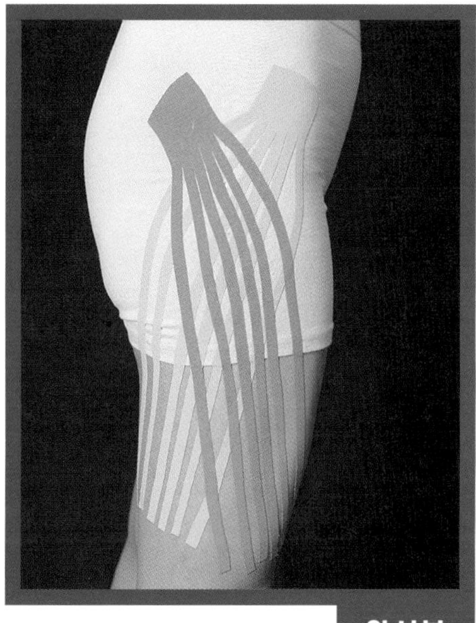

완성본

6갈래 테이프의 기부를 대퇴 뒤쪽 위에 붙인 다음 한 갈래씩 떼서 그림과 같이 붙인다.

Taping

24 대퇴직근과 허벅지안쪽통증 완화

5cm 1개 40cm

5cm 1개 15cm

01

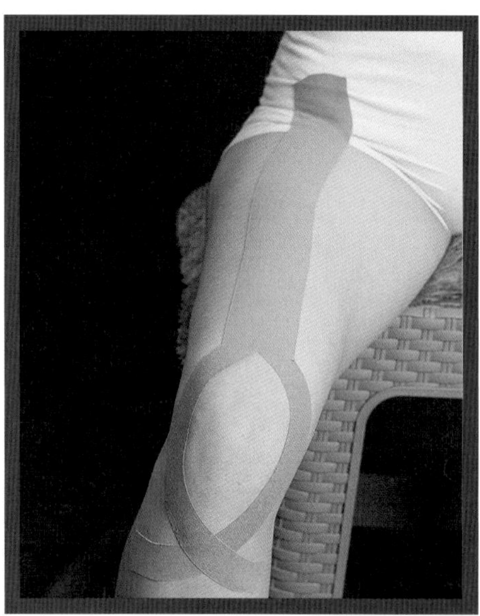

그림과 같은 Y자형 테이프의 기부를 하전장골극(AIIS)부위에 붙인 다음 두 갈래는 무릎을 양쪽으로 감싸서 붙인다.

02

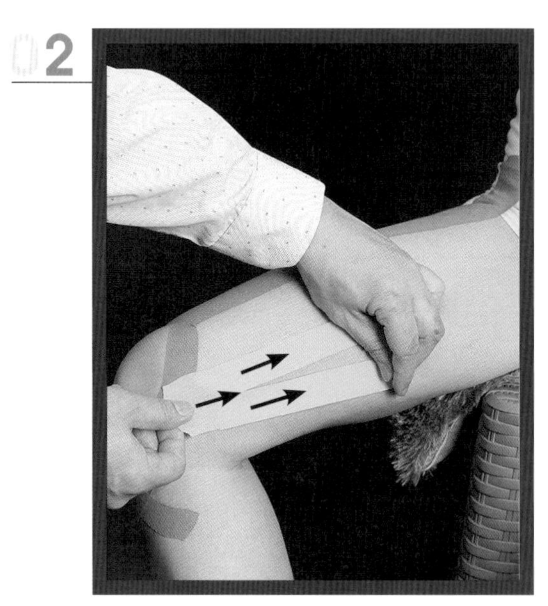

15cm Y자형 테이프의 기부를 무릎 안쪽에 붙이고 두 갈래는 허벅지 안쪽라인을 따라 벌려서 붙인다.

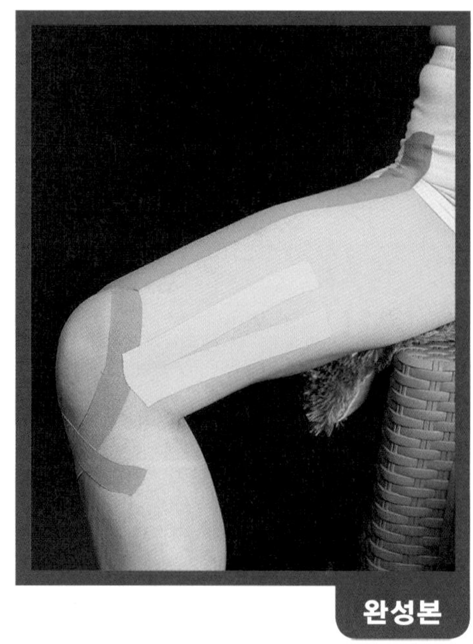

완성본

Taping

25 허리 및 무릎가쪽방사통 완화

5cm
2개
50cm

1

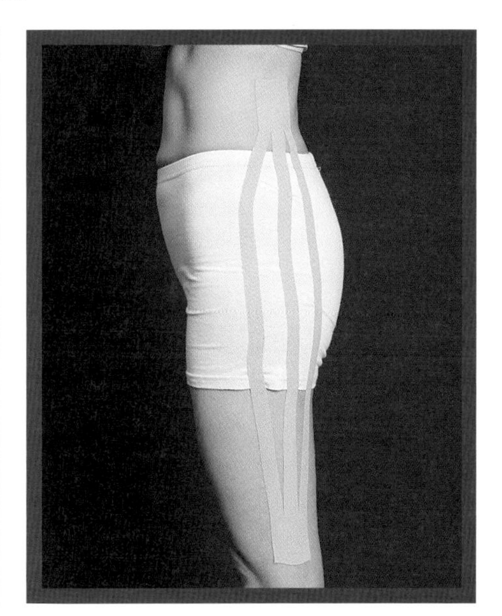

3갈래 테이프의 기부를 허리에 붙인 다음 각 갈래는 3줄로 벌려서 무릎 가쪽에 그림과 같이 붙인다.

2

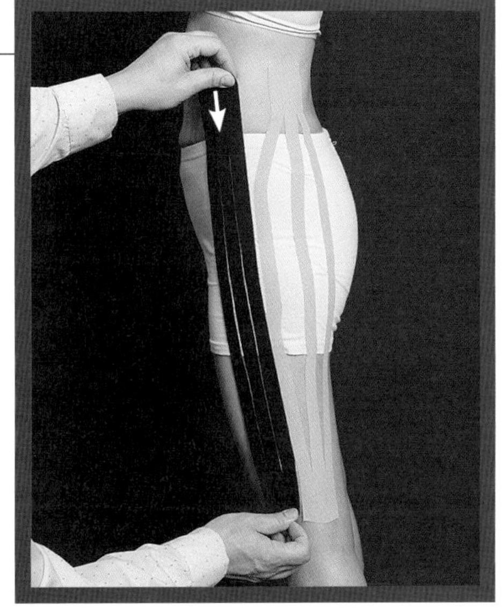

완성본

1번 테이핑의 앞쪽에 같은 방법으로 붙인다.

Taping

26 무릎통증 완화 1

5cm

40cm

1개

01

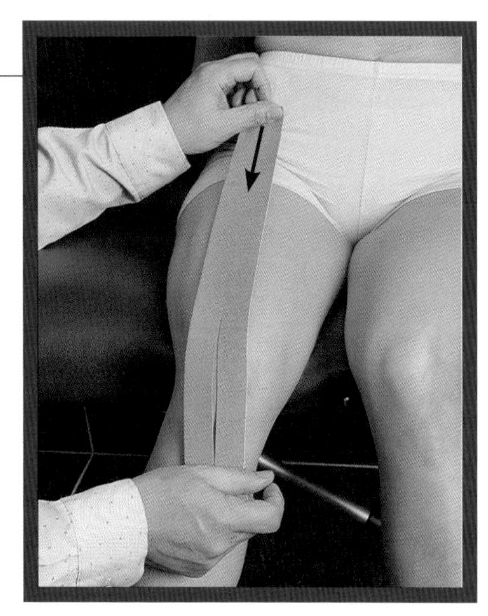

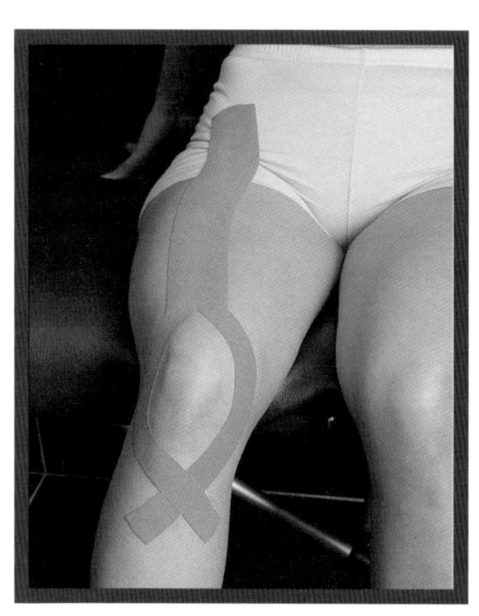

그림과 같은 Y자형 테이프의 기부를 하전장골극(AIIS)에 붙이고 두 갈래는 무릎을 양쪽으로 감싸서 붙인다.

02

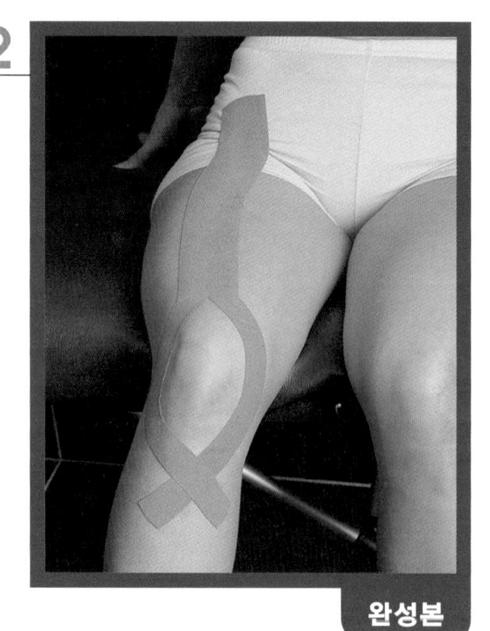

완성본

Taping

27 무릎통증 완화 2

5cm 30cm 1개

5cm 10cm 1개

1

Y자형 테이프의 기부를 무릎 위쪽에 붙이고 두 갈래는 무릎을 양쪽으로 감싸서 붙인다.

2

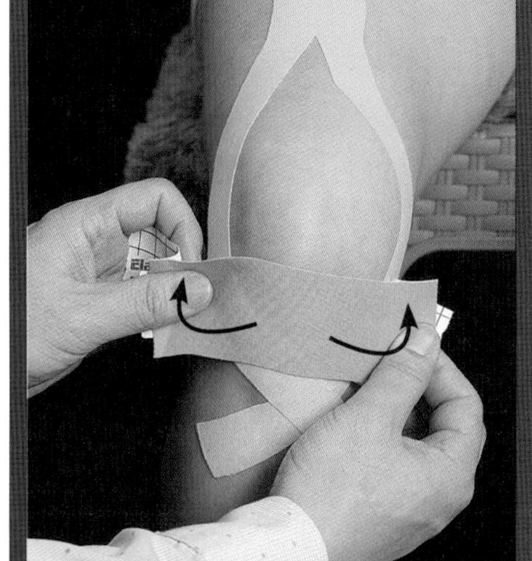

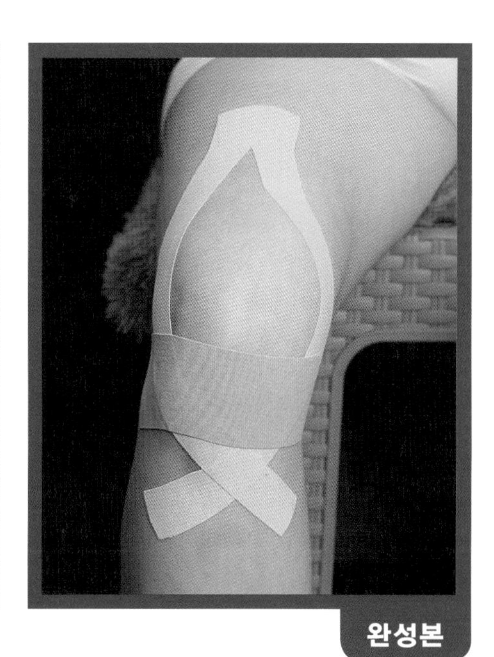

I자형 테이프를 무릎을 위로 밀어올리 듯이 붙인다.

완성본

Taping

28 무릎통증 완화 3

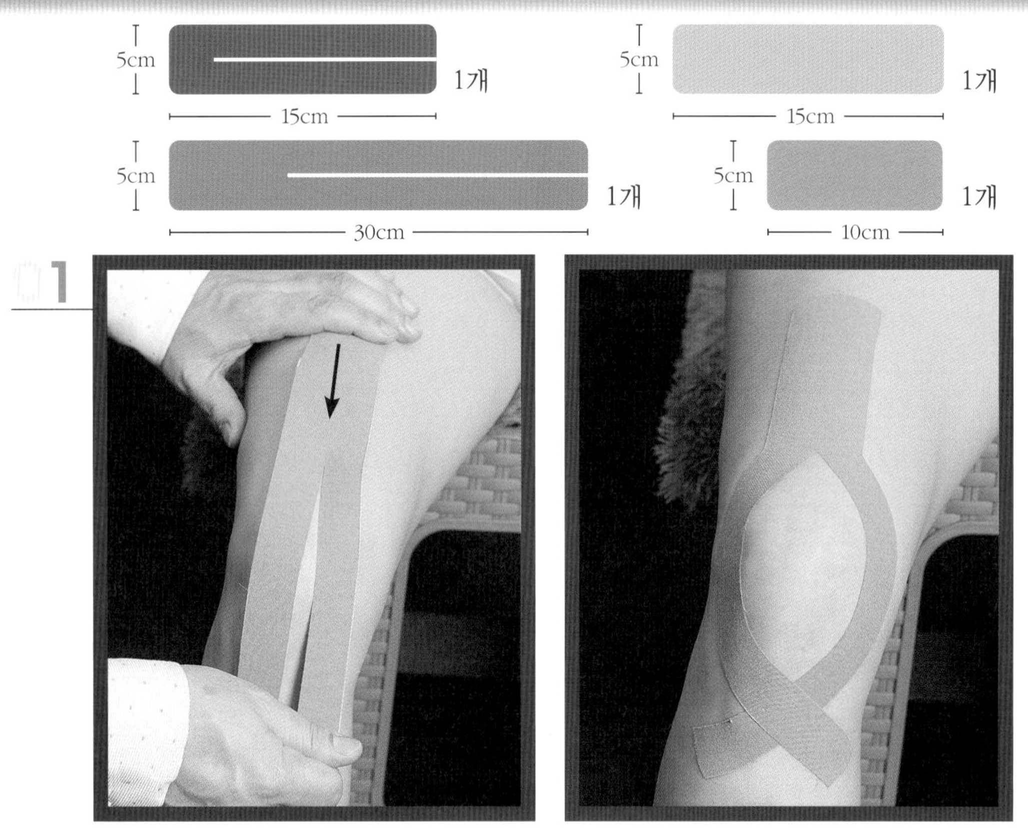

그림과 같은 30cm Y자형 테이프의 기부를 무릎 위쪽에 붙이고 두 갈래는 무릎을 양쪽으로 감싸서 붙인다.

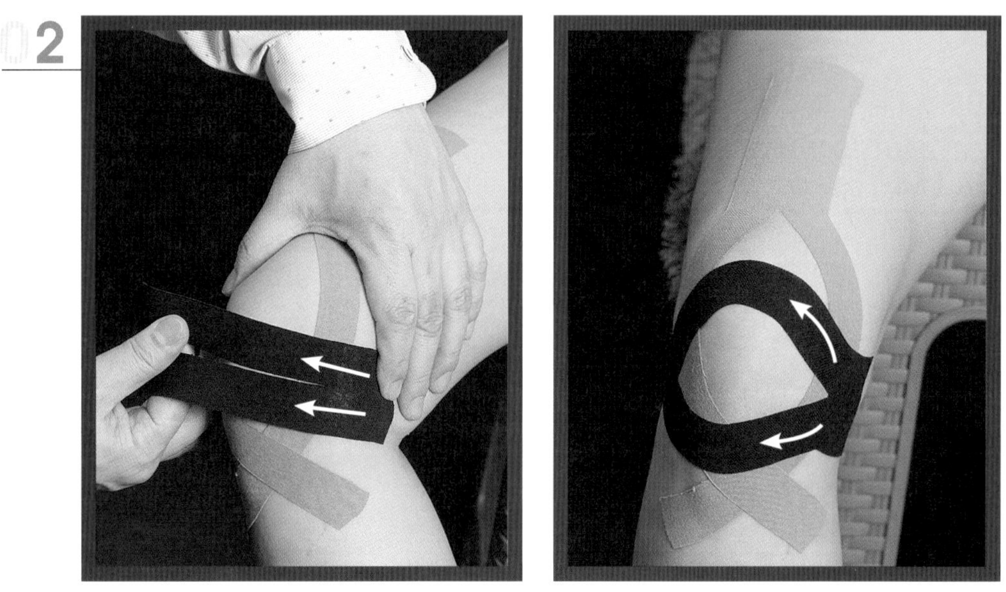

15cm Y자형 테이프의 기부를 무릎 안쪽에 붙이고 두 갈래는 그림과 같이 붙인다.

03

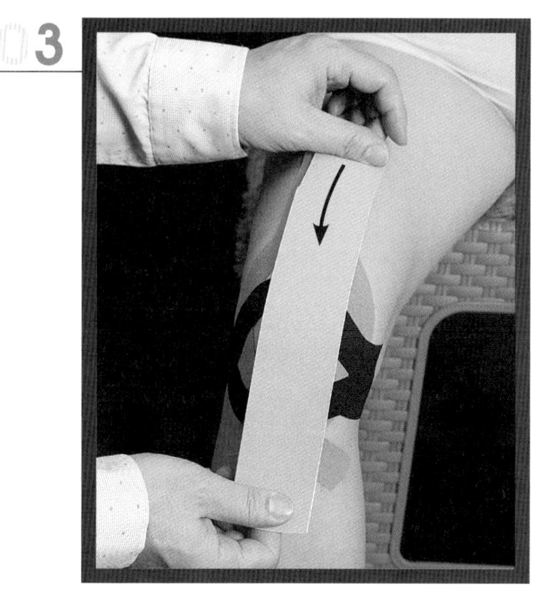

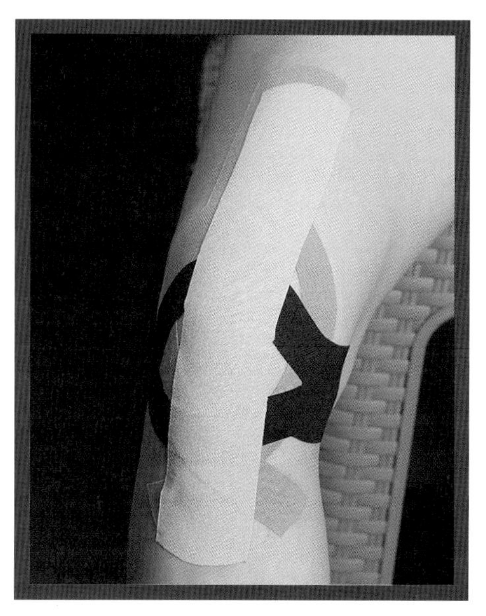

15cm I자형 테이프를 무릎 중심에 맞추어 위아래로 붙인다.

04

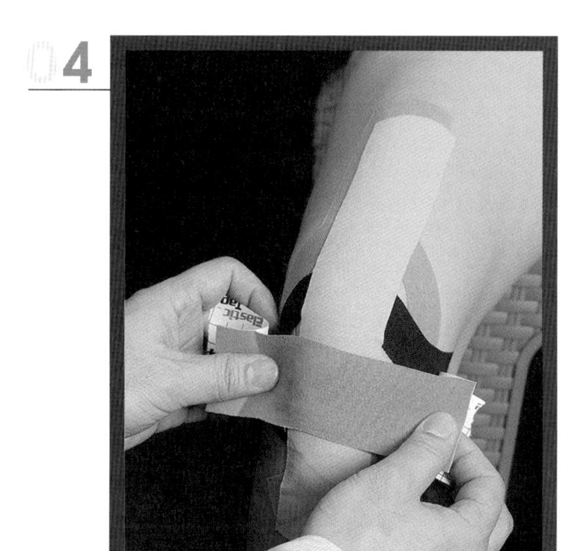

10cm I자형 테이프를 무릎을 위로 밀어올려 주면서 가로로 붙인다.

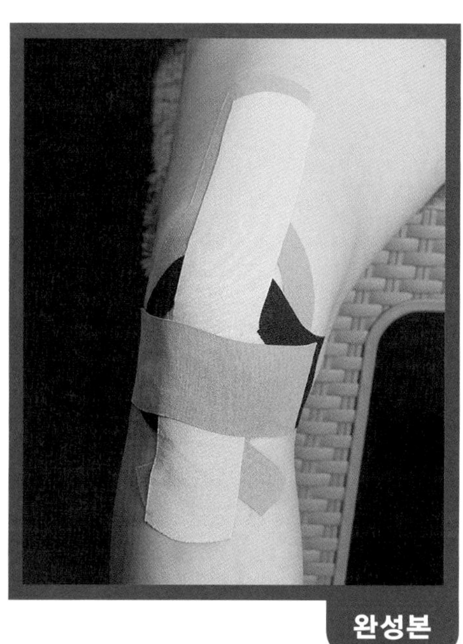

완성본

Taping

29 무릎통증 완화 4

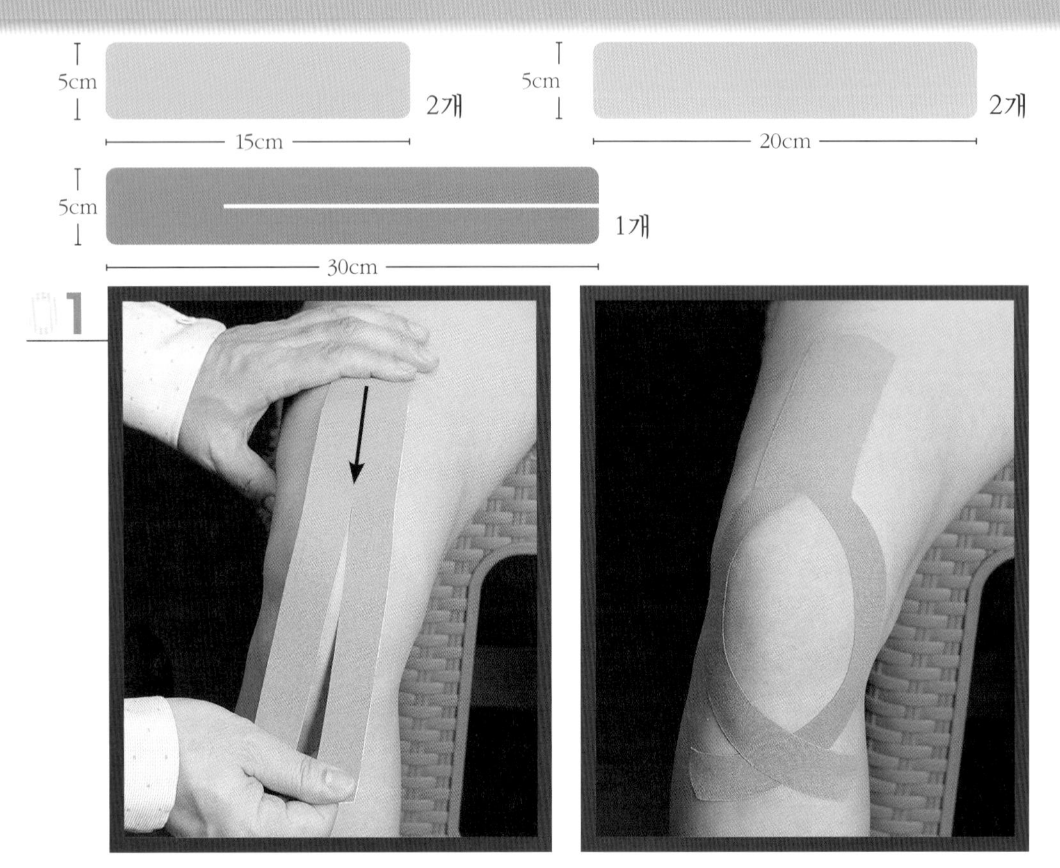

Y자형 테이프의 기부를 무릎 위쪽에 붙이고 두 갈래는 무릎을 감싸서 붙인다.

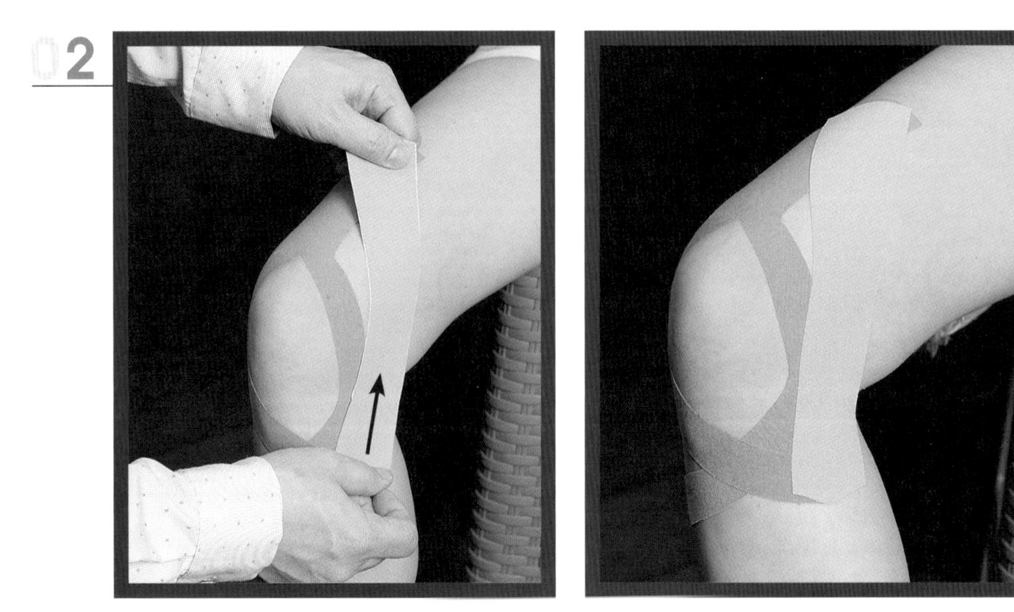

15cm I자형 테이프를 무릎 안쪽 아래부터 허벅지까지 그림과 같이 붙인다.

3

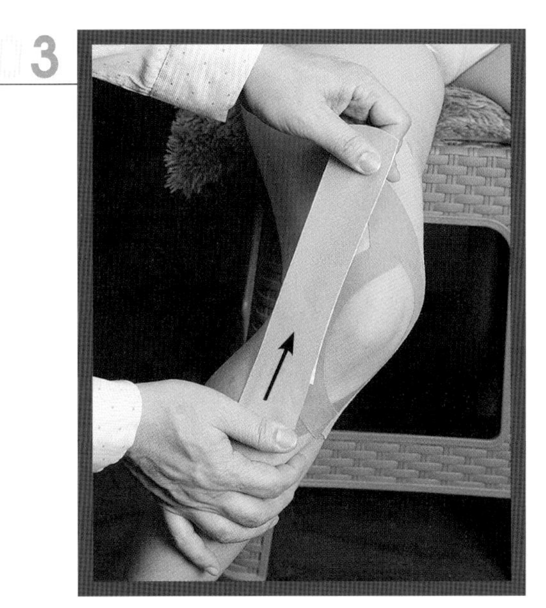

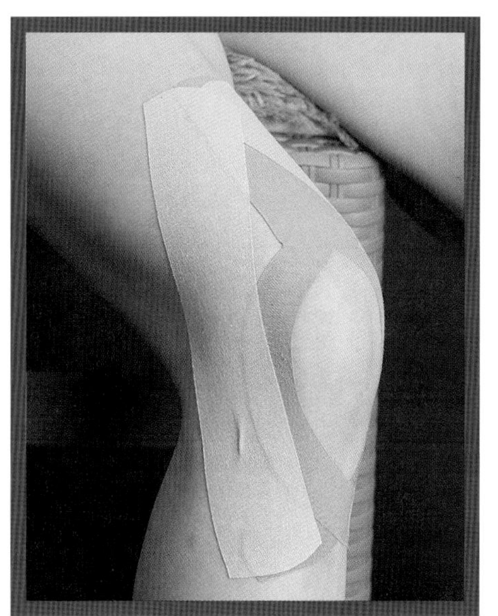

무릎 가쪽도 2번과 같은 방법으로 붙인다.

4

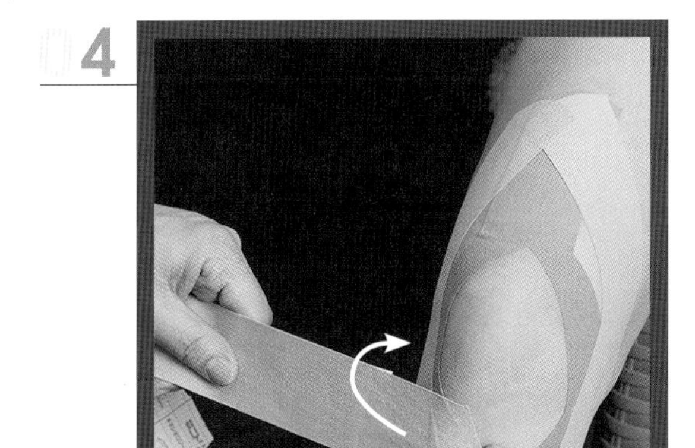

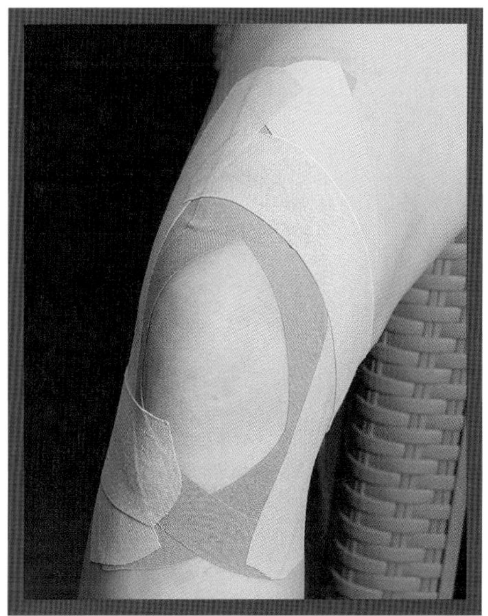

20cm I자형 테이프를 무릎 가쪽에서 시작하여 무릎 뒤를 감고 무릎 위쪽으로 올려서 그림과 같이 붙인다.

5

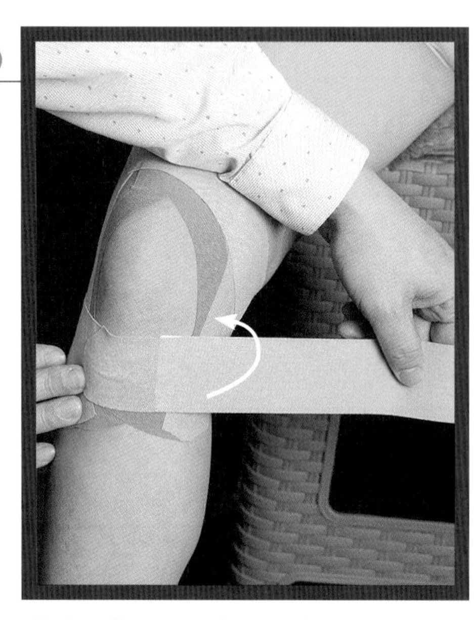

반대쪽인 무릎 안쪽부터 같은 방법으로 붙인다.

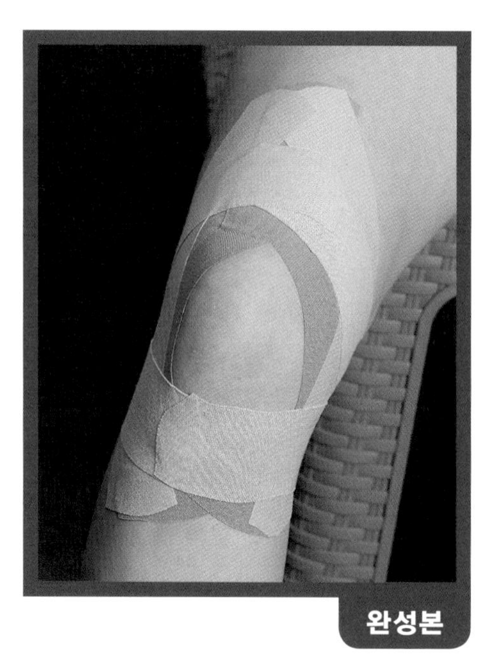

완성본

Taping

30 무릎통증 완화 5

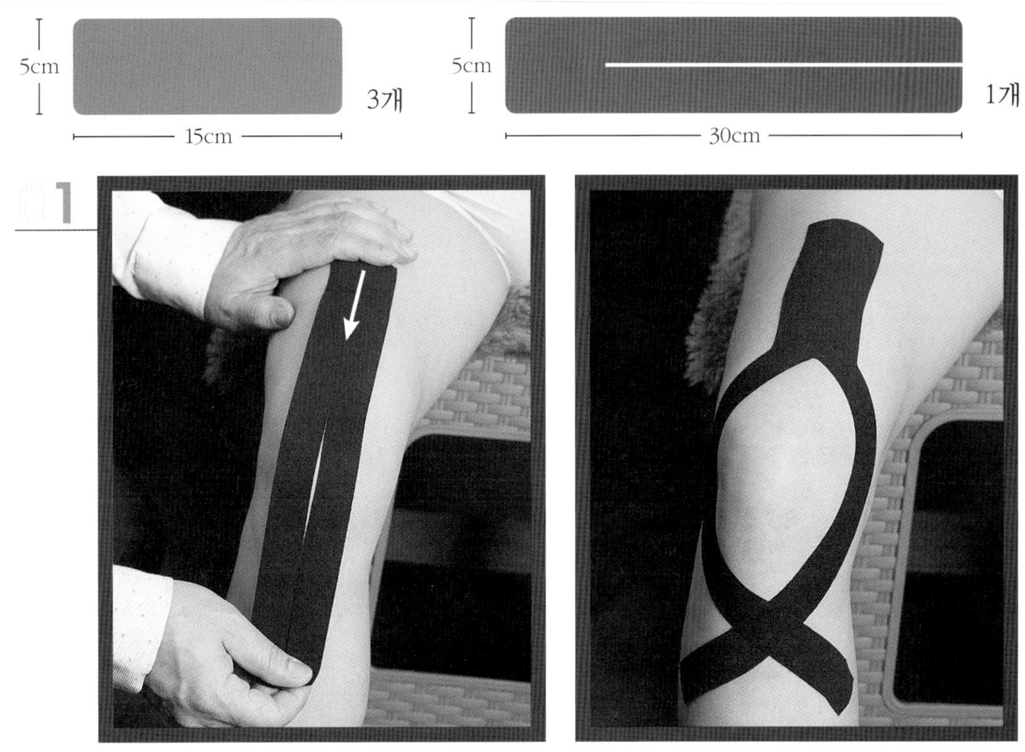

Y자형 테이프의 기부를 무릎 위쪽에 붙이고 두 갈래는 무릎을 양쪽으로 감싸서 붙인다.

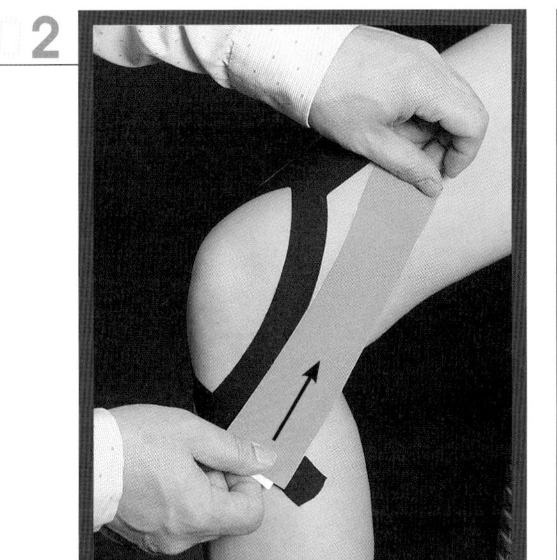

I자형 테이프를 무릎 아래쪽부터 허벅지까지 무릎 안쪽에 붙인다.

3

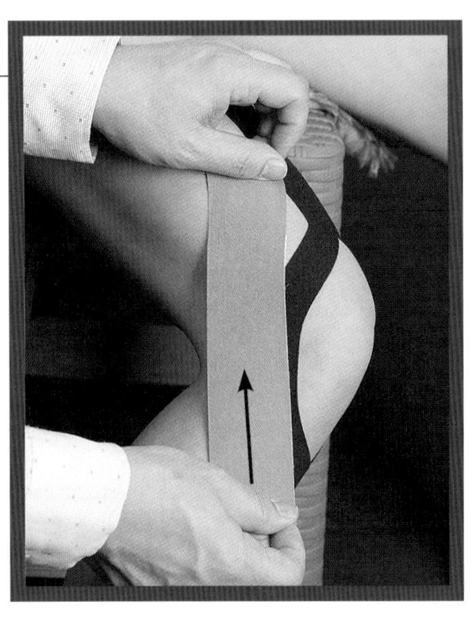

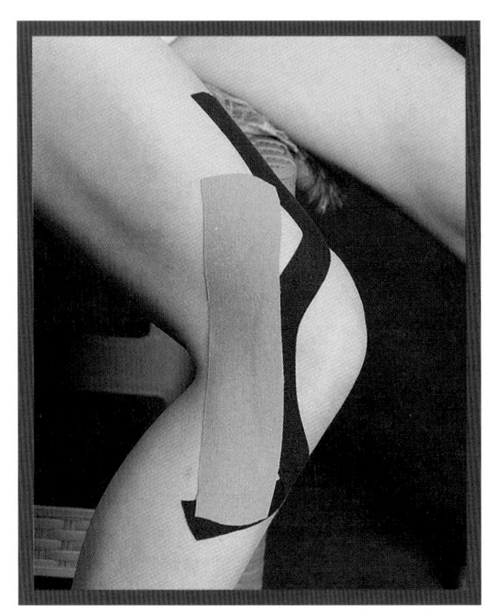

무릎 가쪽도 같은 방법으로 붙인다.

4

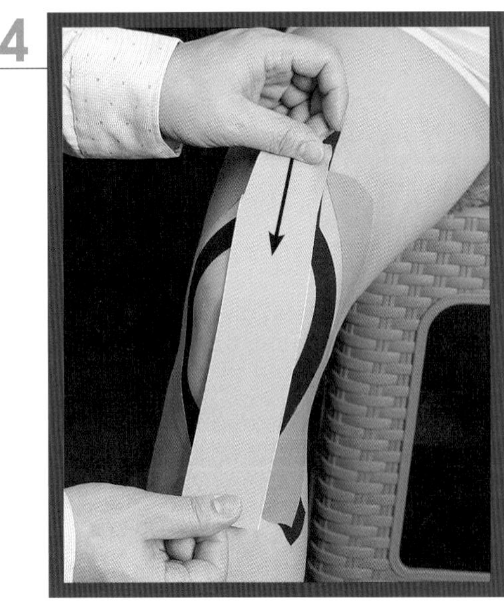

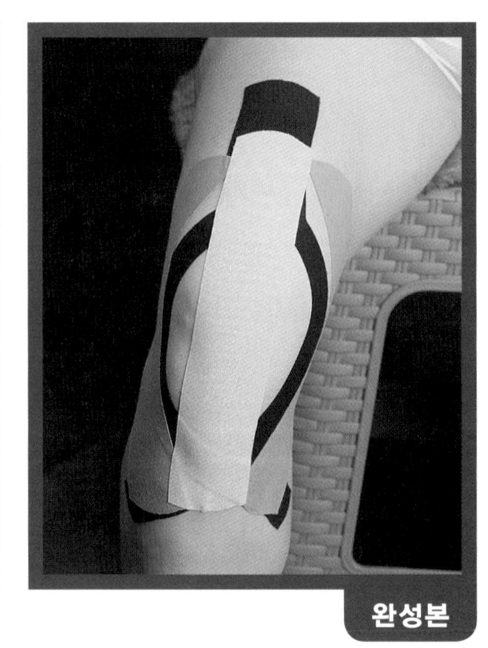

I자형 테이프를 무릎 중심을 따라 세로로 붙인다.

완성본

Taping

31 반월판 테이핑

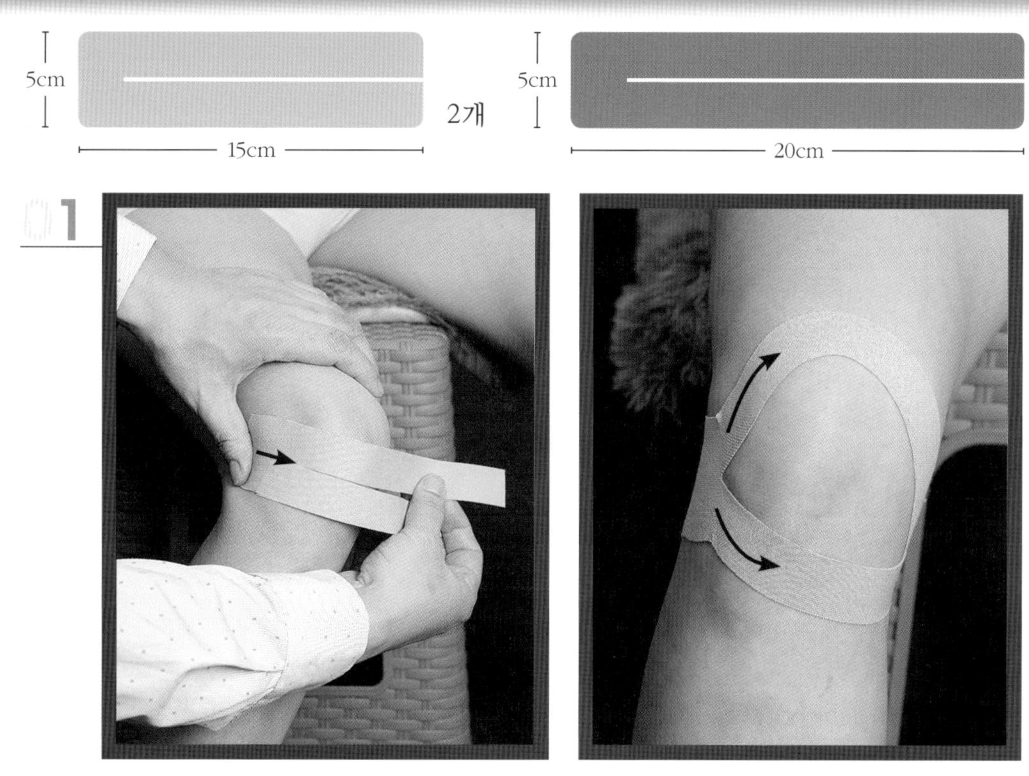

01

15cm Y자형 테이프의 기부를 무릎 가쪽에 붙이고 두 갈래는 무릎을 위아래로 감싸서 붙인다.

02

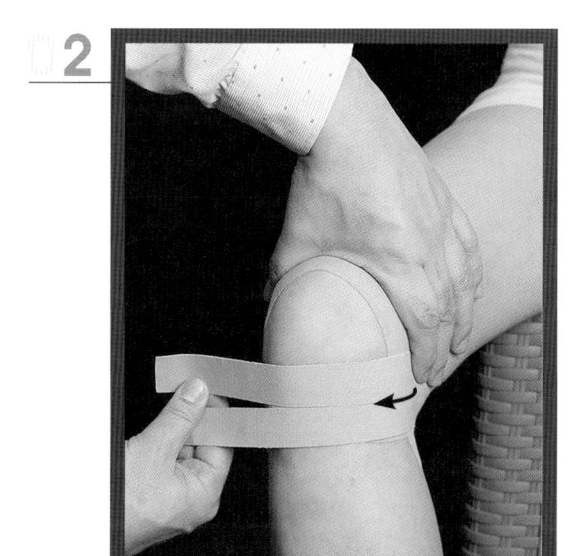

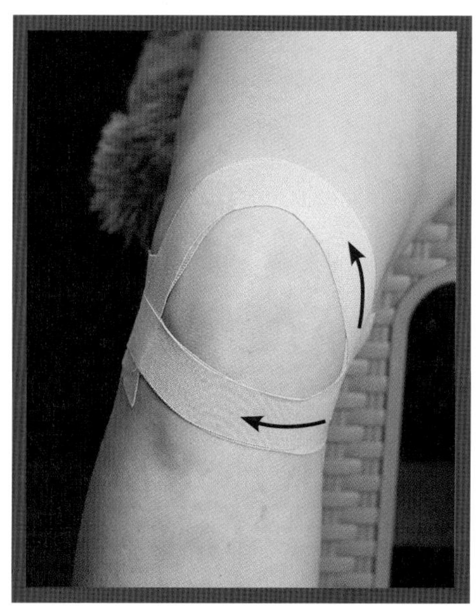

15cm Y자형 테이프의 기부를 무릎 안쪽에 붙이고 두 갈래는 무릎을 위아래로 감싸서 붙인다.

03

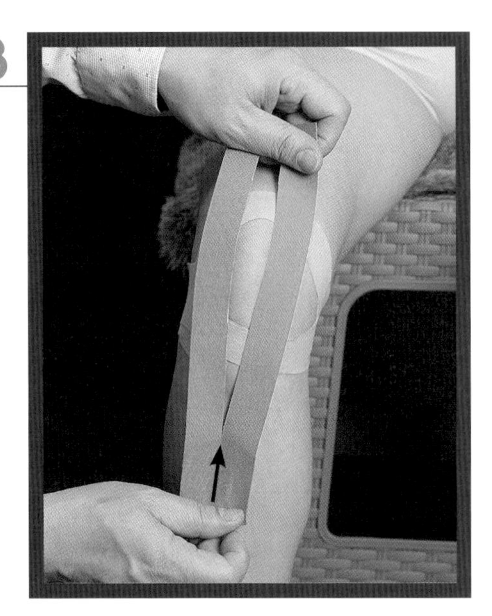

20cm Y자형 테이프의 기부를 무릎 밑에 붙이고 두 갈래는 무릎을 감싸서 위쪽으로 붙인다.

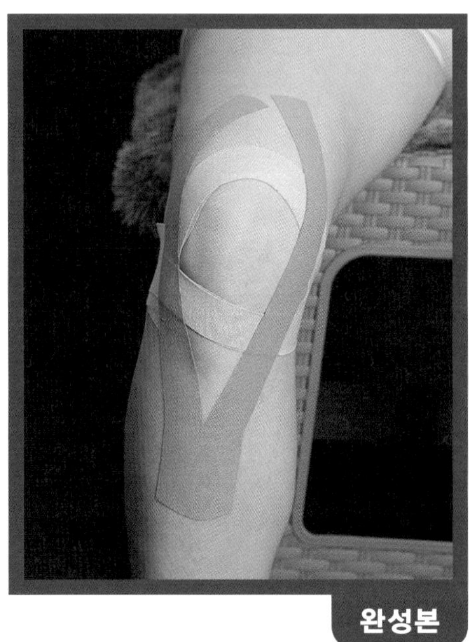

완성본

Taping

32 무릎안쪽통증 완화

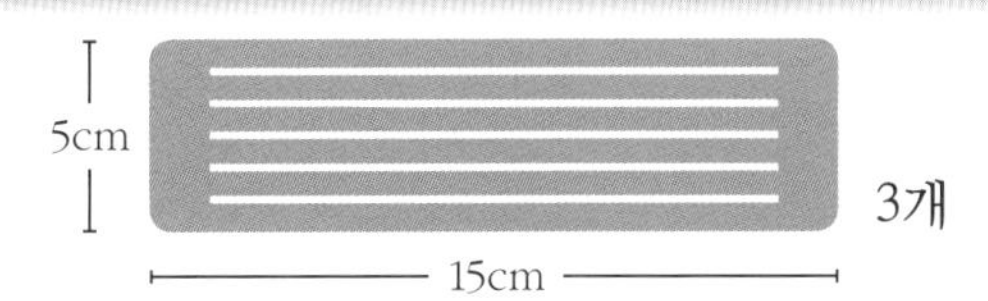

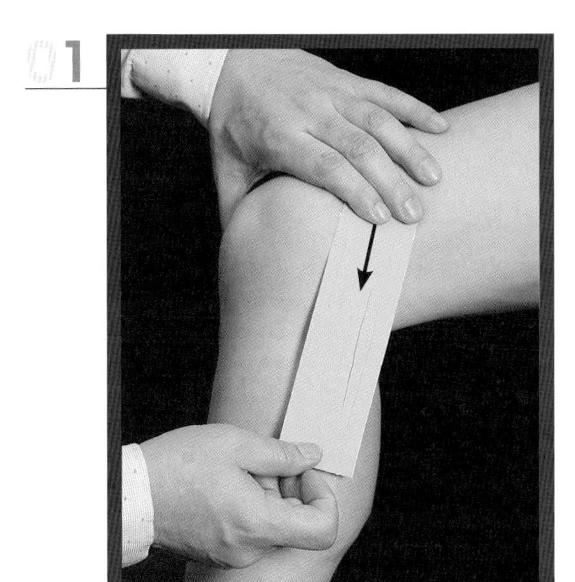

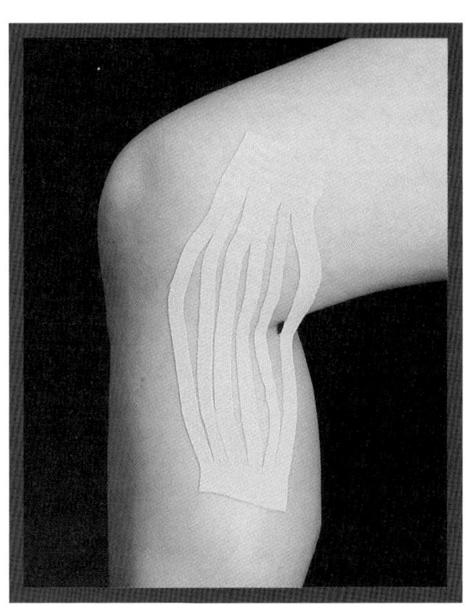

그림과 같은 테이프를 무릎 안쪽에 6줄을 각각 벌려서 붙인다.

02

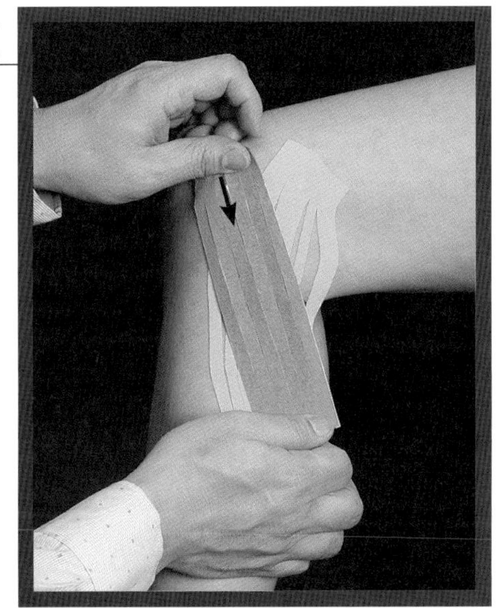

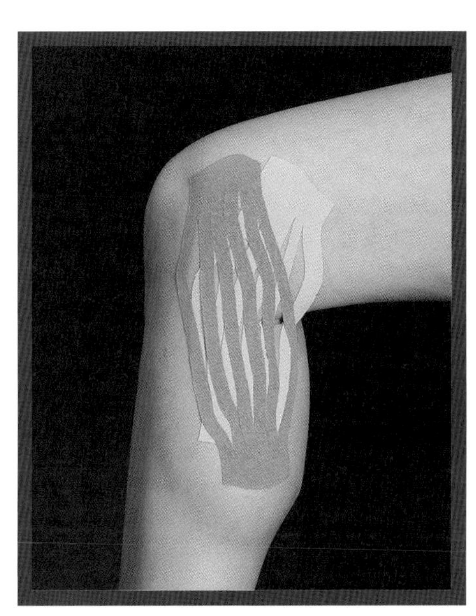

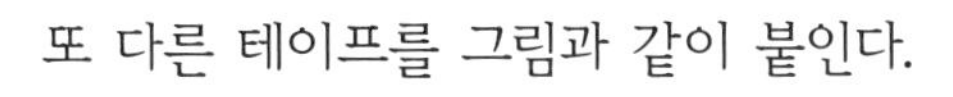

또 다른 테이프를 그림과 같이 붙인다.

3

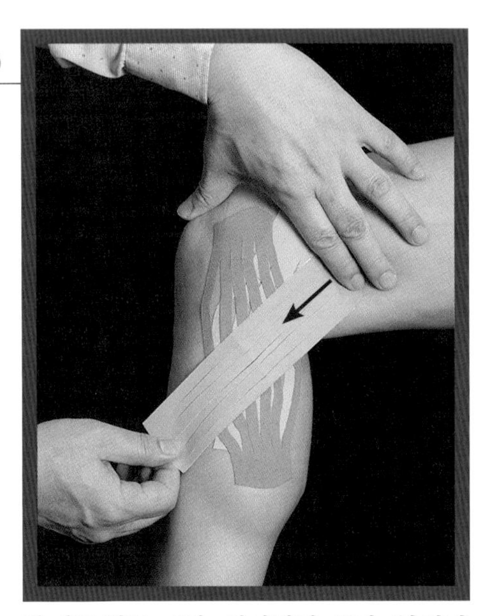

반대쪽에도 2번 테이핑과 X자 형태가 되도록 붙인다.

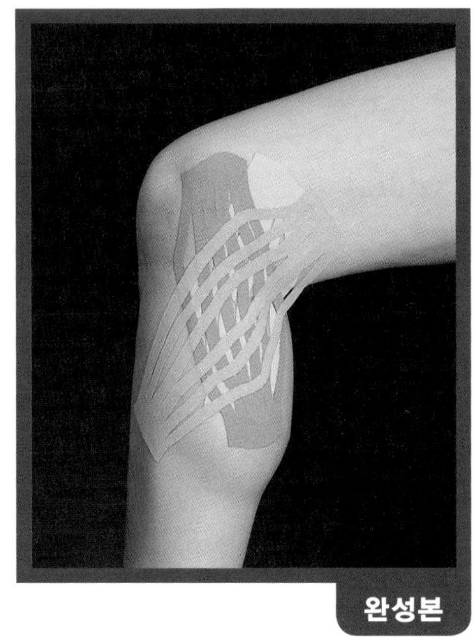

완성본

Taping

33 무릎부종

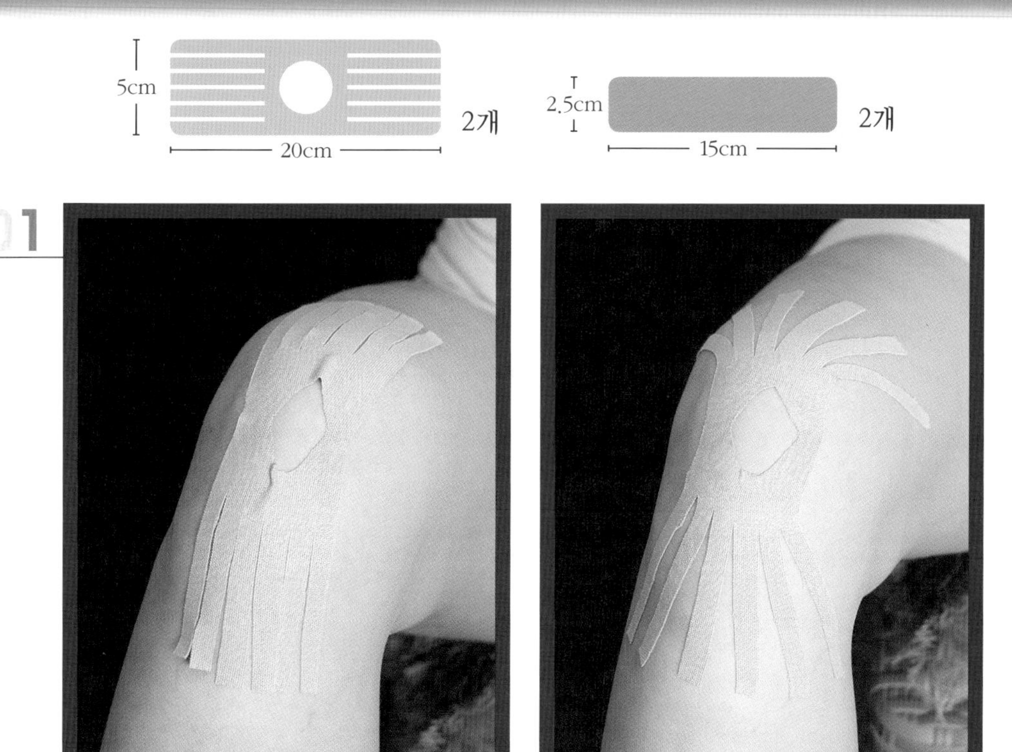

그림과 같은 테이프의 동그랗게 자른 부분을 무릎 중심에 놓고 세로로 붙이고 양쪽 끝의 각 갈래를 균등하게 벌린다.

02

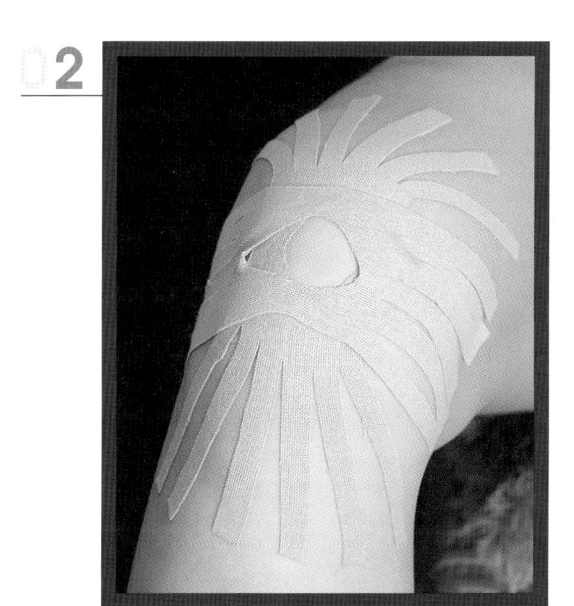

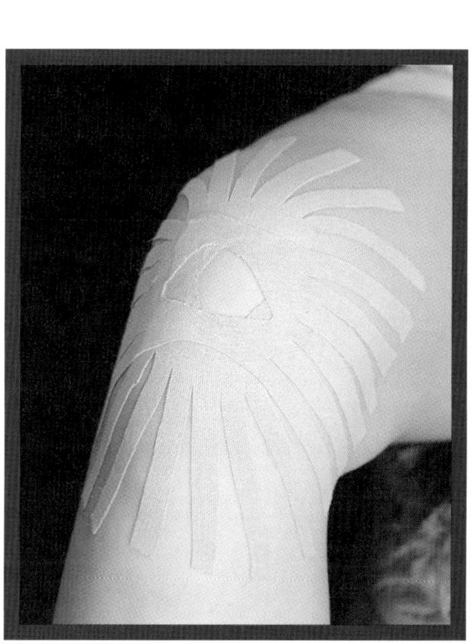

가로로도 같은 방법으로 붙인다.

3

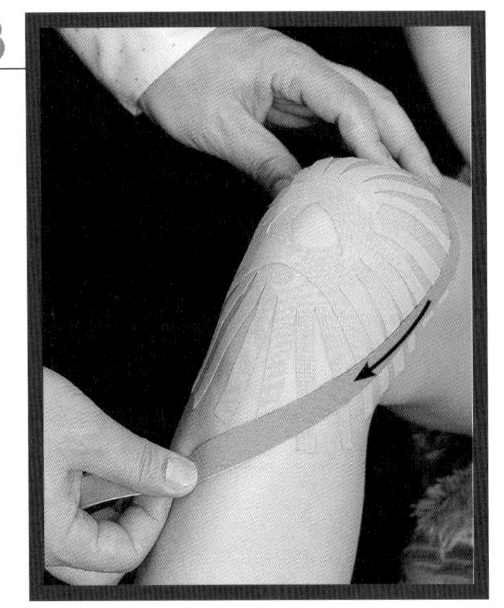

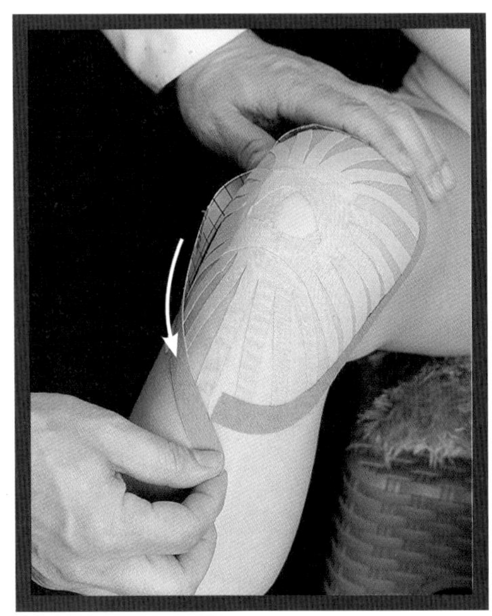

I자형 테이프의 끝부분을 그림과 같이 반씩 이어서 붙인다.

4

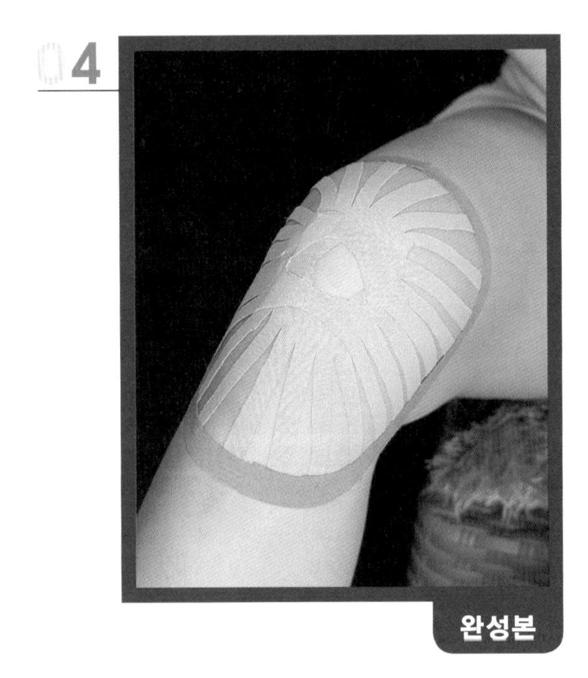

완성본

Taping

34 무릎관절 테이핑

5cm 40cm 1개

5cm 50cm 1개

01

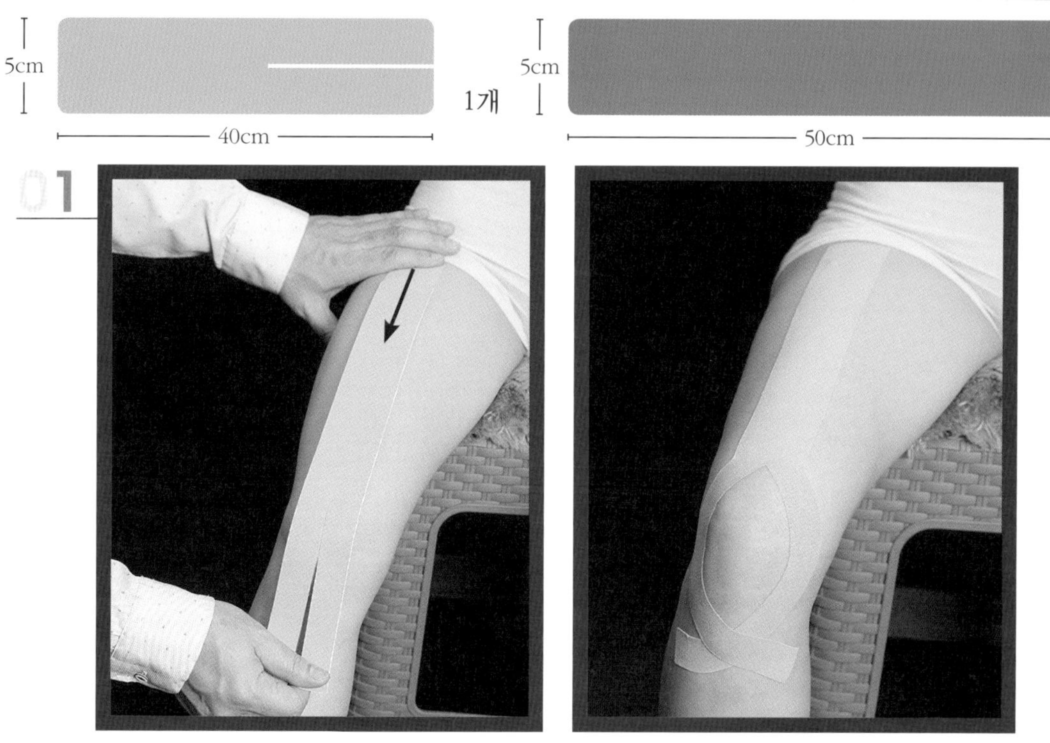

그림과 같은 Y자형 테이프의 기부를 하전장골극(AIIS)부위에 붙이고 두 갈래는 무릎을 감싸서 붙인다. 이때 다리는 시술대 밖으로 내려 대퇴직근을 신전시킨다.

02

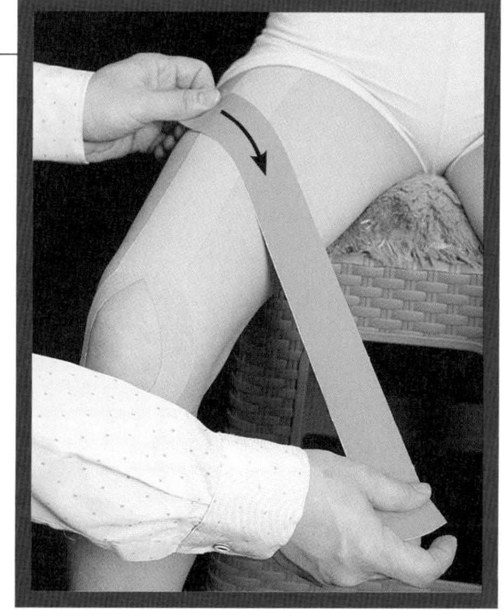

I자형 테이프를 외측광근 정지부에서부터 오금 위쪽을 지나 경골 가쪽 1/3지점까지 붙인다.

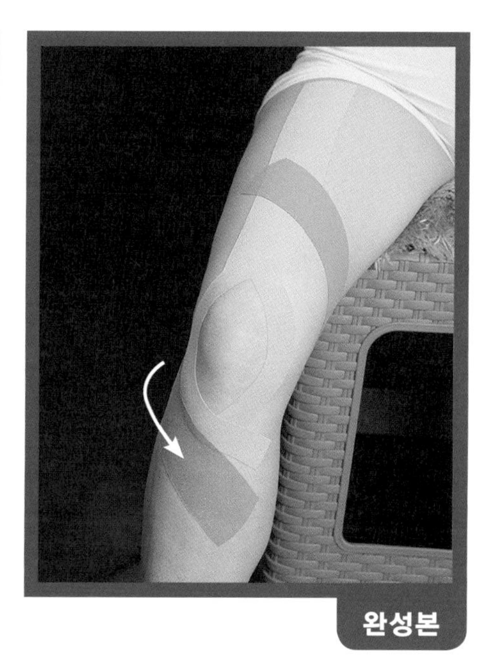

완성본

Taping

35 무릎가쪽통증 완화

5cm 10cm 3개

5cm 20cm 2개

1

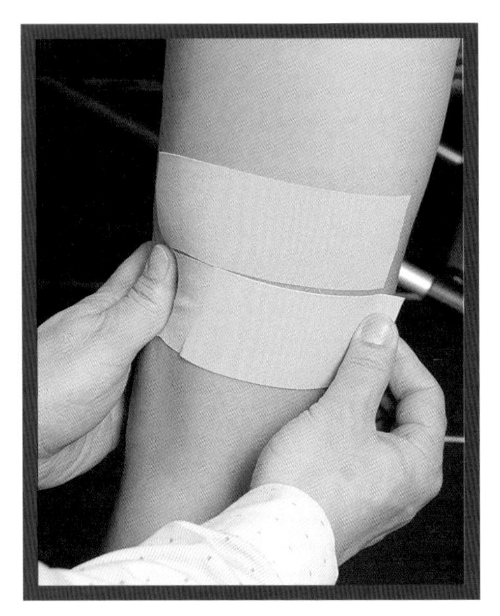

무릎 위옆쪽에 I자형 테이프 2개를 나란히 붙인다.

2

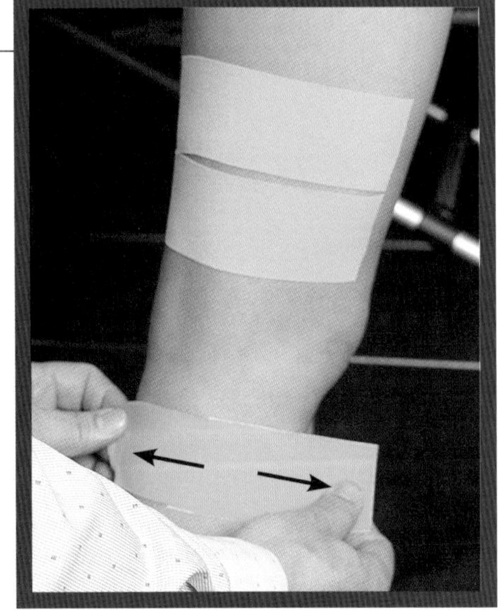

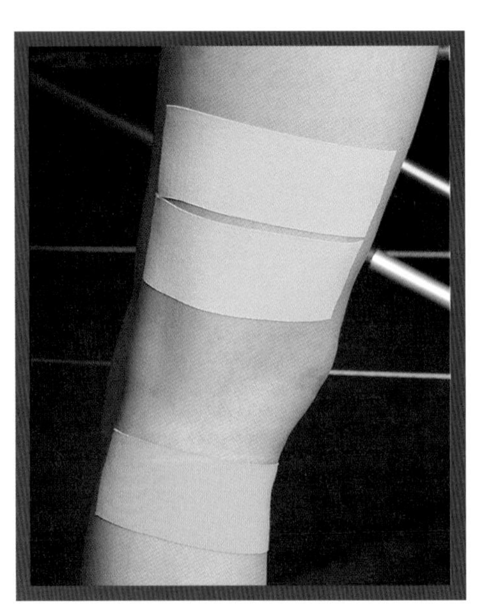

무릎 아래옆쪽에 I자형 테이프를 붙인다.

3

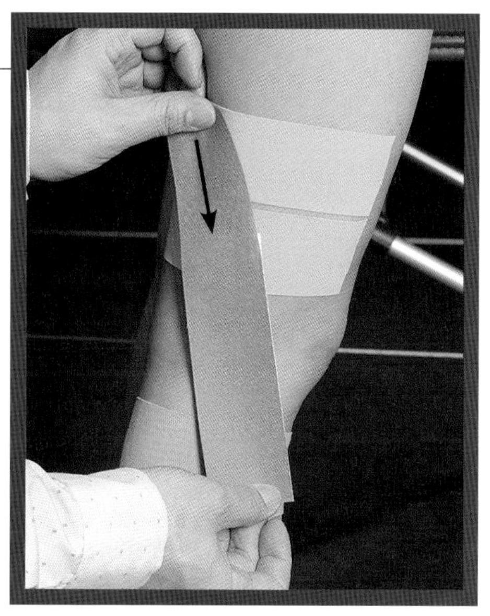

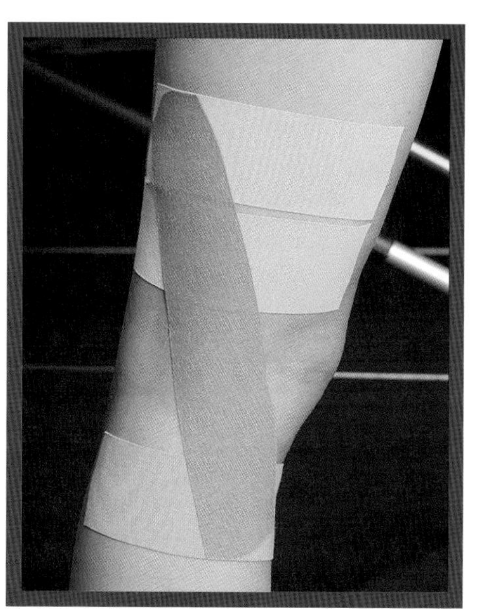

무릎 옆쪽에 I자형 테이프를 비스듬히 붙인다.

4

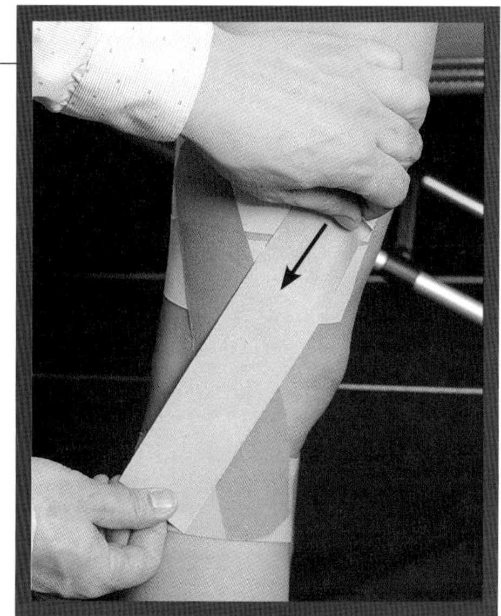

I자형 테이프를 3번 테이핑과 X자형이 되도록 붙인다.

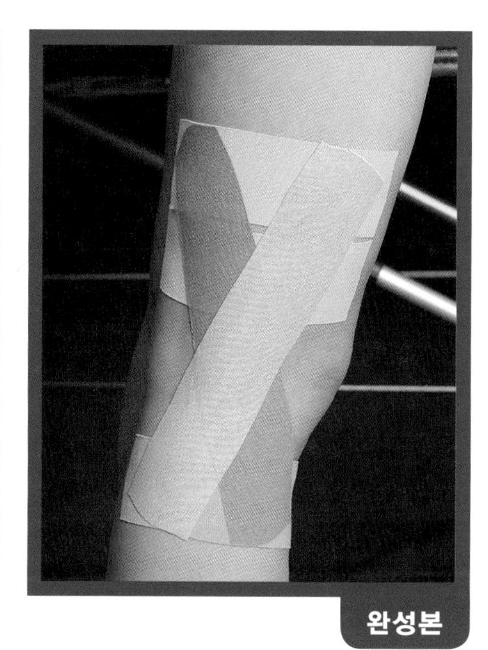

완성본

36 무릎안쪽통증 완화

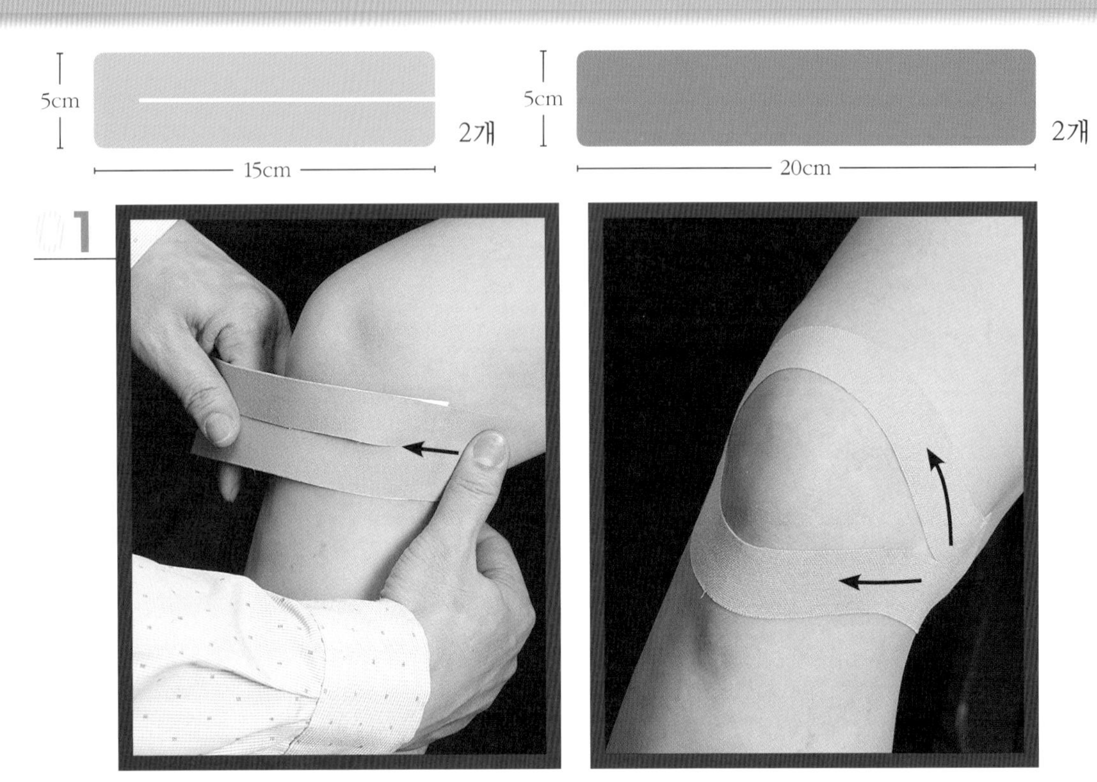

15cm Y자형 테이프의 기부를 무릎 안쪽에 붙이고 두 갈래는 무릎을 위아래로 감싸서 붙인다.

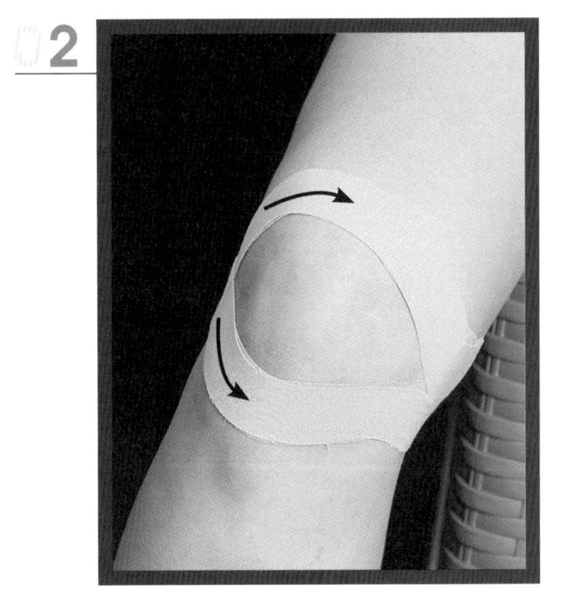

15cm Y자형 테이프의 기부를 무릎 가쪽에 붙이고 두 갈래로 무릎을 위아래로 감싸서 붙인다.

3

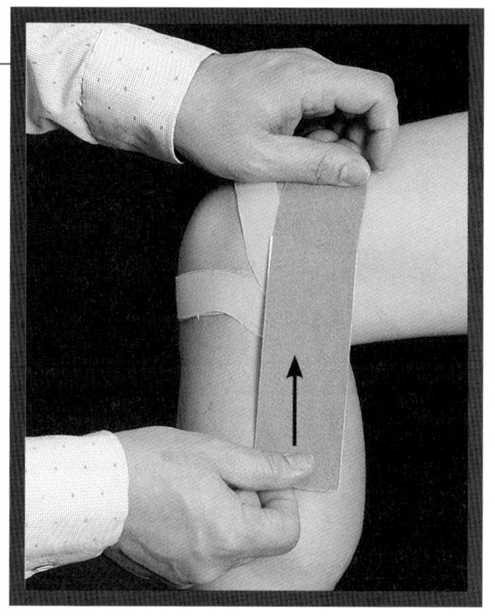

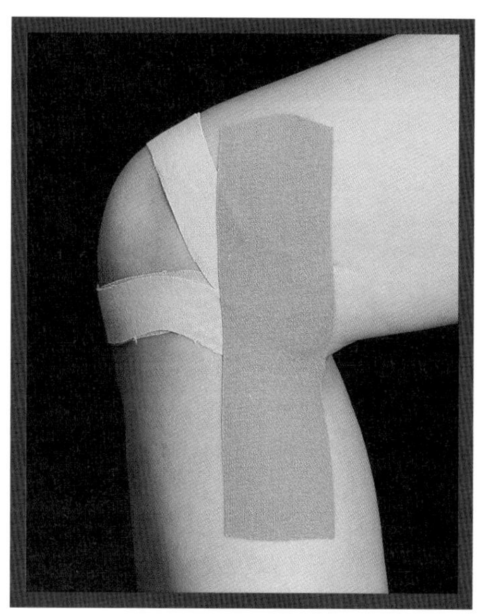

I자형 테이프를 무릎 안쪽에 세로로 붙인다.

4

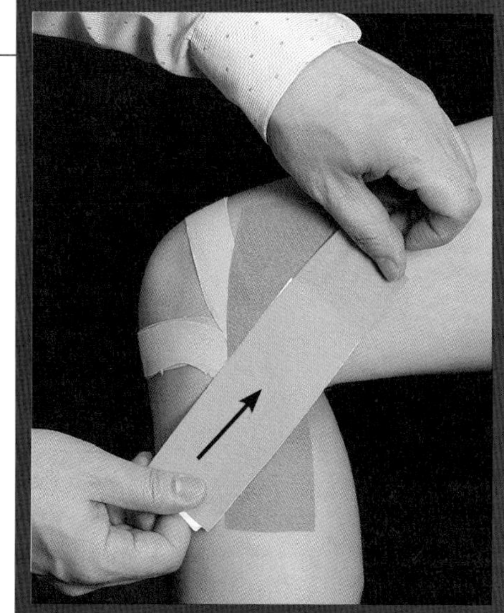

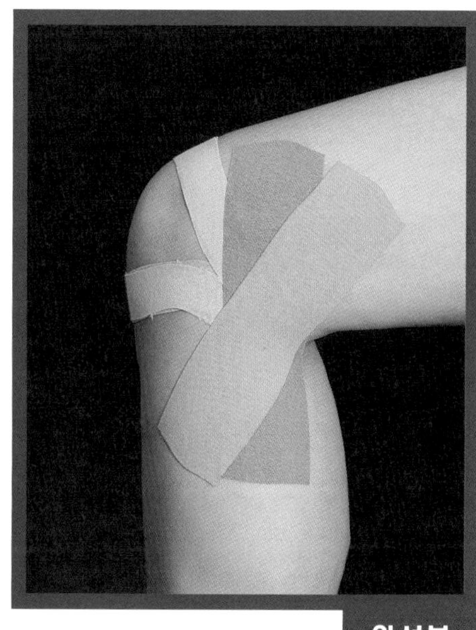

다른 I자형 테이프를 3번 테이핑과 X자 형태가 되도록 붙인다.

완성본

Taping

37 걸을 때 무릎통증 완화

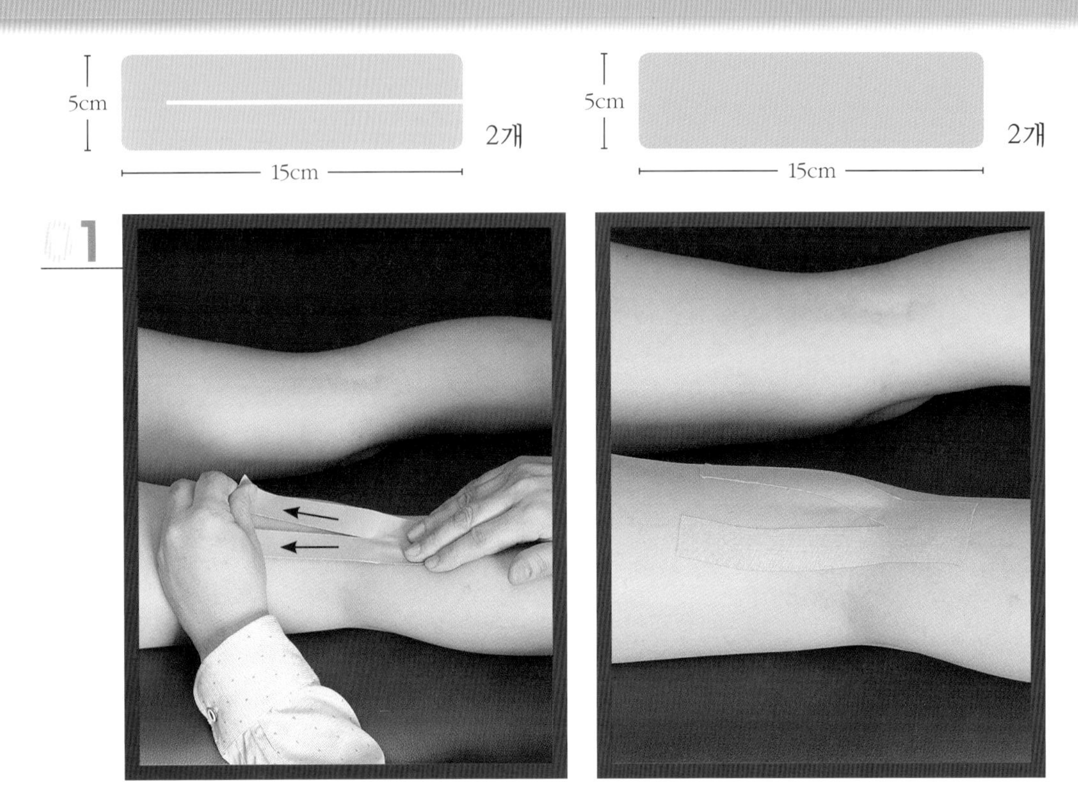

Y자형 테이프의 기부를 오금 아래쪽 중앙에 붙이고 두 갈래는 벌려서 화살표 방향으로 붙인다.

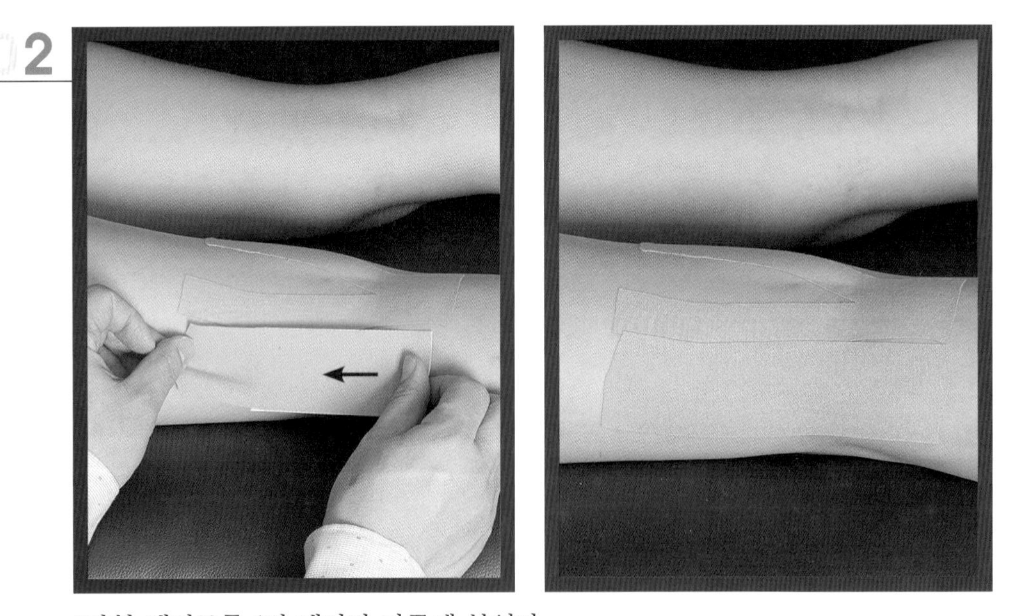

I자형 테이프를 1번 테이핑 가쪽에 붙인다.

3

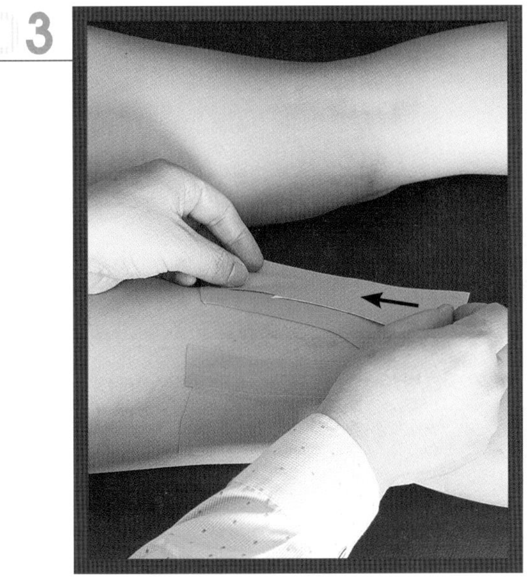

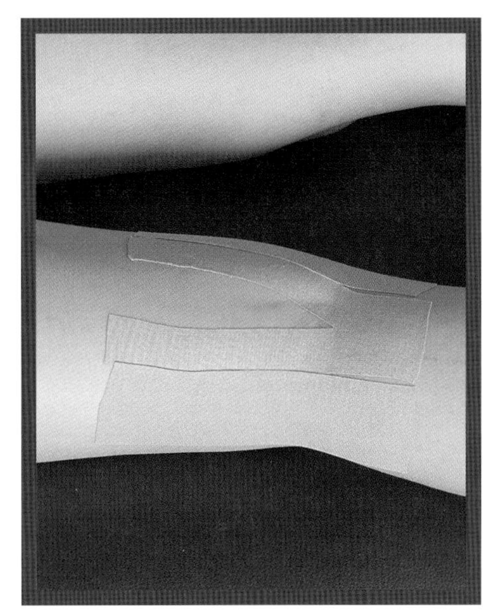

I자형 테이프를 1번 테이핑 안쪽에 붙인다.

4

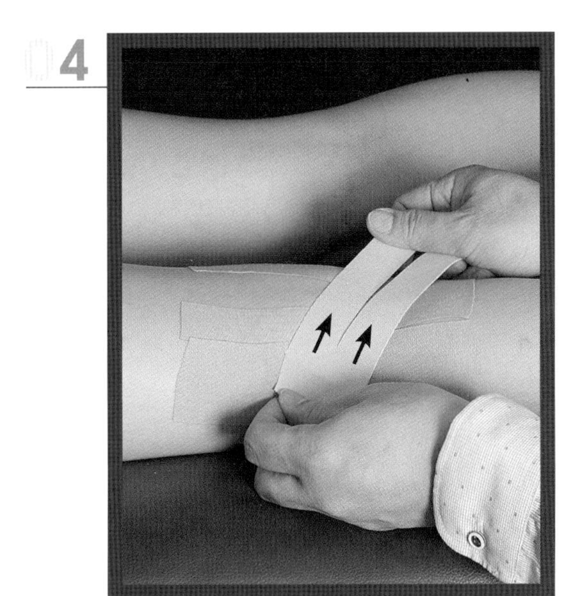

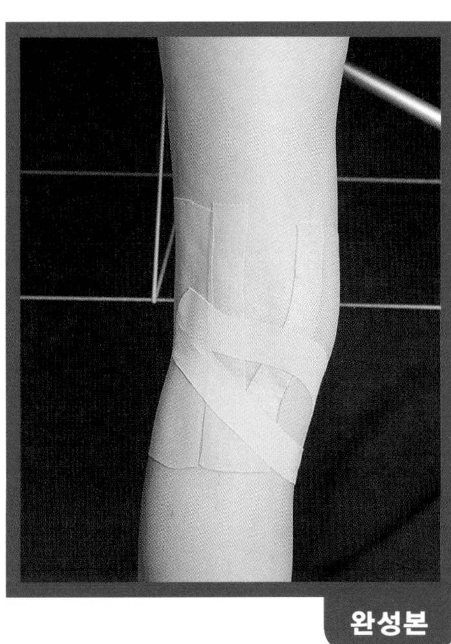

Y자형 테이프를 무릎 가쪽에서부터 안쪽으로 오금을 덮으면서 붙인다.

완성본

Taping

38 정맥류

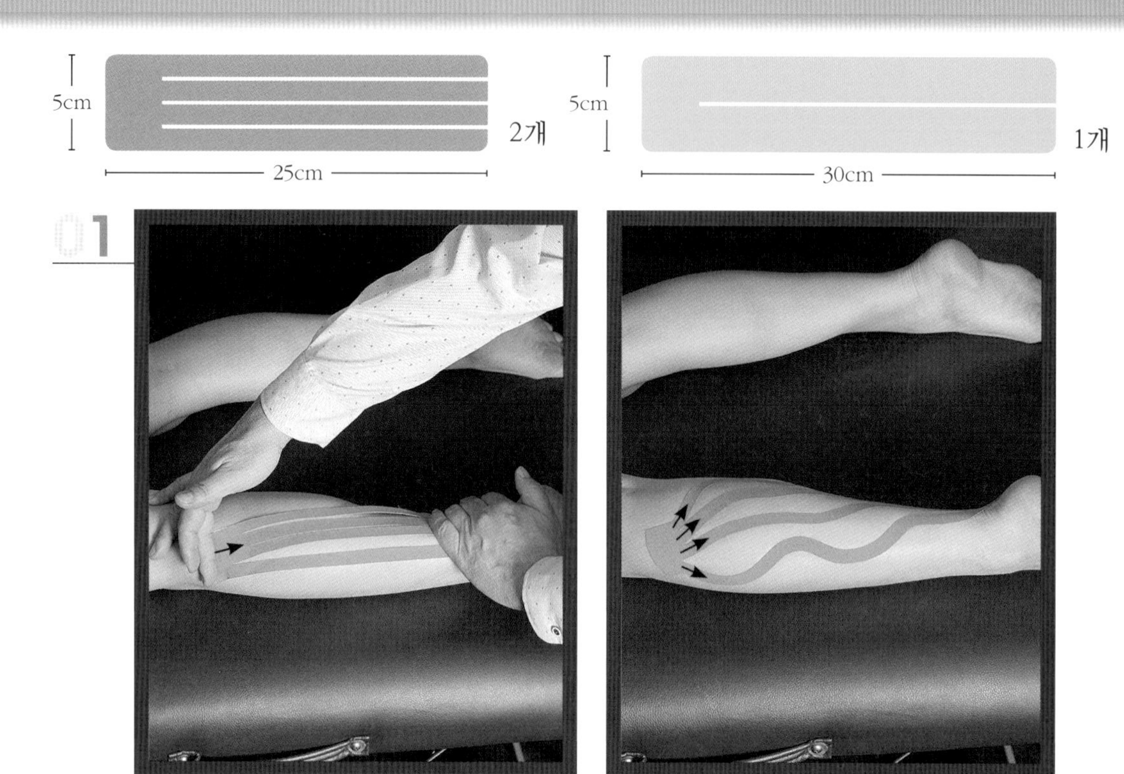

4갈래 테이프의 기부를 오금 아래 가쪽에 붙인 다음 각 갈래는 그림과 같이 붙인다.

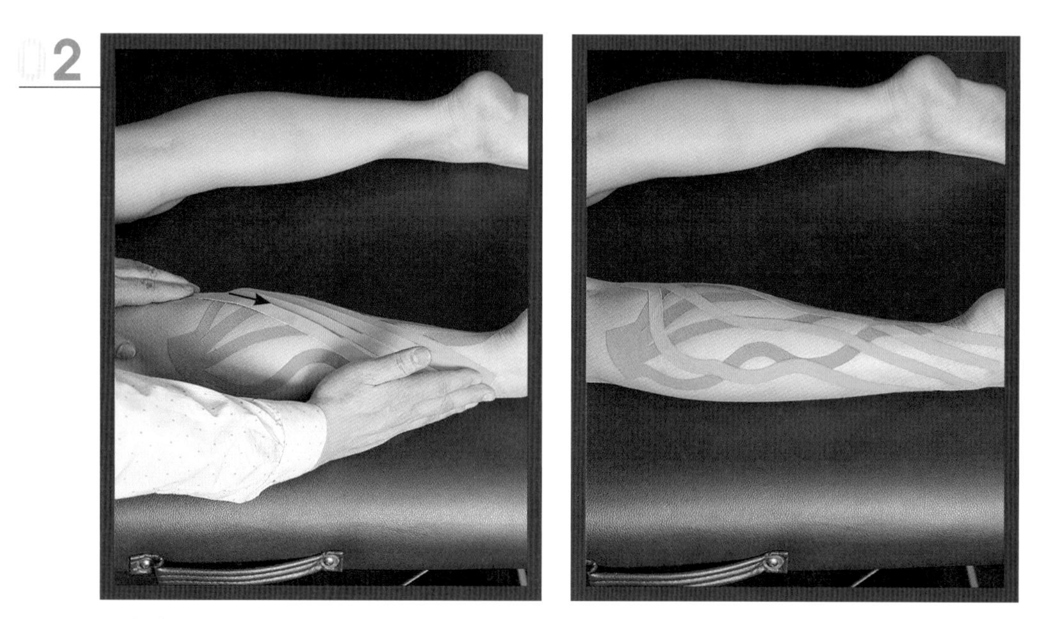

4갈래 테이프의 기부를 1번 테이핑 안쪽에 붙인 다음 각 갈래는 그림과 같이 붙인다.

3

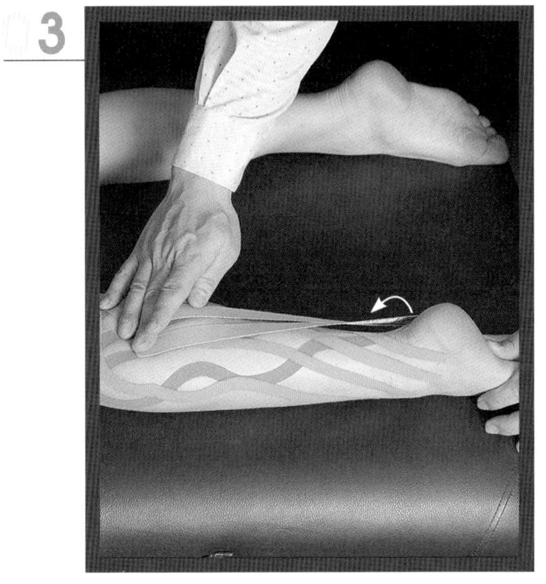

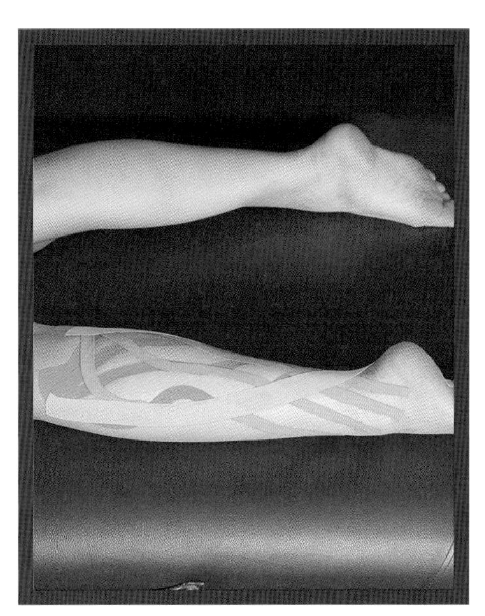

Y자형 테이프의 기부를 발바닥 안쪽에 붙인 다음 두 갈래는 종아리 안쪽과 가쪽을 따라 붙인다.

4

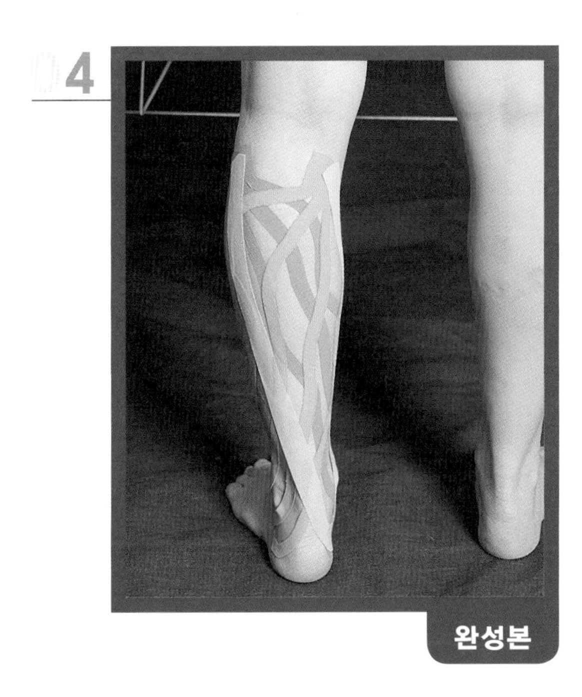

완성본

Taping

39 전경골근 테이핑

전경골근 근반응 검사 ···› p.264 참조

2.5cm 1개
30cm

1

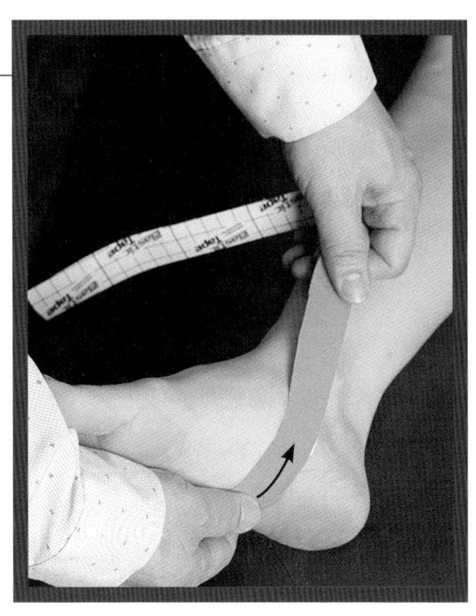

I자형 테이프를 발바닥 안쪽에서부터 안쪽 복사뼈를 지나 발목을 따라 대각선방향으로 가서 무릎 가쪽에 붙인다.

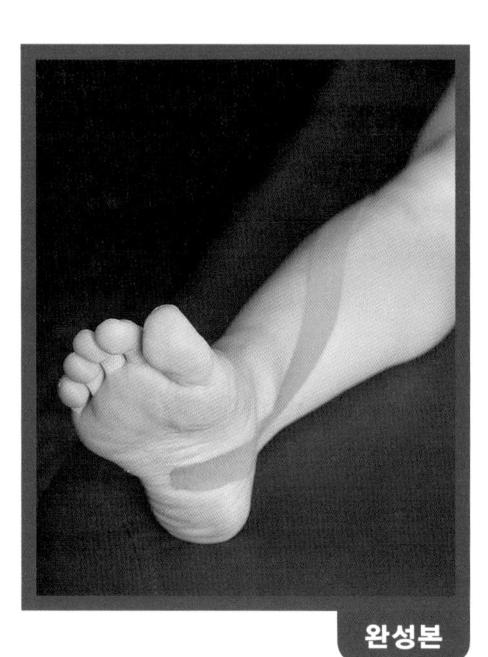

완성본

Taping

40 후경골근 테이핑

후경골근 근반응 검사 ··· p.265 참조

2.5cm
30cm
1개

01

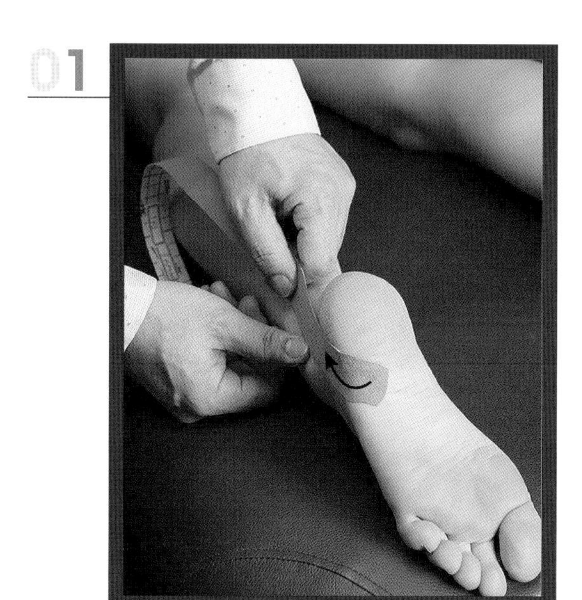

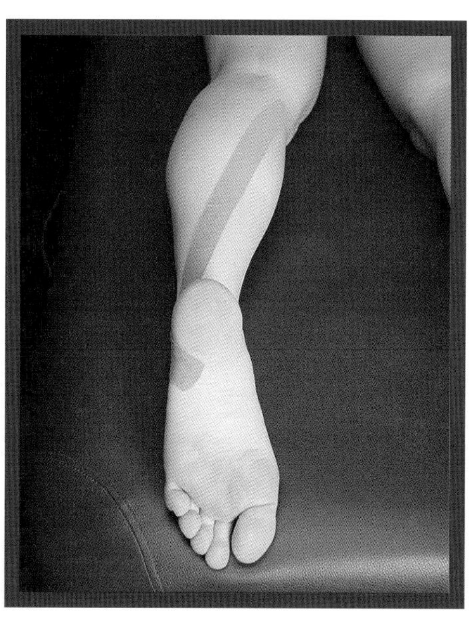

I자형 테이프를 발바닥 가쪽에서부터 가쪽 복사뼈를 지나 발목을 따라 대각선방향으로 올라가 무릎 안쪽에 붙인다.

02

완성본

Taping

41 비복근 테이핑

5cm 30cm 1개

5cm 15cm 1개

01

Y자형 테이프의 기부를 발바닥쪽 발꿈치에 붙인 다음 두 갈래는 아킬레스건을 감싸서 그림과 같이 붙인다. 이때 종아리근육을 둥글게 감싸면서 붙인다.

02

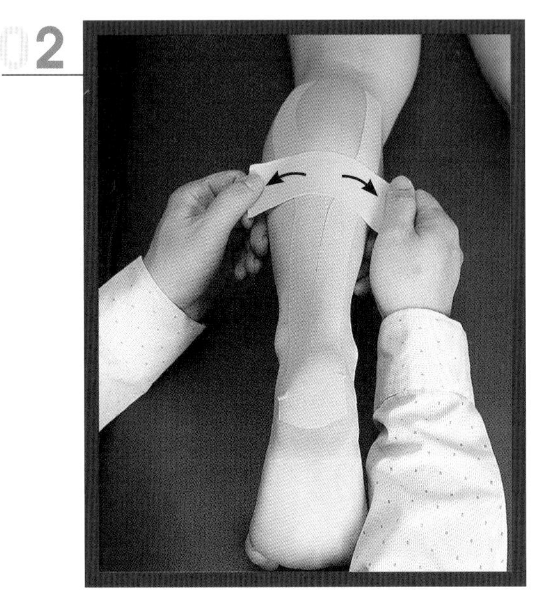

테이프가 갈라지기 시작하는 부분에 I 자형 테이프를 붙인다.

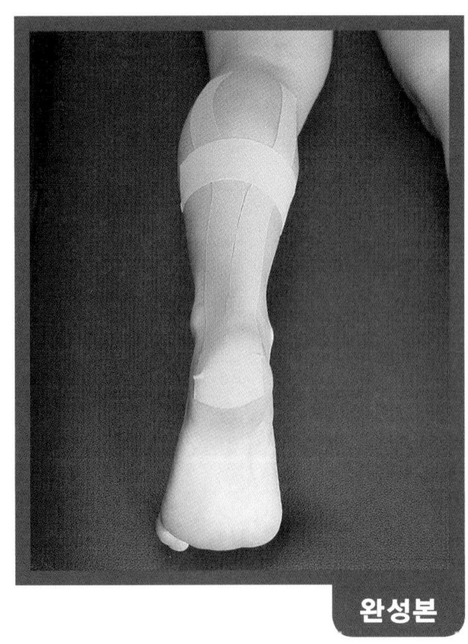

완성본

Taping

42 종아리 테이핑

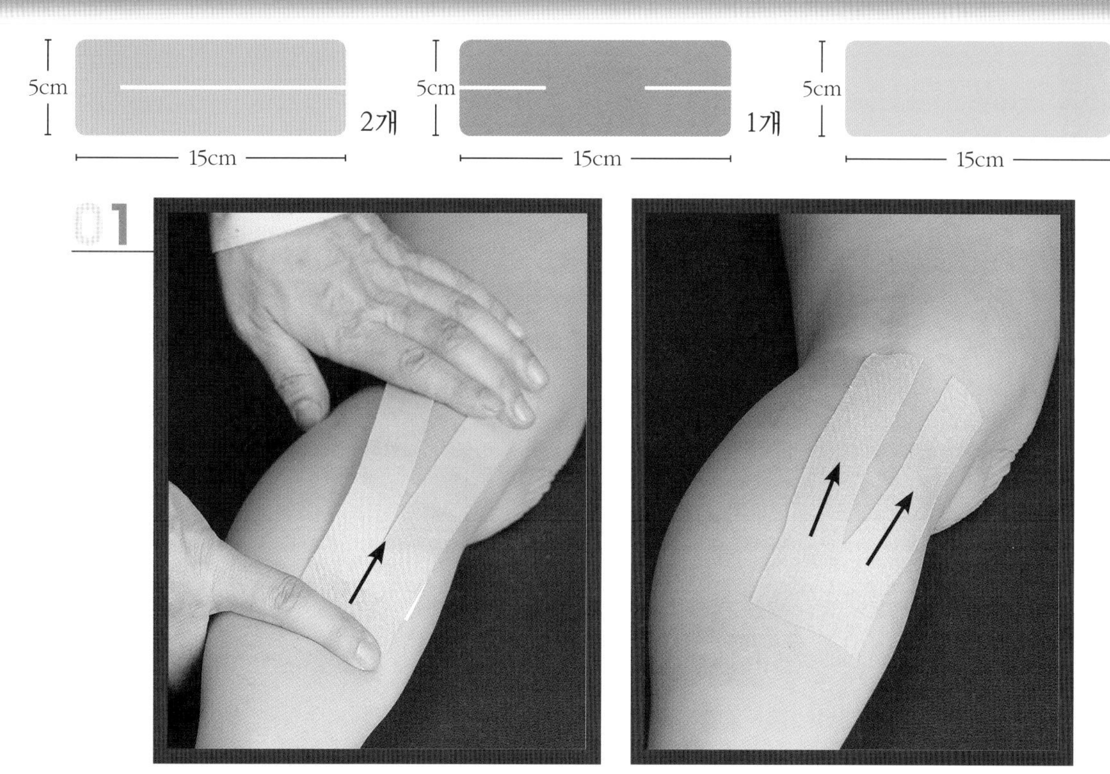

Y자형 테이프의 기부를 종아리 중간 옆쪽에 붙인 다음 두 갈래는 벌려서 그림과 같이 무릎밑에 붙인다.

02

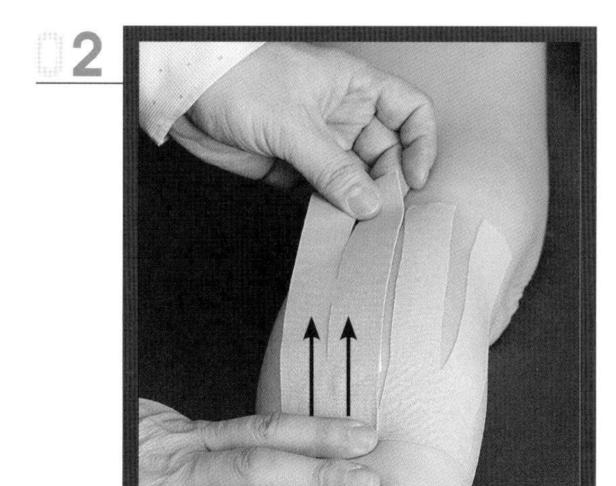

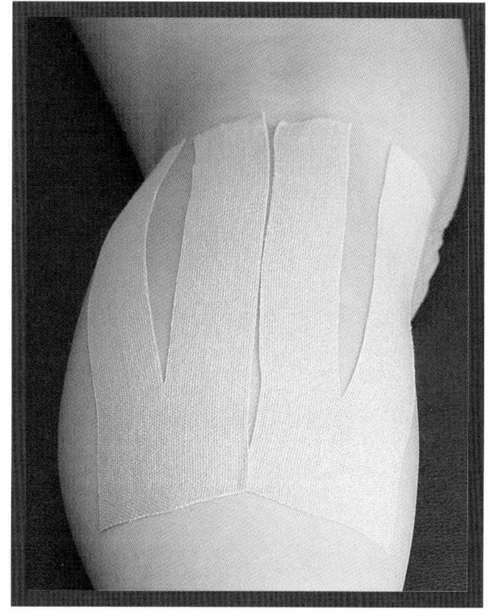

1번 테이핑 옆쪽에 Y자형 테이프를 같은 방법으로 붙인다.

03

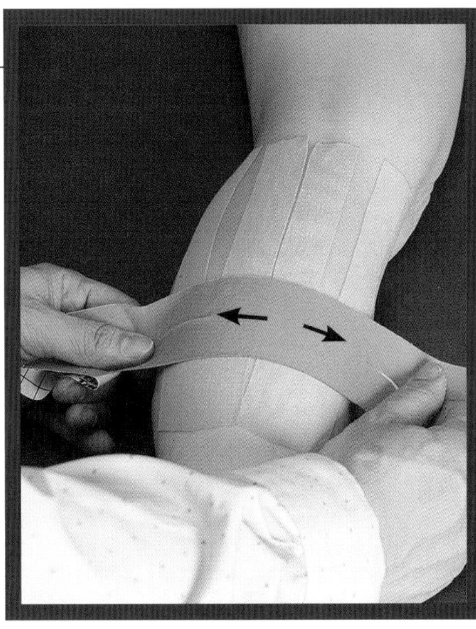

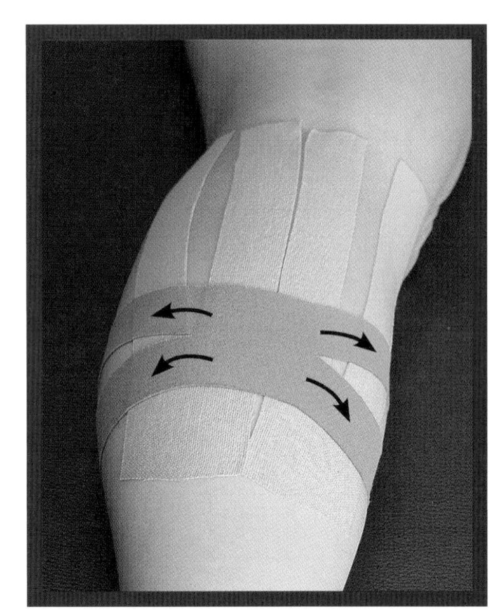

X자형 테이프의 중간부분을 종아리 중간에 붙이고 양쪽 두 갈래는 각각 벌려준다.

04

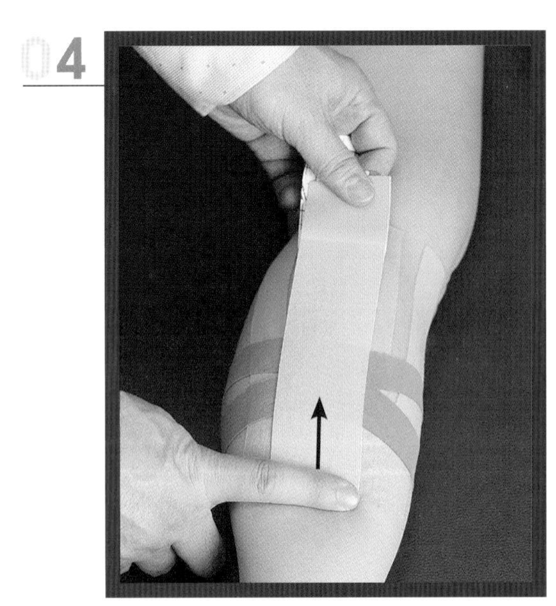

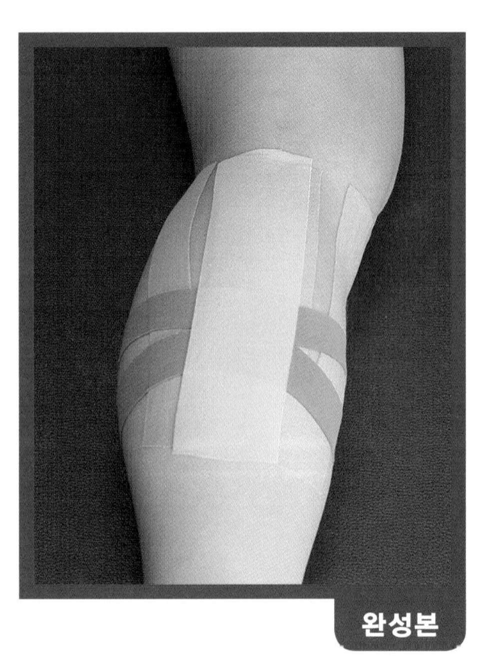

I자형 테이프를 종아리 가운데에 붙인다.

완성본

Taping

43 발목염좌 1

5cm 15cm 2개

5cm 30cm 1개

01

Y자형 테이프의 기부를 가쪽 복사뼈 위쪽에 붙인 다음 두 갈래는 복사뼈를 덮으며 아래쪽으로 붙인다.

02

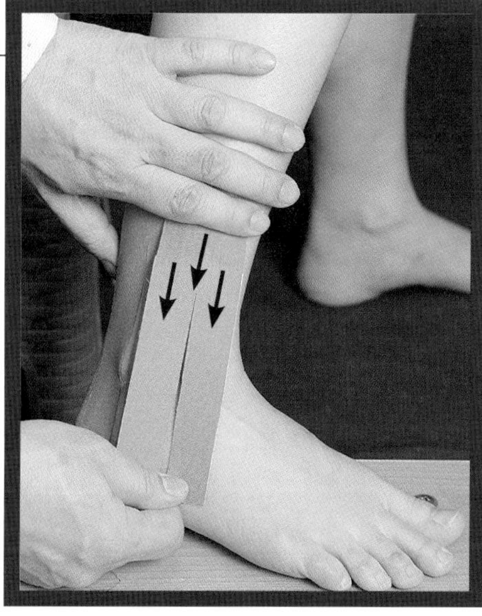

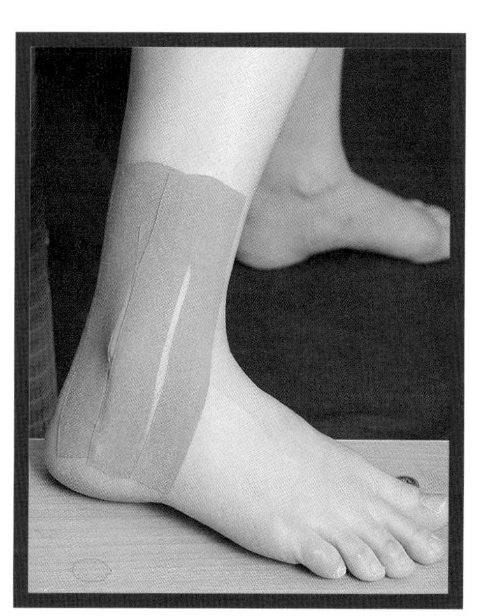

그 옆쪽으로 Y자형 테이프를 같은 방법으로 한 번 더 붙인다.

03

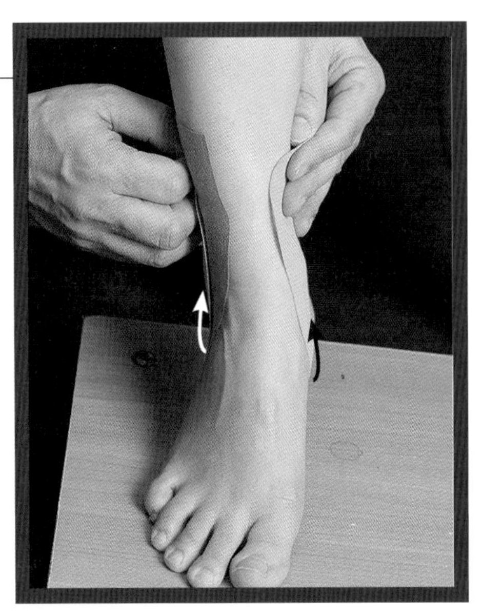

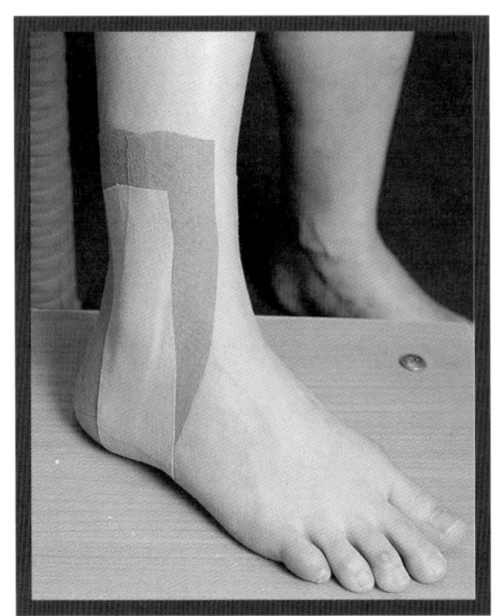

I자형 테이프로 발꿈치를 감싸고 양쪽 복사뼈를 거쳐서 발목 위까지 올려서 붙인다.

04

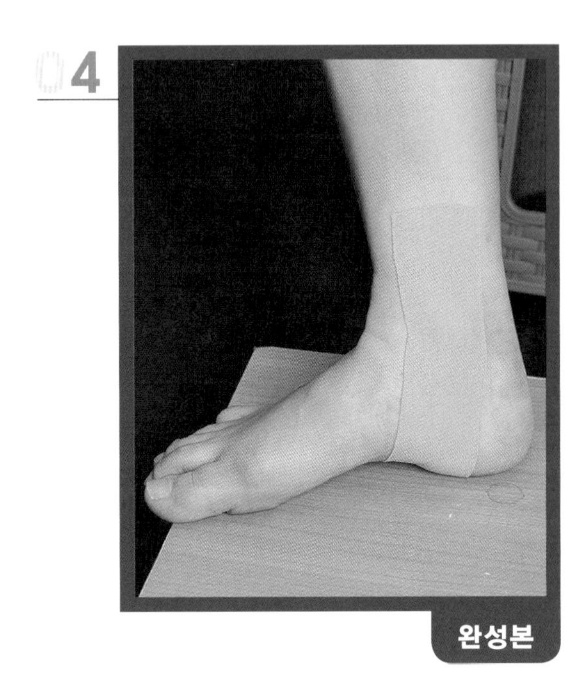

완성본

Taping

44 발목염좌 2

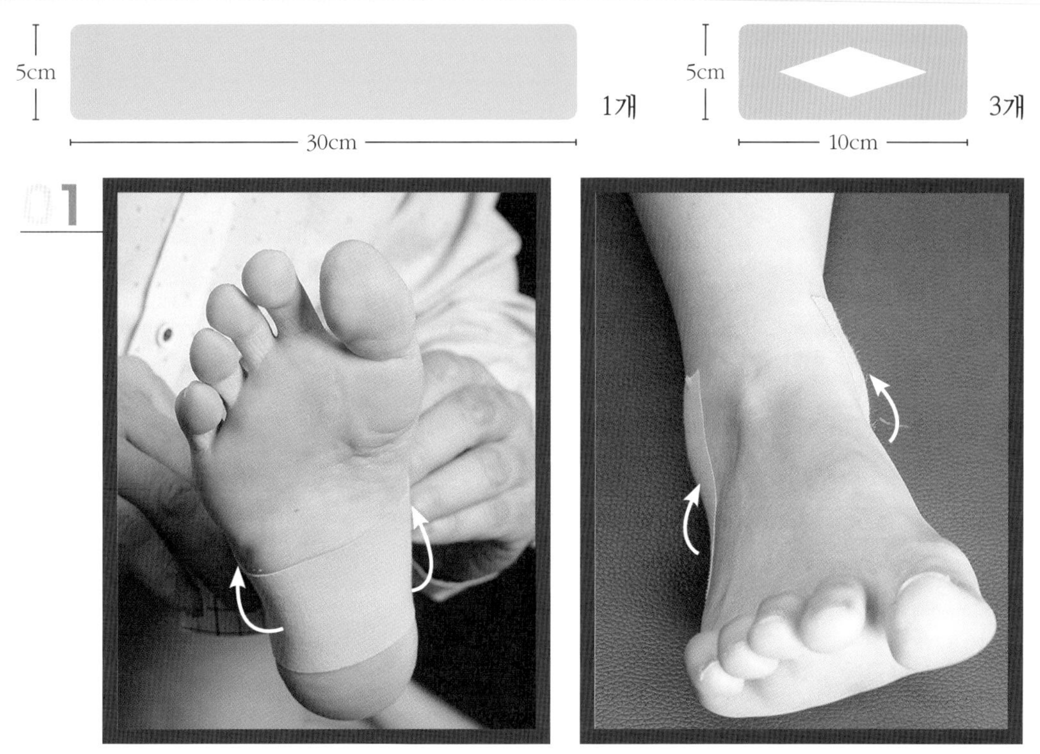

1

I자형 테이프를 발바닥쪽 발꿈치에서 시작하여 양쪽 복사뼈를 덮어서 위쪽으로 붙인다.

2

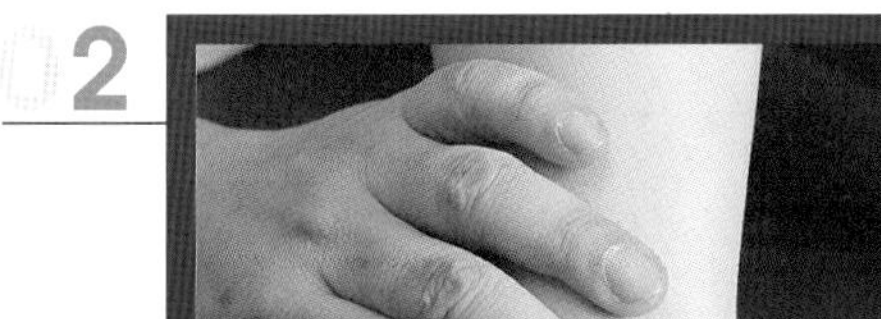

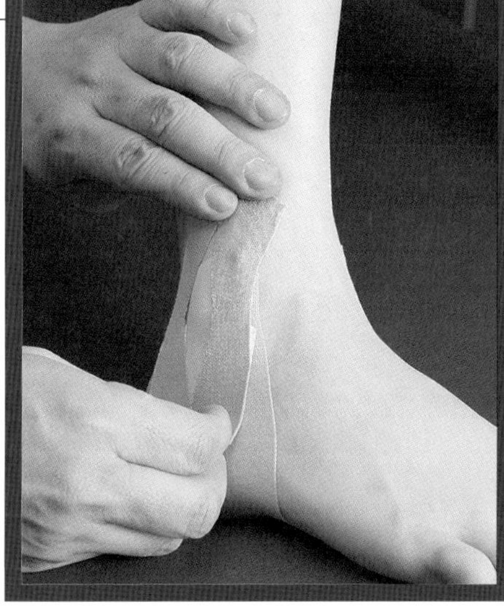

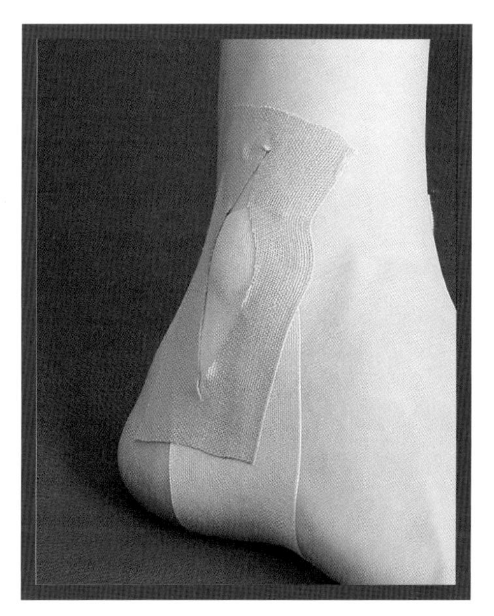

중간을 다이아몬드형으로 자른 테이프를 그림과 같이 붙인다.

03

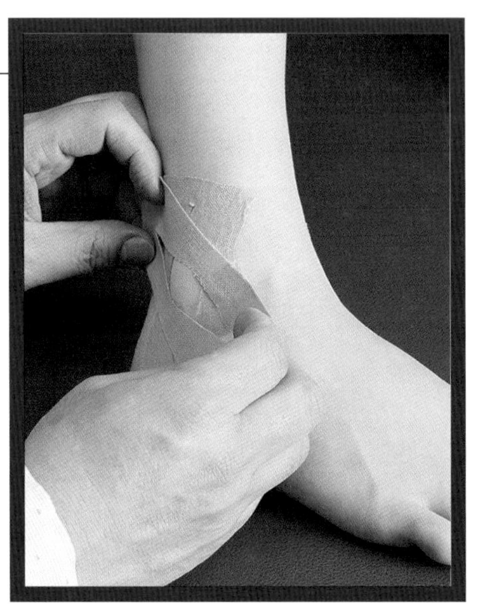
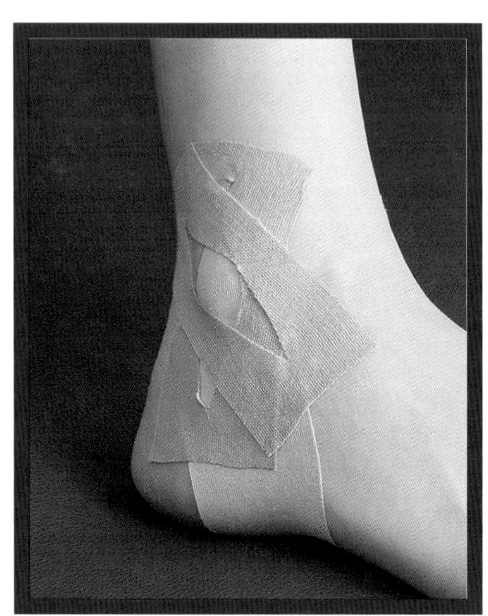

2번 테이핑 위에 그림과 같은 방법으로 비스듬히 하나 더 붙인다.

04

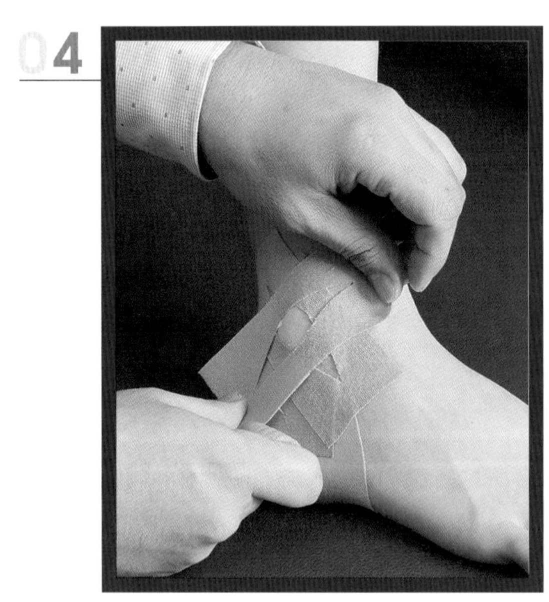

2번과 3번의 테이핑과 별모양이 되도록 붙인다.

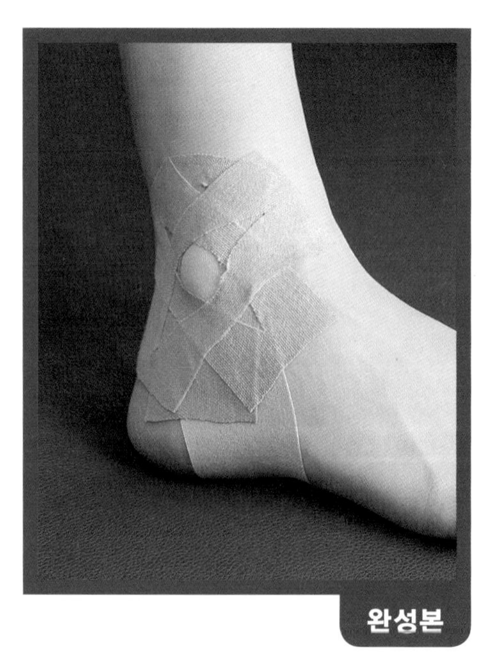

완성본

Taping

45 발목부종 1

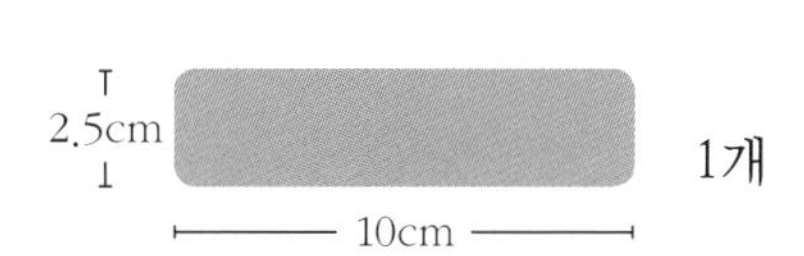

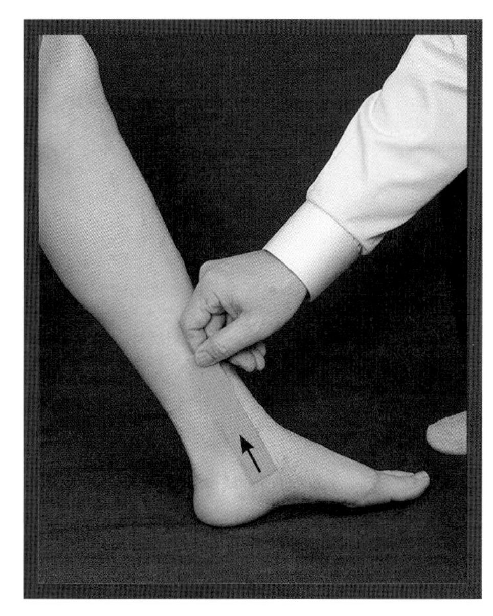

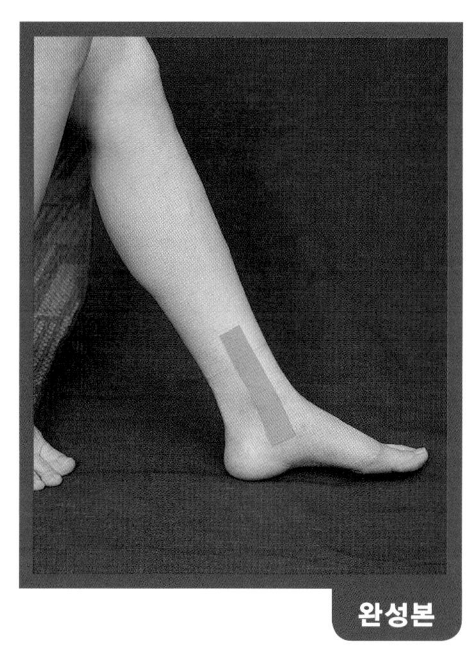

완성본

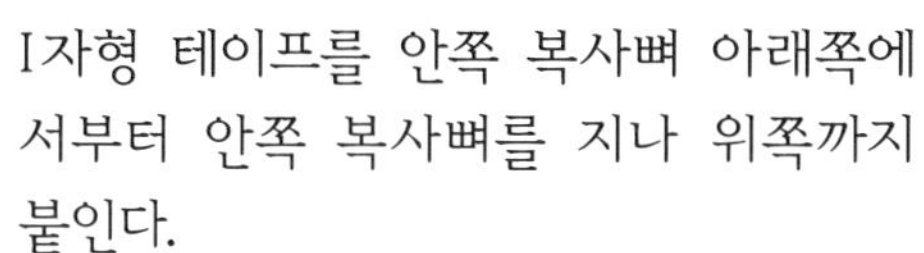

I자형 테이프를 안쪽 복사뼈 아래쪽에서부터 안쪽 복사뼈를 지나 위쪽까지 붙인다.

46 발목부종 2

5cm
15cm
2개

1

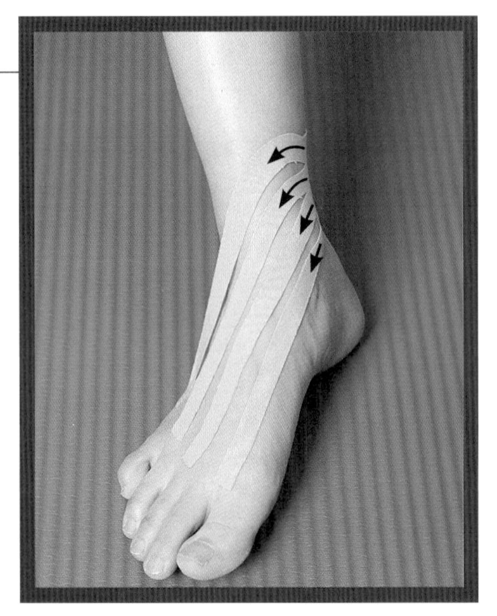

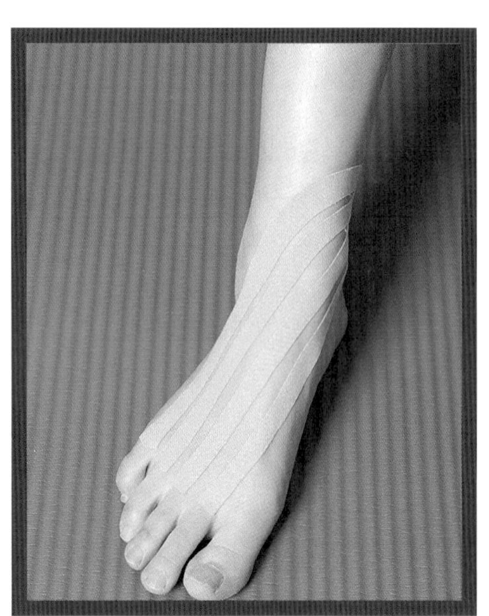

4갈래 테이프의 기부를 안쪽 복사뼈 위에 붙인 후 각 갈래를 발가락쪽으로 벌려서 붙인다.

2

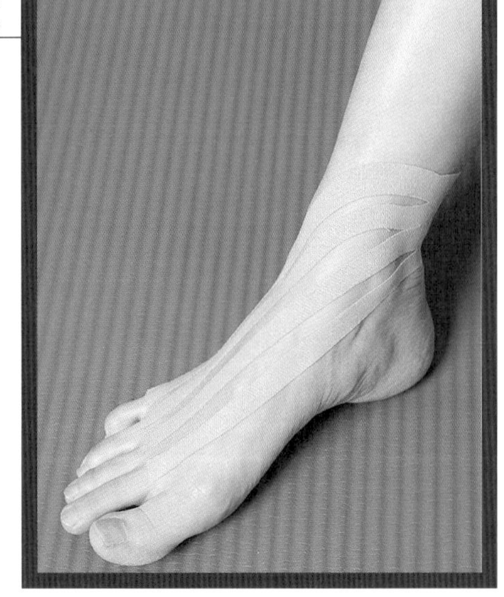

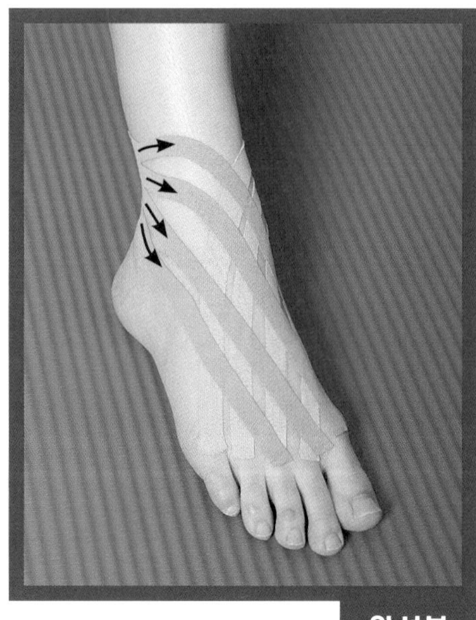

1번과 같은 방법으로 가쪽 복사뼈 부위에 4갈래 테이프를 붙인다.

완성본

Taping

47 무지외반증 1

2.5cm 25cm 2개

1

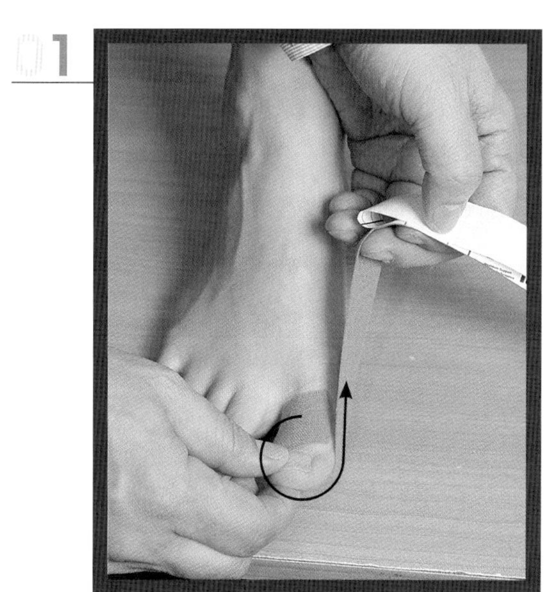

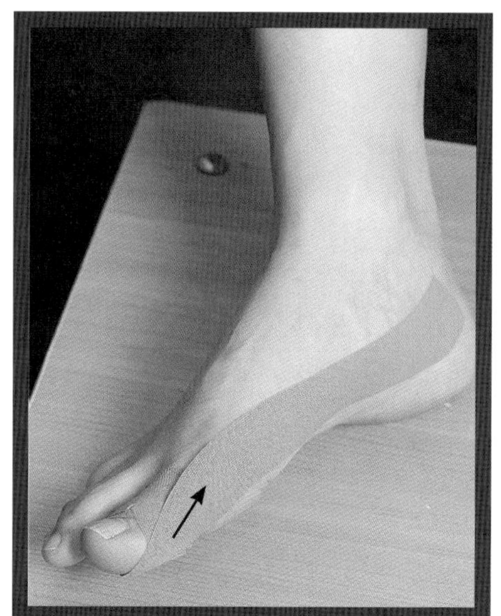

I자 테이프로 엄지발가락을 두 번 감은 다음 검지발가락쪽으로 당겨 발꿈치에 붙인다.

2

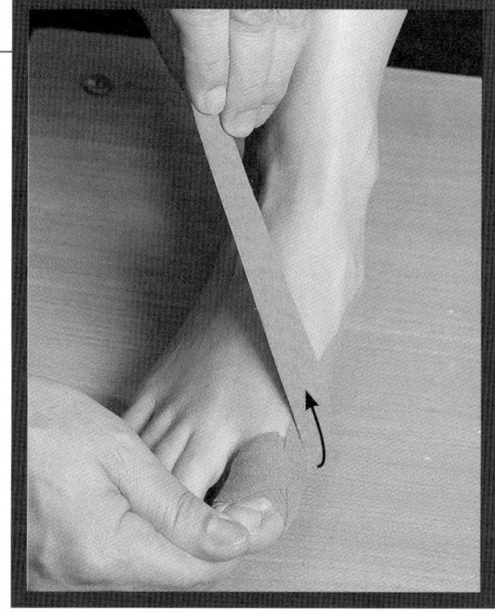

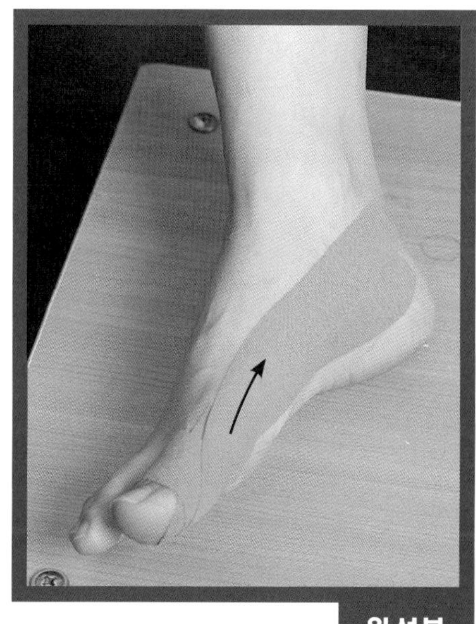

다른 I자형 테이프로 같은 방법으로 한 번 더 붙인다.

완성본

Taping

48 무지외반증 2

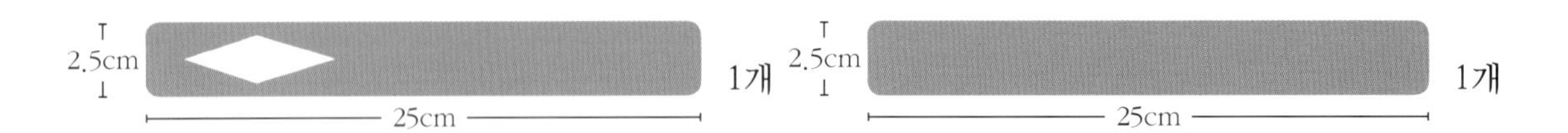

1

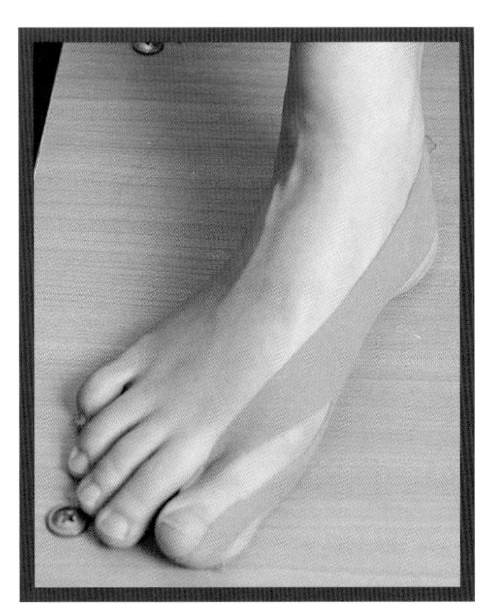

그림과 같은 테이프의 마름모부위를 엄지에 끼운 다음 발꿈치까지 당겨서 붙인다.

2

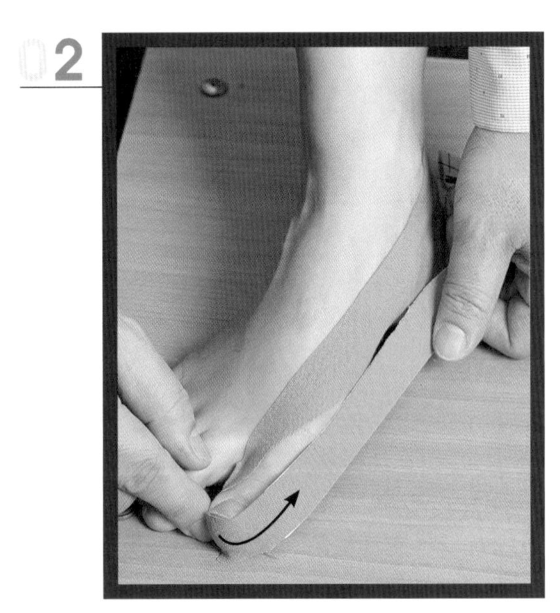

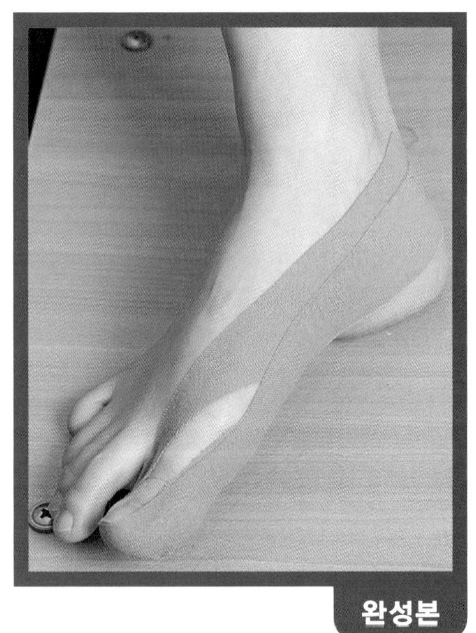

완성본

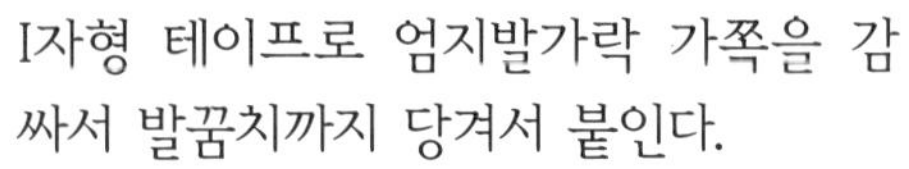

I자형 테이프로 엄지발가락 가쪽을 감싸서 발꿈치까지 당겨서 붙인다.

Taping

49 무지외반증 3

2.5cm 20cm 3개

5cm 15cm 1개

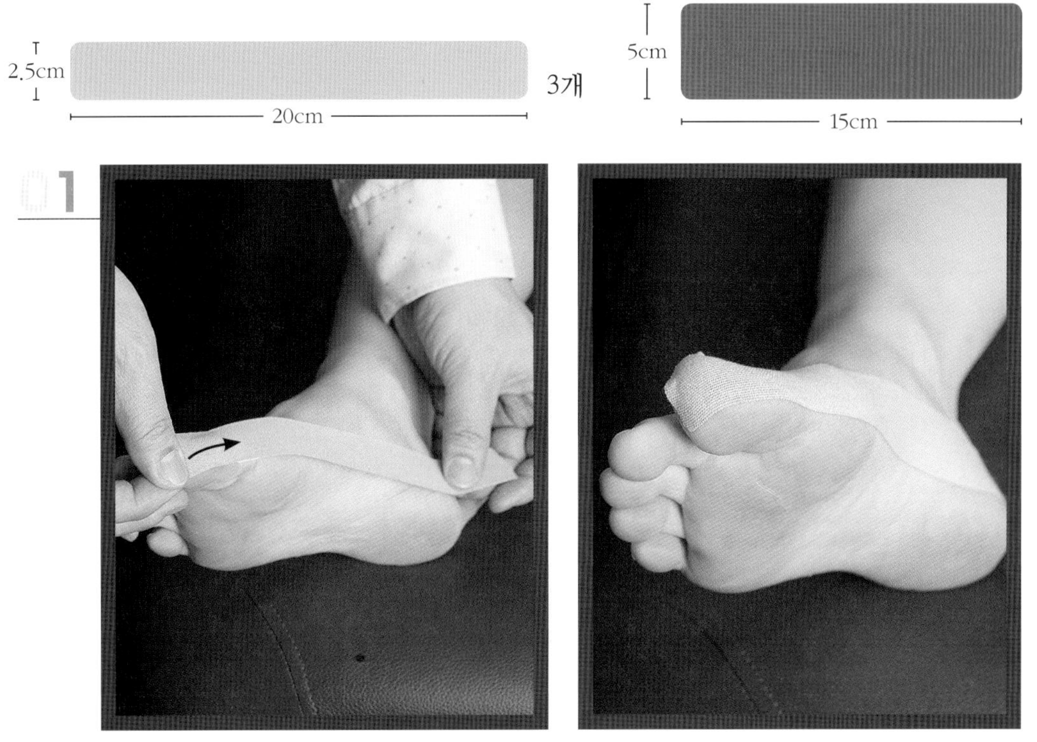

I자형 테이프로 엄지를 감싼 다음 화살표 방향으로 당겨 발꿈치에 붙인다.

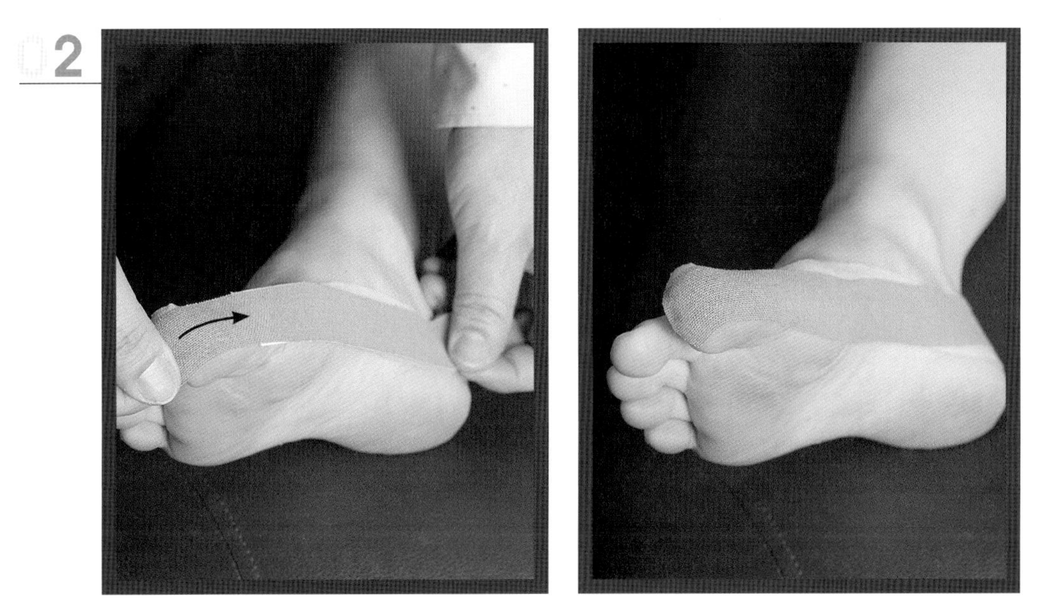

1번 테이핑 아래쪽에 I자형 테이프를 같은 방법으로 붙인다.

03

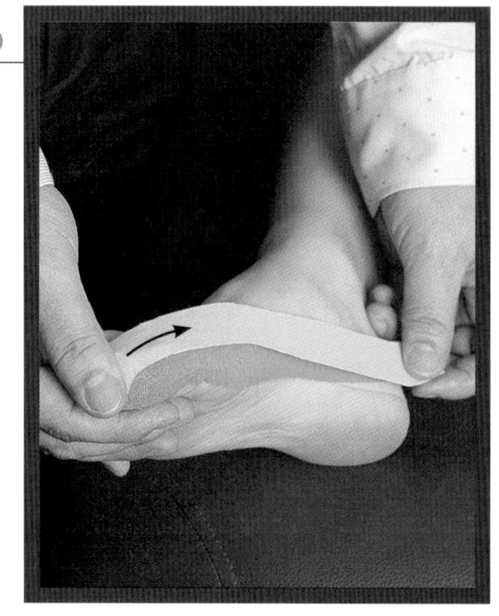

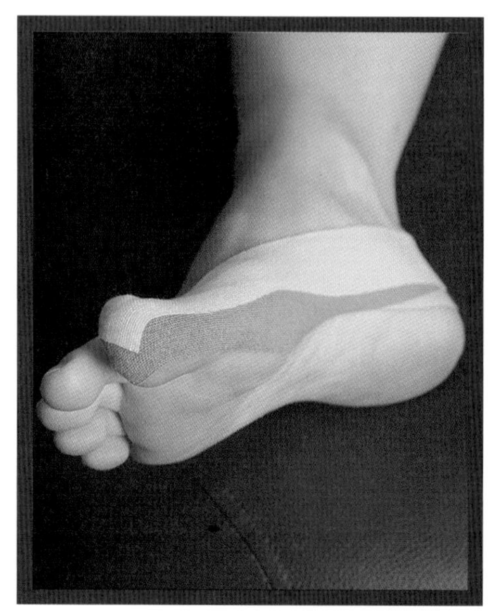

1번 테이핑 위쪽에 I자형 테이프를 같은 방법으로 붙인다.

04

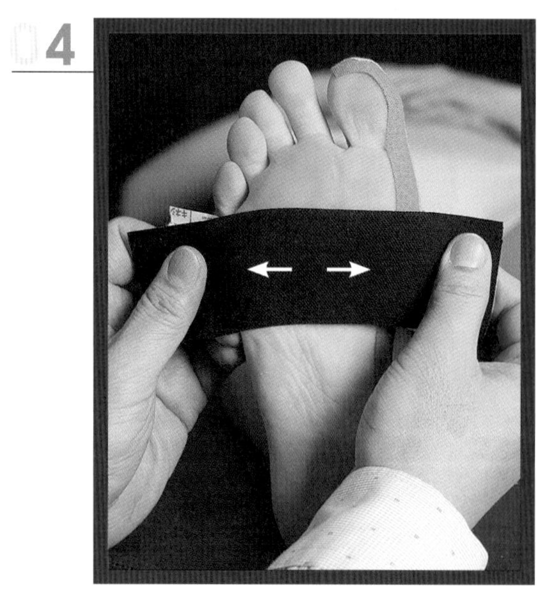

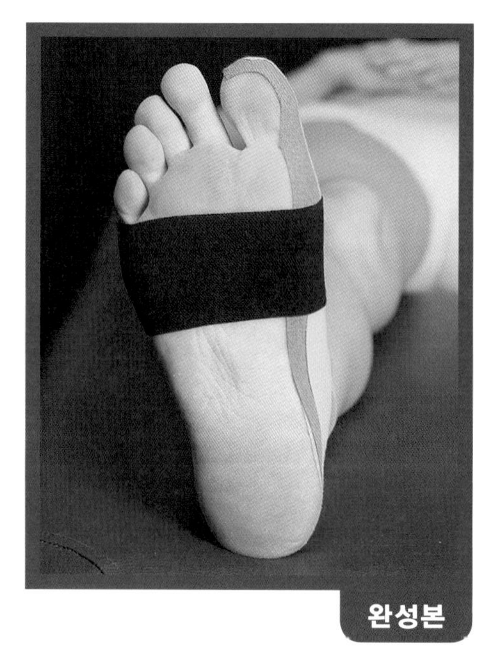

I자형 테이프를 발아치에 붙인다.

완성본

Taping

50 무지외반증 4

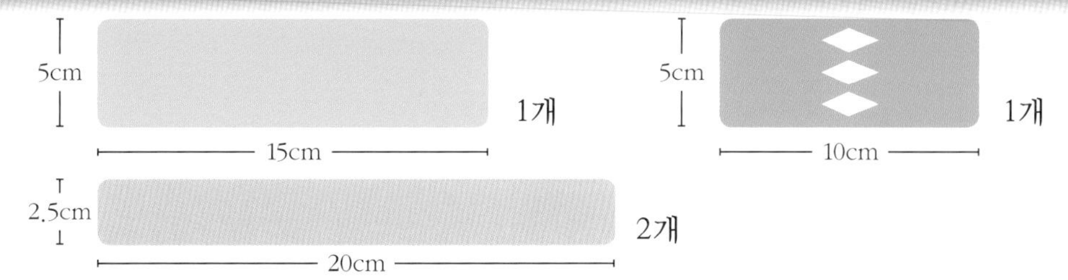

1

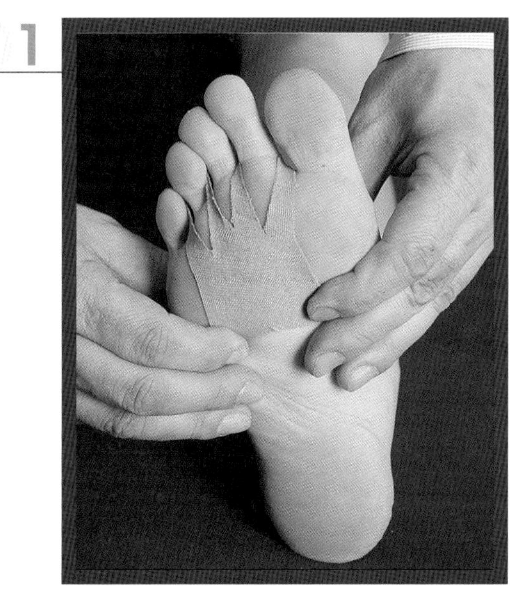

다이아몬드형으로 자른 테이프를 2, 3, 4발가락 사이에 끼워서 붙인다.

2

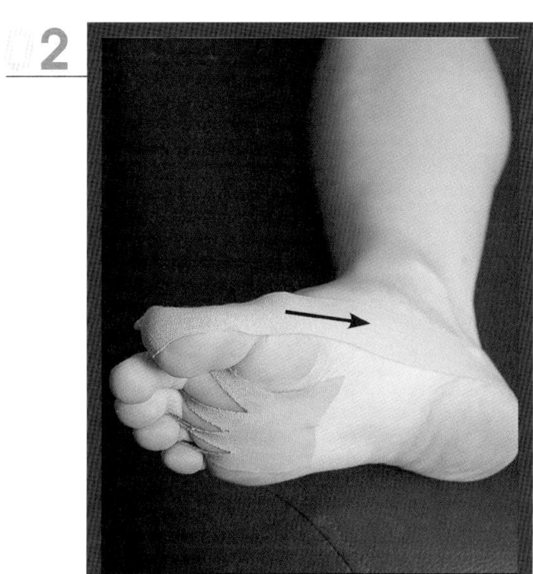

I자형 테이프로 엄지를 감싼 다음 화살표 방향으로 당겨 발꿈치에 붙인다.

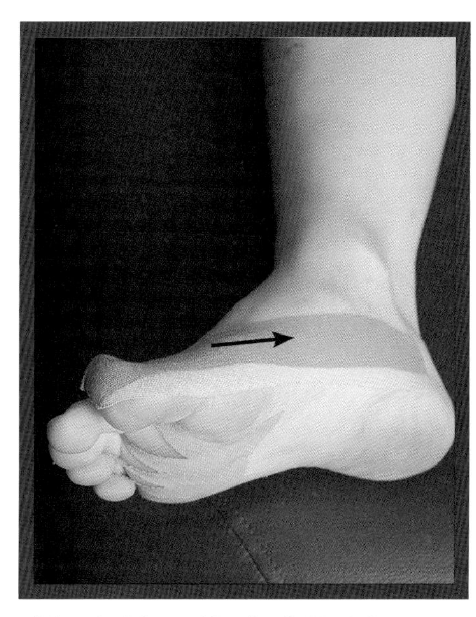

같은 방법으로 한 번 더 붙인다.

03

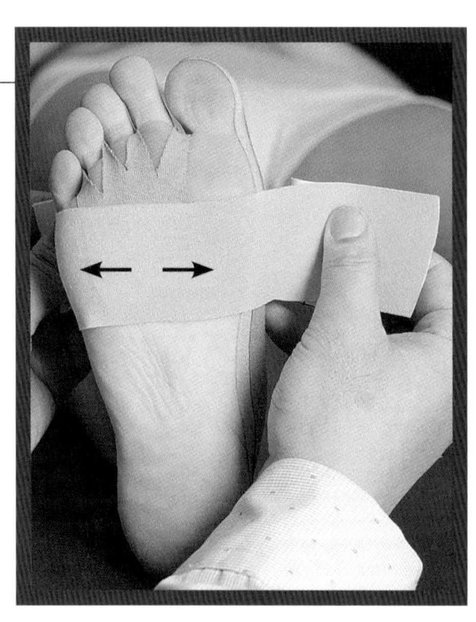

발바닥아치에 I자형 테이프를 가로로 붙인다.

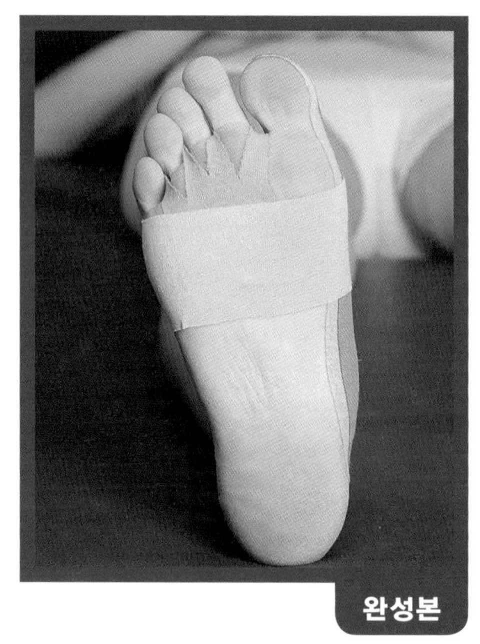

완성본

Taping

51 무지외반증 5

2.5cm
25cm
1개

01

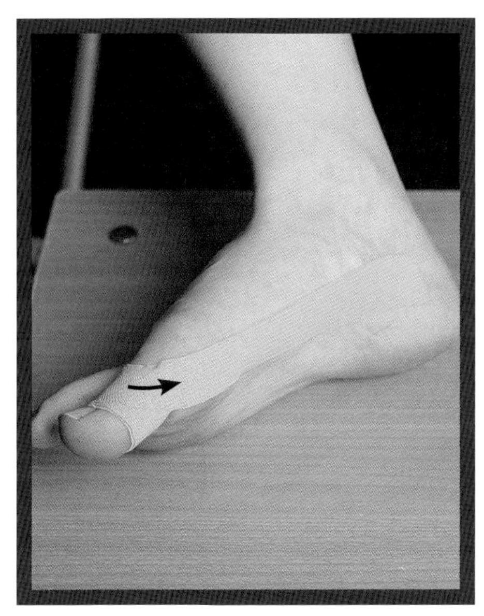

I자형 테이프를 엄지발가락을 2~3회 감싼 후에 발꿈치 방향으로 붙인다.

02

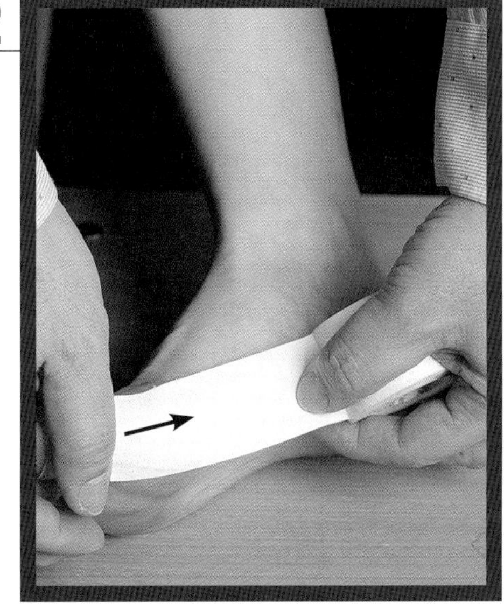

1번 테이핑 위에 C테이프(비탄력테이프)를 붙여서 강화시켜준다.

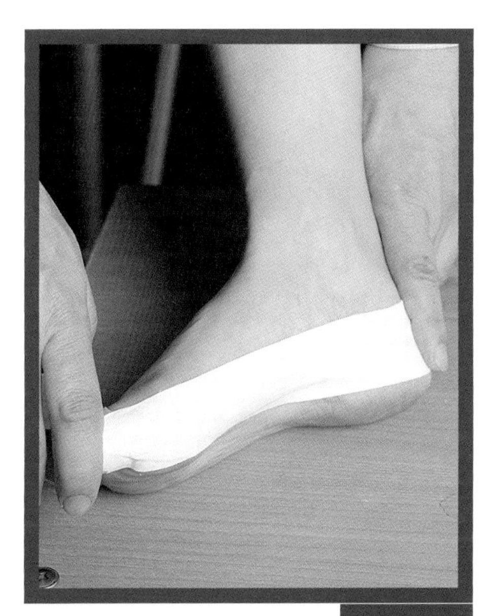

완성본

Taping

52 엄지발가락통증 완화

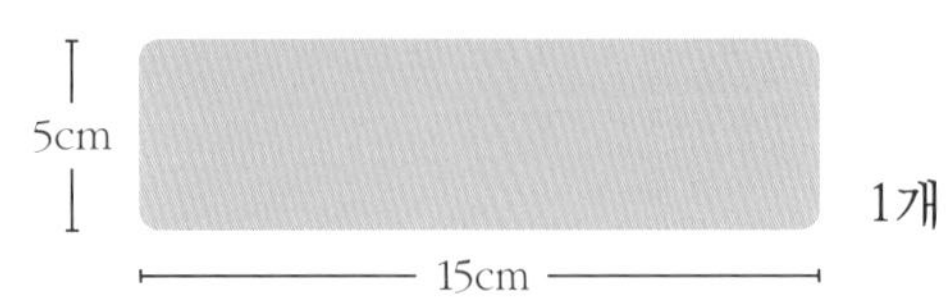

1개

테이핑 전에 청결한 거즈로 물집이 생긴 엄지발가락을 감싸준 후에 테이핑한다.

01

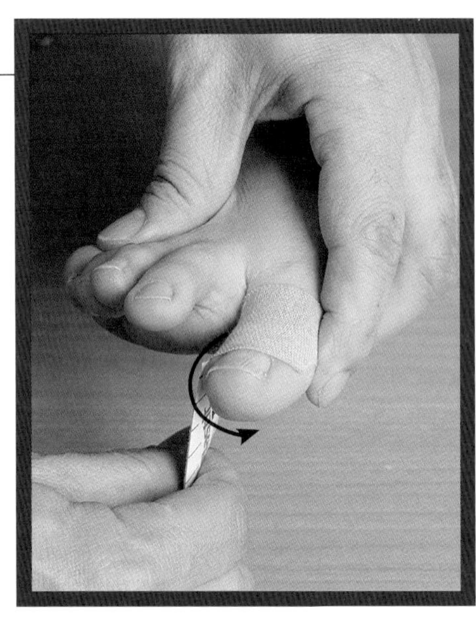

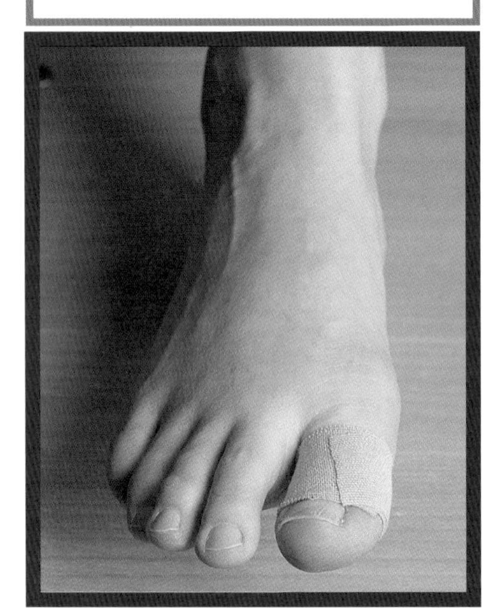

I자형 테이프로 엄지발가락을 세 번 감싼다.

02

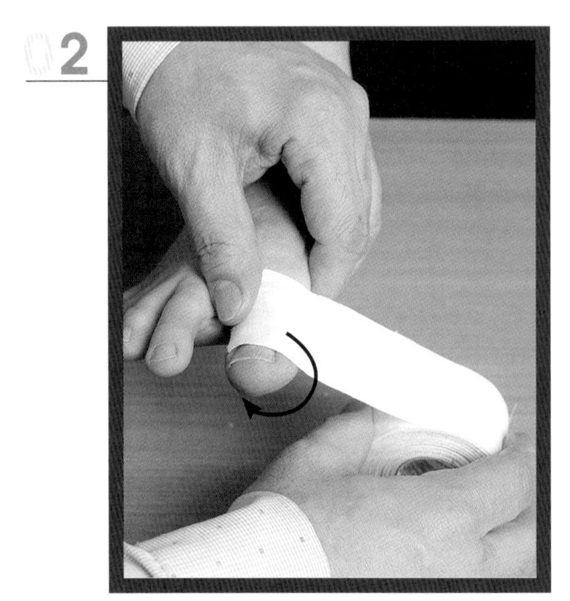

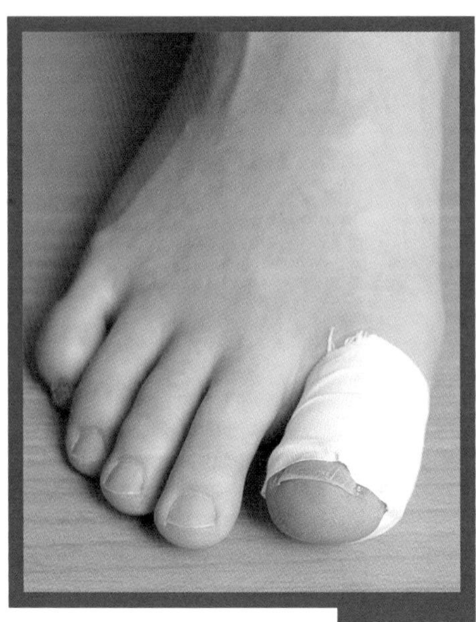

완성본

C테이프를 같은 방법으로 3번 감싸준다.

Taping

53 발이 차가울 때(혈액순환)

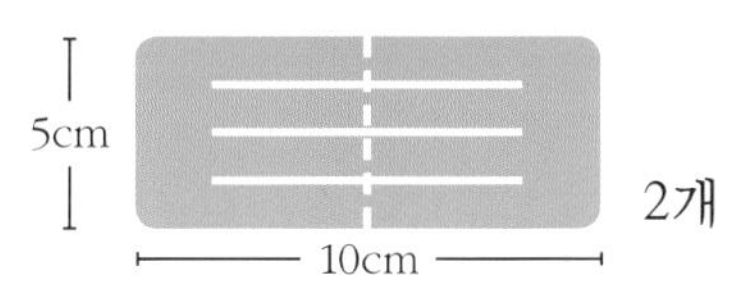

01

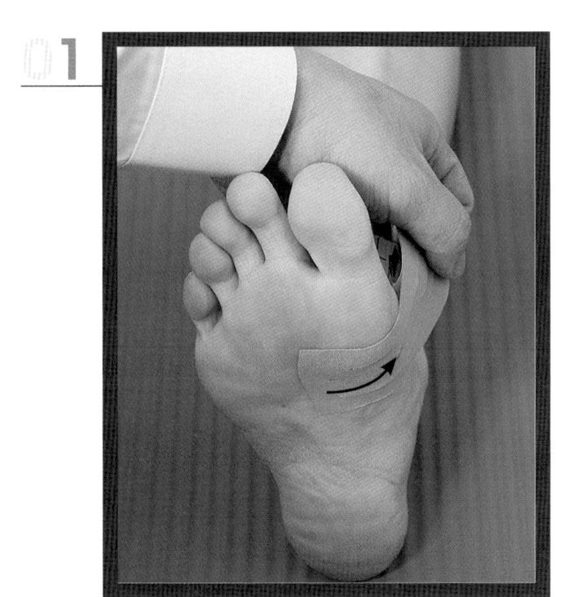

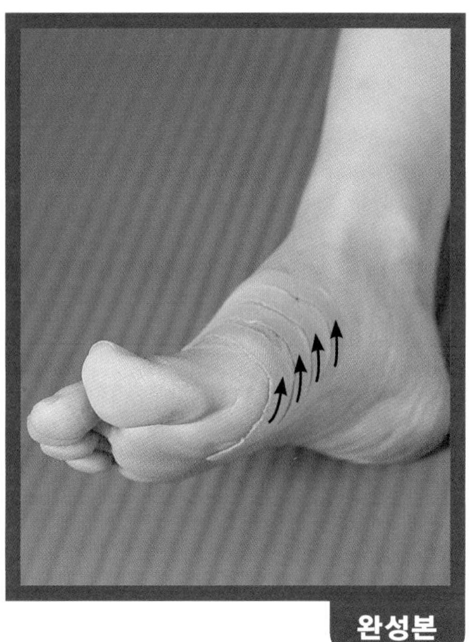

완성본

그림과 같은 테이프를 오른발의 발바닥 아치 반을 덮어서 발등쪽으로 감아서 붙인 후 가운데 3군데를 벌려준다.

02

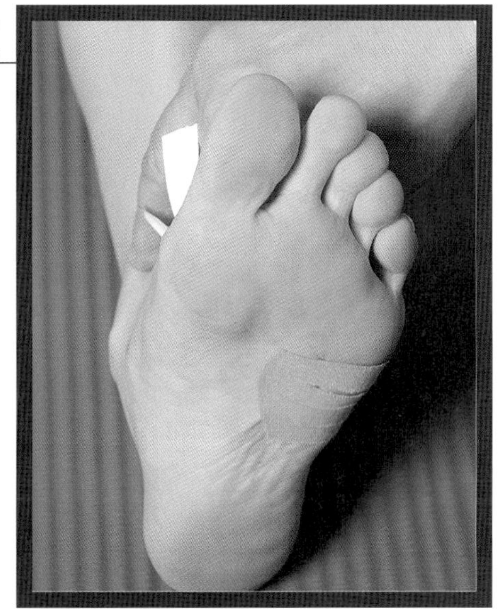

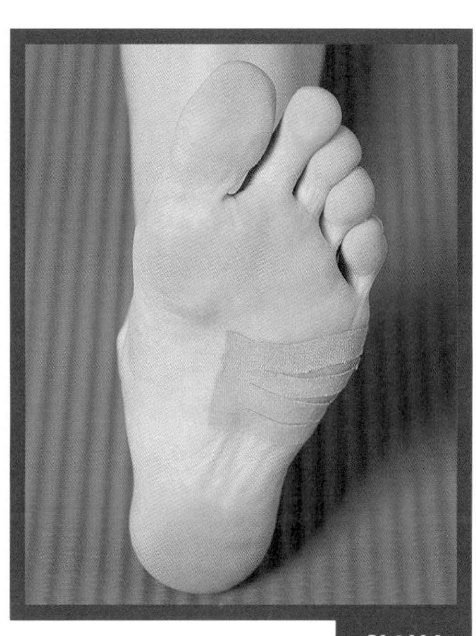

완성본

왼쪽 발도 같은 방법으로 붙인다.

Taping

54 족저근막염 1

5cm 15cm 1개

5cm 30cm 1개

01

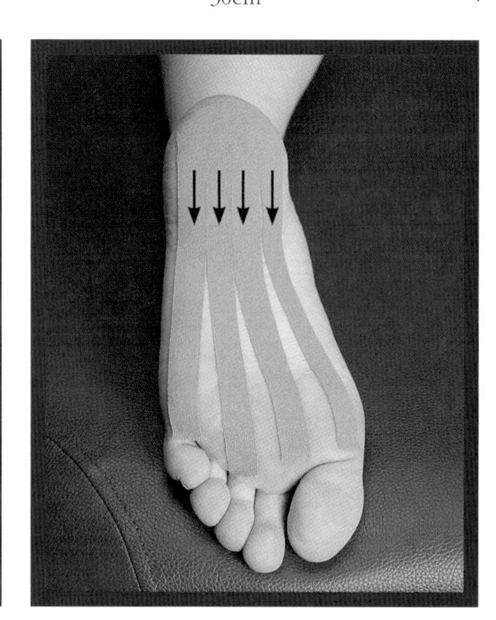

4갈래 테이프의 기부를 발바닥쪽 발꿈치에 붙인 다음 각 갈래는 발바닥 넓이에 맞게 벌려서 붙인다.

02

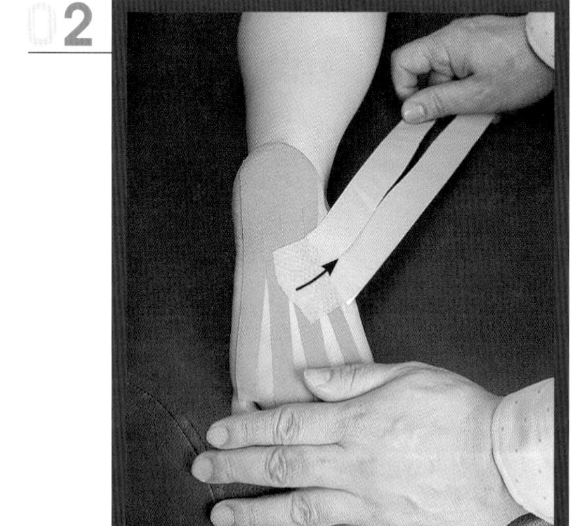

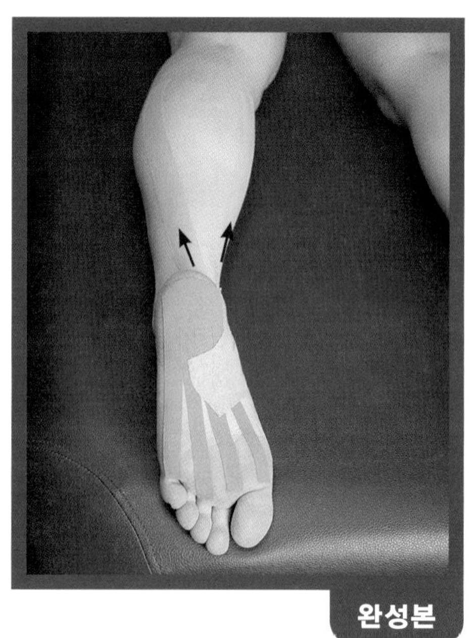

Y자형 테이프의 기부를 발바닥에 붙인 다음 두 갈래는 벌려서 그림과 같이 붙인다.

완성본

Taping

55 족저근막염 2

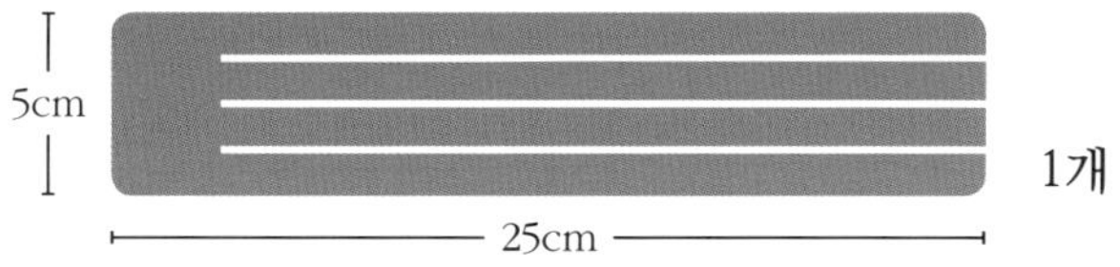

5cm 25cm 1개

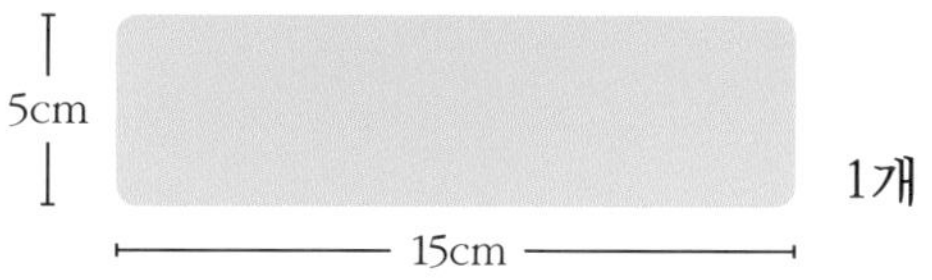

5cm 15cm 1개

01

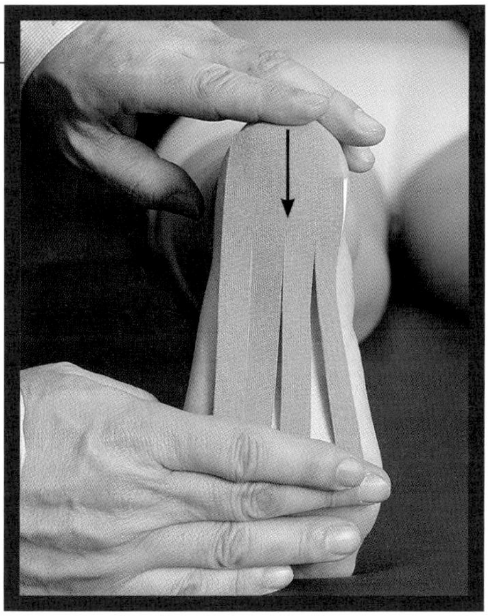

4갈래 테이프의 기부를 발꿈치에 붙인 다음 4갈래를 고르게 벌려서 발바닥에 붙인다. 이때 피검사자는 발을 발등쪽으로 굽히고 있는다.

02

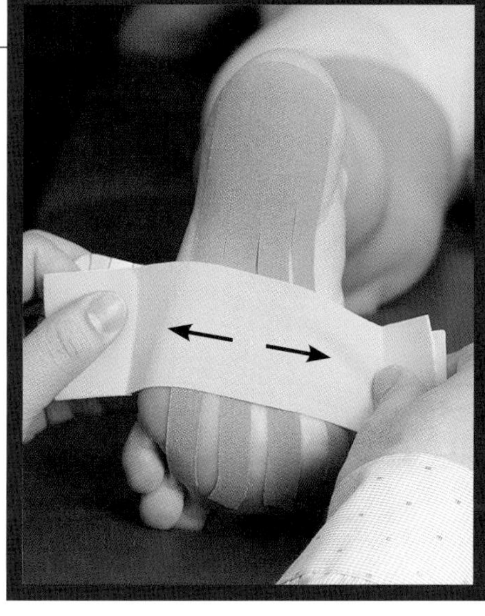

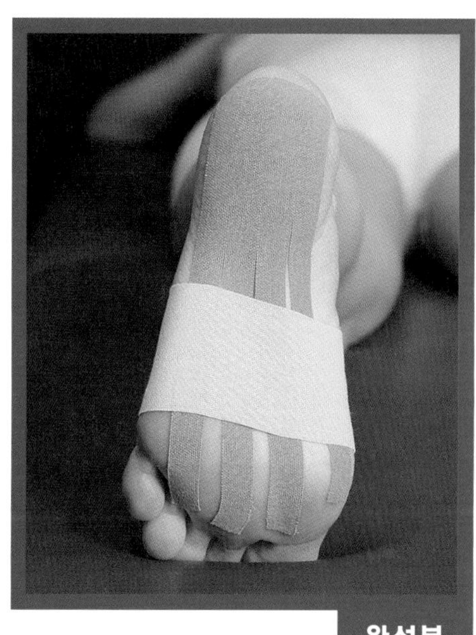

I자형 테이프를 발바닥아치에 붙인다.

완성본

Taping

56 굳은살이 갈라질 때

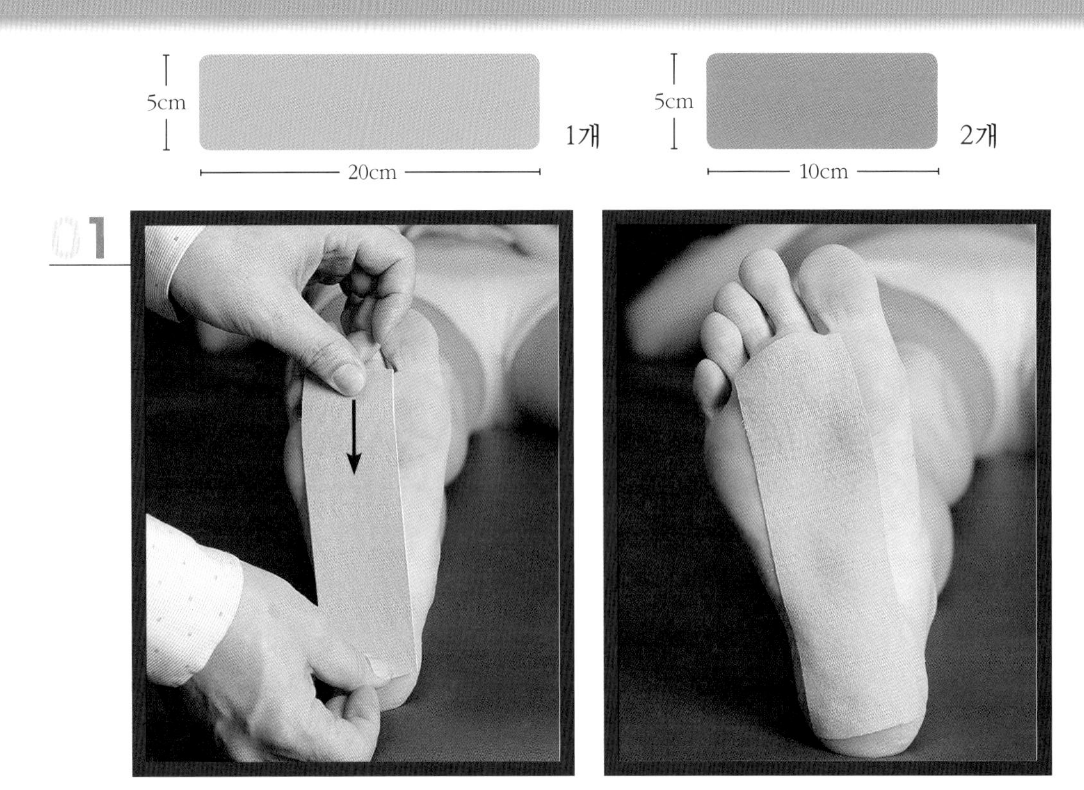

15cm I자형 테이프를 발가락 밑동부터 발꿈치까지 붙인다.

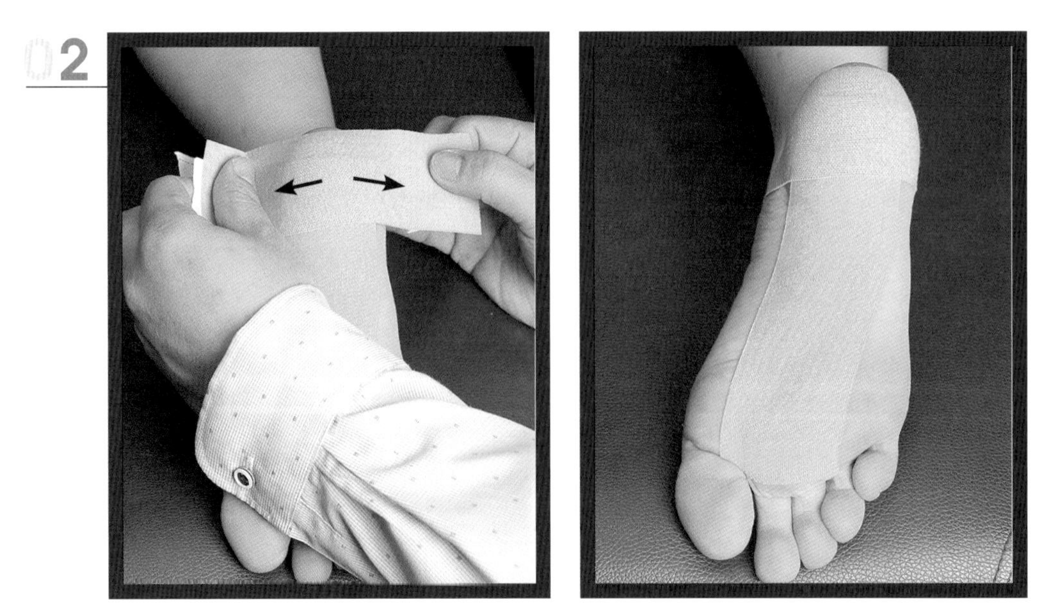

10cm I자형 테이프를 굳은살이 갈라진 발꿈치를 감싸서 붙인다.

03

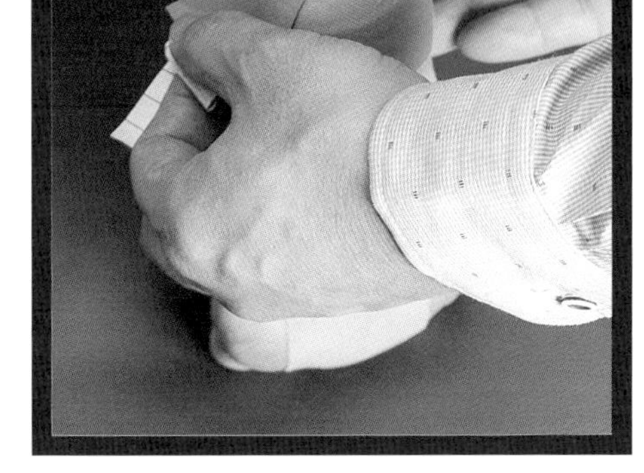

2번 테이핑 위쪽에 I자형 테이프를 붙인다.

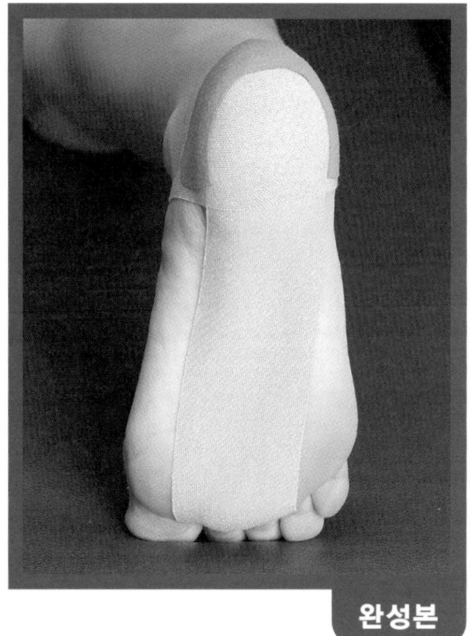

완성본

Taping

57 평발

5cm, 15cm — 1개

5cm, 20cm — 1개

5cm, 30cm — 1개

01

I자형 테이프를 발가락 밑동부터 발꿈치까지 붙인다.

02

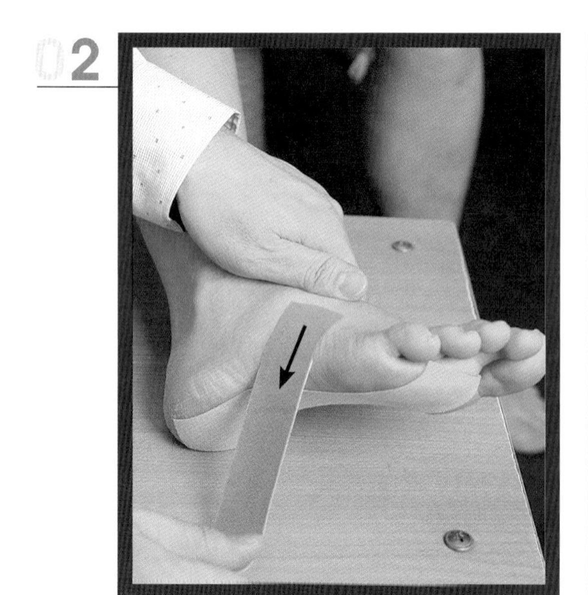

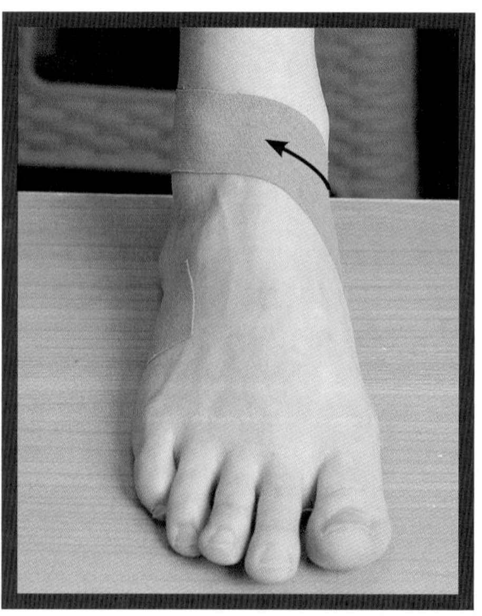

20cm I자형 테이프를 발등 가쪽 중앙에서부터 발바닥을 거쳐 안쪽 복사뼈옆으로 가서 가쪽 복사뼈 위쪽으로 감아서 붙인다.

3

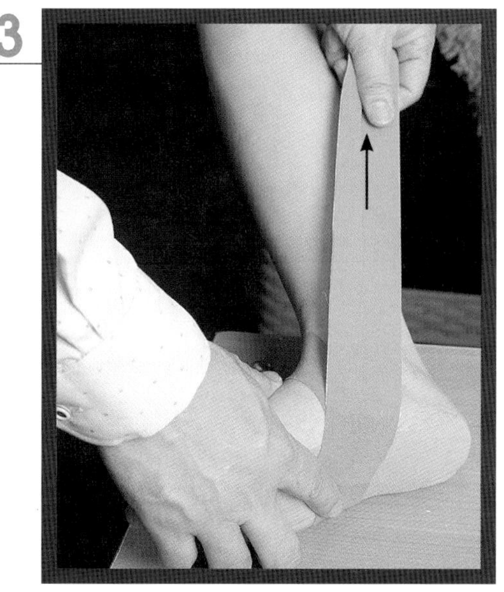

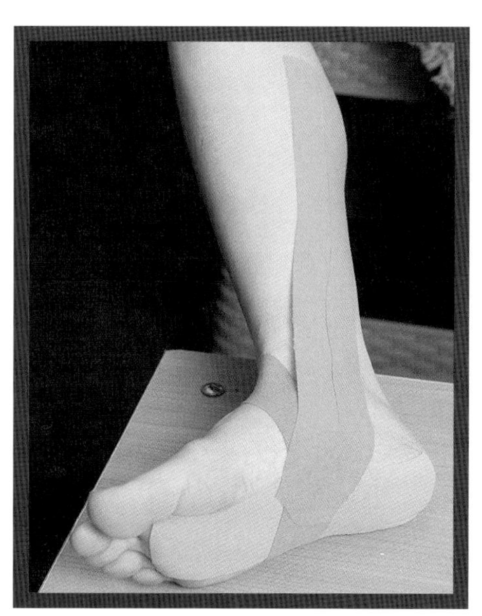

Y자형 테이프의 기부를 발바닥 중심에 붙인 다음 두 갈래는 종아리를 감싸서 붙인다.

4

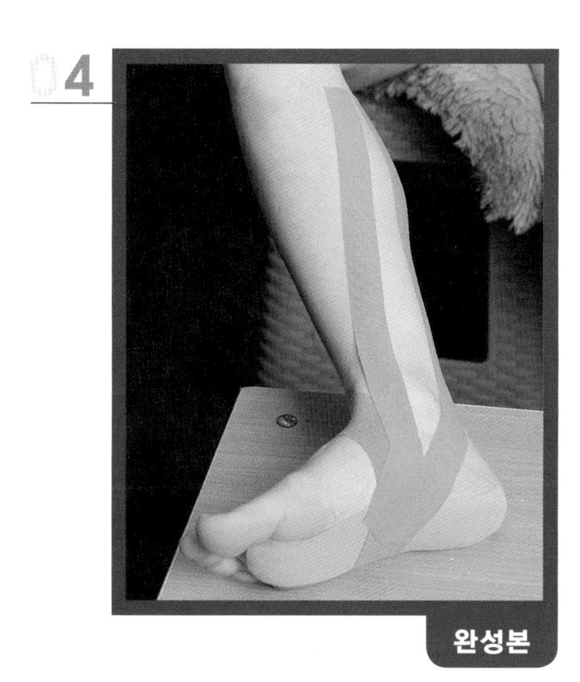

완성본

■ 참고문헌 ■

김공 외(2016). 운동재활을 위한 스포츠마사지와 테이핑. 대경북스.

김기조 외(2013). Athletic & Clinical Taping Therapy. 대경북스.

김수형(2007). 만성 요통피검사자에게 적용한 키네시오 테이핑이 요부의 신전 근력과 체간의 균형에 미치는 영향. 가천의과대학교 대학원 석사학위논문.

김효철 외(2003). 스포츠 키네시오 테이핑. 대경북스.

박찬후(2005). 키네시오 테이핑 요법이 운동능력에 미치는 효과. 계명대학교 대학원 박사학위논문

서연순, 윤나미(2001). 운동성 테이핑이 정상인의 요부근력 및 유연성에 미치는 영향. 대한물리치료학회지.

서우현(2006). 비만과 통증의 상관 관계에 대한 연구. 용인대학교 대학원 석사학위논문.

신지수(2006). 키네시오 테이핑 적용이 청소년의 복합트레이닝 후 근피로물질의 변화에 미치는 영향. 한국체육대학교 대학원 석사학위논문.

성낙현 외(2018). 태권도를 위한 테이핑 매뉴얼. 대경북스.

어강(1997). 근골격계 질환의 테이핑요법. 우진출판사.

어강(2008). 8체질 테이핑요법. 우진출판사.

오경애(2011). 탄력 테이핑 적용방법에 따른 편마비피검사자의 균형향상 효과. 조선대학교 대학원 석사학위논문.

오병진(2013). 키네시오 테이핑이 운동능력과 피로회복에 미치는 효과. 용인대학교 대학원 박사학위논문.

유천공(1998). 이학요법사를 위한 테이핑요법. 신교당.

이승재 외(1999). 운동에 참여하는 중년 여성의 비만실태와 이에 관련된 요인에 관한 연구. 고려대학교 스포츠과학연구소 스포츠문화과학연구지.

이영미 외(2002). 복부비만의 지표로서 부위별 허리둘레 측정값의 신뢰도 비교. 대한비만학회지.

이종복 외(2000). 현대인의 건강을 위한 테이핑 요법. 교육서당.

이혜진, 이채산(2005). 유산소 운동과 근저항 운동이 중년 비만여성의 복부지방에 미치는 영향. 한국스포츠리서치.

정대인, 김명훈(2005). 대퇴사두근에 대한 탄력테이핑 적용이 근력및 근피로에 미치는 영향. 한국스포츠리서치.

정철정, 이용식(2003). 운동 중 테이핑이 허리의 신전력에 미치는 영향. 한국체육학회지.

조성일(2012). 테이핑을 이용한 체간 안정화가 편마비피검사자의 균형과 보행에 미치는 영향. 용인대학교 대학원 석사학위논문.

최명애 외(1999). 인체구조와 기능. 계측문화사.

A Yasukawa, P Patel, C Sisung(2006). Pilot Study: Investigating the Effects of Kinesio Taping in an Acute Pediatric Rehabilitation Setting.

AM Montalvo, EL Cara, GD Myer(2014). Effect of Kinesiology Taping on Pain in Individuals with Musculoskeletal Injuries: Systematic Review and Meta-Analysis.

D Morris, D Jones, H Ryan, CG Ryan(2013). The clinical effects of Kinesio Tex taping: A Systematic Review.

EJ Heit, SM Lephart, SL Rozz(1996). The effect of ankle bracing and taping on joint position sense in the stable ankle.

EY Kim, SY Ma, WT Gong(2008). The Effects of Taping, AMCT, Combination Treatment on the Pain and Grip Strength in Patient with Lateral Epicondylitis.

HH Simsek, S Balki, SS Keklik(2013). Does Kinesio taping in addition to exercise therapy improve the outcomes in subacromial impingement syndrome, A randomized, double-blind, controlled clinical trial.

M Paoloni, A Bernetti, G Fratocchi(2011). Kinesio Taping applied to lumbar muscles influences clinical and electromyographic characteristics in chronic low back pain patients.

S Williams, C Whatman, PA Hume, K Sheerin(2012). Kinesio Taping in Treatment and Prevention of Sports Injuries.

SM Cowan, KL Bennell, PW Hodges(2002). Therapeutic Patellar Taping Changes the Timing of Vasti Muscle Activation in People With Patellofemoral Pain Syndrome.

TJ Mickel, CR Bottoni, G Tsuji, K Chang, L Baum(2006). Prophylactic bracing versus taping for the prevention of ankle sprains in high school athletes: a prospective, randomized trial.

Tsutomu Fukui(2015). Skin Taping-Skin Kinesiology and Its Clinical Application.

Wendy Gilleard(1998). The Effect of Patellar Taping on the Onset of Vastus Medialis Obliquus and Vastus Lateralis Muscle Activity in Persons with Patellofemoral Pain.